ビリオネア・インド

大富豪が支配する社会の光と影

THE BILLIONAIRE RAJ

A Journey Through India's New Gilded Age

ジェイムズ・クラブツリー

笠井亮平［訳］

白水社

ビリオネア・インド——大富豪が支配する社会の光と影

両親へ

目次

第3部 新・金ぴか時代

主要登場人物

【財界】

ムケーシュ・アンバニ　リライアンス・インダストリーズ会長
アニル・アンバニ　リライアンス・ADA・グループ会長
ヴィジェイ・マリヤ　ユナイテッド・ブリュワリーズ元会長、上院議員（二〇一〇―一六）
ゴータム・アダニ　アダニ・グループ会長
スブラタ・ロイ　サハラ・グループ会長
ラガダパティ・ラージャゴーパール　ランコ・インフラテック共同創業者、下院議員（二〇〇四―一四）
ラケーシュ・ジュンジュンワーラー　個人投資家
アシーシュ・グプタ　クレディ・スイス証券アナリスト
アルンダティ・バッタチャーリヤ　ステート・バンク・オブ・インディア会長
ナヴィーン・ジンダル　ジンダル・スチール・アンド・パワー会長、下院議員（二〇〇四―一四）
ゴータム・ハリ・シンガニア　レイモンド・グループ会長
ラヴィ・ルイア　エッサール・グループ共同オーナー

【中央政界】

ナレンドラ・モディ　インド首相（二〇一四―）、グジャラート州首相（二〇〇一―一四）
アミット・シャー　内相（二〇一九―）、BJP総裁（二〇一四―二〇）
ジャヤント・シンハ　下院議員（BJP所属）、財務副大臣（二〇一四―一六）

ラジーヴ・チャンドラセーカル　上院議員（ＢＪＰ所属）
ラーフル・ガンディー　下院議員、インド国民会議派総裁（二〇一七－一九）
ジェイラーム・ラメーシュ　上院議員（国民会議派所属）、環境森林相（二〇〇九－一一）
シャシ・タルール　下院議員（国民会議派所属）、外務副大臣（二〇〇九－一〇）、国連事務次長（二〇〇二－〇七）
ラジーヴ・ゴウダ　上院議員（国民会議派所属）

【地方政界】

マノーハル・パリカル　ゴア州首相（二〇〇〇－〇五、二〇一二－一四、二〇一七－一九）
ヨーギー・アディーティヤナート　ウッタル・プラデーシュ州首相（二〇一七－）
アキレーシュ・ヤーダヴ　ウッタル・プラデーシュ州首相（二〇一二－一七）、社会主義者党党首
J・ジャヤラリター　タミル・ナードゥ州首相（一九九一－九六、二〇〇一、二〇〇二－〇六、二〇一一－一四、二〇一五－一六）
Y・S・R・レッディー　アーンドラ・プラデーシュ州首相（二〇〇四－〇九）
Y・S・ジャガンモーハン・レッディー　アーンドラ・プラデーシュ州首相（二〇一九－）
チャンドラバブ・ナイドゥー　アーンドラ・プラデーシュ州首相（一九九五－二〇〇四、二〇一四－一九）
ミーラ・サンヤル　ムンバイで活動する庶民党所属の候補者

【行政】

ラグラム・ラジャン　インド準備銀行総裁（二〇一三－一六）、ＩＭＦチーフエコノミスト（二〇〇三－〇七）
ヴィノード・ラーイ　会計検査院長（二〇〇八－一三）
シャハブッディーン・クライシ　選挙管理委員会委員長（二〇一〇－一二）

【メディアほか】

アルナーブ・ゴスワーミー　「タイムズ・ナウ」および「リパブリックTV」キャスター

プラノイ・ロイ　NDTV共同創業者

シェーカル・グプタ　ジャーナリスト、『インディアン・エクスプレス』編集長（－二〇一四）

アミーシュ・トリパティ　作家

キャサリン・ブー　作家

【学界】

アマルティア・セン　ハーヴァード大学教授

ジャグディーシュ・バグワティ　コロンビア大学教授

【クリケット】

ナラヤナスワミー・スリニヴァサン　インド・クリケット協会会長

グルナート・メイヤッパン　スリニヴァサンの義理の息子

ラリット・モディ　IPLチェアマン兼コミッショナー

シャンタクマラン・スリーサント　クリケットの有名ボウラー

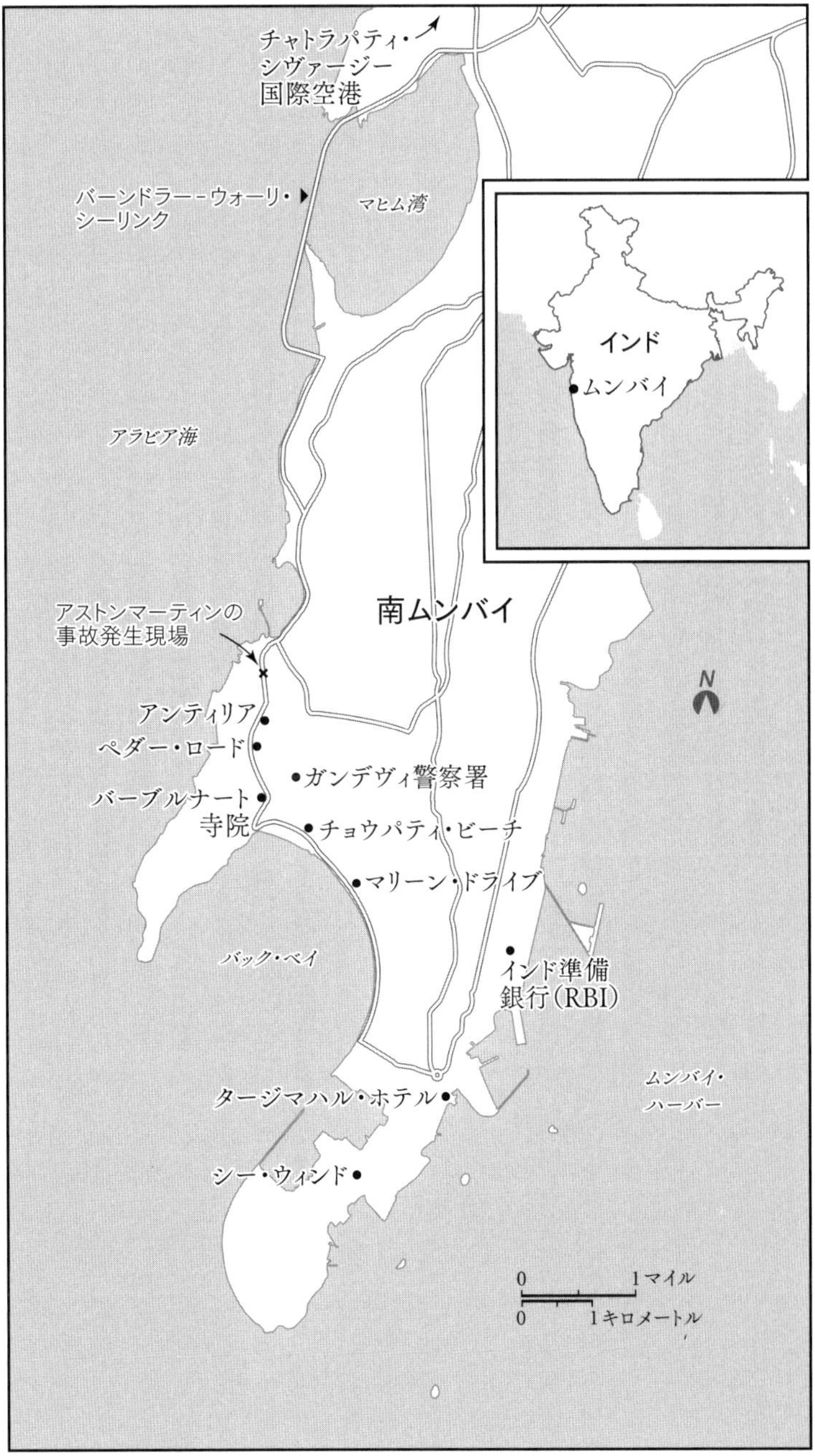
チャトラパティ・
シヴァージー
国際空港
バーンドラー - ウォーリ・
シーリンク
マヒム湾
インド
ムンバイ
アラビア海
南ムンバイ
アストンマーティンの
事故発生現場
アンティリア
ペダー・ロード
ガンデヴィ警察署
バーブルナート
寺院
チョウパティ・ビーチ
マリーン・ドライブ
バック・ベイ
インド準備
銀行（RBI）
N
ムンバイ・
ハーバー
タージマハル・ホテル
シー・ウィンド
0
1マイル
0
1キロメートル

凡例

＊原著者による注は章ごとに（1）（2）と番号を振り、「原注」として各巻末にまとめた。

＊訳者による注は本文中の〔　〕内に割注で記した。

＊引用文中および発言中の補足は［　］内に示した。中略は「……」で示した。

＊人名や地名、組織名などの固有名詞については原音に近い表記としたが、すでに特定の表記が一般に定着しているものについてはその限りではない。

例　モーディー　↓　モディ

なお、インドでは近年、地名表記の変更がなされているが、原文の表記に従った。

＊度量衡については、ヤード・ポンド法で記載されていたものをメートル法に換算した。ただし、読みやすさを考慮し、端数を適宜切り捨てた箇所がある。

＊本文中の書名については邦訳のあるものは邦題のみを、ないものは逐語訳に原題を初出時のみ併記した。

プロローグ

あれはよく晴れた十二月のある日のことだった。ムンバイの警察署の外に、汚れたビニールシートで覆われた何かが放置されているのに気がついた。シルエットからそれは車のようであり、車体が地面に近く、形が崩れているのが見て取れた。太い黒タイヤがシャシーから不自然な角度で飛び出ていた。物体は白色の細いロープで電柱につなげられていたが、わたしは気にせずシートをめくって中をのぞいてみることにした。

シートの中身は大惨事になっていた。運転席から金属類がからみ合った状態ではみ出していた。強い衝撃が加えられたのか、ボンネットは真ん中まで折れ曲がっていた。破損したパイプがエンジンから突き出ていた。びっしりとひびが入ったフロントガラス越しに、こぢんまりとした後部座席――もともとはラグジュアリーな赤色だったのが、いまでは汚れて埃まみれになっていた――が見えた。しかし助手席は比較的良好な状態で残っており、その形状から世界でもっとも高価なスーパーカーの一つ、アストンマーティン・ラピードであることがはっきりとわかった。

車がこのような状態になったのは、数週間前の夜に起きた事故のためだった。事故後の謎めいた展開は、インドの新たな超富裕層《スーパーリッチ》が権力を振るうときの典型例としてわたしの脳裏にずっと焼きついていた。そのとき、車は轟音を立てながらペダー・ロードを北上していた。インドの商都ムンバイで富裕層が住む二大エリアのあいだを通る、中央分離帯のある道路だ。左側にあるのはブリーチ・キャンディで、アラビア海の眺望を楽しめるタワーマンションが集中する高級住宅街。右側に延びる小径は、高い壁と鉄製のゲートの奥にそびえる植民地時代の豪邸が立ち並ぶアルタマウント・ロードへとつながっていた。

　アストンマーティンの運転手がハンドルをとられ、前方の車に追突したのは午前一時半ごろだった。その衝撃で、追突された側のアウディA４は中央分離帯を飛び越えて対向車線を走行していたバスに衝突した。二番目の衝突によってアウディがアストンマーティンの前方にぶつかり、その衝撃でスリップすると、煙を出し、ガラスを飛び散らせながらようやく止まった。死者はいなかった。しかし、アウディを運転していたフォラム・ルパレルは、これはまずいことになったと悟った。彼女はビジネススクールに通う二十五歳の学生で、夕食のため車で南下し、その帰りだった。ムンバイに高級車はごまんとあるが、アストンマーティンとなるとめったにお目にかかれるものではない。そんな車を持っているのは、金持ちに違いない――それも相当なレベルの金持ちのはずだ。それは厄介な状況に置かれたことを意味していた。

　その後の展開をめぐっては見解が大きく分かれている。報道によると、アストンマーティンの運転手は損傷を受けた状態の自車ですぐさま現場から立ち去ろうとした。[1] しかし損傷のひどさに運転は不可能と判断した彼は、ちょうど後方に続いていた二台のホンダSUVのうち一台に飛び乗ったという。「一瞬のうちに何人もの警備員が車の周りを取り囲んで、運転手をSUVの一台に乗り込ませ、猛スピードで立ち去っていきました」。ルパレルは数日後、地元紙の取材にそう語っている。[2] 警備チームは車で数分しか離れていない安全な邸宅へと向かうべく、来た道を戻っていった。

事故現場からは見えないものの、南に向かえばその邸宅はすぐさま視界に入ってくる。地面からそびえ立つその巨大な高層住宅は「アンティリア」と呼ばれ、持ち主の権勢をこれ以上ないほどわかりやすく表すシンボルになっていた。その持ち主とは、億万長者《ビリオネア》のムケーシュ・アンバニ。インド最大の富豪だ。

翌朝――二〇一三年十二月八日の日曜日――になると、当て逃げ事故のニュースは瞬く間に広がっていった。大破したアストンマーティンの所有者は、リライアンス・ポーツであることが判明した。アンバニが所有するリライアンス・インダストリーズは石油精製やガス田採掘から通信・テレビまで手がける巨大コングロマリットだが、そのなかでもこの会社はほとんど知る者がいない子会社だった。その日の午後、バンシラール・ジョシと名乗る恰幅《かっぷく》のいい五十五歳の男が事故現場から約二キロの場所にあるガンデヴィ警察署に出頭した。アンバニ家の運転手をしているというジョシは次のように供述した。アストンマーティンを出したのは深夜試験走行のため。事故発生時にハンドルを握っていたのは自分であり、その後現場から立ち去った、と。

これとは違う内容をルパレルは語っていた――少なくとも最初の時点では。「バックミラーに後続車が猛スピードで走っているのが映っていました。左右に蛇行しながら」。彼女は地元紙にそう語った。「運転手の顔がはっきりと見えました。若い男性でした」[3]。この若い男性とはインド随一の財閥、アンバニ家の人間なのではないかという噂が事故発生から数日のあいだに広がった。しかし、それから数週間のうちにルパレルは考えを変えたようだった。十二月下旬、彼女は治安判事裁判所で、運転手はやはりジョシだったとする供述書に署名した[4]。

あの夜に起きたことについては、リライアンス・インダストリーズの説がおそらく正しいのだろう。真相を突き止めた者はほかにはいない。警察によると、監視カメラの映像は衝突に至る過程を十分にとらえていなかったという。ペダー・ロードはムンバイでもっとも交通量の多い大通りの一つで、深夜でも道端の物売りや歩行者、それに段ボールを敷いて仮眠をとろうとする路上生活者でごった返している。にもかかわらず、運転手が現場から立ち去っていたのを目撃した者は誰もいなかった。いつもなら事件を徹底的に追及するインドメディアも、このニュースについては慎重な報道姿勢だった。『フォーブス』誌はのちに、「警察は何事もなかったかのように沈黙を貫いているが、それはインドの主要テレビ局の大半にしても同様だ」と指摘したほどだ。当事者側が否定しているにもかかわらず、同記事はアンバニ家のあるメンバーを名指しし、「ネット上の推測」に基づくものとして、この男性が「隠蔽工作に関与していた疑いがある」とすら報じた(5)。

詳細を知りたい誘惑に駆られたわたしは、事故から数日後にリライアンスの広報担当者に電話をかけた。彼曰く、リライアンス・ポーツ——物流や交通を扱うとされる会社だ——が七〇万ドルもの値札が貼られているスポーツカーを所有するのはまったくもって当然だという(6)。また、同社の従業員が真夜中すぎに試験運転することも、その車を警備車両が追跡することもなんら珍しいことではないそうだ。リライアンスは、ジョシ運転手以外にかかわっていた者がいたとの見方を強く否定した。それから数日間のなかで私的に会った多くの人たちはこの見方のさまざまな部分について懐疑的だったが、それを公の場で口にした者は皆無に近かった。例外の一人は、臆せず発言することで知られるジャンムー・カシミール州首相のオマル・アブドゥッラーだった。彼はツイッターでこう記した。「ムンバイの友人の言うことを信じるのなら、ムンバイ警察だけが高級車のアストンマーティンを誰が運転していたか知らないということになる」

日を経ずして、わたしはタージマハル・ホテルで開かれたイブニング・レセプションに出席した。タージマハル・ホテルと言えば、ゴシック様式の石造りの外壁と朱色のドームがムンバイを代表するランドマークの一つとなっている、海に面したホテルだ。外が暗くなっていくなか、メインの宴会場にはきらびやかなシャンデリアのもとに財界の名士が集っていた。港のかなたにはヨットの光がきらめいていた。すぐに話題は例の事故のことになった――ただし、肩越しに周りを注意深く見回してからだったが。リライアンスは不正など一切なかったと強く主張し続けていたが、中身の是非はさておき、わたしが話をした人たちの多くが同社の説明には疑問を抱いているように見えた。

真相が何であれ、この事故はインドで億万長者がどう見られているかを浮き彫りにした。その日の夜、わたしは自分があえてそれぞれの説に異を唱えようと一人ディベートをしていることに気づいた。真夜中の試験走行説にしても、漠然とした陰謀論ないし隠蔽工作説にしても、問題があるように思われた。リライアンスの件の真相は二つの説の中間にあるのではないか――タージマハル・ホテルのレセプションで、ある地元銀行のトップにそう言ってみた。すると彼は、わたしがその後あちこちで見ることになる、独特のまなざしを向けてきた。それは、この外国人のウブさに対する驚きと哀れみが入り交じったものだった。そうした経験を経て悟ったのは、本当の運転手は誰だったのかをめぐる謎は大した問題ではないということだった。アンバニ家を包み込む神秘的な雰囲気、そして一族が持つ権力の大きさが知れわたっていることを踏まえれば、彼らなら必要とあらば今回のようなスキャンダルを消し去ることができると誰もが考えていることのほうが大事だったのだ。

数日後、より詳しい話を聞くべくわたしはガンデヴィ警察署を訪ねた。ムンバイの三日月の形をしたプロムナード、マリーン・ドライブのチョウパティ・ビーチやアール・デコ様式のマンション街から数ブロック奥に入ったところに立つ同署の建物は、くすんだ色をし、雑然かつ古ぼけていた。のろのろと回るファンの下、気だるい雰囲気の係官がプラスチック製の椅子でうとうとしながら、うずたかく積み上げられた書類の山だらけの部屋に陣取っていた。担当警部は外出中だと係官の一人が教えてくれた。

しばらくして警部が戻ってきて、警戒しつつも取材に応じてくれた。

「事故車はいまどこに？」わたしは尋ねた。

「収容されたんですよ、検証のためにね」。警部補が言った。

「では、検証が終わるのはいつです？」

「しばらくかかるでしょうね」

彼と会話を続けながら、わたしはテレビドラマ『CSI――科学捜査班』のワンシーンを思い浮かべていた。大破したアストンマーティンが街外れのどこかにある整然とした倉庫に運ばれ、作業着を着込み白い手袋をはめた専門家らが科学的な検証を注意深く行うという場面だ。目をぱちぱちさせながら日光が降り注ぐ外に出ると、あるシルエットがわたしの目に飛び込んできた。通りを少し下ったところに、グレーのビニールシートに覆われたものが駐車されていたのだ。いや、たしかに自分が何を思い浮かべていたかは覚えている。しかし、そんなことが実際にあるはずはない。

次の年も、わたしはあの車がまだ駐車されたままか確かめようと、折に触れて立ち寄ってみた。いつ行っても車はそこにあった。ビニールシートの汚れは着実にひどくなり、上の部分は鳥の糞でびっしりと覆われていった。時には警察署に入って係官に捜査の進捗状況を尋ねることもあった。彼らは「捜査中です」と返すのみだった。これはいわば、わたしと彼らのあいだでは「新しい情報は何もない」ことを意味する符丁だった。

そこにあるのは世界でもっとも高価な車の一つであり、所有者は世界最大の富豪の一人だった。分別ある者ならかかわり合いになることを避ける、畏怖されるべき財界の大物。ヴェールに包まれた存在でありながら、その権力と影響力は間違いなく現代インドの実態を表すものと受け止められている人物だ。そして車自体も、似たような存在になっていた。十二月上旬の深夜に起きた出来事を気まずさとともに思い起こさせるあの車は、ひたすらそこに放置され、大破した状態のままで、全体を覆われて半ば忘れ去られていた。ある朝目覚めると、通りすがりのマジシャンがビニールシートを取り払い、ぼろぼろの車をいとも簡単に消し去ってくれるのではないか——あたかも関係者全員がそう願っているかのように。

序章

アンティリアの影

ムケーシュ・アンバニが自分と妻、三人の子どもたちのために建てた高層住宅、アンティリア。この建物ほどインドの新エリート層が持つ権勢をはっきりと象徴するものはほかにないだろう。高さ一六〇メートルの鉄とガラスでできたタワーは、敷地面積こそわずか一二〇〇坪あまりだが、総床面積はヴェルサイユ宮殿のざっと三分の二にもなる[1]。一階はホテルにあるような大ホールで占められ、総重量二五トンにもなる外国製シャンデリアの数々がよくマッチしている。駐車用の六つのフロアは一家が所有する車のコレクション置き場となっている一方、数百人規模のスタッフ集団が家族からのさまざまなニーズに対応するべく控えている。上層階ではラグジュアリーな居住スペースと空中庭園が目を引く。最上階のレセプションルームは三方がガラス張りになっており、広々とした屋外テラスに出るとムンバイの街を一望することができる。階下にはジムとヨガスタジオを備えたスポーツクラブがある。サウナの逆バージョンのような「アイスルーム」は、ムンバイの厳しい夏の暑さから逃れることができる施設だ[2]。ぐっと下がり地下二階に行くと、そこはアンバニ家の子どもたちのレクリエーションフロアになっており、サッカー場やバスケットボールのコートまである。

長年にわたり、ムンバイは分断された都市であり続けてきた。財界の大物や投資家の住宅街があるかと思えば、そのすぐそばにトタンやビニールシートが屋根代わりの掘っ立て小屋が立ち並ぶ、高密度の巨大都市。アンティリアはこの分断をさらに増幅させているだけにすぎないようだ――ムンバイは貧富が両極端なことで知られているが、そびえ立つ建物そのものがさらに上の階層をつくり出しているかのように。だとしても、わたしはこの街に降り立ったまさにその日から、駐在生活の一風景となったこの建物と不思議なつながりを感じていた。赴任初日の朝――二〇一一年十一月のことだ――、勤務先の運転手がわたしをピックアップしに来てくれた。けたたましくクラクションが鳴り響くなか、車はゆっくりと南に向けて走り始め、空港のフェンスの反対側に連なるスラムを通り、次いでムンバイ西側の海沿いに延びる片側四車線の短い高速道路、シー・リンクに入っていった。一時間ほどすると、車はペダー・ロードを横切った。のちにアストンマーティンが事故を起こす現場を通り過ぎたことになる。数秒後、運転手が興奮気味にフロントガラス越しに前方を指さした。靄《もや》のなかにそびえ立つアンティリアが見えた。

それからの五年間、アンティリアはわたしの日々の生活のなかで当然のように遭遇する一風景になっていった。ムンバイには約二〇〇〇万もの人びとが住む。人でごった返す細長い形をした半島――マンハッタンに少し似ている――で、街の西側には幹線道路が何本も走っている。こうした道路は海沿いのマリーン・ドライブに端を発し、掘っ立て小屋と瀟洒《しょうしゃ》な邸宅が両脇に立ち並ぶ間を北に向かって延びている。ジャーナリストのわたしは市内各地に向かう際、このルートを使うことが多かった。そうするとアンティリアの影を二回通ることになる。北上する際に一回、帰る際の南下でもう一回。そうこうするうちに、わたしはあの独特な片持ち梁の設計に愛着を抱くようにすらなり、建物を見て驚愕する来客に対して建築版ストックホルム症候群〔犯罪被害者が犯人に共感を覚える現象〕かのように弁護したものだった。ニューヨークのエンパイア・ステート・ビルとまさに同じように、ムンバイのアンティリアは縦横無尽に走る道路の上にそびえ立つ便利なランドマークであるとともに、オーナーのとてつもない資産――最新の推計では三八〇億ドル――を対外的に誇示するものでもあった。[3]

これほどの資産を手にしたことでアンバニは当然のごとくインド最大の富豪となったが、そうなったのは彼に限ったことではない。一九九〇年代半ばの時点では、『フォーブス』の世界長者番付に入ったインド人は二人しかおらず、彼らの資産額は三〇億ドル程度だった。[4]その後、ランク入りしたインド人の数はゆるやかに増加していき、アンバニが父の死後の二〇〇二年に一族の事業を受け継いだころには五人に達していた。人数が爆発的に増加するのはそのあとのことだ。二〇一〇年までに何十人ものインド人が長者番付に名を連ねていったのである。同族経営の古めかしいコングロマリットをグローバルな多国籍企業に転換させた者もいた。ほかの者は、ソフトウェアから鉱業まで多岐にわたる業種で何十億ドルもの資産を蓄積した第一世代の起業家たちだ。四年にわたったアンティリアの建設がついに完工した二〇一〇年には、四九人ものインド人が『フォーブス』の世界長者番付に掲載されるようになっていた。

いまでは「インド一敷居の高いクラブ」のメンバーは一〇〇人を超えるまでに膨らみ、アメリカ、中国、ロシアに次ぐ規模になった。[5]二〇一七年時点の彼らの保有資産額を合計すると、四七九〇億ドルにもなる。[6]その一つ下のグループ、すなわち一〇〇〇万ドル以上の資産を持つ者は一七万八〇〇〇人にのぼる。[7]億万長者の資産額を一国の富に占める比率の観点からとらえると、際立って突出しているのはロシアだ。[8]彼の国の有力な「オリガルヒ」は豪勢な暮らしぶりや腐敗した商取引で知られている。しかしインドはそのすぐ後ろの位置につけている。オリガルヒと同様に経済力と権力との親密さを兼ね備えたさまから、巨万の富を持つ新興経営者たちについて、冗談めかして「ボリガルヒ」（「ボリウッド映画」のように、「ボンベイ（インド）のオリガルヒ」を意味する造語）と呼ばれることもある。

超富裕層が誕生するきっかけは、インド国内の経済改革だった。改革は一九八〇年代にゆるやかに始まり、その後一九九一年に起きた深刻な金融危機への対応というかたちで劇的に進められた。インドは一世代かそれ以上にわたり許認可と関税を通じて自国の経済を保護してきたが、改革によって埃にまみれた壁は破壊された。誰がどのような製品を生産するのかを定める厳格な産業規制――「ライセンス（認可）・パーミット（許可）・クオータ（割当）・ラージ」、あるいは単に「ライセンス・ラージ」と呼ばれる複雑なシステム――は撤廃された。旧制度のもとでぬるま湯に浸かっていた企業は規制緩和、外国からの投資、競争の激化によって真っ先に淘汰された。航空や銀行、鉄鋼に通信――あらゆる業種で経済人のグループが急拡大していった。

しかしこの拡大は、グローバル経済という大きな流れとも密接につながっていた。二〇〇〇年代前半は「大平穏期《グレート・モデレーション》」が最高潮に達していたときであり、世界各国では低金利状態が続き、工業国の経済は好調だった。中国が二〇〇一年に世界貿易機関（WTO）に加盟したことで、世界史上もっとも特筆すべき成長の一つが幕を開けた。中国が輸出を拡大し、商品需要の拡大をもたらしたことによって、インドを含むほかの発展途上国の経済にも追い風が吹き始めた。強気の投資家が新興国に資金をつぎ込み、「ハイパー・グローバリゼーション」とも呼ばれた新時代のなかで成長の果実を手にしていった。

インドで企業家の資産が本格的に拡大し始めたのは二〇〇〇年代半ばのことだ。もろもろの劇的な変動にもかかわらず、一九九一年からの一〇年間で「離陸」に成功したのはジェネリック医薬品やソフトウェア・アウトソーシングのようなひと握りの業種だけだった。この一〇年間、インド経済全体で見ても、前の一〇年間を若干上回る程度の成長にとどまった。しかし二〇〇〇年代初期になると、自由化とハイパー・グローバリゼーションという二重の衝撃は無視できないほどに広がっていった。外国からの資金流入、国内銀行による融資、自信の高まりに後押しされるかたちで、アンバニをはじめとする企業家は石油精製施設や鉄鋼工場といったプロジェクトに何十億ドルもの資金を投入した。ほかの企業家は有料道路や発電所の建設に邁進したり、エアバスの購入やブロードバンド通信網の構築に巨額の資金を投じたりした。二〇〇四年から一四年にかけて、インドは自国の歴史上最速の経済成長を謳歌し、平均経済成長率は八パーセント以上に達した。

この好景気によって、一億以上の人びとが貧困から脱却するという紛うことなき恩恵がもたらされた。もう一つ重要なのは、経済成長によってインドが世界とふたたびつながるようになったことだった。過去二〇〇〇年間の大半において、インド亜大陸は世界最大の経済規模を誇っていた。[9] 東インド会社が南アジアで抑圧と略奪を行い、三〇〇年に及ぶ植民地支配が行われた結果、その遺産は蹂躙されてしまった。十七世紀後半、イギリスがインド沿岸部でわずかに数カ所の都市を支配しているにすぎなかったころ、ムガル帝国は世界全体のGDPの四分の一近くを手にしていた。それが一九四七年の独立から間もなく、イギリス軍が完全撤退したころには、その割合は四パーセントになっていた。[10] このとき、最後の大隊は玄武岩で造られたインド門の大アーチの下を行進していったのだが、わたしと妻がのちに住むことになるムンバイのマンションはその前の通りを少し行ったところにあった。ただ、帝国主義の支配下にあったときでも、現地の商人はリヴァプールやマンチェスターに多くの貨物を送り続け、インド発の資本はシティ・オブ・ロンドンを駆け巡っていった。二千年にわたる交易国としての遺産は、ケンブリッジ大学に留学し、理知的な弁護士にしてインド初代首相を務めたジャワーハルラール・ネルーによって捨て去られていくのだが、それは独立後のことである。

ここで重要なのは、数十年に及んだ孤立状態は例外ということだ。インドはいまふたたび、目を見張るほどにグローバル化した国となっている。必死に外貨をかき集めようとしたころとは異なり、外貨準備高は数千億ドルに達するようになった。ほぼ一〇年早く自由化に着手した中国よりもインドのほうが経済の開放度は高いとする評価もある。モノとサービスの貿易額がGDPに占める割合で見た場合、インドはアジアの巨大な隣国・中国を上回り、アメリカをはるかにしのいでいる。経済改革が始まった一九九一年にはわずか一七パーセントだったその比率は、今日では約六〇パーセントにもなっている。[11] インドへの外国直接投資額は、二〇〇〇年代半ばに中国が成長のピークに達していたときと同じレベルだ。[12] 市場で取引される株式の半分は外国人によって保有されているという見方も、あながち間違ってはいない。[13]

インドの主要企業は世界各地でビジネスを展開するようにもなっており、アフリカの鉱山からイギリスの鉄鋼会社まで、あらゆる業種で買収を行っている。インドの人びとは天性の国際性を持ち続けており、海外移民の規模は世界最大で、彼らからの本国送金額は毎年六〇〇億ドル以上にも達する。[14] 外国企業の進出や海外からの投資を、かたちを変えた植民地主義だとしてインドが拒否するのではないかという懸念はいとも簡単に否定された。むしろ、グローバル化への支持は驚くほど高い水準であり続けている。インド人の五人中四人以上がグローバル化を好意的にとらえているという調査があるが、これはほかのいかなる国よりも高い数字だ。国民の大半にとって、経済の再開放が基本的な生活環境の大幅な改善をもたらしたことを反映した結果だと言える。[15]

インドは世界を恐れるのではなく、世界を受容してきたのだ。しかし、もろもろの利益をもたらした一方で、怒濤のような成長を遂げたこの数十年間は経済的な混乱、社会的な分断、環境破壊を招き、作家のラナ・ダスグプタが一種の国民的「トラウマ」と形容した状況が生じた。[16] また、そうした利益は言い訳を許さないほど極端に不公平なかたちで分配された。インドが手にした繁栄の大部分は上位一パーセント、いや、より具体的に言えばその一パーセントのなかの上位グループに流れ込んでいった。独立までの一〇〇年近くにわたり、「ブリティッシュ・ラージ」として知られるシステムのもとで、インドはイギリスによって直接統治された。「ラージ（Raj）」とはサンスクリット語の「ラージヤ（rajya）」を語源とする単語で、「王国」や「統治」といった意味を持つ。その次にやってきたのは非合理的な法令や無数の規制に縛られる「ライセンス・ラージ」で、一九四七年からのほぼ半世紀がこれに当たる。そして経済自由化開始からの四半世紀のなかで、変動する世界の影響を受けながら、新たなシステムがインドで台頭してきた。「ビリオネア・ラージ」である。

ビリオネア・ラージ

超富裕層の台頭、格差がもたらす複合的問題、企業が持つ強固な権力――本書はインドの現代史のなかで決定的な意味を持つ、これら三つの要素を描き出していく。長きにわたり、インドでは異なるカースト、民族、宗教に基づく階層化された社会が続いてきた。独立するまでは、イギリス植民地政府の行政官、それに無数のマハラジャと彼らが率いる藩王国によって支配されてきた。それが一九四七年からの数十年で、インドは少なくとも経済的には平等性が増し、西洋の工業国の基準からすれば質素な暮らしぶりのエリートによって率いられるようになった。

二〇〇〇年代初めになると、これが急速に変わっていく。富はまず、高学歴で外国とのつながりを持つエリートに流れ込んでいった。主要都市で新富裕層が現れるようになり、経済学者のジャン・ドレーズとアマルティア・センが『サハラ以南のアフリカ』にカリフォルニアが出現したようなもの」と形容した様相を呈した。[17] なかでも耳目を引いたのは、最上位層に蓄積された資産だった。二〇〇八年、インドの新たなビリオネア・クラブの資産規模が明らかになっていくなかで、のちにインド中央銀行

〔正式名称は「インド準備銀行」（ＲＢＩ）〕総裁となる経済学者のラグラム・ラジャンはこう問うた。「ロシアが寡頭制《オリガーキー》だと言うのなら、早晩インドも同じだと認めざるを得なくなるのではないか[18]？」

こうした主張の是非を理解する際に重要なのは、どの観点から物事を見るかだ。インドは依然として貧しい国である。国民の平均年間所得は二〇〇〇ドルにも満たない。二〇一六年に投資銀行のクレディ・スイスが行った調査によると、インドで保有資産額上位一パーセントに入るためには、三万二八九二ドルで十分だという[19]。しかしその一パーセントが国の総資産の半分以上を所有するまでになっており、この割合は世界の国のなかでももっとも高い部類に入る。国際通貨基金（ＩＭＦ）は、アジアの主要国のなかでインドは中国と並び不平等の度合いがもっとも高いと指摘している。グローバルな不平等の研究で知られるフランスの経済学者トマ・ピケティは、インドで一九二二年に税務統計が取られるようになって以来、上位一パーセントの収入が国民全体の収入に占める割合は最高レベルに達していることを明らかにした[20]。

こうした指標に基づけば、インドは南アフリカやブラジルと同様に、世界でもっとも不平等な国と見なすのが妥当ということになる。ところが、この見方は奇妙な知的コンセンサスがあったことで過小評価されがちなのだ。経済自由化開始から数十年にわたり、政治的に右派に属する論客の多くは、高い経済成長率を維持することのほうが最終的な分配よりも重要だと論じてきた。これに対し左派は人口の下層部分により大きな関心を向け、乳児死亡率のような社会開発指標でインドは後れをとっていることを懸念していた。両グループにとって、貧富の格差は二の次だったのだ。それでも、こうした見方には問題があることを示す調査がある。ＩＭＦが最近行った調査は、不平等の度合いが高い国は経済成長率が低く財政不安を招きやすい傾向があるとして、不平等は経済に悪影響を及ぼさないとするコンセンサスに反論した。痛みを伴う構造改革を断行しようとする際には幅広い社会的コンセンサスが必要になってくるが――インドが経済成長を継続するためにはまさに不可欠のものだ――、国内が分断された国はそうした合意を形成するのも困難になる。さらに、今後何も是正措置がとられなければ、インドの貧富の格差はますます拡大していくことになるのは間違いない。

超富裕層の台頭は、縁故資本主義《クローニー・キャピタリズム》という二番目の問題にもつながっている。政治エリートとビジネスエリートが貴重な公的資源を自らのものにしようと結託することだ。中央で計画を立案し国家が統制するという、インドがかつて採用していた仕組みは汚職の温床で、国民も企業も基本的な公的サービスを受けるためにあちこちで賄賂を払わざるを得なかった。とはいえ、二〇〇〇年代の高度成長期に起きた汚職事件に比べれば、こうした小規模な贈収賄は些細なものにすぎなかった。「汚職の季節」として知られる不正疑惑が相次いで浮上した時期には、通信や鉱業をはじめとする業界で、何十億ドルもの価値を持つ貴重な資源が豪商に配分されたことが明るみになった。企業側は巨額のキックバックを支払うことで円滑に土地を取得したり、環境規制を迂回したり、インフラ建設案件を受注したりした。商品価格が高騰したことで、鉄鉱石などの鉱物資源ブームがわき起こり、採掘業界に汚職がはびこるようになった。メディアは公共住宅建設の不正や怪しい道路建設プロジェクトなど、不正疑惑のニュース一色だった。

一九九一年に経済改革を推進した者は、市場の自由化が進むことによって政府もより効率的かつ公正になると期待していた。これは楽観的な――控えめに言ってのことだが――見方だった。実際にはそうはならず、高度成長とグローバリゼーションは錆びついた国家機構に大きなひずみをもたらすことになった。仮に各自が公正な人物だったとしても、オーバーワーク状態の官僚や裁判官、規制当局は市場の活動範囲を適切に定めることができなかった。しかし往々にして彼らは間違いなく腐敗しており、多くが桁外れなレベルでそうだった。行政のほとんどすべての部門に縁故資本主義が侵入していった。採掘権や土地取得、食料配給制度に対し、怨嗟の声がわき上がった。カネで優遇措置を得る不正はメディアも直撃した。縁故主義をめぐる疑惑はインドの国民的スポーツ、クリケットの名声をも汚すことになった。ある推計によると、「数千億ドル」が数々の巨大疑獄で吸い上げられていったという[21]。小口の贈収賄というインドの古い慣行が大売り出しになったかのような事態だった。

この過程で多くの政治家が驚くほど金持ちになった——彼らの資産がダミー会社や外国の銀行に秘匿されていなければ、『フォーブス』の長者番付に載るほどの規模でだ。より一般的なかたちで言えば、高度成長はそこから何を引き出せるかという意味で、政治権力を確保する意義を高めることになった。政党は選挙に勝つために多額の資金を投入するようになった。選挙運動を展開するとともに、自分たちを権力の座にとどめてくれるパトロンにカネを払うため、これまで以上に資金を調達する必要が生じた。政党がかき集めた資金の大部分は、なんらかの将来の見返りと引き換えに、密接な関係を持つ豪商から違法に提供されたものだった。「世界最大の民主主義」における政治はもはや安上がりにはいかなくなってしまったのである。ある推計では、二〇一四年の総選挙で投じられた資金は五〇億ドル近くにのぼるという[22]。この選挙では、現首相のナレンドラ・モディ率いるヒンドゥー至上主義政党のインド人民党（BJP）が大勝した。主な勝因はモディが腐敗に対する国民の怒りに訴え、経済再生と汚職撲滅を公約したことだった。

本書が三番目に力点を置くのは、インドにおける産業経済の拡大と縮小のサイクルである。これは先に挙げた二つの要素の結果としてもたらされたものだ。過去二〇年にわたり中国は世界史上最大のインフラ建設を進めてきたが、そのほぼすべてで建設作業と資金拠出は国の後ろ盾がある企業によって行われてきた。それとは対照的に、インドの投資ブームは民間が一手に担ってきた。「ボリガルヒ」は国内の銀行から巨額の貸付を受け、それを欣喜雀躍として全額投資に回した。民間資金の投資としては、一五〇年以上前にアメリカが鉄道網を整備したとき以来、最大規模だった。しかしインドにとって輝かしい時期は世界金融危機以降、次第に終焉に向かっていく。当初強気だった経済人は容赦なく白日の下にさらされ、ビジネスは拡大し過ぎ、債務の支払いに四苦八苦するようになった。金融危機が始まってから一〇年後の二〇一七年、インドの銀行が保有する不良債権は少なくとも一五〇〇億ドルに達した[23]。

拡大と縮小というこのサイクルは、ほかの新興国とよく似たパターンだった。一九九七年にアジア金融危機が発生する前の段階でマレーシアとタイの経済人が低金利で資金を借りまくり、投機で散財した顛末がその代表例だ。しかしインドの場合、事態はさらにグローバルに展開した。米英では、二〇年に及ぶハイパーグローバリゼーションが最終的に金融システムそのものをのみ込むところまでいき、かつては全能の存在だったロンドンやニューヨークの銀行・保険会社を倒産に追い込んだ。インドでは同じグローバリゼーションの大波が打ち寄せたのは工業分野で、長きにわたって産業経済の屋台骨であり続けてきたコングロマリットを破壊した。その結果、ロンドンやニューヨークで金融関係者の評判が地に落ちたのと同様に、威勢のよかったムンバイやニューデリーの豪商はいまもなお完全には回復できていないほどの痛手を被ることになったのである。

超富裕層の登場、縁故主義、それに産業経済の負の側面――こうしたテーマに関心を抱くようになった一因は、わたし自身が置かれている環境にある。外国メディアの特派員として、わたしはこれら三つすべてを目の当たりにしてきた。インド各地を旅するなかで、わたしを何よりも魅了したのはビジネス帝国をつくり上げた企業家たちだった。彼らは好景気だった二〇〇〇年代半ばに政治とビジネスの世界で勢力を拡大したが、のちにそのツケに苦慮することになり、二〇一四年総選挙でモディが勝ったことで潮目が変わってからは、その傾向が強まった。彼らはこうあってほしいと願いながらというよりは、自らも発展の渦中に身を置きつつインドと相対してきたのだ。そこであらわになったのは、欧米の洗練された資本主義ではもはやお目にかかれないスケールの野望だった。貴族（baron）、首領（boss）。巨頭（magnate）、大御所（mogul）。巨人（titan）、豪商（tycoon）――彼らについて語るときに用いられる表現さえも、別の時代から掘り起こしてきたかのようなものばかりだった。

　こうした呼称がどれもしっくりとくるのは、まさに的を射ているからだ。インドは縁故主義の蔓延や節度を欠いた成長期を経て、それが過ぎ去ると完全に違った国に生まれ変わるという経験をまったくしてこなかった。イギリスでは十九世紀半ば、産業革命の開始によってそうした時期が到来した。そのころの様子はチャールズ・ディケンズやアントニー・トロロープの小説で記されている。だが、インドに近いのは、南北戦争が終結した一八六五年から二十世紀を迎えるまでの時期のアメリカだ。「金ぴか時代《ギルディッド・エイジ》」と呼ばれる、ある歴史家の表現を借りれば「大企業、粗野な富豪、それに打算的な政治ボス」の時代のことである[24]。

　十九世紀半ばのアメリカは自国を田舎の牧歌的な田園と考えていた。紳士的な政治家に統治されるヨーマン〔イギリスの自由農民〕の国というわけだ。この理想には、禁欲的な公民権運動の指導者で非暴力の哲学によってインドを独立に導いたモーハンダス・ガンディーも賛成したであろう。彼は農村生活が精神的に優越していると強く信じていたからだ。しかしアメリカは空前絶後の経済成長をもたらした極端な拡大と縮小の時期を経て、わずか二世代後には完全に変貌を遂げていた[25]。シカゴやピッツバーグのような産業の中心地には、地元を離れてやってきた何百万もの人びと、加えてヨーロッパからやってきた何百万もの移民が押し寄せた。独立した小規模自作農の国だったアメリカは、大陸の東西をカバーする巨大国家、そして世界を牽引する工業国として生まれ変わったのである。

　インドと同様、アメリカでも経済成長によって、石油王ジョン・ロックフェラー、銀行家ジョン・ピアポント・モルガン、鉄道王ジェイ・グールドやコーネリアス・ヴァンダービルトといった新世代の大富豪が生まれていった。彼らは贅を尽くした邸宅やあからさまな富の誇示で知られる新「ミリオネア・クラス」の最上位を占めた。富を築くスピードとその過程で良心というものが欠如していったさまから、彼らにつけられたのはこんな異名だった——「泥棒貴族《ロバー・バロン》」。ロードアイランド州ニューポートの断崖の上に建つ邸宅やニューヨークの五番街に登場した百万長者たちの華美な様子は、富豪が築き上げた時代の象徴だった。「金ぴか時代」というフレーズはマーク・トウェインの小説で使われ、表面こそ金に覆われたかのように光り輝いているが、一枚めくればぼろぼろというさまを表したものだった。[26] 一八〇〇年代初頭の参政権拡大によって「利権」をめぐる汚職がはびこるようになったことで、腐敗は政治の世界で大々的に広がっていった。[27] 都市部の政治的有力組織では、贈賄や支持の見返りに雇用や票が取引された。なかでも有名だったのは、十九世紀、長期にわたりアメリカの商都ニューヨークを支配したタマニー・ホール〔当時の民主党の党内有力派閥〕である。

インドもこれとよく似た発展の段階を経ているのではないかという考えに思い至ったのは、現地に赴任する少し前に『フィナンシャル・タイムズ』に掲載された記事がきっかけだった。腐敗をめぐる問題が最高潮に達していたころに書かれたその記事で、投資家のジャヤント・シンハと学者のアシュトーシュ・ヴァルシュネイが、インドに登場した大富豪階級の権力を制限するべく確固とした対策を講じるべきだと訴えていた。「堕落と狂乱のダイナミズムのなかで、インドはアメリカの『金ぴか時代』とそっくりになろうとしている」。二人はそう論じた。[28] 記事の見出しはこうだった。「インドはいまこそ泥棒貴族を抑え込むときだ」

多くのインド人はこの比較にいら立ちを隠さなかった。独自の遺産と複雑な背景を持つ自分たちの国が、かつて他国が通った道を歩もうとしているのではないかという見方に気分を害されたかのようだった。反対派はこう指摘する。十九世紀のアメリカは人口密度の低い、建国間もない国だった。それに対してインドは古代文明を築き、巨大な人口を抱え、絶大な権力を持つ政府によって国民が支配される国なのだ、と。それでもわたしはこの比喩に魅力を感じたし、インド独自の「泥棒貴族」やタマニー・ホール式の政治家について理解を深めていくなかで、これが常に脳裏にこびりついていた。インドの経済状況も驚くほど似通っていた。二〇一三年の一人当たりGDPは、購買力平価ベースで五二〇〇ドルだった。アメリカがこれと同じ水準に達したのは一八八一年。「金ぴか時代」の絶頂期だ。[29]

何が起ころうとも、インドは十九世紀のアメリカがそうだったように、残りの二十一世紀のなかで経済力と政治力を高めていくだろう。インドは中国に代わり人口がすでに世界一になったとする指摘が複数ある。そうでなくても、人口トップの座は次、もしくは次の次の一〇年でインドに受け渡されることになる。[30] インドでは今世紀半ばまでに四億以上の人びとが地方から都市へと移動する。これは人類史上最大規模の大移動で、これによりニューデリーとムンバイの人口はそれぞれ五〇〇〇万人に達し、世界最大の都市になる。[31] 現在のインドのGDPは二兆三〇〇〇億ドルで、これはイギリスよりも若干小さい規模だ。[32] 予見不可能な要素を別にすれば、インドは今世紀半ばまでに経済規模でアメリカを抜き、さらに中国をも上回る可能性すらある。[33]

煎じ詰めて言えば、楽観的な未来が広がっているということだ。これほど急速な変化のただ中にある国では、新しく何かを始めることが常に可能だ。アメリカの哲学者リチャード・ローティはかつて、「国家の未来というロマンス」と呼んだ、新興勢力にみなぎる期待感について示唆したことがあった。彼は次のように記している。「満たされ、太り、くたびれたわれわれ北アメリカの人間は、自分たちの民主主義が始まり、余計なものが入っていなかった時代に立ち返らなくてはならない。いまのサンパウロがそうであるように、まだピッツバーグができたばかりで、将来に希望を抱かせ、取り組むべき課題が多かった時代のことだ[34]」。社会主義者の随筆家アーヴィング・ハウも、十九世紀の「アメリカの新しさ」について、「誰もが社会のなかで活力に満ち、運命を決めるのは自分だと考えていた」と語っている。[35]

これからの一〇〇年は、アメリカ、中国、インドという三つの大陸国家による競争という観点から語られることになるだろう。この三カ国のなかで発展の歩みがもっとも最近になって始まったのはインドであり、それだけに変化のポテンシャルがもっとも大きいのもインドである。しかしこの変化のプロセスは、往々にして高潔という言葉からはかけ離れたものだ。「彼らは不注意な人間なのだ。」「金ぴか時代」が終わった後の狂乱を描いた名作『グレート・ギャツビー』で、F・スコット・フィッツジェラルドはそう記している。「品物でも人間でもを、めちゃめちゃにしておきながら、自分たちは、すっと、金だか、あきれるほどの不注意だか、その他なんだか知らないが、とにかく二人を結びつけているものの中に退却してしまって、自分たちのしでかしたごちゃごちゃの後片付けは他人にさせる」[36]〔野崎孝訳〕。しかし、インドでこれとよく似た人びとに出会っていくなかで、わたしは善悪で判断をすることは避け、その代わりに民族の再興という重要な時期を経ている国の物語——未来は明るいものになりそうだがそれは一面でしかなく、安心がもたらされるとはとても言えない——を伝えようとしてきた。

アメリカの「金ぴか時代」に続く数十年は「革新主義時代」の名で知られている。この時代は国内と国外の両方に永続的かつポジティブな影響をもたらした。反汚職運動によって政治が浄化された。企業の独占体制にくさびが打ち込まれた。中産階級が政府に影響力を及ぼすようになった。繁栄の果実がより広い層に行き渡るようになった。いま、インドはいかなるタイプの超大国になるのかという岐路に立っている。欧米で民主主義が揺らいでいるなかで、インドの未来がいまほど問われることはなかった。インド版「金ぴか時代」は「革新主義時代」へと移行し、不平等や縁故資本主義がもたらす危険を決然と葬り去ることができるだろうか？　それとも、過去一〇年の行き過ぎがまたもや首をもたげ、汚職によって傷つき、不平等によって歪められた未来、すなわち「インドのロシア化」へと誘うことになるのだろうか？「アジアの世紀」の後半を先導せんとするインドの夢、そしてより民主的で自由な未来を希求する世界の希望は、まさにこの問題をどう解決するかにかかっているのである。

第1部 泥棒貴族

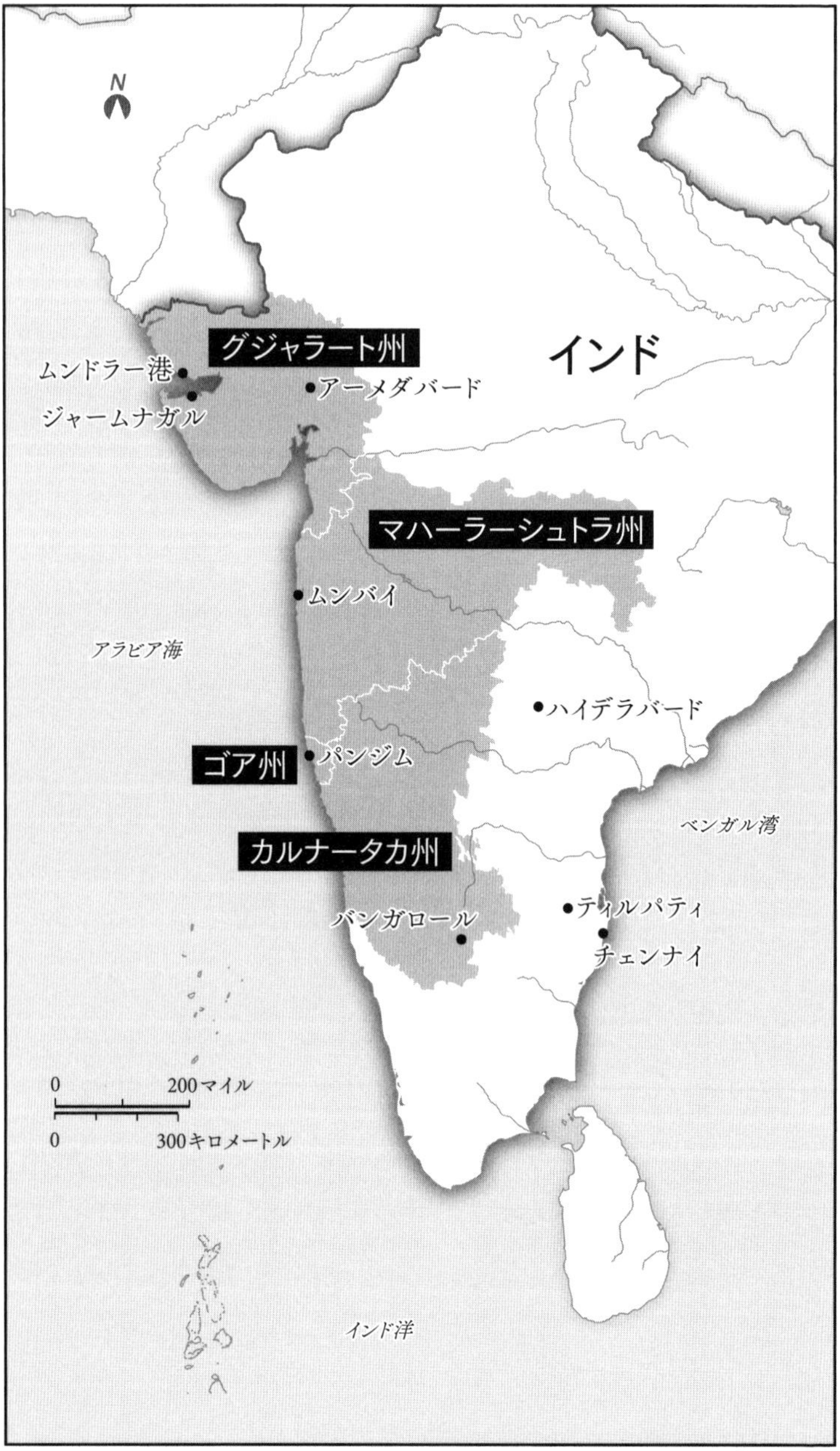
N
グジャラート州
インド
ムンドラー港
アーメダバード
ジャームナガル
マハーラーシュトラ州
ムンバイ
アラビア海
ハイデラバード
ゴア州
パンジム
ベンガル湾
カルナータカ州
ティルパティ
バンガロール
チェンナイ
0
200マイル
0
300キロメートル
インド洋

第1章

アンバニランド

上昇志向

ムケーシュ・アンバニが巨大な豪邸を建てるのではないかという噂がムンバイで広がり始めたのは、彼の父が亡くなってそう時間は経っていない、二〇〇〇年代初めのころだった。[1] アンバニはアルタマウント・ロードに面した用地を購入し、ひそかに設計コンペを行った。当初のデザインでは、外壁に緑の植物が生い茂る高層の「エコタワー」が計画されていた。[2]「レジデンス・アンティリア」——建物は当初こう呼ばれていた——は、世界でもっとも高価な個人宅として瞬く間に知れわたった。垂直の宮殿と呼ぶべき建物はいまだ人口の半分がスラムに住む都市のなかにそびえ立ち、一〇億ドルもの値札が付いていると噂された。[3] これがゴシップのネタにならないわけがなかった。ガソリンスタンドの従業員から実業界の巨人へと上り詰めたディルバイ・アンバニの物語は、インド企業人のサクセスストーリーのなかでもとくに輝かしいものだ。その息子がいま取り組む計画の規模からは、単に父のビジネスを受け継ぐというだけでなく、インドにおいて比類なき大物としての地盤を確固たるものにしようという壮大な野望がうかがえた。

アンバニ一族を知る者が見ると、建物はさらに深い意味合いを伴っていた。ディルバイ・アンバニは遺言なしにこの世を去った。当時四十五歳のムケーシュと二歳年少のアニルが協力してリライアンスを経営してくれると期待してのことだった。兄弟は対照的な評価を得ていた。兄は地味で内向的、几帳面な性格。一方、弟は派手な金融魔術師と見なされていた。父がにらみを利かせているころは、両者は親密に協力して仕事に取り組んでいた。ところがひとたび父がいなくなると、二人の関係はすぐに険悪になり、支配権をめぐる激しいバトルが始まった。三年にわたった険悪な歳月を通じて、兄弟の不和はインド中の衆目を集めた。まずメディアが大きく取り上げ、次いで舞台は法廷に移っていった。双方の関係者はいまでもこの時期のことを「例の戦争」と呼ぶほどで、企業版「カインとアベル」と言うべき闘いは、その苛烈さから国ですらどちらの側につくか決めなければならないかのようだった。

そのころ、兄弟はともに「シー・ウィンド」という名の一四階建てタワーマンションに住んでいた。細長い形をした白色の建物で屋上にはヘリパッドがあり、わたしが住んでいた南ムンバイのマンションから徒歩一五分ほどの距離にあった。マンションは一棟丸ごとアンバニ家の所有になっており、兄弟はそれぞれ別のフロアを使っていた。対立期間中、二人は外出と帰宅のタイミングを調整して同じエレベーターに乗り合わせないようにしたという[4]。こうした取り決めの一つひとつが兄弟の言い争いにさらなるスリルをもたらし、同じ家で暮らす企業家一家のメンバーが互いに陰謀をたくらむというインドの連続ドラマの筋書きを再現しているかのようだった。母のコキラベンも同じマンションに住んでいたが、初めのころに二人をなだめようとしたものの徒労に終わった。インドでもっとも大きな力を持つ財閥一族が分裂しつつあった。そしてムケーシュ・アンバニがシー・ウィンドを出て自分の家を新築する話が本当なら、それはふたたびグループが一つになる可能性はないことをこれ以上ないほどはっきりと示すものだった。

ディルバイ・アンバニはインド西部、グジャラート州の貧しい農村で生まれ育った。職を得ようと十代後半のとき、大英帝国の港湾都市で現在のイエメンにあるアデンに移った。最初はシェルのガソリンスタンドで顧客対応を任され、事務職員として働いた。仕事のかたわら、市場《スーク》で商売の方法を学んだ。[5]それから八年後、結婚し長男が生まれていた彼はボンベイ——一九九五年に地元の政党によって「ムンバイ」と改称されるまでこう呼ばれていた——で起業するために帰国した。一九五〇年代後半、ディルバイは糸の取引やポリエステルの輸入、香辛料の輸出を手がける会社を設立する。のちのリライアンス・インダストリーズの原点だ。どれも儲かる商売ではあったが、手元に資金はほとんど残らなかった。一家が住んでいたのは、排煙をまき散らす工場が立ち並ぶ貧困地区だった。二部屋だけのチャウルと呼ばれる長屋で、ムケーシュ・アンバニは幼少期の大半を三人のきょうだいとともに過ごした。

当時のインドはジャワーハルラール・ネルーが標榜した「科学的社会主義」の時代で、その名の下に作られた「ライセンス・ラージ」の規制によって起業家はがんじがらめになっていた。しかしそんな時でもリライアンスは成長していった。ディルバイ・アンバニは制度の内と外の両方でビジネスをする方法を会得していき、規制のなかをナビゲートしていく才能があることを証明してみせた。ニューデリーにおける便宜供与の重要性を認識した彼は、政治家と親交を深め、官僚から情報を収集していった。「彼の哲学は門番に守られている重要人物を全員引っ張り出すことだった」。ハミシュ・マクドナルドは本人非公認の伝記でそう記している。[6]わかりづらい規制や許認可はリライアンスにとってはかえって好都合で、アンバニは繊維業に手を広げ、次いで巨大なポリエステル工場を開設した。そのころムケーシュはアメリカ留学中で、スタンフォード大学でＭＢＡを取得しようとしていたが、父から学業を切り上げてムンバイに戻り工場の管理を担ってほしいと言われた。

ディルバイ・アンバニは、一九七七年にリライアンス・インダストリーズの株式上場を果たした。自らを「ポピュリスト」と呼ぶ彼は、初期のインド人投資家のあいだで象徴的な存在になった。また、サッカー場やクリケット場で株主総会を開き、大聴衆を前に演説をぶつこともあった[7]。ビジネスの拡大に合わせて、家族の住む場所も変わっていった。まず高級タワーマンションに移り、次いでシー・ウィンドを一棟丸ごと買い上げた。しかし、彼はインドの制度を巧みに使いこなす能力を持ちながら、規制の境界線をめぐって摩擦を起こしもした。かつて新聞の編集委員を務め、アンバニの手法を厳しく批判してきたアルン・ショーリーは大富豪の死から間もない時期に行った演説で次のように述べて、インドの官僚機構の問題点を白日の下にさらしたと称賛した。「ディルバイたちには一度と言わず、何度も感謝の意を表すべきだ。（中略）彼らは自分たちを閉じ込めようとする規制を飛び越えることで、世界規模の企業をつくり上げたのだから。つまり、そうした規制を撤廃するための根拠を提供してくれたわけだ[8]」

一九九一年の経済改革によって規制撤廃が始まり、インド人は携帯電話、多チャンネルテレビ放送、輸入消費財といった新たな世界の魅力を知るようになった。この改革はアンバニのような経済人にとって、自由に商品を輸入し、規制が撤廃された業種への参入が可能になることを意味した。彼が経営を担うようになったころには、リライアンスは数々の新規分野にビジネスを拡大し、人脈や経済的影響力を駆使して石油化学や石油精製、エネルギー、通信など多岐にわたる業種を手がける巨大財閥へと成長していた。拡大するリライアンスの影響力については、国家が統制する社会主義から強欲な市場経済への移行を強調する意味で、こんなジョークが作られたこともあった。「独立以降のインドの歴史は『自力更生《セルフ・リライアンス》からリライアンス』への移行として説明できる」

しかし、これほどの遺産をもってしても財閥を一つに束ねることはできなかった。何年にも及ぶ対立ののち、二〇〇五年六月にリライアンスを分割するという合意がなされた。ゴッドマザーのコキラベンが和平協定を結ばせることにし、一族の寺院でセレモニーを開いたのだ。「シュリーナートジー〔ヒンドゥー教のクリシュナ神の一形態〕の祝福のもと、わたしは今日ここに、夫の誇り高き遺産を念頭に置きつつ、二人の息子、ムケーシュとアニルのあいだの問題を友好的に解決いたしました」[9]。弟は通信や電力部門など、リライアンス・インダストリーズの半分を手にした。兄のほうはエネルギーや石油化学ビジネスを引き続き経営することになった。双方が「リライアンス」の名前を使うことも認められた。しかし、休戦協定が結ばれたからといって兄弟間の険悪な関係が完全に解消されたわけではなかった。逆に冷戦と言うべき状況が到来し、二人は財閥分割をめぐる決定事項を破棄すらした。さらに、インドにおいて富の集中が進行し、それが政治的権力をも蝕んでいくという懸念すべき傾向があるなか、その縮図としてリライアンスを見る者にとっても納得がいくことではなかった。

好景気だった二〇〇〇年代半ばごろは、兄弟ともにビジネスは順調だった。しかし二〇〇〇年代が幕を下ろすころになると、成功したのは兄のほうで、大規模案件に果敢に挑み、徹底したマネジメントのもとで進めていった。ムケーシュはリライアンスの大型石油精製施設を閉鎖し、エネルギー採掘部門を新設した。彼の事業の大半は父が存命中に着手したものだったが、弟が受け継いだ部門よりもはるかによい業績を挙げた。個人としての資産も増えていった。二〇〇五年にムケーシュは『フォーブス』のインド長者番付で三位にランクインし、四位だった弟を上回った[10]。しかしそれから数年のなかでも彼の上昇基調はとどまることなく、「インド最大の富豪」の称号を得てからはそれを維持し続けている[11]。ディルバイ・アンバニは死亡した時点で『フォーブス』の世界長者番付で一三八位だった。二〇〇八年、その息子は上位五位に食い込むまでになっていた[12]。ムケーシュ・アンバニは公衆の面前で話をすることはめったになかったし、例外的なケースでも味気ないビジネススピーチに終始することで野望を覆い隠していた。しかし、彼を知る者の見方は違う。大学時代のある友人は、わたしにこう教えてくれたことがあった。「わかりきっているじゃないですか。彼は世界でいちばんの大富豪になりたいと思っているんですよ」

神話上の島

アンティリアのテラスは西側にあり、その先には海が広がっている。しかし来客はその反対側、アルタマウント・ロードに面している唯一のエントランスからしか入ることができない。門外の路上にはものものしい装備の警備員が立ちはだかっている。威圧感たっぷりの赤褐色と金色をした高さ三メートルのゲートが右から左にゆっくりと開いてゲストを招き入れる。敷地内には短い私道が延びており、ロビーまで続いている。建物の中はラグジュリーなプライベートホテルを思わせる雰囲気で、玄関ホールには切り花と花輪をかけられたディルバイ・アンバニの肖像が飾られていた。一階のボールルームはリライアンス関係の行事のほか、アンバニ家が慈善目的や要人を招いて行うさまざまな会合の場所として使われていた。天井のほぼすべてがクリスタルのシャンデリアで覆われていた。庭には巨大な金色の仏像が鎮座し、エレガントな噴水が周りを囲んでいた。ときどきこの場所を訪ねる機会があるゲストの一人はこう語る。「どこを見てもきらきらしてるんです。シャンデリアがたくさんありましてね。シャンデリアにさらにまたシャンデリアが付いているんです」

アンティリアの壮大さは、収容力の大きさにも表れている。敷地内ではあらゆる規模の私的行事を開くことが可能だ。二回目に訪れた客は、会場のセッティングがその都度変わっていることに気づく。状況に合わせて仕切りや階段を増やしたり減らしたりといった指示は妻のニタがすることが多い。ファッションショーが開かれるときにはキャットウォークをしつらえて、ＤＪが呼ばれる。お気に入りの親戚の結婚披露宴となれば、スタイリッシュな屋内用天幕が登場する。ブロードウェイのミュージカルがはるばるやってきて、一日限定の特別ショーをすることもある。会の規模が大きくなればなるほど、ボリウッドのスター、クリケットの有名選手、大物政治家、大富豪仲間といった出席者の規模も広がっていき、さながらインドの新貴族階級に属するメンバーだけが集うことのできる場所になっていた。少人数のプライベートな夜会は上階で開かれる。そこでは真に選ばれし者のみが、高速エレベーターで屋上のスカイテラスに誘《いざな》われていく。毎年来る光の祭典「ディワリ」〔毎年十月か十一月に開かれるヒンドゥー教の祝祭〕のときは、アンティリアの屋上テラス以上に打ち上げ花火を眺められるゴージャスな場所はない。

エンターテインメント目的で使われないときは、「聖域と休養のための場所」という本来の役割に戻った。アンティリアはオフィスでもあり、リライアンスの各部門を担当する幹部と遠隔でやりとりするためのテレビ会議設備もあった。リラックスする場所もいくつか設けられていた。上階には礼拝所があり、地下にはスポーツ施設があった。長男のアカーシュは友人を招いてサッカーの試合をし、参加者にはナイキのトレーナーを無料で配ったという。外出する代わりに、一家はミュージシャンやコメディアンを呼んで友人向けに小規模な会を催すこともしばしばだった。ホームシアターもあり、ムケーシュはそこで深夜に好みのボリウッド映画観賞に没頭することができた。空中のゲーテッド・コミュニティと呼ぶべきアンティリアは、その知名度ゆえに容易に公衆の面前に出ることができず、本人のシャイさゆえにめったにそうしようとも思わない男にとって、プライベートな空間を提供してくれる場所だった。しかしそこには、決して解決することができない二律背反があった。この邸宅はインド中の関心をシャットアウトするために作られたオアシスだったが、人前に姿を現さないオーナーへの注目を集めることとなる場所でもあったからだ。

アンティリアの存在が物議を醸すこともあった。邸宅が建てられた土地はイスラーム教の財団から取得したものだが、もともとは孤児院建設用地だったとして訴訟が行われたのだ。(13) 二〇一〇年に工事が終わってしばらくしたころ、地元のジャーナリストがアンティリアの月額電気代請求書の入手に成功した。その額はざっと七〇〇万ルピー（一〇万九〇〇〇ドル）にものぼった。何億もの国民がいかなるかたちの電力供給もなしに生きているインドという国では、反発の声が一部で上がった。[14]翌年にはさらに気になる情報が飛び交った。アンティリアはエンターテインメント目的で使われるようにはなっているものの、アンバニ一家自身はまだ引っ越しを済ませていないというのだ。「ヴァーストゥ・シャーストラ」という、風水とも通じるヒンドゥー教の建築理論があり、そこでの問題が生じているというのがもっぱらの噂だった。[15]二〇一二年に『ヴァニティ・フェア』誌とのあいだで行われた数少ないインタビューで、ニタ・アンバニはそのころになってようやく一家がアンティリアに移り住んだことを認めたが、入居が遅れた理由については説明を避けた。記事の担当記者はインタビューに先立ち数カ月にわたる「核軍縮レベルの交渉」があり、その多くはアンティリアに関するいかなる質問をも阻むためだったと明らかにしているが、それもプライバシーを確保したいという一家の願望ゆえだったという。[16]

アンティリアの豪華な内装――加えて何人《なんぴと》も触れることの許されない恵まれた生活――は、憧憬と反発を同程度にもたらした。敷地内の道沿いに直輸入のアートが陳列され、華美なパーティーでは「シルク・ドゥ・ソレイユ」のアクロバットショーが行われ、三階分の高さの天井からメンバーが飛び出してくる――訪問客はそんなディテールをささやき合った。友人の一人が参加した集まりでは、ゲストが乗ったエレベーターにガラスでできた円筒状の壁が一時的にしつらえてあり、その中をチョウが飛んでいたという。アンティリアは一面において悪趣味なファンタジーであり、別の一面においてオリガルヒの豪邸であり、さらに映画『００７』シリーズに出てきそうな悪役の隠れ家でもあるとも言えた。都市のなかに造られた都市であり、下界のカオスを遠ざけるバリアでもあった。その名前すらも深く重要な意味を示しているかのようだった。アンバニ一家は命名の理由について説明していないが、もともと

「アンティリア」は大西洋のはるかかなたにあるという神話上の島を指す名前だった。アトランティスと同じように、未発見の土地があるはずだという考えを体現したもので、海に出て行った十五世紀の探検家の目標だった。歴史家のアッバス・ハムダニの言葉を借りれば、アンティリアとは「探究心を駆り立てるもの」、すなわち新たな始まりであり、歴史のなかの新たなチャプターだった。[17]

ムケーシュ・アンバニの新居はインドのあけすけなニュースタイルを体現していたが、同時に文化が真っ向から衝突する場所でもあった。旧世代のビジネスエリートは外国の学校で磨き上げられたアクセントで英語を話す国際人で、一族の富は植民地時代から築き上げられてきた。そんな彼らにとって、経済自由化はスリリングだったが心中穏やかではなかった。チャンスの源泉であると同時に、国内のよく知らない場所から粗野な競合相手――アンバニ一族はそのなかでもっともパワフルな勢力というわけだ――が次々と新規参入してきたのだから。二〇〇二年にディルバイ・アンバニが亡くなったときには何千もの人びとが街頭に繰り出したが、これは故人が株主だけでなく一般市民からも愛されていたことを表していた。多くの者が彼の投機的な手法を批判したが、同時に閉鎖的なビジネスエリートの壁を突破してみせたことを称賛した。その息子には温かいまなざしはあまり向けられなかったが、先代と同じ警戒感のほうはついて回った。既存のエスタブリッシュメントを代表する存在のラタン・タタ――タタ財閥の総帥で、おそらくムケーシュ・アンバニに対抗しうる唯一の人物――も、二〇一一年に行われたインタビューで自分の考えを示唆していた。アンティリアについて問われた際、彼はこう言った。「どうしてそんなことをする人間がいるのかと不思議に思いますよ。革命というのはそういうものをきっかけに起きるのではないですか[18]」

「この街の通りを歩き回ってみてください。アンティリアに対する怒りの声がどれほどのものか伝わってきますから」。外資の銀行で勤めた経験を持ち、その後国内で反汚職運動の活動家に転じたミーラ・サンヤルは数年後、わたしにそう語った。(19)サンヤルは金融業界で三〇年のキャリアを持ち、ロイヤルバンク・オブ・スコットランドでインド部門の統括責任者にまでなった人物だ。二〇〇八年にはムンバイでテロが発生し、実行犯グループがタージマハル・ホテルをはじめとする数々の有名な拠点を襲撃した。このときの無能な政府の対応に怒りを覚えた彼女は、翌年の総選挙に無所属候補として出馬した。しかし時が経つにつれて、彼女の批判の矛先は新たなターゲットに向かっていった。二〇一〇年の英連邦競技大会《コモンウェルス・ゲームズ》をめぐる汚職、それに石炭鉱区や通信ライセンスの安価な払い下げといった数十億ドル規模の不正疑惑が相次いで明るみになるなか、政府の無能さよりも財界の金権体質に注目するようになった。ほぼすべてのケースで政治家、官僚、財界の大物による談合——縁故資本主義の基本的定義——が疑われていたからである。(20)

二〇一四年にサンヤルと会ったとき、彼女はふたたび南ムンバイの選挙区から立候補して議員をめざしていた。このときの総選挙ではナレンドラ・モディが一挙に勝利を手中にしたが、サンヤルは汚職撲滅を掲げる新党、庶民党（ＡＡＰ《アープ》）から出馬したものの、当選は果たせなかった。投票日が近づいていた暖かい春の夕方、わたしは彼女の姿を見つけた。場所はアンティリアからも近い有名なヒンドゥー寺院の隣で、雑然とした道路脇だった。車がクラクションを鳴らしながら通り過ぎていき、辺りにはマリーゴールドの香りが漂っていた。黒い服を着たみすぼらしい聖人が路上に足を組んで座り、参拝客にハスの花を売っていた。サンヤルはオレンジと黄色のサリーに身を包み、頭には上が尖った白い帽子をかぶっていた。独立運動の時代に活動家が着用していた「ガンディー・キャップ」を意識したもので、ＡＡＰの党員はこれを用いる者が多かった。

近隣地域を歩いていくわたしたちには数十人の支持者が付き従い、太鼓を鳴らしたり箒《ほうき》を振りかざしたりしていた。箒は腐敗した政治を一掃するというＡＡＰの公約を象徴するアイテムだ。突き当たりの交差点の向こう側にはリライアンスの宝石店があった。これもアンバニが進める小売業拡大路線の一環だ。サンヤルの支持者が店に向かって陽気に箒を振りかざしたが、店員は金時計や金の指輪がぎっしりと収められたカウンターの奥からその様子を困惑した面持ちで見つめているだけだった。その次の曲がり角の辺りでガンデヴィ警察署の前に差しかかった。一行は足を止め、汚れたグレーのシートに覆われた大破したアストンマーティンの隣で記念撮影をしていた。

その週の後半、わたしはムンバイ南部のとある広々としたリビングルームで夜遅くに開かれたサンヤルの集会をのぞきに行った。彼女は、部屋を埋め尽くした専門職の若者数十人から支持を獲得しようとしていた。参加者は五列になって床に腰を下ろし、会場には熱気がみなぎっていた。聴衆は経済的に恵まれリベラルな考えの持ち主だったが、その多くはメインストリームの政治とは接点を持っていなかった。欧米とは異なりインドでは、富裕層が多い地区では投票率は低くなる一方、貧困層が多い地区では有権者が投票所で列を成すという傾向がある。地元の政治家を誰かしら支持すれば、自分たちの運命をましなものにしてくれるかもしれないという期待ゆえのことだ。アッパーミドルクラスの政治家観は、財界の大物に対する見方と共通している。賄賂や利益供与で動くうさんくさい組織を操る者、というわけだ。とはいうものの、インドの反汚職運動――二〇一一年ごろから始まり、数年後にはサンヤルも参画するAAPの立ち上げに至った――によって変革への期待が高まった。二〇一四年総選挙の中心的テーマは混迷するインドの資本主義をどうするかで、ムケーシュ・アンバニは民主主義を蝕む民間資本家の典型例として、選挙運動中の政治家からしょっちゅう非難の標的になっていた。

白のキャップをかぶったサンヤルは部屋の前方にある高く細いスツールに腰を下ろし、聴衆にしっかり聞こえるようにと甲高い声で演説を始めた。「わたしは選挙に立候補しましたが、落選してしまいました」――二〇〇九年に行われた前回の総選挙について彼女はそう説明した。[21]「インドでよくあるパターンは『優れた人物は立候補しても決して当選できない』というものでした。活動資金がなければ選挙に勝てませんし、親が政治家でない場合、あるいは犯罪者でない場合でも駄目なのです」。サンヤルはインドが直面する問題の数々について持論を語り、そのなかでビジネスの既得権益についてたびたび触れた。その人たちのことは知っています――彼女はそう言った。銀行勤務時代、彼女は起業家の考えに理解を示していたし、利益を挙げることについてもなんら問題視していなかった。それでもアンバニのような一族が持つ権力、それに彼女が言う「自らの利益のためにルールをねじ曲げる力」は、腐敗に満ちた経済に対してミドルクラスのインド人が感じているフラストレーションの原因になっていた。財界人のなかには「アメリカの泥棒貴族やロシアのオリガルヒ」かのごとく振る舞っている者もいるではありませんか、と彼女は言った。とくにアンティリアが問題なのです、と指摘した上でさらにこう続けた。「わたしも最初はどうしようもなく醜悪な建物で、ムンバイの景観を損なうものくらいにしか思っていませんでした。しかし人びとはあれについてなんと言っているでしょうか？ あのような縁故資本主義がはびこるのは、国にとっていいわけがありません」

新・金ぴか時代

一九一六年、M・K・ガンディーは、インドは新たなタイプの邪悪な商業主義に直面していると警告した。「今日、西洋の国々は怪物のごとき物質主義に押さえつけられてうめき声を上げているのです」。インドの中核州、ウッタル・プラデーシュ〔独立前の名称は「連合州」〕の大学で学生に向けて行った演説でガンディーは語った。「わが国では多くの人びとがこう言っています。われわれはアメリカから富を得はするが、そのやり方は採用しない、と。わたしは断言します。そのような試みがもし実行に移されるようなことがあれば、それは必ずや失敗する運命にあるのです[22]」。ガンディーの見解は当時の時代状況に基づいたもので、反植民地主義や彼に「マハートマ」――サンスクリット語で「偉大なる魂」を意味する――の称号をもたらした非暴力による抗議行動とも軌を一にしていた。しかしそれから約一〇〇年の時を経たいま、彼の警告は先を見通していたと言えそうだ。

ローマのコロシアムや中世ヨーロッパの教会の尖塔からニューヨークやロンドンの光り輝く近代的な高層ビルまで、時代の精神はもっとも壮大な建築物によって示されることが多かった。ムンバイに高くそびえ立つアンティリアについても、インドの変化の方向性を象徴する建物であることは否定できない。アンティリアはひときわ異彩を放つモダンな建築だが、同時にインドに富があふれていたかつての時代を思い起こさせるものでもあった。「ボンベイでは大富豪がこれ見よがしに豪邸を建てる伝統がずっとありました」。ムンバイ大学JJ建築カレッジ教授のムスタンシル・ダルヴィはそうわたしにそう語った[23]。彼にとって、アンティリアはかつての商人階級の豪邸やさらに古い時代のマハラジャの宮殿を思い起こさせる存在だった。「十九世紀、サー・ジャムセトジー・ジージーボイやタタ家のように、大富豪のなかにはきらびやかな装飾と豪華な内装を施した大規模なタウンハウスを建てる者もいました。彼らはボンベイで有名な慈善家でもあり、いまでも『シティ・ファーザー』として人びとの記憶に残っています。ミスター・アンバニがやったことはその最新の例にすぎないといえます」

アンティリアの華美さは、建国初期のアメリカ、それにこれまたきらびやかなビジネス王朝、ヴァンダービルト家と通じるものがあった。ディルバイ・アンバニと同じように、コーネリアス・ヴァンダービルトもつましい家庭で育った。貧しいオランダ移民の子だった彼は一七九四年にスタテン島の木造家屋で生まれ、小さいころには父のボートで働き、対岸のニューヨークに荷物を運ぶ術を身につけていった。十代になると母に一〇〇ドル貸してほしいと懇願して、その資金で自分の船を購入した。海上での恐れを知らぬさまから「提督《コモドア》」というニックネームがついた[24]。さらに彼は小規模ながら船団を組織しようとするのだが、拡大プランは阻まれてしまう。新規参入を認めない政府のライセンスやさまざまな規定によって守られている現地のライバルによるもので、バックには彼らの言いなりになる政治家がいた。歴史家のスティーヴ・フレーザーによると、「一八一七年にヴァンダービルトが蒸気船の運航を始めたころ、経済を牛耳っていたのはエリートのグループだった」という[25]。

社会主義時代のインドと同じように、産業革命前のアメリカはこうした上流の企業家階級によって支配されていた。彼らがとりわけ得意としていたのは河川輸送業で、貴重な独占商品をフェリー便で運び、顧客のもとに届けていた。そこに割って入ったのが「提督」だった。規則で定めた隻数以上の船舶からなる船団を組織し、乗組員と乗船客両方を危険にさらしてでも限界まで人を詰め込んだ。仁義なき価格競争に引きずり込まれた競合他社もあれば、敵対的な法廷闘争に持ち込まれた会社もあった。ポピュリストを自認するヴァンダービルトは、競合他社を舌鋒鋭くこき下ろす記事を書く一方で、自身のハドソン川フェリーを「ピープルズ・ライン」と命名した。その後、彼は海運業に手を広げ、次いで鉄道業にも乗り出した。初の本格的な鉄道王だった彼のスタイルは、アメリカで台頭しつつあったむき出しの資本主義を体現していた。一八七一年、ヴァンダービルトはニューヨークでもっとも優れた公共建築物だったグランド・セントラル駅の旧駅舎を建てた。その六年後に死去したとき、彼はアメリカで最大の富豪で、一億ドル以上という前代未聞の遺産を残した。

その巨額の財産にもかかわらず、ヴァンダービルトの生活はつましく、倹約し質素な家に住んだ。彼の死後、子どもたちはニューヨークのエリート層からのけ者にされ、悪徳ビジネスマンという父のイメージを払拭することができなかった。それから一〇〇年以上経った後にアンバニがやったのと同じように、彼らもこうしたデリケートな社会的障害をコンクリートと鉄筋によってクリアしようとした。当時完成したばかりだったセントラルパークのすぐ南に豪邸をいくつも建てていったのだ。コーネリアス・

ヴァンダービルトの長男ウィリアム・ヘンリーは、相続した遺産からかなりの額を「トリプル・パレス」と呼ばれた五番街にある砂岩製の大邸宅三棟の建設に投じた。コーネリアスの孫に当たるウィリアム・キッサム・ヴァンダービルトは妻のアルヴァとともに、さらに壮大なプロジェクトに取りかかった。「プチ・シャトー」の名で知られた、小塔や山形の屋根を備えたルネサンス様式の城を建てようとしたのである。ある資料にはこう記されている。「アルヴァは普通の家には興味がなかった。（中略）彼女が欲していたのは武器だった。社会の門を打ち破るハンマーとして使える邸宅という武器だ(26)」。一八八三年の春、夫妻は個人宅としてはニューヨーク史上最大となった舞踏場で派手な仮装パーティーを催し、一〇〇〇人を超えるゲストを招待して新居の完成を祝った。

　アンバニがインドを分断したのと同じように、ヴァンダービルトの遺産もアメリカを分断した。彼を崇拝する者は「提督」をアメリカにおける新たなタイプのサクセスストーリーと受け止めていた。抜け目のなさによって頂点まで上り詰めた下層出身で粗野な人間の物語である、と。逆に彼を悪く言う者からすれば、ヴァンダービルトは無節操で、殴り合いにはからきし弱く、不貞をはたらく男でしかなかった。ヴァンダービルトの帝国が拡大していくなかで、新聞は彼をヨーロッパの泥棒貴族になぞらえた。こうした「貴族」は領地を通る旅人から通行料を巻き上げていたからである。末裔の一人は、コーネリアスのもっとも醜悪な習慣について回顧録のなかでこう記している。「喫煙で茶色になった唾を接客係の膝かけに吐き、自分が気に入ったかわいいメイドの尻をつまむ」ような男だ、と(27)。リベラルなエリートのあいだではさらに評判が悪かった。「東海岸のバラモン」〔「バラモン」はヒンドゥー教のカースト最上位に位置づけられる僧侶階級〕とも言える彼らは、新興の大物実業家が力を拡大するのを警戒していた。この時代でもっとも有名な存在と言えるマーク・トウェインは、ヴァンダービルトに公開書簡を送ったことがあった。そのなかで彼は、ヴァンダービルトは「アメリカにおける資本家階級の頂点に立つ」比類なき存在になっているにもかかわらず、強欲な本能は絶えることがないと皮肉っていた[28]。

インドの縁故資本主義をめぐる諸問題がアメリカのそれと似通っているという見方は、当時インドの中央銀行総裁を務めていたラグラム・ラジャンから聞いたものだった。ラジャンは正統派の見解に疑義を呈することで知られる人物だった。二〇〇五年、国際通貨基金（ＩＭＦ）のチーフ・エコノミストだった彼は迫り来る金融危機の特徴について予測するスピーチを行ったことで、グローバル資本主義の災厄に警鐘を鳴らす論客として認知されるようになった。南インドに生まれた彼は、成人してからの人生の大半をアメリカで学者として過ごし、シカゴ大学で経済学を教えた。しかし二〇一二年にインド政府の経済顧問に就任するため帰国し、さらにその一年後にはＲＢＩ総裁に任命された。それまで総裁職には控えめなテクノクラートが就くのが慣例だった。就任当初はラジャンも同じタイプのように見えた。慎重な姿勢と物事を両面から議論するというプロフェッショナルなスタイルに徹していた。しかしほどなくして、より大きな問題意識を持っていることが明らかになった。ただ単にインドのインフレについてだけでなく、政治家と財界の癒着の拡大についても目を向けていたのである。

ＲＢＩ総裁就任から一年後には「蔓延する縁故資本主義についての仮説」について語るなど、ラジャンの知的好奇心は、本来の任務をはるかに超えた分野にまで及ぶスピーチで本領を発揮した[29]。インドの公的サービスは疲弊しきっている、と彼は主張した。貧困層支援が目的の社会保障プログラムはほとんど機能していない。公立の学校や病院の現状はどこも見るに堪えない状況だし、政府は水道や電力の安定供給といった基本的サービスを十分に提供できていない。「まさにそこに抜け目のない悪徳政治家が入り込んでくるのです」とラジャンは言う。「貧困層には自分たちの権利であるはずの公的サービスを『購入する』資金がありません。しかし、政治家が欲しがる『一票』を持っているのです」。票と引き換えに政治家は利益供与システムをつくり上げ、地元の有権者に政府の職を紹介したり、社会保障の給付手続きを助けたり、あるいは単純に現金を渡すといったことをする。その資金を調達するため、また選挙運動資金を確保するため、政治家はずば抜けて裕福な財界人しか手にしていないようなカネを欲しているのである。

それから数カ月後、ラジャンはこの理論をムンバイ南端にあるＲＢＩ本部でわたしに詳しく説明してくれた。わたしたちは箱形をした白いコンクリート製のビルの一八階にいた。会議室には大きな窓があり、眼下にはムンバイ旧市街の狭い道路がいくつも走り、そのかなたにはタージマハル・ホテルの朱色のドームが見えた。インド門の後ろ側には何十隻ものコンテナ船が深い色の海に浮かんでいた。ラジャンはダークスーツに身を包み、メタルフレームの眼鏡をかけ、こめかみの辺りに若干白いものが交じっていたが豊かな黒髪をしていた。後ろの壁には歴代ＲＢＩ総裁の肖像画が飾られていた。左側には古めかしいスーツを着込み、硬い表情をしたイギリス人総裁が並び、右側には青いターバンや詰め襟のネルー・ジャケットが特徴の堅苦しそうなインド人が並んでいた。ラジャンは話しながら組んだ指を押しぐさをよくしており、あたかも話の各ポイントの正しさを強調しているかのようだった。彼は正統派の経済学者として評価されており、金融の複雑性や自由市場の公正性における道徳を専門にしていた。彼は中立的な姿勢を保とうとしていたが、話が進んでいくなかでインドの強欲な新興「ボリガルヒ」とそのビジネス手法の無節操さを軽蔑していることは明白だった。

縁故資本主義について、ラジャンはリベラル派の歴史家、リチャード・ホーフスタッターの『改革の時代』という本から影響を受けていた。アメリカがいかにして泥棒貴族時代を克服したかを説明した書だ。「金ぴか時代」初期――インドの場合も同様だが――、アメリカでは財界人が資金を提供し政治家が利益供与をコントロールするというかたちで両者の癒着が進んだ。「これは当然のことですが、連中がこうしたことをするためにはリソースが必要になってきます」と彼は言った。「ではそのリソースはどこから調達するのか？ ビジネスからですよ」。この結託の構造を断ち切るのは容易なことではなかった。アメリカでは、一世代ないしそれ以上の時間を要した。十九世紀終わりにポピュリズム運動が始まり、その結果として革新主義時代の政治社会改革がもたらされた。しかし、決定打となったのは一九三〇年代のニューディール期で、政府による社会福祉の強化によってアメリカ都市部の政治マシーンを権力の座に留め置いた政治的恩顧主義《クライエンテリズム》体制が打破されたのである。「ある種の不正な癒着なのですよ」。インドの現状についてラジャンが言った。「たとえば、公的サービスが不十分だとしましょうか。ギャップを埋めてくれる政治家の出番です。政治家はビジネスマンからリソースを獲得します。ギャップを埋めてもらった有権者は、その政治家をふたたび当選させます。有権者は、ビジネスマンとのあいだで交わされた取引には目をつぶるのです」

二〇一一年にはこうした癒着の証拠がこれまで以上に明るみになり、何万人ものミドルクラスが街頭に出て抗議デモをするようになった。腐敗撲滅を訴えるニュースチャンネルのキャスターにけしかけらたという側面はあったものの、こうした運動は新たに表舞台に登場した社会活動家によって導かれたものだった。最初に運動をリードしたのは高齢の禁欲的な活動家、アンナ・ハザレだった。次いで、短気な税務調査官から汚職撲滅の闘士に転じたアルヴィンド・ケジュリワル。彼は数年後、ＡＡＰを旗揚げする人物だ。彼らの怒りの矛先は、主に国民会議派《コングレス》の失政に向けられていた。会議派はかつてインド独立運動を担った輝かしい功績を誇る政党で、ネルー・ガンディー家〔会議派所属で初代首相ネルーに始まる家系。Ｍ・Ｋ・ガンディーとは血縁上のつながりはない〕の王朝は独立以降、ほとんどの時期でインドを統治した。

次から次へと明るみになる汚職スキャンダルは、故ラジーヴ・ガンディーの妻でイタリア出身の会議派総裁、ソニア・ガンディーの名声にも泥を塗ることになった。ラジーヴはネルーの孫に当たり、ネルー・ガンディー家のなかで三番目に首相を務めた人物だ。ラジーヴの前の首相は母のインディラ・ガンディーで、最初に就任した一九六六年からの二〇年のうち、ほぼすべての期間でインド政治を仕切った。ソニア・ガンディーは自ら首相になることはせず、その役割こそマンモーハン・シン〔在任二〇〇四〜一四年〕に譲ったが、背後から政府をコントロールしているのは彼女だとされてきた。一九四七年の独立以来、ネルー・ガンディー家で事実上四番目にインドを支配した存在だったと言える。ソニアの総裁在任中、会議派は社会主義の遺産に見切りをつけ、スキャンダルにまみれた卑しい政治マシーンと化してしまったかのような時期があった。しかし、ラジャンが指摘した政治資金に関する基本的な問題はどの主要政党にも当てはまり、中道右派政党のBJPも例外ではなかった。そしてこうした一連のスキャンダルの背後には財界人がいた。急速にカネがかかるようになってきたインドの民主主義に「融資」できるだけの潤沢な資金を持っているのは彼らだけだったのである。

二〇一四年総選挙でナレンドラ・モディに衝撃的な勝利をもたらした要因は、何よりも腐敗に対する国民の怒りだった。そこで有権者は、貧しいチャイ売りの息子と名乗るモディに目を向けた。地元グジャラート州の首相としてクリーンな政府と高度成長を実現した実績がニューデリーでも瞬く間に再現されることを期待したのである。長年にわたり、有権者は政治家のあいだにはびこる汚職体質を苦々しく思いながら受け入れてきた。しかし、ラジャンが語ったように縁故主義が絶大な規模で蔓延したことで、国民の怒りは頂点に達した。「これは本当に驚くべき変化ですよ。この一〇年あまりでこれだけのことがもたらされたのですから」。二〇一一年にインドとアメリカの「金ぴか時代」について比較研究を行った学者、アシュトーシュ・ヴァルシュネイはモディが選挙で大勝する少し前、わたしにそう語った。「インドのように急速に経済成長する国では、人間の欲望が一気に解放されます。超富裕層がカネで政治を買うようになりました。いまインドで起こっている反腐敗の巨大なうねりは、ひと言で言えば金持ちによる政治の買収に反対する動きなのです」[30]

インディアン・ジェットコースター

ムケーシュ・アンバニは、ほんのわずかな時間姿を現しただけでもつかの間の熱狂をもたらす存在だ。初めてわたしが彼に会ったのは二〇一三年のことで、ムンバイの高級ホテルで開かれたビジネスリーダー数十人との内輪の昼食会でだった。遅れて到着した彼は、定番の濃い色をしたパンツにシンプルな白の半袖シャツという服装で、終始ひどく落ち着かない様子だった。当時五十代半ばだった彼はわたしが思っていた以上に小柄でずんぐりとした体格で、黒髪をオイルで後ろになでつけていた。ドアのそばには武装した護衛が立っていた。インドには「Zリスト」という正式名称で知られる、本来は最高クラスの政治家や政府高官のみを対象とした要人警護名簿がある。アンバニはビジネスマンとして唯一その対象となっていたのだった[31]。席上ではほかにも話をしている者がいたが、出席者の大半は話に耳を傾けるより、財界の皇帝の登場に突然心を奪われたかのように主賓の様子をこっそりと眺めていた。最後にアンバニが立ち上がって短い挨拶を始めた。インドの未来と新たなテクノロジーへの信頼を、用心深く言葉を選んだ紋切り型のスピーチにまとめた。神経質な様子で、話しながら頭が前へ後ろへとぎこちなく動いていた。食事が終わるとほんのわずかな時間会場にとどまっただけで、護衛とともに出口へと向かっていった。

もっとリラックスしたアンバニを見ようと、わたしはインド最大のビジネスイベントの一つと言うべき、リライアンス・インダストリーズの年次株主総会に毎年足を運んだものだった。彼の父がサッカー場で開いた巨大集会ほど騒々しいものではなかったが、二〇一五年七月の総会では何千人もの株主がビルラ・マトシュリー講堂――植民地時代に造られた大ホールで、ムンバイのメインクリケット場から数ブロック、アンティリアからは約一五分の位置にある――を埋め尽くした。会場の壁には政治家の肖像画がずらりと並んでいた。イギリスと戦った十七世紀の勇敢な王、チャトラパティ・シヴァージー・マハラージ。会議派の象徴、ネルー。そしてガンディー。建国の父にして反資本主義者、さらに信じがたいことだがアンバニと同じ、商人階級であるバニア・カーストに生まれた男だ。創業以来四一回目となる株主総会を覆っていたのは、歴史の重みだった。一二人の役員がステージ上の長いテーブルに着いた。その両隣にはアンバニの父の巨大な写真が二枚掲げられている。そのうち大きいほうは額に入れられ、ピンクと白の花で飾られていた。

午前一〇時五一分、アンバニが会場に姿を現すと万雷の拍手がわき起こった。大規模なイベントに出席するときにラッキーアイテムとして好んで使う赤と白のネクタイを着けていた。彼は株主のあいだに入って握手をしたり笑顔を見せたりし、カメラに囲まれながらもその場を楽しんでいるように見えた。近くにいる者から背中を叩かれたり、会場にいるなじみの顔に手を振ったりしながら、「ハロー、ハロー、みなさんようこそ！」と言うのをわたしは前から数列目の席で聴いていた。総会が始まると、彼は演壇から笑顔を振りまいた。株主がおべっかのような質問をし、議長からグループの成果が読み上げられると、会場はわいた。熱狂的な雰囲気のなかで議事が進んでいくさまは、堅苦しいビジネス会合というよりアメリカのリバイバリスト〔十八世紀の信仰運動〕の集会のようだった。アンバニのスピーチは、決まり文句と数字が並ぶ、実務的な内容に終始した。その年、リライアンスの輸出額は国全体の一二パーセントを占めた。それに、ほかのどのインド企業よりも投資を増やし、同時に多額の法人税も払った[32]。とくに彼が力を入れて語ったのは、「リライアンス・ジオ」についてだった。巨額の資金を投じて近く立ち上げを予定していた野心的な通信ビジネスで、一〇年前の分割合意の際に弟に持っていかれた業種に参入しようとするものだった。「ニュー・インドとともに、ニュー・リライアンスも形を成しつつあるのです」と彼は言った。

しかし、壇上ではかつてのリライアンスの姿を容易に見つけることができた。その年、ニタ・アンバニはリライアンスの取締役会のメンバーに就任していた。華やかなピンク色の民族衣装に身を包んだ彼女は、白髪交じりの男性陣――その多くは古くからアンバニ家に仕えてきた者たちだ――が占める演壇のなかで、ささやかな彩りを添える役割を果たしていた。客席の最前列には親類が座り、年老いた母や三人の子どもたちの姿があった。ムケーシュ・アンバニはリライアンスをフットワークの重い旧時代の産業界の巨人としてではなく、近代的なデジタル企業と位置づけていた。しかし依然としてリライアンスは排他的で秘密主義めいた雰囲気を残しており、ボスへの忠誠こそが何よりも重要とされていた。「あれは共産党政治局式の文化なんですよ」。財界のあるライバルがわたしにそう語ったことがあった。リライアンスのナンバー2は、どこかミステリアスな雰囲気を漂わせるマノジ・モディという名の役員だった。小柄で短い口ひげをたくわえた彼は、アンバニとは化学工学を学んでいたときのクラスメートだった。表向きにはモディはリライアンスのリテール部門を担当しているとされていたが、その年の年次報告書のどこにも彼の名前は見当たらなかった。実際にはアンバニの相談役であり、一〇年かそれ以上にわたり進められてきた同社の野心的な通信事業構想の共同設計者でもあった。年に一度、モディは延々と続く株主総会会場の片隅に静かに姿を現して記者にブリーフィングを行い、それが済むとすぐさま立ち去っていった。

このころにはアンバニがリライアンスのトップになってから一〇年以上が経っており、彼は自身のダークなイメージを和らげようと試みていた。慈善事業に寄付を行い、ダボス会議で長広舌を振るい、アメリカの銀行の取締役会に名を連ねもした。傘下のリライアンス財団は南ムンバイに病院を建てた。ディルバイ・アンバニ・インターナショナルスクールを設置すると、ムンバイの富裕層がこぞって子女を入学させようとした。自分についての報道をすべてコントロールするのは不可能と悟った彼は、テレビ局を買収してメディア業界でも大物たらんとした。以前から続いていた弟との対立についても、それぞれのビジネスについて棲み分けを定めた合意を結ぶことで手打ちをしていた。妻のニタも国際オリンピック委員会の委員に就任したり、一家の慈善事業団体の運営に携わったりしたことで公人になっており、夫のイメージを変えようと熱心に取り組んでいた。彼女は、二〇〇八年にクリケットのインド・プレミアリーグが華々しく立ち上げられた際にリライアンスが買収したムンバイ・インディアンズの経営にも参画した。ワンケデ・スタジアムで同社のボックスシートに招待されるのは、ビジネスとクリケットが二大関心事のムンバイにあってとくに名誉なことだった。しかしスタジアムでも、数万人の熱狂的なファンが集うなかでアンバニ家は違う場所にいた。選手のダグアウトの隣にある、グラウンドからすぐそばのゆったりとした青いソファが彼らの指定席になっており、そこから試合を観戦していたのである。

とはいえアンバニが執心する新規通信事業「リライアンス・ジオ」に比べれば、これらはサイドストーリーにすぎなかった。彼は南ムンバイにあるリライアンスの本社からこのプロジェクトの指揮を執ることが多かった。父が使っていた古めかしいオフィスをアンバニも使い続けていたが、それは主にセンチメンタルな気持ちからだと言われていた。しかし少なくとも週に一回は、防弾措置を施したBMW7シリーズがアンティリアの裏門から静かに滑り出し、アルタマウント・ロードを左に下っていき、ムンバイ中心部のヘリパッドとして用いられている競馬場に向かっていった。そこから社用ヘリがひとっ飛びで彼をリライアンス・コーポレート・パークへと運んでいく。そこはリライアンスの郊外型複合施設で、半島の形をしたムンバイの東側にある人口一〇〇〇万以上の衛星都市、ナヴィ・ムンバイに位置している。

二〇一六年の初め、わたしもヘリで同じルートを移動した。ある晴れた日の午前中に競馬場に到着し、「アンバニランド」の中核部に入っていくという貴重な機会を得たのだ。ヘリ内のシートベルトは金色で、機体の側部には「ＶＴ‐ＮＭＡ」――側近によると「ニタ＆ムケーシュ・アンバニ」の略称とのことだった――と刻印されていた。ヘリに乗り込む前には、自分の名前が青インクで殴り書きされた搭乗券を手渡された。機内に入ると、別の搭乗券が床に捨てられているのに気づいた。そこに書かれていた名前は「マノジ・モディ」。この日、前の便に搭乗したようだった。ヘリは砂塵を巻き上げながら離陸し、垂直に上昇した。その後、東に向かって加速し、ギザギザの輪郭をしたアンティリアはかすむ風景のなかに消えていった。彼の絶大な力をもってしても、自宅の屋上をヘリパッドとして使用することについては、ムンバイ上空を管理するインド海軍に認めさせることはできていなかった。

競合他社はアンバニの通信業への再参入に対して恐れを隠すことなく警戒していた。ある者はジオの立ち上げについて、古代インドのサンスクリット叙事詩『マハーバーラタ』で描かれる血みどろの戦い――主要登場人物はそのなかで死んでいく――になぞらえた。何千人ものエンジニアが数年をかけてサービス完成に向けて取り組んだ。ベーシックモデルの端末とのろのろとした速度のネット回線が当たり前だったインドにあって、目玉にしたのは格安スマートフォンと超高速データ通信だった。その日、リライアンスの複合施設を歩き回ったなかで、何人もの役員が現地の規模について説明してくれた。二平方キロメートルの土地に近代的なガラス張りのビルが立ち並び、埃っぽい巨大な駐車場も設けられていた。リライアンスはインド中に何十万キロもの光ファイバー回線を敷設するとともに、携帯通信基地局も九万基設置したという。わたしは広々としたオフィスに案内され、アンバニ本人が使っているという椅子を見せてもらったが、実際に彼が座った形跡はなかった。近くにある長男アカーシュのオフィスは使われている感じがあった。額に入れられたアンバニ家の家族写真の隣にはルービックキューブが捨て置かれ、アンディー・ウォーホルのピンクのポスターがデスク上のボードに貼られていた。ポスターには「待たされることで物事はもっと面白くなる」というスローガンが書かれていた──ジオのサービス開始が五年近く延期になっていたことを踏まえると、そのことへの皮肉ではないかと受け止めた。

アンバニは儲けの大きい石油精製業によってため込んだ余剰資金をジオに投入し、この新規通信事業を国家的なデジタル事業振興のなかでの事実上の公共投資と位置づけようとしていた。三一〇億ドルと推定される投資額の回収は困難と見るアナリストが多いことを踏まえれば、公共投資との説明はまさにそのとおりだと言えるかもしれない[33]。「やつがやっていることは狂気ですよ。完全な狂気としか言いようがない」。アンバニの計画の壮大な規模が次第に漏れ聞こえてきた二〇一五年、別の通信グループのトップはそう言っていた[34]。アンバニ自身は平易な言葉で目標を語り、普通のインド人が負担できる価格でサービスを提供すると約束した。実際、その年の後半にようやくサービスが開始されると、無料プランを発表した。競合他社はアンバニが財閥内のほかの業種で稼いだ資金を不当に新規事業に投入していると批判したが、否応なしに激烈な価格競争に引きずり込まれた。無料プランはリライアンスお得意のビジネス戦略だ。巨額の損失は覚悟の上で、むき出しのポピュリズムを追求し、競合他社を屈服させられるのであればそれでよしとされた。このやり方は当然のごとく成功し、ジオはわずか六カ月で一億人以上の契約者を獲得したのである。

数年前、わたしは一度だけアンバニと会う機会があった。リライアンスが本社として維持してきた、市内中心部にあるメーカー・チェンバースという古色蒼然としたオフィスビルで、かつて父が使っていたオフィスに彼はいた。そのころ、彼は携帯端末の試作機を示して、クリケットの試合や映画を高画質でストリーミング放送することが可能になるとアピールしていた。ジオが秘める技術的な可能性についての情熱は少年のようだった。ネットワーク構築をめぐる技術面のハードルは、彼のエンジニアとしてのイマジネーションを刺激したように見えた。以前から彼のアドバイザーは社業をエネルギー分野に集中し、海外で取得した鉱区を生かしてリライアンスをシェルやエクソンのようなグローバル巨大企業に成長させるべきだと建言してきた。しかしアンバニはそれには耳を貸さず、ほかの業種に参入し、資金の大半を国内の投資に振り向けた。

これには変貌するインド経済への賭けという側面もあった。アンバニはインドの現状について、「一人当たりGDPが二〇〇〇ドルから五〇〇〇ドルに移行する過程にある」と説明したことがあった。所得レベルが「中の下」のインドが新たな発展段階に達しつつあり、それは大規模な工業プロジェクトよりも、拡大する消費者階級にモノを売るほうがうまみが大きいことを意味した。[35] しかし何よりもアンバニを突き動かしていたのは、「デジタル業界のパイオニア」としての称号をなんとしてでも手にし、シリコンバレーの起業家から手放しの称賛を受けることのように見えた。「人類の文明という単位で見た場合、これからの二〇年は過去三〇〇年で達成されたものより多くのものを達成することができると確信しています」。二〇一六年のジオ立ち上げの際に彼はそう語ったが、自分もその一人にならんとしたテクノロジー業界のリーダーの発言としてとらえると、いささか陳腐な内容ではあった。[36]

しかし、懸命な取り組みにもかかわらず、アンバニは先代のころからリライアンスを覆っていた問題から完全に逃れることはできていなかった。二〇一四年にメディアにリークされたインド政府の会計検査院による報告書の草案では、ジオのサービス提供のためにいかにして貴重な通信用周波数帯を獲得したかについて検証を行っていた。当初ライセンスを落札したのは、インフォテル・ブロードバンドという無名の小企業だった。入札額は二〇億ドルだったが、同社の時価総額はそのほんの一部でしかなかった。落札が発表された直後にインフォテルはリライアンスによって買収された。リライアンス側は不正を否定したものの、会計検査院はこのプロセスについてその後も疑義を呈した。[37]

反腐敗を掲げる活動家もリライアンスを攻撃した。「リライアンスはベーナーミーを使って入札したということですよ」と、政治活動家にして弁護士のプラシャント・ブーシャンは言う。「ベーナーミー」とは、最終的な購入者が代理人を使うことで意図を隠すことを意味する、ヒンディー語の言葉だ。[38]これについてもリライアンスは強硬に否定し、インフォテル・ブロードバンド買収に際して自分たちはなんら規定に反していないと主張した。ブーシャンは落札の無効を求める訴訟を起こしたが、敗訴した。会計検査院はこれとは別の点についてもリライアンスを非難した。一件のライセンスで扱える事業内容に関する規定を政府が変更したことで、ジオユーザーがもともとデータ通信用だったネットワークで音声通話もできるようにしたとして、五億ドルの費用を浮かせたというのだ。[39]アンバニ批判論者からすれば、かつて父がしたのと同様にアンバニはニューデリーで目的を達成するための独自ルートをしっかりと持っており、二つのケースはその証左と映った。

こうした疑惑はアンバニの通信事業だけに限ったことではなかった。ベンガル湾でのエネルギー採掘をめぐっても対立が生じた。リライアンスはガスの公定販売価格をめぐりさまざまな対立を起こしていたのである。会計検査院も、同社は政府と結んだエネルギー採掘契約で有利な条件を盛り込むべく、設備投資額を実際よりも水増しして報告したと指摘した。[40]この問題についてもリライアンスは疑惑を否定したが、二〇一四年総選挙で反汚職を掲げる活動家がアンバニに対し、決して受け入れてはいけない縁故主義の代表というレッテルを貼ったことで、彼はさらなる批判にさらされた。モディが選挙で勝利したことで状況はさらに厳しくなった。えこひいきとの批判を受けたくなかった新首相は、財界幹部が享受してきたプライベートな接触の多くを禁止したからである。

二〇〇八年に行われた『ニューヨーク・タイムズ』とのインタビューで、アンバニはリライアンスがかつて利益誘導していたことを暗に認めていた。「それはすべて解体しましたよ」――記事で「ニューデリーにおけるロビイストとスパイのネットワーク」と表現された、父が築き上げた仕組みについて問われると、アンバニは半ば冗談気味にそう言ったのだ。この発言からは、こうした活動は二〇〇五年の合意でリライアンスが分割された際に終止符が打たれたことを示唆していた。[41] これを受けてアニル・アンバニは兄と『ニューヨーク・タイムズ』の双方を相手取って訴訟を起こしたが、不首尾に終わった。[42]

ムケーシュ・アンバニは近代的なグローバル企業のトップとして、国民的なプロ経営者として、さらにはインドの経済発展における重要な存在として見なされたいと願っていた。こうした見方に賛意を示す有識者もいた。「かつて政治的利益誘導で知られたリライアンス・インダストリーズは、いまやさらなる高みへと上昇した」。エコノミストのスワミナタン・アイヤールは数年後にそう記した。[43] しかし、アンバニが特別な政治権力を操っているという見方は依然として根強かった。内輪の場では、競合他社は自分たちに不利な規制が降りかかってくると、そこには必ずと言っていいほど彼の手があると主張した。リライアンスは秘密主義的な企業文化と商取引をわかりにくくする複雑な組織のもと、自社の利益追求を止めようとはしなかった。この構造を解明すべく、わたしはムンバイで四方八方手を尽くした。リライアンス・インダストリーズに関係しているさまざまなペーパーカンパニーや小規模企業——大破したアストンマーティンを所有していたリライアンス・ポートはその一例にすぎない——を精査したが、いずれも徒労に終わった。アンバニは、はっとするほど高額の報酬で著名な外国人を取締役に起用した。ところが、こうした外国から「移植」された役員は、古くから一族に仕える「家臣」で構成されるグループが秘密裏に動いていることに気づき、長続きしないケースが多かった。リライアンスの取締役会はアンバニの友人や親族で占められており、企業統治は大雑把だった。「国民的英雄ではなく国民の恥」——『エコノミスト』誌にそう評されたことがあったほどだ。[44]

アンバニにはありとあらゆる疑念が向けられていたが、それでも彼の野心には否定しがたいほどスリリングなものがあった。前述した株主総会でスピーチをしていたころ、彼は二〇〇億ドル近くを投じて石油精製・石油化学プラントを新設している最中だった。リライアンスのエネルギー事業――原油をグジャラートの巨大施設に運び込み、ディーゼルやケロシンにして再輸出していた――は、同社単独でも毎年国家輸出総額のほぼ一割にもなり、インドで進行中のグローバリゼーションのなかでもっとも重要なエンジンの一つになっていた。しかし、とくに大きな衝撃をもたらしたのはジオの規模だった。ジオ事業はインドの企業史のなかで民間資金によるものとしては過去最高額が投じられただけでなく、将来の利益や株主への還元を考慮していないという点でもっとも向こう見ずな案件とも言えそうだ。サービス開始当初、利用者が無料超高速接続プラン付きのスマートフォンをこぞって購入したことで、滑り出しは順調だった。しかし、ジオにおける野心は根本的な問いを表すものでもあった。既存の経営者なら恐怖を覚えるような高いリスクを取ることはせず、その過程で業界や国に激変をもたらすことをしないのであれば、財界の大物でいる意味などないのではないか、と。一〇〇年以上前、ヴァンダービルトやロックフェラー、カーネギーも、アメリカに繁栄をもたらした運河や鉄道、蒸気船を造っていくなかで、よく似た問題に直面した。彼らが実際に生きていた時代には、いずれも腐敗にまみれた強欲者だとやり玉に挙げられた。時が経つにつれて、次第に泥棒貴族ではなく、「新たなテクノロジーの達人」だとか「産業界に変化をもたらしたパイオニア」として再評価されるようになった。それは、経済学者のヨーゼフ・シュンペーターがのちに「何度も繰り返される創造的破壊という強風」と呼んだ現象の具現化と言えた[45]。アンバニや彼と同類のボリガルヒについても、不透明な手法の内容が闇に消える一方、築き上げた成功が残っていくなかで、アメリカの大富豪と同じように見られるようになるのかもしれない。

しかし、こうした大胆さの背後には恐怖感があったのも間違いない。アンバニは自らの名声を何よりも「実行力」によって築き上げてきた。つまり、複雑なビジネスプロジェクトを迅速かつコストを抑えて実現させる能力を持っているということだ。ところがジオについては一転して慎重になり、サービス開始を一年また一年と延期していった。彼は技術面で問題がないことを確認すべくあちこち点検し、各段階で数十億ドルを追加投入した。「彼はサービス開始初日からすべてを完璧にするという考えに執心していたのです」。リライアンスの施設を訪ねたとき、役員の一人がそう説明してくれた。誰でも察しがつくかもしれないが、こうした遅延の背景には、彼自身の遺産、それに父との関係にかかわる深い懸念があった。ムケーシュ・アンバニがもっとも大きな成功を収めた石油精製と石油化学というビジネスは、父から受け継いだものにすぎないと指摘されることが多かった。小売りやエネルギーといった自ら立ち上げた事業はほとんどの場合、大失敗に終わっていた。名声を確立するためには、巨大プロジェクトを完全に自前で立ち上げ、かつての父と同じように国を変革するほどのスケールで実行する必要があったのである。「彼にとってこれは絶対に成功させなくてはならないプロジェクトだということをみなわかっていません。彼の命運を決する一大事なのです」。ジオのサービス開始が近づいていたころ、リライアンスとのつながりが強い関係者の一人はそう解説してくれた。「ですから、彼が理不尽な行動をとることを理解しておく必要があるのです。額に糸目をつけず資金を投入するという具合にです。彼にとっては絶対に負けられない戦いですから」

インドで最大の富豪にして誰よりも巨大な権力を手にし、もっとも恐れられている超大物がこうした考えを抱いていることに、めまいのような特別な感覚を覚えた。「わたしにとってお金は何の意味も持ちません」。アンバニは自らの個人資産が三一〇億ドルを超えた二〇一七年、インタビュワーにそう語った。「父はよくこう言っていたものです。『金儲けのためだけに何かを始めるのはばかのやることだ。それでカネを儲けることなど絶対にできないし、失敗に終わるに決まっている。誰もが同じダルとロティ〔豆カレーと無発酵の全粒粉パン〕を食べているのだから』とね[46]」

それでも競争に負けてしまうのではないかというリスクには現実味があった。それまで高成長を続けてきたインド経済が世界金融危機によって減速に転じ、贈収賄をめぐる問題でニューデリーが麻痺するなか、アンバニと同じ億万長者たちは資産がしぼんでいくのを目の当たりにした。なかには汚職容疑で捜査対象になった者もおり、一部は刑務所行きになるか国外に脱出した。アンバニはこうした事態の影響を受けることはまったくなかったものの、『フォーブス』の長者番付トップの座から陥落寸前までいったことが何度かあった。より明白な結果かつ教訓となったのは弟アニルのケースだった。彼の帝国は分割から一〇年のなかで債務に苦しみ、彼自身も億万長者から脱落した者のカテゴリーのなかでも下位に転落してしまった。アンバニ兄のほうを旧時代の異物と見なし、アメリカの「金ぴか時代」で大富豪に起こったような没落が彼にもやってくると予測した者もいた。しかしアンバニはまさにそうした可能性に抗おうと決意しているかのようだ。それは巨大なスケールの投資や途方もない自宅の壮大さに表れている。インドで台頭する超富裕層の力を彼以上にわかりやすいかたちで誇示している者はほかにはいない。そしてアンティリアのルーフテラス――彼が手中にした「富裕層の頂点」――に立てば、下までの距離がどれだけあるかを知る者は彼以外にいないのである。

第2章 栄光の時代の幕開け

ベイカー・ストリートでの亡命生活

ヴィジェイ・マリヤがシガリロ〔細めの葉巻〕に火をつけて一息吸い込み、大きな白の灰皿に灰を落とすと、紫煙が立ち上った。二〇一七年の春が終わりかけていたころで、金曜日のじめじめとした午後だった。外では霧雨が降っており、道路の反対側に広がるリージェント・パークがぼんやりと広がっていた。室内ではマリヤが木製の大テーブルの後ろに陣取り、目の前には金のライターと携帯電話が二台置かれていた。夕暮れが近づいていくなか、話題が彼のビジネス上のトラブルや母国の現状になると、マリヤは顔を曇らせた。「インドでは血管を血が流れるように腐敗が隅々まではびこっているんだよ」と、ため息をつきながら彼は言った。「それは誰かが一夜にして変えられるようなものじゃない」

彼の自宅はグレードＩリスト〔イギリスの指定建築物の分類〕に掲載されているグレコ・ローマン様式のテラスハウスで、地下鉄ベイカー・ストリート駅から歩いてすぐのところにあった。わたしたちはそこの書斎で豪華な革張りの椅子に座っていた。そこはあり得ないほど裕福な者のみが住むことのできる場所で、室内には華美な年代物の家具が置かれ、クリスタルのシャンデリアがきらめき、天井や階段には金箔が貼られていた。カタールの王族は、テラスハウスの端にある家を八〇〇〇万ポンド近い金額を払って数年前に購入していた。(1) さまざまなタイプのロールスロイスやベントレーが家の裏側に駐車してあった。マリヤに会う前に周りを歩いてみると、ずんぐりとした形をし、「VJM1」というナンバープレートを付けたシルバーのマイバッハがマリヤ宅の裏口の外でアイドリングしていた。門が開くと、そこには門番がいて、古い開き戸タイプの食器棚を思わせる、無造作に設置された何台もの監視モニターを見つめていた。

書斎は広々としており、床は濃い色の板張りだった。部屋の雰囲気に合ったテーブルの奥にマリヤが座り、会話の最中にも二台の携帯電話でメッセージをチェックしていた。初めのころは彼の脇に水の入ったグラスが置かれていた。少しするとカフェ・クレーム・シガリロのすぐそばにある白いボタンを押してバトラーを呼び、ウイスキーをオーダーした。後方の壁には、白と金色のカバーに覆われたドリンク用のキャビネットがあった。金持ちの娯楽を象徴するアイテムがそこここにあった。窓際にはスーパーカーの雑誌が三冊あり、その脇にはマリヤが当時もオーナーを務めていたF1チーム「フォース・インディア」の車のミニチュアが置かれていた。話の途中、トイレを貸してほしいと頼んだ。使用人が案内してくれた先は金色の化粧室で、便座は光り輝いており、便座とトイレットペーパー・ホルダーもそれに合わせて金色だった。ふわっとしたハンドタオルだけが白だったが、そこにも金色の糸で「VJM」〔マリヤのイニシャル〕の文字が刺繍されていた。

しかしこうした豪華さにもかかわらず、ある種の喪失感がそこには漂っていた。それは、主のマリヤが不本意な国外生活を強いられていること――『タイムズ・オブ・インディア』〔インドの有力英字紙〕は彼のことを「逃亡犯ヴィジェイ・マリヤ」と形容した――の反映だと思われた。(2) かつてビール製造と航空業で億万長者となった彼は、インドの「栄光の時代《グッドタイムズ》の王」という、自身のビールブランド「キングフィッシャー」のキャッチフレーズを地で行く人生を謳歌していた。豪勢な日々のなかで、彼は自分が中心のサーカスで自ら舞台監督を務めているかのようだった。美食家にして大酒飲み。取り巻きに囲まれ、『グレート・ギャツビー』に出てきそうな派手なパーティーを好み、時間を守らないことで有名。ところが、携帯こそ頻繁に鳴り続けていたものの、裏で居眠りをしていそうな警備やアシスタント、バトラー、運転手といったスタッフを別にすれば、家には人の気配がなかった。マリヤ自身、時間を持て余しているようだった。今回の取材にも少し遅れただけだったし、三時間近くにわたって熱弁を振るい、自分にかけられたさまざまな嫌疑について反論を展開していた。

「逃亡犯」と呼ばれる割には、マリヤの生活ぶりは豪勢だった。平日は自宅から近いドーチェスター・ホテルで、所有し続けていたビジネスの経営を行ったり会議を開いたりしていた。週末になるとレディーウォークに車で移動した[3]。F1ドライバー、ルイス・ハミルトンの父から一一〇〇万ポンドで購入したと言われる、ロンドン市内から一時間程度の場所にある郊外の邸宅だ。とはいえ、彼を取り巻く制約を見つけるのは難しいことではなかった。会話の最中、デスクに並べられていた書類の数々にちらりと目をやった。そのうちの一つは、コートダジュールに係留してある全長九五メートルの巨大ヨット「インディアン・エンプレス」号の乗組員の給与が未払いになっていることを示すものだった[4]。彼の代名詞とも言える髪型――「前はビジネス向け、後ろはパーティー向け」と言われることもあった、襟足を長く伸ばすスタイル――もくたびれた感じで、六十代初めで苦境に置かれている男にとっては不釣り合いな印象を醸し出していた。

さらに、本国への帰国はもはや不可能であることを示す兆候もあった。彼の横には新聞の束があり、いちばん上にあった『エイジアン・エイジ』〔インドの英字紙〕の一面はニューデリーで発覚した不正疑惑で埋め尽くされていた。デスクには二つの時計盤があるクリスタル製の置き時計があり、右側はイギリス時間、左側はインド時間を示していた。イギリスで豪邸を二つ持っていればそれだけでも十分多いと言えそうだが、かつてのマリヤは一〇軒以上の邸宅を行き来していた。インドに五軒、南アフリカで個人所有の動物保護区に一軒、モナコ、カリフォルニア、ニューヨークのトランプタワーにも住居を持っていた。[5] ムケーシュ・アンバニがムンバイにそびえ立つアンティリアを建てたのとまさに同じように、マリヤもバンガロール〔現在の呼称はベンガルール〕に巨大な邸宅を建て、そこをビジネスの本拠地とした。数年前には一家の古いバンガローを取り壊し、「キングフィッシャー・タワー」と命名したけばけばしい超高層ビルを新たに建てた。このビルは一部が商業施設になっているほか、低層階は分譲マンションとして売り出された。しかし白いコンクリート製のビルのいちばん上に陣取っていたのは三七〇〇平方メートルの広さを持つマリヤ専用の「スカイ・バンガロー」で、そこだけで評価額は二〇〇〇万ドルと言われた。インドでもっとも異彩を放つ大邸宅はどこかホワイトハウスを思わせた――ただし、こちらは地上から一二〇メートルの高さにあったのだが。ただ、国外逃亡という現状に鑑みれば、所有者のマリヤがこの場所に実際に住めるようになるかは不透明だった。[6]

「数世代で変わるというものじゃないね。つまり、腐敗のシステムというのはそれだけ根がものすごく深いのさ」。政府の汚職対策が功を奏していないことに話題が及ぶと、マリヤは肩をすくめながらそう言った。彼によれば、とくにたちが悪いのは歳入当局で、徴収すべき税額よりも高額の賄賂を要求してくるのだという。「いまの体制から腐敗を完全に取り除くことなんてできやしないね。インドではほとんど生まれつきと言っていいほどのものだから。連中（税務調査官）は一〇倍のカネを要求してくるんだ。それに応じなければ、結構ですよ、と言って塀の中にぶち込むだけさ」。マリヤにしてみれば、これはアカデミックな観点からの懸念などではなかった。その数年前まで彼はインドでもっとも有名な経営者の一人で、その富と豪勢さは日増しに自信を強める国の精神を体現していた。ところが二〇一七年初めになると、インド当局は彼に対し、キングフィッシャー航空の経営破綻にかかわる贈収賄容疑で捜査を開始した。同社は五年前にたいへんな規模で倒産して巨額の負債を残すとともに、何千人もの社員の給料が未払いとなり、怒りを招いていた。(7)

マリヤは話をいったんやめ、ライターをパチンと開けて新しいシガリロに火をつけた。「インドではこの手のばかげたことが実際に起きるんだよ。だってな、連中は目をつけたやつを牢屋にぶち込んで『そこに座ってろ』なんて言うんだぞ」。しわがれた声が急に真剣なトーンに変わっていた。「どうして自分をリスクにさらすようなことをするのか？ どうして公正な裁判を受けることができないのか？……わたしがここにいる理由はそれだよ」

「ここ」というのはロンドンのことを意味していた。面倒な状況に追い込まれたロシアのオリガルヒやインドのボリガルヒにとって安住の地だ。二〇一六年三月、マリヤは定期便のファーストクラスでニューデリーを後にした。同時に彼は、国外脱出したという見方を全面的に否定していた。しかし、わたしたちが会ったのはそれから一年あまり経ったときだったが、彼は近いうちに戻ることはできなさそうだと認めた。彼はかつて「ラージヤ・サバー」と呼ばれるインド上院で議員を務めていたが、外交旅券はとうの昔に無効にされていた。長年にわたるイギリス在住者だったので、滞在許可は得ていた。しかしパスポートなしには海外に行くことができないため、悪名高き世界周遊生活がほぼ全面的に不可能になるとともに、事実上の無国籍状態に置かれることとなった。

さらに悪いことに、わたしたちが会ったときから一カ月前、マリヤは本国での一連の疑惑に関連するマネーロンダリングの容疑でイギリス警察によって逮捕された。(8) 彼は無実を主張し、その日のうちに保釈を勝ち取ってふたたび自由の身となった。そのときの彼は開き直った様子で、ウェストミンスター治安判事裁判所前の通りに立ち、押し寄せたカメラの大群に対し、いつの日か債権者に支払うであろう

「数億ポンド」について「ずっと夢を見ていればいい」と言い放った。(9) しかし、書斎に座る彼は用心深そうに見えた。インド当局は債務不履行や詐欺容疑で取り調べを行うべく引き渡しを求めていたが、マリヤはそれをはねのけるため、何年にもわたり高額な費用を払わなくてはならなかった。

「裁判所でこれがどれだけ時間がかかるのかなんて、神のみぞ知る世界の話だよ。まあ、完全な魔女狩りということさ」とマリヤは言う。嫌疑に対する激しい政治的狂乱ゆえに本国では公正な裁判は期待できない、帰国すれば直ちに悪名高いニューデリーのティハール監獄行きになるリスクに自分をさらすことになる、と主張したのだ。「[メディアは]国民の感情を煽っているんだ。債務不履行、資金の持ち逃げ、マリヤゲート、泥棒、こんな具合にね」。彼は激高した様子で、一つひとつポイントを強調するかのように両手を上げながら話をしていた。「帰国するのが単に難しくなったというだけじゃなくて、賢明な選択肢ではなくなったということなんだ……弁護士の先生がこう言うんだよ。『いいですか、帰国するのはばかげていますよ。ティハールへの片道切符を渡される、ということなのですから』ってね」

加熱するメディアの報道に対するマリヤのいら立ちは相当なものだった。インドの新聞やテレビのトークショーは彼の失墜の各段階を熱心に報じ、銀行団やサプライヤー、元社員に負っているとされる二〇億ドルについてああだこうだと言いはやした。(10) 最初のころこそ寛容だった債権者も次第に厳しい姿勢に転じ、マリヤの邸宅や飛行機、自動車の差し押さえに乗り出した。メディアは彼について、活力に満ちた、インドの新たな消費経済を代表する人物とはやし立てていたときもあった。雑誌のプロフィールでは「バンガロールのリチャード・ブランソン〔イギリスのヴァージン・グループ創設者〕」ともてはやされたものだった。それがいまではテレビで評論家から「債務不履行者」と名指しされ、新しいタイプの悪徳経営者の代表格で、その無謀さによってインドの銀行に大損害を与え、ビジネス界に泥を塗ったと非難を浴びていた。債権者や元社員への支払いが行われていない一方で、あからさまに豪勢な国外生活を送る様子は、彼の悪名をいっそう高めた。

こうした非難に対し、マリヤは冷静沈着だった。話し上手で憎めないワルだが、プレイボーイのイメージ以上にしっかりとしたビジネスセンスがある男だった。過去の経緯を正確に説明しようと、会話のなかでは債務不履行率に関するデータや過去の契約の詳細が次々に語られた。自分が置かれている現状に明らかに憤っていたのだろう、彼の口調は反発的だったかと思えば自己憐憫を思わせるものにもなり、その合間に以前の無邪気な自信が時折姿をのぞかせた。翌日にはF1のハイライト、モナコ・グランプリが予定されていた。かつてマリヤは、自家用ヨットできらびやかなパーティーを開くのを恒例としていた。それがこの年は、ハートフォードシャーの自宅でテレビ観戦というかたちになりそうだった――五匹の犬と数名の友人を招待して。

マリヤを批判する者が何よりも攻撃の矛先を向けたのが国外脱出に対してで、あたかもその行為自体が有罪の明白な証明ととらえているかのようだった。「連中はあっという間にわたしを債務不履行者の広告塔に仕立て上げたんだが、それはメディアの注目がいちばん大きかったからだな」と彼は言った。「連中」とは、批判を展開したメディア関係者、それにかつて友人でありながらいまは彼のことを「インド資本主義にいてはならない存在」とやり玉に挙げる政界関係者のことを指していた。マリヤはインドでいちばんの大富豪になったことはなかった。彼以上に規模も儲けも大きい企業を経営している者はほかにもいた。しかし、マリヤの場合、二〇〇〇年代半ばの高度成長で見られたあふれんばかりの楽観主義だけでなく、恥ずべき汚職事件とそれに続く債務スキャンダルをも体現する存在だった。ムケーシュ・アンバニが「ビリオネア・ラージ」の頂点に立つ人物だとすれば、ヴィジェイ・マリヤは頂上によじ登りはしたものの、滑落してふたたび下に戻ってしまうという感覚がどういうものかを誰よりも知る人物だった。

話が終わりかけていたころ、マリヤはモータースポーツ業界の友人からの電話に出て、五分ほどレーサーや彼らの調子についての突っ込んだ噂話に興じていた。電話を終え、郊外の邸宅に向かうため運転手を起こしに行こうとするその前、彼は自らを省みるような言葉を口にした。「わたしは九二年からここに住んでるんだ。母もいる。息子もここだ。娘もニューヨークからしょっちゅう会いに来てくれる……だからまあ、ここでの生活は快適ということさ。グランプリに行けないのはちょっと腹立たしいがね。それはわたしが払わなくてはいけない代償なんだろう」

帝王ヴィジェイの宮廷

絶頂期のマリヤは「夜行性動物」だったが、二〇〇五年十二月十八日ほど壮麗な夜はなかった。その日の晩は帝王マリヤの五十歳の誕生日を四日連続で祝う大パーティーの三日目で、彼はインド西海岸の陽光が降り注ぐゴア州の豪邸「キングフィッシャー・ヴィラ」に友人を招待していた。ゲストは、仏教のパゴダに似せたデザインが印象的な正面ゲートに車を乗りつけた。柱には「ＶＭ」のイニシャルが彫ってあった。そこから彼らは数台のフェラーリやプール（そのうちの一つは水中ランニングマシーンが付いていた）の脇を通り、海辺の庭へと案内された。足のすらっとしたモデルがボリウッドのスター俳優やマリヤの経営者仲間と歓談していた。彼らの多くはプライベートジェットで駆けつけており、それ以外のゲストはマリヤが借り上げた自社のエアバス二機で移動してきた。パーティーの途中、ライオネル・リッチー〔アメリカのミュージシャン〕が登場してホストにバースデーソングを歌い、そのあとには飛行機二機がビーチの上を低空飛行するパフォーマンスを披露した。[11]

二〇〇五年はマリヤにとって充実した年だった。春には懸案だったライバル酒造会社、ショー・ウォラスの買収案件をまとめることに成功した。これによって、彼が所有するユナイテッド・ブリュワリーズを世界最大規模の酒造メーカーに押し上げ、国内のアルコール販売で圧倒的なポジションを固めることに成功した。次いで五月にはキングフィッシャー航空の運航を開始し、拡大が続くインド国内航空市場への参入を果たした。この年のパリ航空ショーでは、三〇億ドルを惜しむことなく投じてエアバス一二機――うち五機は大型ジェットのＡ３８０Ｓで、国際線への参入計画があることをはっきりと示すものだった――を購入した。[12] こうした野心的な攻勢は巨額の資金を必要としたが、彼の口座収支にほとんど影響はなかった。マリヤの誕生日の数週間前に発表されたその年の『フォーブス』長者番付では、彼の資産は九億五〇〇〇万ドルに達していた。[13]

この年はインドにとっても充実した年だった。ヒンドゥー至上主義政党、インド人民党（ＢＪＰ）主導の前政権は、前年の総選挙で「輝くインド《インディア・シャイニング》」という楽観的なスローガンが有権者の反発を買い、敗北を喫した。代わって農民や貧困層への手厚い支援を公約に掲げた国民会議派主導の連立政権が発足した。マンモーハン・シンが新首相に就任すると、インドの展望は明るいと受け止められた。経済は九パーセント前後の成長を遂げた。長年にわたり「ヒンドゥー成長率」――一九九一年に経済自由化が始まる前の一桁台前半の低成長を指す――と揶揄された経済を耐え忍んできた国にとっては前代未聞の水準だった。

新たな楽観主義が広がりを見せ、マリヤ自身、それを体現しているかのようだった。インドのビジネスエリートと言えば、長い間、慎重で目立たない経営者ばかりだった。ディルバイ・アンバニは自由化の対極にあった数十年のなかで頭角を現した世代のなかではもっともアグレッシブだったが、その彼でさえも、純白のシャツを着て、浪費はせず、自身のプライバシーが漏れないよう控えめに振る舞った。ところがマリヤは違った。リッチで、パワフルで、それを隠そうともしない。前の世代よりも奔放な、新しいタイプの経営者だった。

帝王マリヤの台頭が始まったのは二〇年以上前の一九八三年、父が心臓発作で急死したときだった。父のヴィッタル・マリヤは慎重で控えめなビジネスマンで、第二次世界大戦が終わって間もないころ、まだ二十代半ばだった彼はユナイテッド・ブリュワリーズ（ＵＢ）を安く買い取った。同社はインドに駐留するイギリス軍兵士に国内生産の安価なビールを提供したことで一躍名を上げた。これによってわざわざイギリスからインディア・ペールエールを輸入する必要がなくなったのである。几帳面で規律を重んじた父マリヤは、計画的にビジネスを拡大していった。ライバルのビールメーカーを買収し、自社のビール工場を造り、一九四七年の独立後ほどなくして張り巡らされた複雑な規制の網をどうくぐり抜けていけばよいかを会得していったのである。彼が残した会社は利益を確実にもたらす遺産と言えた。ただし、一人息子のほうはそれを引き継ぐ準備がまったくもってできていなかったという問題があった。

　ヴィジェイ・マリヤはカルカッタ〔現在の呼称はコルカタ〕東部で、母と暮らしながら育った。父は南インドのバンガロールで働いていた。派手好みなところは幼少期から始まっていた。小さいころには子どもサイズのフェラーリを家の近所で乗り回し、ハイティーンのときはターボチャージャー付きのポルシェ９１１で路上に出ていた[14]。大学卒業後に父の会社に入り、最初は営業に配属され、次いでアメリカ支社で短期間インターンとして働くためニュージャージーへ移った。父が亡くなったときには、若きマリヤは低俗なタブロイド記事——内容は女性か車に関するものがほとんどだった——のスクラップ以上のことはしていなかったのだが。

　マリヤが経営を始めたころの特徴は、計画的とはとても言えない業務拡大だった。ピザチェーン、コーラ飲料、通信機器メーカーを立ち上げたのだが、あたかも父のビジネスを引き継ぐには若すぎる上にふさわしい資質が伴っていないとする懐疑派の主張を裏づけているかのようだった。サンフランシスコからゴールデンゲートブリッジを渡ってすぐのところにあるサウサリートは妻と子どもたちが一年の多くを過ごす場所で、マリヤも滞在することがあった。彼はそこでワイン用のブドウ園、クラフトビール醸造会社、新聞社を買収し、海に面したオフィスの駐車場を、増える一方のクラシックカーコレクション置き場にした。[15] しかしこうしたもろもろのお戯れは、ビールとスピリッツビジネスが順調にいく限り――実際にうまくいっていた――大した意味はなかった。マリヤが父にはなかったプロモーションの才能を発揮し始めてからは、とくにそうだった。次第に彼は事業を絞り込むことを学び、製薬からファストフードにまでわたる傘下企業を整理・売却し、飲料分野に集中することにした。[16] なかでも重要だったのは、キングフィッシャーを復活させたことだった。消滅の危機に瀕していたビールブランドをインドで圧倒的な存在感を持つラガーに、さらに世界中のカレー店にとってなくてはならない存在に育て上げたのである。

ロンドンに拠点を移したマリヤは、若かりしときの奔放ぶりにはとくにこだわっていない様子だった。「わたしはメディアの寵児になったのさ。それはライフスタイルから来てるんだよ。パーティーとか、スーパーカーとか」と彼は言った。「二十七歳で会社を引き継いだんだから、二十七歳の人間として振る舞うじゃないか。でも、メディアの連中はわたしをディルバイ・アンバニと比べ始めたんだよ。二十七歳の青年ならフェラーリを乗り回したいと思うだろうけど、五十歳の男は赤のフェラーリなんて興味を持ちやしない。だからわたしは自分の年齢に忠実に生きることにしたんだ」。とにかく派手ではあったが、自分のおどけた態度にはビジネス上の明確なロジックがあったのだと彼は主張した。インドではアルコール類の広告が禁止されていたため、酒造メーカーはほかの手段でなんとかして顧客にアピールしなくてはならない。サンプルを配布した同業他社もあったが、マリヤの場合は自分自身を広告塔に使うことにした。

「ブランソンがやってるのと同じことをやったんだよ」と彼は言う。「自分自身がブランドになったのさ」。新聞はキングフィッシャー・ヴィラでのパーティーについての記事を書いたり、キングフィッシャー・カレンダーに登場する水着モデルの写真を掲載したりもした。航空業界への参入は、空を飛ぶことへの憧れがモチベーションの一つだった。ブランソンと同様、マリヤも航空会社のオーナーとなることに以前から強い魅力を感じていた。チャンスをみすみす逃してはならないという意識もあった。一九九三年に自由化されたインドの民間航空業は、相対的に手つかずの業種だった。しかしそれ以上に、この計画は、クルーズ船から豪華列車まで、あらゆる交通手段にまたがるキングフィッシャーの長期戦略の一部だったのだ。ブランソンがヴァージン・グループを拡大させていった手法をまさに模倣したものだった。マリヤは否定するが、航空業に参入したのはブランド拡大の究極のかたちであり、飛行機はビールの売り上げを増やすための高価な広告事業にすぎないのではないかと皮肉る業界ウォッチャーもいた。派手好みの帝王を別の有名なセルフプロデューサーになぞらえた者もいた。「言ってみれば、マリヤはインド版ドナルド・トランプですよ」と、彼の伝記を書いた作家は言う。「彼は自分自身が『栄光の時代の帝王』であろうとするだけでなく、ほかの者にも優雅な生活を送らせようと日夜取り組んでいるのです[17]」

肩まで伸ばした後ろ髪、イヤリング、きらびやかなアクセサリー。そんな風貌のマリヤは起業家のなかでもっともワイルドなイメージを備え、深夜に自ら主催したパーティーに顔を出した——多くの場合、ゲストが到着してから何時間も経った後に。携帯電話が普及すると、彼の後ろには端末が何台も乗った銀のプレートを持った召使いが控えていると言われた[18]。特別な内装が施され、自社の商品でいっぱいのバーを備えたボーイング727で、マリヤはパーティーやビジネスミーティングをはしごしたが、関係者からすれば、どちらにせよ両者の境界ははっきりしていなかった。マリヤが所有する会社の一つでかつて役員を務めていた人物はこう語る。「午前一〇時に取締役会をやるから来るように言われたのを覚えています。それで前の晩に飛行機で現地入りしたのです。会議はたしかに一〇時に始まりましたよ――午後一〇時でしたが。ちょっとばかばかしい気がしました。彼はどの国にも家を持っていました。移動するときにはスーツケースを持ち歩いてはいませんでした。行く先々の家に着替えを置いてあったからです。後から振り返れば、こういう行き過ぎたライフスタイルに、彼が過ちを犯した理由の一端があったと考えざるを得ません」

大げさな言動はあったものの、マリヤが着実に資産を増やしていたことは確かだった。二〇〇六年に彼は『フォーブス』の長者番付に億万長者として掲載され、世界最大級の貴重なスーパーヨットを購入した。その翌年、彼はスコッチウイスキー会社、ホワイト・アンド・マッカイを五億九五〇〇万ポンドで買収した。彼の野心に海外からも注目が集まり始めた。「マリヤ氏は、アメリカの取締役会では少なくともこの半世紀はお目にかかったことのないタイプの、自由な企業王だ」。彼がキングフィッシャーの海外進出プランを進めようとするなか、『ニューヨーク・タイムズ』はそう指摘した。「彼は自分の周りを昔からの側近グループで固め、大きなダイヤモンドを身につけ、朝五時まで自宅で会議を開き、女性ジャーナリストにウィンクを送り、企業のスローガンにもなっている『栄光の時代』をこれ見よがしに見せている[19]」

漫画に出てきそうな風貌や言動の一方で、マリヤは几帳面で管理を徹底する一面も持ち合わせた複雑な人物だった。彼はランクの高くない男性客室乗務員の採用にまで口を出し、乗務したフライトが着陸したときには毎回携帯のメッセージで報告するよう求めたほどだった。外面の派手さに目が向きがちだが、彼は篤い信仰心を持っていたようで、二〇〇三年にヘリコプター墜落事故で九死に一生を得て以来、その思いはさらに強まった。一般にはショーマンとして認知されていたマリヤだったが、プライベートではスピリチュアリストと親交を深め、僧院に黄金を奉納したり、毎年何週間にもわたり姿を消して隠遁生活を送ったり、南インドの丘陵地帯にある寺院へ巡礼に出る準備をしたりしていた。東部アーンドラ・プラデーシュ州にスリ・ヴェンカテスワラという寺院があるが、そこから近いティルパティに到着するキングフィッシャー航空の飛行機は、毎回駐機場で僧侶から祝福の儀式を行ってもらっていた。

帝王マリヤとインドのエスタブリッシュメントの関係には二つの側面があった。彼はルール破りを楽しんでいた。「わたしは型破りな人間なんだから……ルールを破って何が悪い？」と発言したこともあった。「わたしがやっているのはアルコールビジネス。人が好むと好まざるとに関係なく、自分は酒を飲むし、これからも飲み続けるね。だって酒が好きなんだからさ[20]」。内輪の場では多くの経営者が彼のふざけた言動を見下し、自堕落でとことん節操のない男だととらえていた。それでもマリヤはビジョンを持った真剣なビジネスリーダーとして認知してもらい、第二の故郷バンガロールで、ソフトウェア開発で成功し名声を得た億万長者と肩を並べたいと熱望していた。自分の名を呼ぶときには「ドクター・マリヤ」としてほしいと言っていた――アメリカの通信制大学から授与された名誉博士号を持っているだけだったのだが。大酒飲みというライフスタイルはマハートマ・ガンディーのような禁欲主義者とのあいだに共通点はほとんどなかった。にもかかわらず、二〇〇九年にはニューヨークのオークションで懐中時計やトレードマークの丸眼鏡といったガンディーの遺品を二〇〇万ドルで落札した。これによってマリヤは自分を愛国者と位置づけることが可能になった。私財を投じて国に奉仕する尊敬すべき人物、というわけだ。

マリヤの威勢のよさと称賛されたいという欲求の葛藤がいちばんはっきりと表れたのは、彼の話術をいかんなく発揮できる政治の世界だった。「アルコールはいつも見下される対象なんだ。官僚はまさに見下してきたよ。連中は酒を密造していると考えていたんだ。このビジネス全体がものすごく政治とつながっているのさ」と彼は言った。酒類はぜひとも欲しい税収だけでなく、選挙運動を支えるための不正資金も政治家にもたらしてくれた。しかし、それにもかかわらず多くの政治家は反アルコールの立場をとり、とくに女性有権者の支持を獲得するべく禁酒政策を公約に掲げた。アルコールは各州レベルでも規制されていたため、酒造メーカーはいくつもの州政府で「友人」を必要としていた。マリヤが言う。「こっちの世界のアンバニとは違うんだよ。あいつらはライセンスを取るとか、何か問題を解決する必要があれば、デリーでキーマンのドアをノックするだけでいい。わたしの場合、いまだと二九にものぼる『国』〔インドには二九の州がある〕でビジネスを展開するようなものだよ」

インドのアルコール販売は厳しく規制されていた。それだけに企業側は有力政治家や官僚の機嫌を取ろうと躍起になり、それが腐敗の温床にもなっていた。しかし、マリヤによる権力の飽くなき追求は一段階上の展開をたどった。かつてキングフィッシャー・ビールを復活させたのと同じように、二〇〇三年に休眠状態にあった政党を自らのものとし、カルナータカの州首相になろうと無謀とも言える挙に出たのだ。インド南部に位置する同州はバンガロールを擁し、彼のグループの本社も置かれていた。生粋のショーマンであるマリヤは遊説中、十八世紀に南インドのマイソール王国を統治し、イギリス軍と何度も戦ったことで現代でも崇拝されているティプー・スルターンのものとされる刀を振りかざした。

カルナータカの有権者は結局のところこの試みに魅力を感じなかったため、帝王マリヤは代わりに国会議員に立候補することにし、有名人や財界の大物も議員になることがある上院で議席を得ることに成功した。上院の開会中、マリヤが質問を行うことはほとんどなかった。しかし彼はニューデリーの邸宅で豪勢な夜会をひそかに開き、議員の地位を活用して政界の実力者に近づこうとした。「自分も同じ議員の一人として政治家の肩に手をかけ、対等な立場でロビーで接触する。あの人たちがそう考えていたのは間違いないと思っていますよ」。元閣僚の一人は、財界出身議員の拡大――マリヤはそのなかの最たるものにすぎない――についてそう語った。インドはビジネスと政治の境界線がはっきりしないことが珍しくない国だが、それでもマリヤが議会で民間航空委員会の委員に就任すると、さすがに反発を招かないわけにはいかなかった。委員の立場で自社のサービスに影響が出かねない法案に反対することが可能になるし、国内線でのビール解禁に動くのは明らかだと見られたからである。(21)

ビジネスが拡大すると、子どものまま大人になったかのような浪費癖も拡大していった。まずF1チームを手に入れ、次いで華やかに幕を開けたクリケットのインド・プレミアリーグでもチームのオーナーとなり、自社のウイスキーブランド、ロイヤル・チャレンジにちなんでロイヤル・チャレンジ・バンガロールと命名した。しかし、社会の底辺から上を見上げる者にとっては、マリヤのとことん派手なスタイルは、長きにわたって豊かな生活を否定してきたこの国において、それが実現可能ではないかと感じさせるものだった。数十年に及んだ娯楽に乏しい社会主義を経て、インドの若者、とりわけ男性は、帝王マリヤが約束する自由奔放で浴びるほど酒が飲めるライフスタイルを支持した。それと同種の願望は、ほかのどの業種よりも航空業においてはっきりと表れていた。疲弊した国営航空会社エア・インディアは、拡大する中間層に空の旅の魅力を提供する貪欲な民間の競合他社に押されっぱなしだった。

現在でさえも、中間層の具体的な規模をめぐっては、研究者のあいだで見解が分かれている。多く見積もった場合、数億人にのぼるという試算がある一方で、低い見積もりではおそらく五〇〇〇万人でしかないとされる。(22)もちろん、欧米の基準——自家用車と住宅の所有、大卒の学歴、貯蓄と航空会社のマイレージプログラム登録——に近づけた場合、その規模はきわめて小さいものになる。経済自由化開始後の初期段階では、中間層はさらに少なかった。「インド国民の九九パーセントは一度も飛行機に乗ったことがない」——『ＷＩＲＥＤ』誌はキングフィッシャー航空が運航を開始してから数年後の記事でそう指摘した。(23)飛行機利用経験者という限られたグループの外にいる者にとってマリヤの航空会社は、世界標準の消費者層の象徴とも言える航空旅行を初めて、そしてようやく手が届きそうなところに持ってきてくれたのだった。

わたしが初めてキングフィッシャー航空を利用したのは二〇〇七年で、南部のケーララ州からムンバイに帰る二時間のフライトだった。そのころ欧米では格安航空会社の利用は当たり前になっており、航空旅行を安価ではあるが快適さには少々欠ける経験に変えていた。マリヤの航空会社は違った。航空券代はたしかに驚くほど安かったが、機体は新しくぴかぴかで、広い座席で足を伸ばせるスペースも十分あり、機内エンターテインメントも充実していた。わたしを乗せた飛行機が離陸の準備を進めているところで、前方のスクリーンにマリヤの顔が現れた。「客室乗務員はすべてわたしが直接採用しました。各乗務員には、お客さまをわが家のゲストとしておもてなしするよう指示しております」と彼は言った。キングフィッシャーのフライトは「ファン・ライナー」と呼ばれ、乗客は何か伝えたいことがあればマリヤに遠慮なくメールを送ってほしいと促された。機内食もおいしかった。飛行機が高度を下げ始めたころ、サービスでアイスクリームが配られたのをよく覚えている。

まともな高速道路などほとんどなく、市内の道路も穴だらけという国にあって、キングフィッシャーは現代の奇跡のように映った。「なんてことだ！」アメリカのマネジメント専門家、トム・ピーターズは初めてキングフィッシャーに乗った後に同社のサービスを称賛し、ビジネスクラスの乗客向けに荷物を運んでくれるバトラーをとくに褒め称えた。(24)世界標準のサービスを最低価格で提供するという、それまでは考えられなかったキングフィッシャーの方針は、インドという国単位でも同じことができるのではないかと思わせた。つまり、貧困や非効率といった問題は脇に置いて、瞬く間に世界でトップクラスの経済大国になるということだ。ヴィジェイ・マリヤが父から事業を引き継いだ際、インド経済は規制によってがんじがらめになっており、資本が圧倒的に不足し、国による統制を受けていた。それがマリヤがキングフィッシャーを立ち上げたころには、規制は撤廃され、高度成長が幕を開け、国全体の再生に期待が高まっていた。インドの輝かしいソフトウェア産業と同様に、キングフィッシャーのうわべだけの成功は国内で大きな希望をもたらした。硬直化した社会主義という古ぼけた世界から近代的で自由に競争でき、腐敗のない欧米式の資本主義という明るい未来へひとっ飛びで移行できるのではないか、と。このころはマリヤにとってもインドにとっても、不可能なものは何もないと思われたときだった。かつて「栄光の時代」は輝かしすぎるがゆえに、現実には起こらないだろうと受け止められたときもあった。そして最終的にはその見方は正しかった。

偉大なる再興

ロンドンでのマリヤとのインタビューに話を戻そう。彼は自分のビジネスについて再考し始めたのがいつだっかについて、はっきりと覚えていた。一九九一年の経済危機前夜のころだ。数カ月にわたる激動のなかで、インドは独立以来もっとも過酷な危機に突入していった。国際収支に充てる資金が不足し、手持ちの外貨準備がわずか数週間という事態に直面するなかで、当時財務相を務めていたマンモーハン・シンは一連の緊急対策をまとめ、ビジネスに対する統制や外資規制を撤廃した。しかし、経済危機から数年前の時点でも、社会主義的な計画経済はゲームオーバーであることはすでに明白だった。中国は長期にわたり順調な経済成長を続けていた。東欧の共産主義国ですら市場経済を導入しようとしていた。インドが明らかに出遅れているように映るなか、経営者たちは許認可や割当が完全に消え去る日に向けて準備を進めていた。

「わたしが言っているのはね、いつだったかな、八〇年代後半か？　どうしてかと言うと、その前にはインドでは外国からの投資なんていうものは存在しなかったんだよ」。書斎で腰かけたマリヤが言った。「あのころは自動車用のバッテリーを作っていたし、塗料も作っていたし、ポリマーだって作っていた。だから石油化学をやっていた。食品もやっていたね。スナックにピザ、ソフトドリンク、何でも作っていたよ」。若かりしころの無節操なビジネス展開を懐かしむかのように、彼は笑顔で付け加えた。「それぞれの部門を精査して、自分自身に質《ただ》してみたんだ。いいか、世界のネスレやユニリーバを相手にやっていけるのか？　とんでもなくたくさんのリソースをつぎ込むか、そうでなければ負けちまう、ってね」

一九九一年の経済危機のルーツは半世紀以上前、植民地支配と闘っていた時代にまでさかのぼる。一九四七年、マリヤの父がＵＢグループを買収したのとちょうど同じころ、建国の元勲たちのあいだで激しい論争が巻き起こった。一方にいたのはガンディーで、繁栄した村落と商業的搾取からの解放に代表される農村ユートピアの実現というビジョンを抱いていた。もう一方にいたのはネルーで、彼は一九四七年、日付が八月十五日に変わった真夜中に新生インドが誕生すると、初代首相に就任した。イギリスのフェビアン社会主義と一見成功を収めているように見えたソ連の共産主義から等しく刺激を受けたネルーと彼の仲間は、高い煙突が付いた製鉄所や水力発電用ダムの建設に代表される、大胆な計画経済の導入を構想した。「彼らの主目的は工業化を達成し、文盲と迷信を一掃し、インドの物質的貧困を削減することにある」。ガンディー暗殺直後の一九四八年、『エコノミスト』はそう報じた。「ガンディーによる質素な生活の称賛は反動的と見なされているのだ[25]」

最終的に論争に勝ったのはネルーのビジョンのほうだった。しかし、意見の相違にもかかわらず、彼とガンディーは私企業に対する猜疑という点では一致しており、両者とも植民地主義の所産だと見なしていた。ネルーは自伝のなかでこう指摘している。「歴史を通じ、古くからのインドの理想は政治的あるいは軍事的勝利を称えることはせず、また、金銭を軽蔑してきた……今日、伝統文化は新しく、圧倒的に強い敵と闘っている。欧米資本主義の『バニア』文明という敵である」。彼はヒンディー語で「商人」を意味する言葉を用いて、企業の不誠実さを示唆していた。[26] ネルーの理想によって、インドは半世紀近くにわたり市場経済を拒否する道を歩むことになったのである。

　建国の元勲たちの考えが何であれ、分離独立《パーティション》で生じた暴力はインドの経済再生にとって計り知れないほど大きな試練をもたらした。イギリスの植民地指導者は性急にインド亜大陸を二つに分割し、国民とビジネスを残酷かつ恣意的に分断する新しい国境線を設定した。独立の一カ月前という押し迫ったタイミングで発表されたこの決定によって、コミュニティ全体の移住と民族間の暴力という血みどろの時代が幕を開けた。[27] ヒンドゥーとムスリムの難民による大移動がインドとパキスタンのあいだで行われ、双方の経済基盤にダメージを与えた。誕生して間もないインド政府は、難民キャンプのコスト捻出、食料生産、高インフレの沈静化に追われた。ネルーは経済を掌握すべく、イギリスから受け継いだ時点ですでに十分徹底されていた国家による統制をさらに強化することにし、一九五一年にはソ連式の五カ年計画の第一弾を開始した。彼の統治では、一連の新奇な信条が具体化された。経済では自力更生を図り、非同盟外交のもとグローバル大国をめざさない方針を掲げるが、その一方で搾取されてきた第三世界のリーダーとして植民地主義の残滓を振り払う、といった内容だった。

　インド経済は独立初期の段階で全面的に国家の手に委ねられることになり、業種という業種が公的所有に切り替わっていった。一九五三年、ネルーはインドの民間航空会社八社を統合し、二つの国営航空会社を設立した。国内線のインディアン航空、そして幸運にも国際線を担当することになったエア・インディアである。民間所有として存続した業種は、ほどなくして「ライセンス・ラージ」の迷宮のごとき条文にからめ取られていった。厳格な規定のもと、企業が何を製造し、どのような技術を用い、どのような労働者を雇うべきかが決められた。何百もの製品カテゴリー――ピクルスやマッチから南京錠や木製家具まで――が小規模で総じて生産性の低い企業に割り当てられたが、これはガンディー主義の負の遺産と言うべきもので、「メイド・イン・インディア」が粗悪品の代名詞になる結果を招いた。外国企業との激しい競争をする必要がなかった大企業は大企業で非効率だった。起業家はよりよい製品を生産するのではなく、官僚から厚遇を得ることに腐心した。さらに野心のある者は法令が許すぎりぎりのところまでビジネスを拡大した。経営を始めて間もないころのマリヤがビールとスピリッツのビジネスに手を染めた一方で石油化学や通信機器製造に乗り出したのは、その実践例だった[28]。

アルコールほど「ライセンス・ラージ」の規制を受けていた業種はなかった。州政府は州民がアルコールを購入できる場所や製品を管理していた。キングフィッシャーのような国産ブランドに比べ、外国の酒類には関税によって何倍もの値段がついていた。規制当局はインドのラムやウイスキーの主原料となる糖蜜をも統制し、販売価格や州外に持ち出せる量の上限が定められていた[29]。ビール工場や蒸留所にしても、高率の税や州レベルの何百もの複雑な規制に縛られていた。マリヤのような経営者にとって、地元政治家と良好な関係を保つのが死活的に重要だったのもこのためだった。

ネルーの娘、インディラ・ガンディーが一九六六年に首相になると国家による統制はいっそう強力になり、銀行や保険会社、炭鉱が国有化された。政府の統制が強くなればなるほど、より多くの庶民が商品不足の影響を受け、企業は企業で外国との貿易からさらに手を引く結果を招いた。この転換はきわめて大きな意味を持っていた。ネルーは一九四七年、世界でもっともグローバル経済に統合されていた国の一つを受け継いだ。それがわずか二〇年のうちに、彼とその娘は世界のなかでもっとも厳格に閉じられた国を築き上げたのである[30]。後から振り返ってみれば、こうした政策は国家的な災厄以外の何物でもなかった。国家主義へのこだわりは四〇年に及ぶ経済の停滞を招き、今日においても依然として力を維持している全能の政府による監視を受けた。ネルーは貧困層の状況に切実な関心を抱いていたが、現実問題としては彼らの窮状はほとんど改善されなかった。ほかのアジア諸国が――日本、韓国、そして中国でさえも――まず貧困から脱却し、徐々に豊かになっていくなか、インドは足踏みを続けていた。

今日、インド総人口の半分以上が二十五歳以下である。ということは、同胞がかつて直面した制約を覚えている者は比較的少ない。彼らの大半は当時を閉塞感に満ちた時代として記憶している。二〇一三年にわたしが会ったチェスの世界チャンピオン、ヴィスワナタン・アーナンドもその一人だ。当時四十三歳のアーナンドは、まじめで話し好きな人物だった。わたしたちは近く予定されていた、彼の三回目のタイトル防衛がかかったチェスの対局について話し合うつもりだったが、話題はあちこちに飛んだ。場所は南部の都市チェンナイにある、街路樹が並ぶ通りに面した彼の自宅だった。彼は当時マドラスと呼ばれたその地で自分がどのようにして育ったか、そして長きにわたったインドの自給自足経済がいかに青年期に影響を与えたかについて、数時間にわたり振り返ってくれた。

アーナンドがチェスを始めたのはインディラ・ガンディーの時代だった。最初に母から教わり、次いで近所のロシア文化センター内にあったチェスクラブで手ほどきを受けた。クラブの名称はソ連出身の世界チャンピオン、ミハイル・タリにあやかったものだったが、それもインドとソ連のあいだで発展した冷戦期の緊密な関係を反映していた。「彼ら（ロシア人）はセンターのなかにチェスクラブをつくらせてくれたんです。チェス普及の一環ということで。わたしがチェスを始めたのはそんな経緯でした」[31]。彼がチェスの才能を開花させていくなか――一九八八年にはインド人として初の世界チャンピオンになった――、トーナメントに出場するためヨーロッパに渡航する必要が出てきた。それには、国外渡航に関する許可レターを発行してもらうべく政府の関係機関を訪ね、その上で当時ほぼすべての国際線が発着していたムンバイかニューデリーに長距離列車で移動しなくてはならなかった。

当時、エア・インディアが運航するフライトの数はかなり少なかった。航空券は公定価格で、何カ月も前に購入しても前日に購入しても値段は同じだった。しかし同社が保有する機体はきわめて限られており、多くの場合満席だった。外貨取引規制があったため、現金を海外に持ち出すのは困難だった。「[政府の]許可を得る必要があったんです。一日当たりの手当はわずか二〇ドルにすぎませんでした」。アーナンドはそう説明した。「それとは別にお金を持っていなければ、その二〇ドルの範囲内で生活していかなくてはなりません……ほとんどのインド人は親類の家に泊まり、いちばん安い店で食事をしていたものです」。のちに彼は初期のチェス用コンピュータを購入しようとしたが、輸入関税が加算されるため最終的な値段は当初の三倍になると知らされた。さらに、いかなるものであれ外国の高性能機器を輸入するためには許可証が必要だった。世界チャンピオンはそれを発行してもらうためにさまざまな役人を訪ねて回らなくてはならず、配送が数カ月遅れることになった。「時代がまったく違っていたんですよ……この話をいまのインド人にしても、北朝鮮の話に違いないと思われるでしょう。でもあのころは、これが実態だったのです」

同様の規制は萎縮したインドの消費経済のあちこちで見られた。ほぼすべての輸入品にきわめて高率の関税が課せられたため、値段は高額になった。多くの外国製品については、輸入そのものが厳しく禁止された。製品不足は日常茶飯だった。スクーターの購入待ちリストで順番が回ってくるまでに一〇年近くかかった。衣服は地元の仕立屋が作った簡素なものだったし、電話はライセンスを得るのに賄賂と忍耐が求められるぜいたく品だった。あるインド人の友人は、一九九〇年代半ばに父が亡くなった際、遺言書で家族に遺したのは二本の固定電話回線だったと教えてくれた。テレビがある家はほとんどなく、仮にあったとしても国営放送のチャンネルが一局映るだけだった。自家用車があるインド人もほとんどおらず、所有できていた場合も車種は限られていた。イギリスのモーリス・オックスフォードをコピーした威厳のあるヒンドゥスターン・アンバサダーか、コンパクトなハッチバックタイプのマルチ・スズキ８００くらいしかなかった。八〇年代のニューデリーやムンバイを撮影した写真を見ると、一〇

○年前と大して変わらない、閑散とした通りが写されていた。目が飛び出るほど高率の関税がかかったため輸入外車の所有はめったになく、ヴィジェイ・マリヤと彼が十代のころに乗っていたポルシェのように、高級車はとりわけ珍しかった。八○年代にムンバイで育った別の友人は、当時、市内でベンツやBMWを所有できるほど裕福な家の名前をすべて知っていたが、それは単に数がきわめて少なかったからだと教えてくれた。

一九九一年の危機は経済の混乱だけでなく、社会変動の最中というタイミングで起きたものだった。前年には、カースト制度のなかで下層に属する者に公共セクターの職を割り当てるという計画が大きな論争を呼び、過激な抗議行動が発生した。焼身自殺を図った学生は数十人にのぼった。BJPが全国的な煽動活動を行ったことで、宗教対立という火に油が注がれた。彼らのメインターゲットは中核州ウッタル・プラデーシュにあるバーブリー・マスジッドというモスクだった。抗議参加者の主張は、この場所はヒンドゥー教のラーマ神の生誕地であるというもので、最終的にモスクの破壊という事態に至ったことでさらに全国的な暴動を引き起こした。そして九一年の危機が起きるわずか一カ月前には、ラジーヴ・ガンディーが暗殺された。ラジーヴはネルーの孫に当たり、一家のなかで三番目に首相を務めた人物だった。若々しく、改革マインドを持った政治家だった彼が八四年に首相に就任し、「ライセンス・ラージ」による規制の部分的緩和を始めたことで、経済再生への期待が高まった。しかし、彼の一期目はボフォールというスウェーデンの防衛装備品企業との取引をめぐる汚職スキャンダルで窮地に追い込まれ、総選挙での敗北というかたちで幕を閉じた。九一年の総選挙に勝つことで名誉挽回しようとガンディーは考えていた。ところが、チェンナイで遊説中、スリランカの「タミル・イーラム解放のトラ」とつながりを持つ自爆犯のテロで彼は命を落としてしまう。八四年に殺害された母に続き、ガンディー家のなかで暗殺者の手にかかった二人目のメンバーになってしまった。

インドの経済危機を表面化させたのは主に国外の要因だった。インドの財政赤字——過去一〇年の規律を欠いた支出がもたらした負の遺産——はすでに相当な規模に膨れ上がっていたが、湾岸戦争による石油価格の上昇によって追い打ちをかけられた。インフレが蔓延した。緊急の資金手当てが行われない限り、国際収支が危機に陥ることは確実だった。しかしもう一つ重要だったのは、のちに首相になるマンモーハン・シンをはじめとする政策ブレーンやエコノミストのグループが主導した知的革命が国内で起きたことである。一〇年あまりにわたる議論を経て、彼らはインドが国家主義の遺産を葬り去らなくてはならないという結論に至っていた。シンにとっては、一九九一年の危機は改革を断行する絶好の理由をもたらしてくれたのである。彼はルピーを切り下げ、迫り来る破綻から国を救うための秘密プランを実行に移した。

一九九一年の前半を通じてインドは不安定な状態が続いたが、七月のある朝以上に危険なときはなかった。物資を積んだ車両の一群がムンバイの幹線道路脇で立ち往生する事態が発生し、シンの救国プランが瓦解の危機に瀕したのである。その横を次々と通り過ぎた車の運転手たちは、トラックの荷台に秘密の貨物が積載されていたとは思いもしなかっただろう。その中身とは、その朝にインド準備銀行（RBI）の金庫から運び出された金の延べ棒だった。トラック部隊は市内を通って北上し、一部の政治家と官僚といった関係者にしか知らされていなかった目的地——ムンバイ国際空港の貨物航空エリア——に向かった。秘密保持は絶対条件だった。そのため、一台のトラックのタイヤがパンクするという事態は悪夢でしかなかった。当時、ニューデリーの財務省で高官の立場にあり、のちにRBI総裁を務めるヤガ・ヴェヌゴパル・レッディーは後年、このときのドラマをこう振り返っている。「道中、護衛をずっとつけなくてはならなかったんですよ」。ある日の午後、南部の都市ハイデラバードの自宅で彼が説明してくれた。彼の身振り手振りは武装した警備員が縁石沿いに移動する様子を表しているかのようだった。「ムンバイの道路でそんなことが起きれば、注意を引かないわけがないでしょう[32]」

秘密漏洩に対する恐怖には十分な根拠があった。七月初め、シャンカル・アイヤールという野心的なジャーナリストは、前便の車両群が積荷を降ろしている現場に遭遇した。特ダネをものにしようと、ある日曜日の午後に彼はムンバイ空港へと急行し、荷物を載せたパレットが「重量貨物用」と側面に記載された飛行機に積載されるのを目撃した。飛行機はまずドバイに飛び、次にロンドンのスタンステッド空港に向かう予定になっていることを彼は突き止めた。「RBIが金を秘密裏に売却」という見出しが翌日の『インディアン・エクスプレス』紙の一面に躍り、貴金属を海外に送ろうとする「極秘オペレーションだ」と報じた[33]。怒りの声が当然のように巻き起こった。「国民にとってはショックでしたよ。危機の深刻さを突きつけられたかたちでしたから」。アイヤールはわたしにそう語った。「インドが宝石を質に入れざるを得なくなった家のように映りました。現実的にも感情的にもそう受け止められましたね。というのも、インドでは金こそが貯蓄手段ですから。つまり、金を売却するということは、深刻なトラブルに巻き込まれていることを意味するのです」

こうした一幕はあったものの、この極秘オペレーションは成功した。その月にざっと五〇トンの金が四便に分けて海外に搬出された結果、逼迫した状況のなかでようやく一息つくことができた。七月二十四日、シンは議会に登壇し、改革メニューをふんだんに盛り込んだ予算案を発表した。輸入関税が引き下げられ、外資規制は緩和された。何百もの案件で面倒なライセンス取得手続きが撤廃された。鉄鋼から通信まで、長きにわたり民間が参入できなかった業種が突如として開放された。糖蜜のような物品に対する統制も撤廃され、マリヤのような酒造メーカーは増産が可能になった。ヨーロッパで物理的な壁が崩壊したのと同様に、インドを閉じ込めていた経済の壁も取り壊された。アタッシェケースから取り出した予算案を発表するなかで、シンは「理想を実践すべきときが来れば、地上の何人《なんぴと》もそれを止めることはできない」という、ヴィクトル・ユーゴーの有名な言葉を引用した。「全世界に向けて高らかに伝えようではありませんか」。演説の締めくくりで、彼の細く甲高い声が一瞬強さを増した。「いま、インドははっきりと目覚めたのです[34]」

暗転

二〇一六年三月一日、荷物を持たずに移動することが多いはずのヴィジェイ・マリヤは、六個の鞄を持ってニューデリーを後にした[35]。キングフィッシャー航空の立ち上げから一〇年以上、そして同社の破綻から四年が経過していた。その間、マリヤは短期間ながらインドでもっとも高い人気を誇った航空会社を維持すべく多額の借り入れをしていた。彼は当初、一二カ月で収支を均衡させてみせると言っていた。ところが運航開始から七年を経てもキングフィッシャーは利益を出せていなかった。利益どころか、燃料費の支払いが滞っているため運航ができないというケースが生じたことが明るみになった。あるいは、機内食のケータリング会社に支払いが行われていないため、乗客に食事を提供できないという事態も発生した。重役には高額のボーナスが支払われる一方で、一般の従業員への賃金支払いは不規則にしか行われなかった。小切手は不渡りになり、機体の発注はキャンセルされた。二〇一二年の石油価格高騰もダメージを与えた。年が終わりに向かうなかで同社のビジネスは空中分解していき、監督官庁は運航停止を命じるとともにライセンスを取り消す決定を下した。「栄光の時代《グッドタイムズ》の帝王」にとって、ついに時間《タイム》切れが訪れたのだった。

マリヤの隆盛と凋落は、多くの点で現代インド自身の発展を象徴するものだと言える。経済自由化の申し子だった帝王マリヤは、自国のなかで新たな欲求が高まっているのを感じ取っていた。「われわれは旧態依然とした社会主義という足かせを破壊してやったのです」。彼はそう言ったことがあった。「インド人はもはや抑圧されたままでいたり、質素なライフスタイルを続けたりすることはできないでしょう……インドの若者はわたしのようになりたがっているのです」[36]。彼が頂点に上り詰めたのは、インドの歴史のなかでもまさに希有な時期、具体的には二〇〇〇年代半ばの高度成長期というタイミングだった。消費経済が拡大していくなかで、何百万ものインド人が車を購入し、家を建て、初めて飛行機に乗った。グローバルなコモディティ市場における「スーパーサイクル」と呼ばれる循環――その大きな原動力は石炭やボーキサイト、鉄鉱石といった鉱物資源に対する中国の需要急増だった――のもと、インド中で天然資源の採掘ラッシュが始まった。株式市場は好況にわき、新たな億万長者クラブが膨れ上がっていった。具体的にどの日だったかを示すことは難しいが、二〇〇四年総選挙でマンモーハン・シンが勝利したときから翌年のマリヤの五十歳の誕生日パーティーまでのどこかで、インドで何かが変わった。そして、新たな「金ぴか時代」が幕を開けたのだった。

急成長の影響がもっともはっきりと表れたのは企業セクターだった。外国企業による投資が急増し、国内企業は海外進出を急速に拡大していった。二〇〇六年には、当時世界第三位の資産家だった鉄鋼界の億万長者、ラクシュミー・ミッタルが三四〇億ドルという前代未聞の巨額を投じてルクセンブルクのアルセロールを買収し、世界最大規模の鉄鋼会社をつくる計画を発表した[37]。全インド企業のなかで最大のタタは、ジャガー・ランドローバーやテトリー紅茶といったイギリスの有名企業をいとも簡単に買収した。自信満々になったインドの大物経営者は、世界のエリートがこぞって集まりスイスの山中で毎年開かれる世界経済フォーラム、通称ダボス会議に登場するようになった。二〇〇六年には会場近くの山腹が「世界最速で成長する市場経済と民主主義の国」という、インド政府が出稿した広告で覆われた。ムケーシュ・アンバニが会議の共同議長に指名され、マリヤをはじめとする大物経営者のグループが駆けつけて彼に拍手を送った。

奇跡のように見えたインドの再生によって、有識者のあいだでも再評価の機運が高まった。当時、バラク・オバマ大統領の上級アドバイザー（国家経済会議委員長）をしていたアメリカの経済学者ラリー・サマーズは、二〇一〇年に行ったスピーチで、国際開発に関する欧米の考え方を長期にわたって規定してきた「ワシントン・コンセンサス」に代わるものとして、「ムンバイ・コンセンサス」というアイデアを披露した。二〇〇〇年代半ばまでは、高度経済成長を続けていた台湾や韓国のような東アジアの「トラ」がグローバリゼーションのスター的存在だった。こうした国や地域は「開発国家」と呼ばれ、政府が産業保護と公共投資を通じて輸出産業の育成を図り、その上で段階的にグローバルな競争へと加わっていくというアプローチがとられていた。それに対し、サマーズの主張はこうだった。インドは製造業という力任せの分野ではなく、テクノロジーと若年人口、それに「向上する消費レベルと拡大する中間層」によって「民主的開発国家」になれる可能性があるというのだ[38]。この背後には、さらにラディカルな考えが潜んでいた。もしかすると、ほかの新興国が模倣しようとするモデルになるのは、専制的な中国ではなく、民主的なインドではないか、と。

　こうした考えをインドは全面的に受け入れた。数十年に及んだ屈辱と孤立は消え去りつつあるようだった。少なくとも発足してからしばらくは、シン政権は重要な経済改革の遂行と野心的な社会開発プログラムへの投資増加を両立できそうに見えた。貧困率は低下し、都市化が加速した。インドが中国の経済成長率を上回り、同時に最下層の生活向上を実現できるのではないかと思われた時期もあった。「わたしたちにとっては不思議な経験でした。豊かになることで生じる問題など、独立してからこのかた一度もなかったのですから」。ＲＢＩ総裁を務めたことがあるＹ・Ｖ・レッディーはそう語った。外国から資金が流入し、ルピーの価値を押し上げた。「国内的には、高揚感にひたっていたのです。このころから周りのエコノミストが二桁成長を口にするようになりました。わたしは『過熱』という言葉を使っていたのですが」
レッディーが恐れていたように、高度成長は長くは続かなかった。インドは二〇〇八年の世界金融危機を大半の国よりスムーズに乗り切ったものの、その後遺症は国内の成長を蝕んだ。コモディティ市場の好況はしぼんだ。汚職スキャンダルが次々に浮上したが、その多くは高度成長期の行き過ぎに直結していた。縁故主義に対して国民が怒りの声を上げるようになり、その結果ニューデリーでは政治の麻痺状態が続いた。シンの国民会議派政権に対する幻滅が広がった。経済成長は停滞した。ルピーは圧力にさらされた。つい最近までインドの手つかずのポテンシャルを称賛していたアナリストは、ふたたびマイナス面のほうに目を向けるようになった。「ムンバイ・コンセンサス」をめぐる話は瞬く間に消え去った。

この時期に注目されるようになったさまざまな問題点のうち、ヴィジェイ・マリヤにいちばんしつこく付いて回ったのは負債だった。政府系銀行は二〇〇〇年代の高度成長期に経営者にも航空会社のオーナーにも無制限に貸付を行った。経済状況が厳しくなると、その多くは貸付を整理した。マリヤの借入額は一番ではなかったが、もっとも名の知れた借主ではあった。「マリヤはね、銀行国有化の申し子なんですよ」。ある大手商社のトップはわたしにそう言った。「彼は民間の銀行からはほとんど資金を借りていませんでした。ですから、政府系金融機関なしにはあれだけの資金を確保できなかったと思います」。マリヤは資金を調達したり債権者をつなぎとめようとしたりと、数年間にわたりあちこち奔走した。アルコール販売のユナイテッド・スピリッツを二〇億ドル近い金額で売却したが、新しいオーナーと苦々しい対立が生じ、身動きがとれなくなってしまった。彼の没落を決定づけた最大の要因は負債だった。一〇行以上の銀行からなるコンソーシアムが一〇億ドル以上にのぼる貸付額と利息の回収に乗り出したのである。

ロンドンのマリヤに話を聞きに行ったとき、一バレル一四〇ドルにもなった石油価格に始まり、航空機用燃料税や空港使用料の引き下げに否定的な政府の姿勢まで、彼は外部要因によるさまざまな不運や環境をやり玉に挙げた。投資規制があったため、キングフィッシャー航空は外国の航空会社からの支援を受けることもかなわなかった。その一方で利益集団に取り込まれた政治家や官僚はエア・インディアを優遇し、破綻に向かいつつある国営の同社に補助金をたっぷりとつぎ込んだのだ――彼はそう主張した。「連中はキングフィッシャーがつぶれるのを放っておきながら、三〇〇〇億ルピー（三六億ドル）もの公的資金をエア・インディア救済のために注入したんだ」とマリヤは言った。何よりも彼はインドから逃亡したとする見方を否定したが、その指摘がいまもなお払拭されていないことは明らかだった。彼の予定では二〇一六年三月初旬にロンドンに発ってから数日後には帰国することになっており、同じ内容を出発前にさまざまな中央政界幹部に伝えていた。「会って直接言ったんですよ。明日ロンドンに行き、金曜にジュネーヴで会議に出た後、日曜には戻ります、とね」。急に意気消沈した様子になった彼が言った。「それなのにいまではこんなふうに言われている。『あいつはインドから出て行った。逃亡したんだ』ってね」

話が進むなか、マリヤは自分を苦境に追い込んだのはやはり政治であり、とりわけナレンドラ・モディの勝利と彼が就任直後に取り組んだ汚職スキャンダルの一掃によるものだと非難した。「三年前だったか四年前だったか、モディが登場した。すぐに彼は理解したんだな、インドの金融システム、とくに政府系の銀行は巨額の不良債権を抱えているって。そこで連中はけんか腰になって、政府系銀行は何が何でも融資先から資金を回収することになったわけさ」と彼は言った。これによってインドのシステムにおけるマリヤの命運は定まった。政府系銀行はニューデリーの政界のボスが影響力を行使していたし、税務当局や警察の関心を呼ぶことにもなったからだ。彼はなんとかして支払いをしようと奔走したが、いずれも断られたという。「あの連中は突然現れて生活をめちゃめちゃにするんだ。粗野な態度で家宅捜索が行われる。それでこう言うんだ。結構です、きっちりカネを払っていただくか、さもなければわれわれと一緒に来ていただくことになりますよ、という具合に」

こうした経緯には同情の余地はあるものの、キングフィッシャーが凋落した原因の大部分はマリヤ本人にあると結論づけざるを得ない。その一端は状況判断の甘さにあった。アルコールビジネスでは、自分を積極的にPRしていくスタイルが機能した。しかしその手法は利幅がきわめて小さく、コストを極限まで切り詰めることが成功の鍵とされる航空業界では適切とは言えなかった。マリヤはその反対に評価額の高いライバル会社を買収し、新しい機体の購入に惜しみなく資金を投じた。

わたしたちが会ったとき、マリヤは融資を得るために誰かを丸め込んだりミスリードしたりしたことはないと主張した。インドの国営銀行のトップは慎重でまじめな公務員なのだから、と彼は言う。「そこにわたしがカウボーイみたいに拳銃を振りかざしながら乗り込んで、それを頭取の頭に突きつけながら『カネを出せ！』なんてできるわけがないでしょう」。しかし、貸付条件の緩和という、当時の経営状況を踏まえればとても正当化できない寛大な措置から彼が恩恵を受けていたのも確かなのだ。これはインドの銀行がよくやる「エバーグリーニング」と呼ばれるパターンの一部で、銀行側の判断ミスを隠蔽すべく、借主にその時点での貸付額を返済する能力がないにもかかわらず追加融資をするというものだった。マリヤ自身は強く否定していたが、「クリエイティブ・アカウンティング」と呼ばれる手法が行われていたのではないかとの嫌疑もあった。ユナイテッド・スピリッツを買収したディアジオは二〇一七年に帝王マリヤを告訴したが、利幅の大きいアルコール事業で得られた資金を自社グループのほかの部門を支えるために回していた、というのが理由だった。[39] その年の前半、資金付け替え疑惑の影響で彼はインドの証券取引当局から六カ月間の取引禁止を命じられた。[40]

国営のエア・インディアの財務状況は惨憺たるものにもかかわらず、政治家と官僚は徒党を組んで同社に資金を注入し続けているとのマリヤの指摘は的を射ていた。しかし彼自身も行政による優遇という、よく似たシステムから恩恵を受けてきたのであり、キングフィッシャーの草創期はとくにそうだった。「マリヤ氏は、絶大な権力を持つ航空行政という潜在的な敵を味方につけたのだ……競合他社は、彼がどうやって刮目すべき成果を達成したのかについていぶかしんだ」。二〇〇五年に『エコノミスト』はそう指摘した。同様の展開は、既存の企業が政府によって手厚く守られているアルコール事業でも起きた。「州レベルの政治家への根回し。何種類もの州税や州境を越える場合の課徴金についての交渉。醸造所新設のための認可取得。競合他社への認可を阻止するための政治家への働きかけ。高率の輸入関税維持に向けた影響力発揮――これらはこの業界の構造を成す一部なのだ」。キングフィッシャーが破綻したころ、ジャーナリストのアショーク・マリクはそう記した[41]。

やはりと言うべきか、マリヤの凋落を如実に示したのはパーティーだったと言える。輝かしい五十歳の誕生日から一〇年後、彼は六十歳の誕生日を祝うため二〇一五年十二月、ゴアのキングフィッシャー・ヴィラに友人をふたたび招待した。パーティーはそれほど派手ではなく、二日間だけだった。それでもスペイン人シンガー、エンリケ・イグレシアスが飛行機で招かれショーを開いたことがゴシップ記事で取り上げられるであろうことは間違いなかったし、同時にマリヤを批判する者からは怒りがわき起こることも確実だった。「金融機関に対し多額の負債があるにもかかわらず、自家用ヨットを見せびらかし、派手な誕生日パーティーを開いているということは、借金のことなど気にもかけていないという意味ではないか」。数週間後、ＲＢＩ総裁のラグラム・ラジャンは雪山がそびえ立つダボスでインタビューに応じた際、そう語った。「トラブルに直面しているというなら、自分の経費を切り詰めることで事態を重く受け止めている姿勢を示すべきだ」

ラジャンの攻撃によって潮目が変わった。長年にわたり当局はマリヤを捕まえようとしてきたが、それはかたちだけのものだった。二〇一四年にモディが勝利した後ですら、実効性の乏しいインドの企業破産法と遠慮がちな銀行の姿勢のもとで、実際に資産差し押さえに乗り出すには至っていなかった――同様の事態はほかの多くの国でも起きていたかもしれないが。しかしマリヤが国外に脱出し、さらにラジャンが批判の口火を切ると、政界の雰囲気も変わった。彼に罰を与える腹を固めた当局は、国会議員を辞職させるとともに外交旅券を没収した。ここまで来てようやく警察が詐欺の容疑――本人は否認しているが――で動き始めた。マリヤの自家用機や自動車コレクションの多くは競売にかけられ、キングフィッシャー・ヴィラは債権者によって差し押さえられた。

マリヤが国外脱出してから約半年後、十月のある霧がかった朝のことだ。享楽の帝国に何が残っているのか確かめようと、わたしは浜辺の大邸宅の後ろ側にある道を歩いていた。陽はまだ低く、道沿いの物売りは屋台の準備をしているところだった。カンドリム・ビーチから一キロかそれ以上続く、細長い敷地がそこにはあった。その次には閉店した酒屋があり、キングフィッシャーの広告看板が支柱の上にかけられていた。黒い牛が二頭、のろのろと通りを練り歩いていた。「VM」のイニシャルはまだゲートに付いていたが、以前の明るい黄色の塗料は柱から剝がれかけていた。薄汚れた青い制服を着用した年配の警備員三人がエントランスを越えたすぐそこ――かつて有名人や財界の大物が到着した場所――でプラスチック製の赤い椅子に腰かけていた。

敷地内では、メインのプールは緑に濁った水が半分ほど入っており、エントランスとは別に警備員三人が見張っていた。以前は車でいっぱいだったガレージはがらんとしていた。唯一の例外はクラシックタイプの赤のフェラーリで、エレガントな車体の後部が白いシートからはみ出ていた。ビーチ側では、敷地のいちばん端に四本の高い木製のポールが立てられていて、ぼろぼろになったキングフィッシャーの旗が海風に吹かれてはためいていた。各エントランス――ビーチとつながっている簡素な裏門からメイン通りに面した威圧感のある正門まで――には、剝がれかけの白い貼り紙があった。そこには「本物件はＳＢＩＣＡＰ受託会社の所有です」と、ステート・バンク・オブ・インディア（ＳＢＩ）の関連会社の管理下にあることが記されていた。ＳＢＩは政府系の銀行で、マリヤの借入額は同行からのものがもっとも大きかった。

マリヤの成功は、企業は借入金で事業を継続しオーナーにはノータッチという、インドの資本主義が到達したある種の頂点を示すものだった。彼がロンドンに脱出したという事実は、このシステムの終わりが始まったことを告げていた。究極的には、彼に破滅をもたらした要因は広がりすぎた事業規模だけではなく、失敗を反省しなかったことでもあった。多くの大物経営者は、民間金融機関の低金利融資を活用することでさらに多額の資金を借り入れて、巨大な企業帝国を築き上げていた。マリヤ以上に未払いの債権を残して破綻した者すらいた。しかし高度成長が減速に転じていくなかで、彼らの多くは目立った行動を慎むようになった。ところが「栄光の時代の王」だけは黙っていられなかった。マリヤの振る舞いが恥ずべきものと見なされたのはなぜか。それは、彼の事業がインド自身ときわめて似たものに見えたからにほかならない。野心の大きさや規律のなさという点でも、イノベーションの能力はあるが手抜きをしがちという点でも、それは当てはまった。しかし、借金で成長を実現し、政治家としたたかにコネクションを築き上げるというマリヤがとった手法によって高度成長期のインドが自信を強めていったというなら、同じ手法でゲームに参入していった者はほかにもごまんといたのである。

第3章

ボリガルヒの台頭

嵐のなかの港

わたしたちが乗った車は、石油貯蔵タンクや長方形の箱が積み上げられた敷地の脇を通り過ぎながら、飛行場から伸びる整然とした幹線道路を疾走していた。辺りの地形は薄気味悪いほど何もなく平らで、わずかに地平線のほうに一つ隆起がある程度だった。港に近づいてくると、六基ほどの青や黄色の巨大なコンテナ運搬用クレーンが姿を現した。ゲートを通って入構すると、一基のクレーンが係留中のコンテナ船のデッキから大きな金属製の箱をあたかも中身は空っぽかのように軽々と持ち上げ、陸地に丁寧に降ろしていた。

「モル・ソリューション」というこの船は日本で建造され、船籍はパナマだった。明るいスカイブルーで塗装された船体は高くそびえ立つ鋼鉄の壁のようで、最大積載重量は六万六〇〇〇トンにもなった。クレーン車のかぎ爪が、さらに奥に係留されていた石炭を満載した別の船舶の中に入っていった。かぎ爪はゆっくりと陸地側に戻ると、突然中空で口を開け、待ち構えていたトラックに轟音を上げながら中身を吐き出した。辺り一帯は舞い上がる砂埃で真っ黒になった。

港湾の周囲にはありとあらゆる種類の物資が積み上げられていた。巨大な工業用配管が三角形の状態で立てかけてあった。枝葉が取られた大量の木材が揃えた状態で置かれていた。隣の敷地には色とりどりのマルチ・スズキが何千台も駐車してあり、コンテナへ積み込まれて次の船内に一〇列で積載されることになっていた。オレンジ色のショベルカーが、到着したばかりの石炭の小山を動き回り、待機中の貨車に移す準備をしていた。頭上でクレーンがうなり声を上げながら動くなか、わたしは港湾作業員の姿を探したが、陸地に人の影はほぼ皆無だった。海岸沿いのかなたにある発電所からは赤と白の縞模様の高い煙突がそびえ立っていた。施設は中国からの出稼ぎ労働者によって建設され、インドネシア産の石炭で発電が行われていた。

グローバリゼーションという新時代がインドにもたらした変化を実感できる場所は数多くある。バンガロール――ヴィジェイ・マリヤの拠点もここにあった――のソフトウェアパークやムンバイの金融街や証券取引所が典型的な行き先だろう。しかし、グジャラート州の細かく波打つ形をした長大な沿岸部ほどドラマティックな光景を目の当たりにできる場所はない。インド西部から大きく突き出した形をしたグジャラートは、一部でパキスタンと国境を接していた。ペルシャ湾に近いことで、古くから商人や移民にとって最適の上陸地だった。十七世紀にはすでにイランからゾロアスター教徒が安住の地を求めてここに到着し、「パールシー」と呼ばれるコミュニティを形成した。彼らはインドのなかでも経済的に成功を収めたマイノリティの一つになっている。一六〇八年、東インド会社が「ファクトリー」と呼ばれる交易拠点を南沿岸部の都市スーラトに初めて開設した。要塞化された倉庫にはシルクや藍、硝石が詰め込まれ、ガレオン船でイギリスに輸送されることになっていた。それ以来、スーラトは活気に満ちた都市であり続け、いまや近代的な企業によってダイヤモンドの原石が輸入され、カットや研磨が行われるようになっており、世界全体の流通量のほぼすべてがここから再輸出されていた。一方、インドがふたたび海外と取引するようになるなかで周辺地域もビジネスのゲートウェイになっており、大物経営者によるメガプロジェクトのいくつかはここで行われていた。

　その場所はジャームナガルという。カッチ湾に面したこの地にムケーシュ・アンバニのリライアンス・インダストリーズは世界最大とも言われる巨大な石油コンビナートを建設した。すぐ隣にある別の石油精製施設は、億万長者のルイア兄弟が造ったものだ。さらに南に行くと、これまた伝説的なビジネス王朝であるジンダル家が経営する発電所と製鋼所があった。グジャラート州の沿岸部には、コンテナ船や石油タンカー、ＬＮＧタンカーが係留できる施設が点在していた。しかし、同州内のビジネスは、ほかの誰にも増して一人の男の驚異的な台頭に負うところが大きかった。彼の名は、ゴータム・アダニ。おそらく新世代の大物経営者のなかでもっともアグレッシブな人物だ。

　二〇一三年半ばのある朝のこと、わたしはアダニが所有するプライベートジェットの一機に乗り込み、豪華な革張りのシートに体を滑り込ませた。行き先は州の商都アーメダバード〔グジャラートの州都はガンディーナガル〕から西に約三五〇キロの位置にぽつんとある、ムンドラーという沿岸の街だ。およそ一〇年前、当時はまだ野心あふれる地方レベルのビジネスマンでしかなかったアダニが開発に着手するまでは、周辺の地域は荒れ地でしかなかった。それがいまではインド最大の民間港湾、巨大な石炭火力発電所、八〇平方キロメートル超の敷地に広がる経済特区が整備され、彼の事業全体のなかでも稼ぎ頭と言える存在に成長していた。ムンドラー港まで車だと悪路を八時間も走らないといけないのです――エンジン音が響くなかでパイロットが振り返り大声で言った。われわれを乗せた八人乗りの双発機は一時間もしないうちに着陸した。

　アダニ自身の生い立ちは地味だ。繊維商人の中流家庭に生まれた彼は、大学に入るも中退。最初の職はムンバイのダイヤモンド市場での仕事で、その後、故郷のグジャラートに戻り、兄弟の一人が経営していた小さなプラスチック工場で働くことになり、のちに自らコモディティ取引会社を起業した。彼は無謀としか思えないペースで事業を拡大していき、港湾、インフラ、電力、鉱業、不動産といった多岐にわたるビジネスを次々に立ち上げていった。初期のころはマイナーな人物で、地元グジャラート以外では無名の存在でしかなかった。しかしヴィジェイ・マリヤのような冒険型の経営者をはるかにしのぐ規模の借入金を活用して、一〇年もしないうちにアダニはインドでもっとも大きな成功を収めた、たたき上げの経営者の一人になったのである。

アダニの拡大路線のペースと規模は、過去の大物経営者と比較されるレベルだった。いまにも崩れ落ちそうなインドのインフラに不信感を抱いていた彼は、自前で鉄道を建設し、電線を引いた。国内産の石炭を入手できるルートがなかったため、インドネシアとオーストラリアの炭鉱を買収し、そこで採掘した石炭を自社の港まで輸送した。このプロセスのなかで『ニューヨーク・タイムズ』が「かつてヘンリー・フォードがブラジルのゴム農園を所有して自社の自動車工場で使う部品を供給したような、グローバル規模で垂直統合されたサプライチェーンを想起させる」と指摘したネットワークが構築された。[1]端的に言えば、彼はインド自身の拡大路線を忠実に反映した存在だった。[2]二〇〇〇年代半ばにインドが自国史上最速の成長を謳歌するなか、アダニも最大規模の投資プロジェクトに乗り出した。〇二年、中核的な持ち株会社であるアダニ・エンタープライズの時価総額は七〇〇〇万ドルでしかなかった。[2]それが一〇年後には二〇〇億ドルもの資産を築き上げたと主張し、グループの評価額は一〇〇倍にもなった。[3]一四年に総選挙が行われたころには、『フォーブス』は彼の資産を七〇億ドルとした。[4]

アダニの評価は賛否が分かれるが、何よりも重要なファクターは、のちにインド首相となるナレンドラ・モディとの友好関係だった。アダニのビジネスが拡大を始めたのは、モディがグジャラートの州首相に就任した二〇〇一年以降だった。モディのもと、グジャラート州は活力あふれる産業拠点に成長した。なかでも強みを発揮したのは輸出に重点を置いた製造業で、珠江デルタ――中国の「世界の工場」への転換を後押しした、香港に近い地域――と比べられたほどだった。

二人は持ちつ持たれつの関係を築いてきた。モディのビジネス振興政策はアダニの事業拡大にとって追い風となった。その一方でアダニの企業は、モディの「グジャラート・モデル」――インフラ投資、外資導入、輸出産業振興が強調された――を象徴する大規模プロジェクトの多くを受注した。気質面の共通意識もあった。両者とも正式な教育は十分に受けていない、たたき上げの人物だった。伝統的なものを好み、プライベートなことを明かそうとはせず、外部の人間を信用しなかった。英語が流暢でないことも共通していた。総じてメディアに対して口を開くことも少なかった。ムケーシュ・アンバニのようにグジャラート出身の経営者はムンバイに拠点を置くケースが多かったが、アダニはアーメダバードにとどまることを選び、同州でもっとも有名なビジネスマンになった。二人は馬が合うと言われた。グジャラートで二〇〇二年にヒンドゥーとムスリムのあいだで凄惨な暴動が発生し、モディが厳しい批判にさらされたときも、アダニは彼を擁護することで忠誠を示した。[5]

グジャラート州内ではアダニの富を示すシンボルを見ない日はないほどだ。アーメダバードの沿道には、彼が手がけるビジネス用区画や住居用不動産の広告があちこちにあった。空港では、アダニのプライベートジェットが何機か滑走路で待機しており――よく目立つパープルのカラーリングが施されていた――、わたしたちが乗った飛行機はそのそばを通っていった。翌年、モディが選挙運動で各地を遊説した際にこのプライベートジェットが移動に使われたとして、政治的な物議を醸したこともあった。[6]双方とも、プライベートジェットは長期リース契約の一部であり、やましいことは何もないと疑惑を否定した。しかしこの説明で批判の声が収まったわけではなく、縁故資本主義に厳しい姿勢をとり続けてきた政治家モディと、彼のもとでビジネスを拡大してきた大物経営者アダニの密接な関係は攻撃の標的となった。

アダニの企業が建設した飛行場の広大な敷地をめぐる論争もあった。わたしたちを乗せたジェット機が一時間後に着陸したのも、この飛行場だった。ターミナルの上部には「アダニ・ポート＆ＳＥＺにようこそ」というメッセージが紫色の文字で記されていた。インドが経済特区——頭文字を取ってＳＥＺと呼ばれる——の開発を始めたのは二〇〇〇年代のことで、中国共産党の指導者、鄧小平が一九八〇年代に貿易優遇区域を深圳に設置し、輸出産業の成長によって中国の経済転換が促されたことに刺激を受けてのことだった。インドのＳＥＺの多くは失敗に終わったが、そのなかでもアダニのケースは成功を収め、トップの慎重なマネジメントのたまものだと言われていた。[7] しかし、批判する者からは別のファクターを指摘する声が上がった。国民会議派の指導者、ラーフル・ガンディー——ソニア・ガンディーの息子にして、ネルー・ガンディー王朝出身者として党を率いる立場になった当代の主《あるじ》——も批判派の一人だった。彼がとくに批判したのは、アダニはグジャラート州政府から土地を安価に取得するという優遇契約によって利益を得たのではないかという点だった。[8]

ムンドラー港では、人当たりのいい港湾責任者「キャプテン」ウンメーシュ・アビヤンカルが、係留《バース》施設の使用率、スループット率、所用作業時間といった施設のパフォーマンスについて熱っぽく解説してくれた。ムンドラーの水深は際立って深く、世界最大級の貨物船が停泊することができることから、インド西海岸のほかの競合港よりもアドバンテージがあると力説した。「わたしたちは三つの〝C〟にフォーカスしています。石炭《コール》、コンテナ、原油《クルード》です」。彼は来港する船舶が運ぶ積荷の中身についてそう言った。輸出のほうは、ボーキサイトや自動車から鉄鉱石、木材まで雑多な品目が含まれていた。インドの年季の入った道路網は物流の障害となっていたため、アダニは全長六〇キロの貨物用道路を自前で建設し、幹線鉄道網とリンクさせた。インドの港湾の多くは国有で、船舶からの荷下ろしに数日かそれ以上かかるなど、非効率的だった。[9] それがムンドラーでは、貨物の荷揚げや荷下ろしが午前中のうちに迅速に行われていた。アビヤンカルの予測では、同港の貨物取扱量がインドでは初めてとなる一億トンの大台に達し、年内に国内最大の港湾になるとのことだった。

夕暮れ時になり、わたしたちがアーメダバードに戻る際にも――次の日はアダニとの面会が予定されていた――、飛行機の窓から巨大なコンテナ運搬用クレーンを見つけることができた。沈みゆく太陽の光が遠くに広がる灰色のカッチ湾にきらめいていた。数年前、海洋学者のチームが湾内の水深五〇メートルの海底に、一〇〇〇年以上前に商船に使われていたものと同じ、石製の古い錨《いかり》が沈んでいるのを発見したことがあった。[10] 何世紀にもわたり、この海域はインドにとって貿易の大動脈であり、アフリカや中東からダウ船や蒸気船がはるばる来港していた。こうした往来や通商によって、インドは早い時期からグローバリゼーションのパイオニアだったのである――少なくともネルーが一九四七年の独立後に鎖国政策を始めるまでは。

それがいま、ムンドラーに停泊する船舶は往時の輝きを取り戻しているかのようだった。九世紀のチョーラ朝はバビロンや中国と関係を取り結び、十六世紀初め、バーブル帝治下のムガル帝国はポルトガルやオランダ、イギリスに優遇条件を与えて交易を行った。植民地時代の実績はさほど目立ったものはなく、数世紀にわたる搾取の結果、二十世紀半ば時点の経済規模は一六〇〇年代に東インド会社がインドに居留地を獲得したときをわずかに上回る程度でしかなかった。[11] それでも当時のインドは世界経済と密接につながっており、世界規模の変動で重要な役割を担っていた。英印軍は、二度の世界大戦に何百万もの将兵が連合軍として参加し、アフリカやヨーロッパで戦った。青色の英領インド・パスポートさえ持っていれば、インド人は大英帝国内を自由に移動することができた。ガンディーがロンドンで学び、南アフリカで弁護士として働けたのは、その典型例だ。東部アフリカのナイロビやダルエスサラームではグジャラート寺院の詠唱の声がいまでも通りに漏れ聞こえてくるし、レスターやニュージャージー州エディソンでは校庭に響きわたるグジャラート語を聞くことができる。アメリカでは、全モーテルのざっと三軒に一軒がグジャラート出身者を祖先に持つ者によって所有されている。[12] 交易を通じて海外に出ていった彼らは「グッジュ」と呼ばれ、有能なインド人グローバリストになったのである。彼らは小説やボリウッド映画では貿易商ややり手の商人として描かれたが、それはまさにアダニ自身にも当てはまるものだった。

　瞬く間に台頭したアダニ個人、そして彼の企業グループの急成長ぶりは、パランジョイ・グハ・タクルタの注意を引くことになった。彼はインドで論争の的となるビジネス帝国の実態解明を得意とするベテランのジャーナリストだった。グハ・タクルタの名を知らしめたのは、二〇一四年に刊行され、物議を醸した『ガス戦争――縁故資本主義とアンバニ家（*Gas Wars: Crony Capitalism and the Ambanis*）』〔グハ・タクルタ以外に共著者が二人いる〕で、アンバニ兄弟が二〇〇五年に袂を分かって以来のエネルギービジネスをめぐる激しい争いを詳細に記したものだった。同書で彼は、縁故主義にまつわる数々の疑惑を列挙した。アンバニ兄弟はいずれもそうした指摘を否定し、ムケーシュ・アンバニのリライアンス・インダストリーズは名誉毀損で訴えることすらしたが、不首尾に終わった。グハ・タクルタはこれにひるむことなく、今度は、多くのインド人がアンバニ家の経営者精神の純粋な継承者と見なす男、アダニに目を向けた。アダニがたぐいまれなビジネスセンスを持っていることに疑いはなかったが、それでも超富裕層のなかでも最上部にかくも急速に上り詰めることができたのは、起業家としての能力以上に、部分的にせよ政治的コネクションがあったからではないか――グハ・タクルタはそう問題提起した。

「彼のサクセスストーリーは本当に驚くべきものですよ」。わたしのムンドラー訪問から数年後、グハ・タクルタはそう語った。わたしたちは植民地時代の建物の上階にある、雑然とした彼のオフィスで座ってお茶を飲んでいた。場所はニューデリー中心部で、雰囲気のいい住宅街だった。グハ・タクルタ自身は徹頭徹尾、アジテーターのように見えた。ぼさぼさの巻き髪に着古した服といったいでたちは、年老いた学者を思わせた。当時彼は『エコノミック・アンド・ポリティカル・ウィークリー』の編集長を務めていた。定評はあるものの一般にはほとんど読まれていないインド左派の週刊誌で、粗雑な紙に濃密な内容の論文がぎっしりと掲載されていた。雑誌のほうは難解な文体だったが、グハ・タクルタ本人の話しぶりは魅力満点で、アダニの成功と彼がいかにして億万長者クラブの頂点に上り詰めたかを早口で説明してくれた。

グハ・タクルタによると、話はこうだ。ムンドラーを整備すると、アダニはインド各地で六つの港湾を買収するか新設し、国内最大の港湾オーナーとなった。石炭火力発電所を初めて建設してから一〇年も経っていなかったが、民間企業としては最大の発電量を誇るようにもなっていた。太陽光発電でも事業を拡大しており、南インドのタミル・ナードゥ州に世界最大の発電所を建設するプランを発表していた。はるか南方のオーストラリアでは、グレート・バリア・リーフの近くに採掘と輸送を行う複合施設の建設を進めていたが、その巨大なスケールは国際環境保護団体の大きな怒りを招くなど論争の的になった。アダニの傘下にある何十社もの企業は、オフィスビル群の建設、ダイヤモンド貿易、大豆やヒマワリ、マスタード、それにコメから作られるオイルの輸入といった事業を手がけた。「彼は果物だって支配してるんですよ！」アダニの会社の一つがインド最大のリンゴ事業者であることを指摘しながら、とりわけ大きな身ぶりで彼は言った。「インドのほかのどの億万長者よりも、彼の台頭は一気呵成でした……そこでこういう疑問がわき上がってくるのです。これだけのことを彼はどうやって達成したのか？」この疑問の背後には、さらに奥深い疑問が潜んでいた――そもそもインドの億万長者ブームというのはいったいどうやって生まれたのか？

新・億万長者クラブ

ジャヤント・シンハがインドの新興超富裕層について考え始めたのは、コンサルタント企業のマッキンゼーに勤務していたころだった。シンハは一九九〇年代にマッキンゼーに入社し、その後パートナーとなり、ムンバイに同社として最初のオフィスを開設してインド企業のクライアントを獲得した。明晰な話しぶりとエレガントなスーツの着こなし、縁なしフレームの眼鏡と丁寧に刈り込まれた髪という風貌の彼は、信頼感あふれるアドバイザーだった。生まれはインドだったが、鼻にかかったアメリカ英語のアクセントからは、ハーヴァードのビジネススクールで学び、アメリカ東海岸で仕事をしてきた名残がうかがえた。経済と株式市場が急成長した二〇〇〇年代半ばには、出張でインドにたびたび帰国した。当時、シンハはインドのビジネスエリートのなかでも上層部にいる人びとを訪ねて回るうちに、新たに築かれた富の大きさのみならず、それがいかにして築かれたかについても衝撃を受けた。「そういうことを知れば知るほど、懸念が募ってきました」。二〇一七年にニューデリーの自宅で話を聞きに行ったとき、一〇年以上前のインドのビジネスシーンを振り返るなかで彼はそう言った。「不正に仕組まれたゲームが行われていることは完全に明らかでした」

一九九〇年代初めまで、『フォーブス』が毎年発表する億万長者ランキングにインド人は一人もいなかった。インド生まれのヒンドゥージャ兄弟四人――今日イギリスで最大の資産を持つ一族で、合計資産額は一五〇億ドルに達する――はランク入りしていたが、彼らのビジネスの大半はスイスかロンドンで登記されていたことから、イギリス人に分類された。[13] その後、老舗のビジネスのビルラー財閥総帥のクマール・ビルラーをはじめとして、インド人がごく少数登場するようになった。次いでディルバイ・アンバニがランク入りし、好戦的な鉄鋼王のラクシュミー・ミッタル、それに通信業界の大物にして「インドでもっとも成功したたたき上げの起業家」の称号をゴータム・アダニと争うことができる数少ない存在のスニル・ミッタルが続いた。二〇〇〇年になったころには数十人がランキングに名を連ねるようになり、記録は毎年更新されていった。新規参入組のなかには、アダニのように自分で資産を築き上げた者もいた。ヴィジェイ・マリヤに代表されるその他の者は、相続した資産を拡大させた。二〇一〇年、『フォーブス』が発表した世界でもっとも多くの資産を持つ五人には、二人のインド人――ムケーシュ・アンバニとミッタル――が含まれていた。(14) それから四年後、インド人億万長者の総数は一〇〇人を超えた。なかでもアダニの資産の伸びはもっとも大きく、その年だけで四〇億ドル増加した。(15)

それにしても、インドの億万長者はほかの国の億万長者と比べてどれほど豊かなのだろうか？　この問いに対する答えを知っている者はいないように見える。そこでシンハは二〇〇八年に答えを探ろうとした。『フォーブス』のバックナンバーを丹念にチェックして、各富豪の資産を居住国の経済規模とともにエクセルに打ち込んでいった。結果は衝撃的だった。GDPに超富裕層の資産が占める割合を計算したところ、インドはロシアに次いで二位だったのである。「インドは貧しい国ととらえられることが多いのですが、文字どおり階層の頂点にいる者に富が集中していることが判明したのは本当に驚きでした」。シンハは当時の調査結果について、そう振り返った。

ロシアは自国の経済規模がおよそ一兆三〇〇〇億ドルだったとき、八七人の億万長者がいた。しかしシンハのエクセルデータによれば、インドはそれにやや後れをとっている程度で、経済規模が当時のロシアより若干小さかった時点の億万長者の数は五五人だった。また、インドのスコアは富が偏在しているることで知られるアメリカやブラジルといった国々よりも高かった。(16) シンハが言う。「インドは非常に長期にわたって社会主義的な経済運営をしてきました。それがわずか一五年か一六年で、これほど信じがたい富の集積がもたらされたのです。おそらく歴史上どの国よりも速いペースで、です」

シンハは単に数字の規模だけでなく、新たな資産がどのようにして形成されたのかも解明しようとした。彼はヤシュワント・シンハという、財務相を務めたこともあるBJPのベテラン幹部を父に持つことから、政治の世界を身近に感じながら育った。ハーヴァードでは経営学の教祖《グル》的存在、マイケル・ポーターに師事し、インドの企業が「ライセンス・ラージ」の規制をかいくぐるべくいかにして政治とのコネクションを活用したかについての論文を執筆した。そしていま、初期のアメリカを思わせるかたちで超富裕層が巨額の利益を得ているなかで、それと同じことが再現されていると彼は確信するようになっていた。二〇一一年に『フィナンシャル・タイムズ』で縁故資本主義に関する記事——これがきっかけてわたしは不平等や腐敗について考えるようになった——を共同で執筆したときよりもずっと前の段階で、彼はインドの週刊誌『アウトルック』にエッセイを寄稿し、「アメリカの『金ぴか時代』における貴族」とそれを生き写しにしたかのようなインドの新エリート層の比較を試みていた。[17]「非常に多くの企業が富を蓄積していますが、それはイノベーションによってではなく、政府との関係をマネージする能力によるものなのです」と彼は言った。「これには腹が立ちましたよ。経済がほんのひと握りの人間によって操られているのですから。これはなれ合いのシステムなのです」

政治リスクアナリストのイアン・ブレマーは、経済新興国を「マーケットのパフォーマンスにおいて、政治が経済的ファンダメンタルズと少なくとも同じくらい重要な国」と定義している。[18]往々にして発展途上国の企業は、不透明で恣意的に執行される法律や規制のなかでビジネスをしていかなくてはならない。そのなかで各社は事業拡大のためにコネや利益供与に頼る方法を学んでいった。経済自由化以前のインドは規制やライセンスが複雑に入り組んだ「縁故社会主義」だったため、上述の問題に対してほかでは見られないほど寛容だった。市場経済を支持する有識者は、ひとたび政府の統制がなくなればこのシステムは弱体化するだろうと期待していた。たしかに一時期、競争の激化によって旧来の企業が相対的に停滞するということはあった。その代わりに台頭してきたのは――少なくとも初期の時点では――グローバリゼーション時代のインドでチャンスを逃すまいとする新世代の起業家たちだった[19]。

よく知られている代表例は、テクノロジー分野のアウトソーシングだ。アメリカやイギリスの一流企業がＩＴシステム構築のために遠く離れたインド都市部のソフトウェア・エンジニアを安価な賃金で雇うようになったのだ。ソフトウェア企業インフォシスのケースは、とりわけ伝説的なサクセスストーリーになった。中間層出身のエンジニアグループがわずか数百ドルだったという手持ち資金で創業し、世界の最先端を行く企業に育て上げ、本社を置く南部の都市バンガロールはインドの技術ハブ拠点になったのだから。一九八〇年代初めに創業したインフォシスは、経済自由化後に急成長を遂げた。インフォシスやその他のＩＴ企業数社は、スタートアップのパイオニアや巨大コールセンターの拠点というインドの新しいイメージをつくり上げた。同社の著名な共同設立者、ナラヤナ・ムールティーとナンダン・ニレカニは、社会的流動性と倫理的なビジネスのモデルとしても、インド初のＩＴ億万長者としても称賛を浴びた。アメリカのジャーナリスト、トーマス・フリードマンが『フラット化する世界』――二〇〇五年に出版され、グローバル資本主義の新時代到来を歓迎した興奮の一冊――を書くきっかけになったのは、「トム、グラウンドは平らになってきているんだよ」というニレカニが何気なく口にしたひと言だった[20]。インフォシスの成功は新しい世代にも勇気を与えた。「わたしが小さかったころ、インドでビジネスに成功するためには経営者の家に生まれるしか方法はありませんでした」。ロイヤルバンク・オブ・スコットランドの元インド事業責任者、ミーラ・サンヤルは言う。しかし、インフォシスのムールティーのような億万長者は「ビジネスで成功を収めたいが、クリーンなやり方で実現したいと考える中間層の情熱を代表してくれた」のだという[21]。

ところが、経済のあちこちに暗雲が立ち込めていくなかで、そうした希望はほどなくしてしぼんでいった。当時、インドは依然として海外で称賛を受けていた。二〇〇六年、『フォーリン・アフェアーズ』誌は社説で、インドについて「活況を呈している資本主義のサクセスストーリー」と評した。(22)しかし国内ではその活況が、腐敗の蔓延にとって理想的な環境をもたらしていた。「だいたい二〇〇〇年ごろまでは、億万長者になるのはいいことだとインドでは受け止められていました。発展の証《あか》しだと考えていたのです」。IT起業家から国会議員に転じたラジーヴ・チャンドラセーカル――彼自身もランボルギーニを乗り回す億万長者――はかつてわたしにそう語ったことがあった。(23)一九九〇年代に台頭した世代の多くはIT、製薬、自動車製造といったビジネスで富を蓄積した。それに続く世代は、政府と密接な関係を持つセクターでビジネスを展開するケースが目立った。チャンドラセーカルは言う。「過去一〇年でインドに誕生した億万長者のほぼすべてが、政治との距離の近さによって富を手にしたのです。彼らは、政府の方針によって億の利益を挙げられるか否かが決まってしまう特定の分野で生み出されてきたのです」

エクセルデータの入力完了後、シンハはそれをのちのRBI総裁、ラグラム・ラジャンに送った。二人はインドで最高の名声を誇る工科専門大学、インド工科大学（IIT）の同窓生で、それ以来交友関係を維持してきた。当時のラジャンはまだシカゴ大学の経済学教授だったが、マンモーハン・シン首相の私的アドバイザーにも就任したところだった。シンハの調査に衝撃を受けたラジャンは、二〇〇八年後半に行った講演でその内容について言及し、単刀直入に問題提起した。「インドでは寡頭制《オリガーキー》の懸念はないのでしょうか？」(24)

シンハのデータを示しながら、ラジャンはその懸念はあると指摘した。公的なリソースが途方もない規模で経営者に贈与されるようになっており、受け取った側は規格外かつ正当ではない利益を荒稼ぎしているのだと主張し、さらにこう続けた。「土地、天然資源、政府との契約もしくはライセンスという三つのファクターが、インドの億万長者が持つ富の圧倒的に大きな源泉なのです。その規模には危機感を覚えずにはいられません。あまりに多くの人間が政府との距離の近さによって途方もない利益を手にしているのですから」。こうした見方は、数年後にシン政権をのみ込んだ汚職スキャンダルをほぼ正確に予見したものだった。土地や炭鉱といった資産が特定の企業に分配され、国庫に何百億ドルもの損害を与えたのである。問題の根の深さから、ラジャンはそれを形容した「リソース・ラージ」という新語を造り出したほどだった。政治家、官僚、経営者が結託して限られた天然資源を手に入れ、うまみを山分けするというロシア式のシステムを意味していた[25]。

　スキャンダルが次々に明るみになっていたころ、ハーヴァード大学の研究者マイケル・ウォルトンは、縁故主義と超富裕層の関係をより正確に解明しようと考えた。イギリス人で政治学が専門の彼は、二〇〇七年に世界銀行勤務の妻が住むニューデリーに引っ越した。夫妻は以前メキシコに住んだことがあった。同国は富豪が巨大な資産を持ち、政治家が縁故主義的であることで知られており、彼らの多くは通信や金融といった分野で国有企業が民営化された際に富を築いていた。ウォルトンはインドも同じ轍を踏みつつあるのではないかと危惧していた。彼はこう語る。「インドでは億万長者の富がこれほどまでに高い水準にあるという衝撃的な事実に関心を持ちました。インドがメキシコのようになるのではないかという懸念は間違ってなさそうです」

　シンハのエクセルデータとラジャンの講演を知ったウォルトンは、自分でも『フォーブス』のデータを精査してみることにした。一九九〇年代半ば、インドの億万長者が持つ資産はGDPのわずか一パーセントにすぎなかったことがわかった。それが一〇年後には、その規模は一〇パーセントにまで広がっていた[26]。ウォルトンはこの急上昇をもたらした要因を知りたいと考えた。そこで彼は億万長者リストを二つに分割した。第一グループは政府の影響がほとんどないセクターの企業で、ビジネスの成否は主に効率性とイノベーションにかかっていると考えられた。第二グループはウォルトンが「過剰利潤《レント・シック》」セクターと呼ぶ業種の企業で、各社が優遇措置によって利益を得ていることを意味していた。エコノミストが懸念の目を向けていたのは「過剰な利潤追求《レント・シーキング》」と呼ばれていたもので、土地や資源、知的財産といった権利を所有することで、競争的なマーケットで得られる利益以上のものを手にしている企業がこれに該当した。ロビー活動や贈賄によって利潤を得ていた企業もあれば、カルテルや独占による企業もあった。「レンティア」という用語もあるが、これは左派の思想家が同様の形態を表す際に用いられることがあるもので、油田採掘や不動産開発といった事業のライセンス取得を通じて貴重な資源を収奪する者を指していた。データを詳しく見ていくうちに、ウォルトンははっきりとしたパターンがあることに気づいた。一九九一年の改革開始後間もない時期に誕生した億万長者は、過剰な利潤追求があまりないＩＴサービス分野の経営者がほとんどだった。ところが経済が離陸し、グローバリゼーションによってコモディティや土地に対する需要が一気に拡大すると、過剰利潤セクター——鉱業や不動産、セメント、インフラ、通信など——に属する大半の億万長者も資産を急拡大させていったのである。

それ以降、さまざまな億万長者が資産を増減させていった。ウォルトンのデータによると、二〇〇八年の株高時には億万長者の富はＧＤＰのなんと二二パーセントという、驚愕の水準に拡大したことがあった。別のときにはそれが急下降した。インド経済が苦境にあった二〇一三年と一四年がその代表例で、過剰利潤セクターの経営者の多くがとくに厳しい状況に直面した。それでもトータルでは億万長者の富は高く安定した水準を維持し、二〇一〇年から一六年にかけてＧＤＰの一〇パーセント程度という状態が続いた。これは一定の経済規模を持つ国のなかではトップクラスだ[27]。「インドが非常に貧しい国であることを踏まえると、経済に占める億万長者の富の大きさは異常値を示しており、ロシアとさほど変わらないレベルだと言えます」。彼はそう指摘した。「そして何よりもこの点こそが、今日のインドと十九世紀アメリカの『金ぴか時代』を謳歌した泥棒貴族が何かと比較される理由なのだと考えています」

インドの億万長者を二つに分類するという手法は、単純ではあったが蒙を啓《ひら》いてくれる試みだった。著述家で投資銀行のモルガン・スタンレーでストラテジストを務めるルチール・シャルマも、億万長者を「よい億万長者《グッドビリオネア》」と「悪い億万長者《バッドビリオネア》」――基準はイノベーションによって利益を上げるか、賄賂やえこひいきによって利益を上げるか――に分けた際にほぼ同じことをしていた[28]。ただ、実際にはその境線は往々にして不明瞭になる。ムケーシュ・アンバニ、ヴィジェイ・マリヤ、ゴータム・アダニといった面々がやり玉に挙げられるが、この三人がいずれも有能で交渉力に長けた経営者であることは衆目が一致している。他方で、公正とされるインドの大物IT企業経営者ですら、ソフトウェア研究開発施設の用地をどうやって取得したかとか、ガバナンスの水準が対外的な公表内容のとおりかどうかなど、時として厄介な指摘を受けることがあった。一例を挙げると、二〇〇九年にインドでは同国史上最悪レベルの企業スキャンダルが起きた。これはサティヤム・コンピュータ〔当時インドIT業界第四位〕というソフトウェア企業が一〇億ドルもの粉飾決算をしていたというスキャンダルが発覚して倒産した事件のことで、不正を重ねて倒産したアメリカのエネルギー企業、エンロンに比せられたほどだった。

とはいうものの、ボリガルヒを特定することは難しいことではないと言える。彼らの企業の大半は過剰利潤セクターに属し、同族所有のもとでがっちりとコントロールされている。こうした企業は、株式の分散所有という、欧米では一般的な形態のもとで事業範囲を絞るというよりは、無秩序に拡大するコングロマリットとして組織が構築されていることがほとんどだった。ごく一部の者は国有銀行から融資を受けて国有財産を購入するという、ロシアのオリガルヒとよく似た手法で利益を手にしていた。しかし大多数は単に政府と密接につながっているセクターで事業をしているだけで、そこではコネの活用が効果を発揮した。大物経営者のことを表す現地独特の言い方もあった。「プロモーター」という言葉で、企業のなかで株式の大半を所有し、それを背景にして事業をがっちりとコントロールする個人もしくは一族を指していた。

過剰な利潤追求が行われていくなかで、多くの大物経営者はスマートなかたちで影響力を行使できる仕組みを構築していった。ヴィジェイ・マリヤのように、自ら政治家になった者もいた。ほかのケースでは、かつてリライアンス・インダストリーズがニューデリーにつくった「情報機関」――ムケーシュ・アンバニの父が数十年かけて構築した優秀なロビー活動部隊――の現代版がつくられた。より間接的な影響力の発揮方法もあった。有名な大物経営者は、病院や学校、ホテル、新聞社といった分野にも事業を拡大していった。「理由は簡単です」。シャルマが解説する。「現金で賄賂を受け取るのは悪いことだとみんなが理解しています。ところが、同じ賄賂でもギフトとして受け取るのであれば、ほとんどのインド人が抵抗を感じないのです。家族を病院に連れていき無料で診てもらうとか、子どもを無料で学校に入れさせてもらうとか、姪《めい》の結婚式のためにホテルの宴会場を無料で使わせてもらうとか、ビジネスや政治的な考えを地元紙で好意的に取り上げてもらうとか。それなりの値段がするものであっても、です[29]」

シンハやウォルトンの調査によって示された構図は、エキサイティングであると同時に問題を突きつけるものでもあった。そこでは一九九一年以降、とりわけ二〇〇〇年代の高度成長とグローバル経済への再統合後にインドで形成されてきた新しいタイプの資本主義が示されていた。ただ、経済が縁故主義によって完全に支配されているというわけではなかった。インド経済の大部分は非正規セクターによって占められており、依然として大多数のインド人が農民だったり中小規模の企業勤めだったりした。それ以外の部分ではグローバルなレベルで競争する、ｅコマースやＩＴ、メディアや金融サービスといった業種の企業の存在が大きかった。次いで「公的セクター企業」があり、政府の後ろ盾を持ち、今日でも国民総生産の二割を占めているのではないかと言われていた。しかし、インド経済のなかで間違いなく相当な部分を占めていたのは過剰利潤セクターだった。ある学術研究はこのセクターの企業について、「デリーでの政治的コネの開拓がプライオリティかつ事業の継続にとってもっとも重要な要因になっている……ユニークなインド式のビジネスモデル」のもとで活動していると指摘した。[30]

シンハはのちにBJPから選挙に立候補して国会議員となり、ナレンドラ・モディ政権で副大臣を務めるまでになったが、そのころの彼はインドの多くの問題について、当時与党で左派的な国民会議派が腐敗に厳しく対処しなかったことが原因だと批判していた。しかし、より根の深い要因として、インド経済の中核が三つに分裂しているとも指摘していた。一つ目は「国家資本主義」であり、鉄鋼や鉱業などの、依然として政府が運営する多くの企業のことを指す。二つ目は「リベラル資本主義」で、グローバル経済と密接につながっている企業が多く、もっとも競争力があると同時に腐敗度もきわめて低い。そして三つ目が「縁故資本主義」というきわめて厄介な存在で、その多くが政府との深いパイプから恩恵を被っているボリガルヒによって支配されるセクターだ。この三者間で熾烈な闘いが展開されており、その結果によってインドがどのような国になるかが決まることになる――シンハはそう指摘する。

富の不平等

億万長者クラブの台頭は過去数十年にわたり世界経済を席巻した変化を反映するものだったが、そのなかで不平等について新たな懸念も同時にもたらされた。トマ・ピケティがとりまとめたデータによると、アメリカでは最富裕層の資産が国全体の経済力に占める割合が一九三〇年代以来見られなかった水準に達している。[31]同様の状況は多くのヨーロッパ諸国でも起きている。しかし、ヘッジファンドの大物経営者やシリコンバレーの起業家が欧米資本主義の行き過ぎを代表するようになった一方、超富裕層がどこよりも急拡大しているのは、強大な新興ボリガルヒのいるインドのような国なのである。

二〇〇〇年代半ばには世界に億万長者は五八七人いたが、そのうち発展途上国の出身者はおよそ二割を占めていた。それが一〇年後には、億万長者の総数が一六四五人に跳ね上がり、途上国出身者の割合は四割以上に急上昇した。[32] 増加分でもっとも多かったのは中国だったが、一〇〇人以上の億万長者を擁するインドもかなりの存在感を発揮していた。インドは超富裕層の資産が国全体の経済力に占める割合という点でも、その資産が拡大するペースという点でも、特異な存在だった。投資銀行のクレディ・スイスが二〇一六年に行った調査によると、インドの百万長者は一七万八〇〇〇人にのぼったが、アメリカと比べれば取るに足らない規模で、中国と比べてもわずか一〇分の一でしかなかった。[33] しかし、来る数十年のなかで、百万長者の数がもっとも急速に増えるのはインドであり、そのペースは中国を除くどの国よりも速いと同行は予測しているのである。[34]

過去には、インドの億万長者の資産は経済全体の推移と軌を一にしていた。つまり、インド経済の状態が良好であれば、超富裕層も繁栄するというわけだ。株式市場が好況を見せたときにはとくにこれが当てはまり、株高に伴ってインドの「プロモーター」経営者の保有株式の価値も上昇した。こうした現象は「トリクルダウン」経済の典型例であり、一九九一年以来、数十年に及ぶ経済改革の副産物として、何億もの国民が貧困から脱出できたと見る者もいる。しかし、さらにスマートな楽観主義的見解は、アメリカの経済学者で世界銀行の幹部を務めたこともあるキャロライン・フロンドの議論に見出すことができる。億万長者の富を社会的混乱の象徴と見る向きに対して、フロンドは経済発展における自然なプロセスの一部ととらえるべきだと主張している。

「過去二〇〇〇年のなかで急成長したすべての国が、なんらかのかたちで『タイクーノミクス』を経験しています」。二〇一六年の著書『豊かな国民、貧しい国家（*Rich People Poor Countries*）』で彼女はそう記した。[35] ムケーシュ・アンバニやゴータム・アダニのような企業家が蓄積している資産はたしかに途方もない規模に見える。しかし、それとほぼ同じことは十九世紀後半のアメリカやドイツでも起きていた。グローバリゼーションの初期だった当時、多くの起業家が世界市場と密接につながった「メガ企業」を構築することで繁栄を手にした。いまから振り返ると、彼らは自分たちが取ったリスクの見返りを十分に享受したと言える。「こうした企業群の創業者のうち、もっともクレバーで、押しが強く、幸運に恵まれた者が超富裕層になったのです[36]」

フロンドの議論は、「貿易」に対する経済学者の見方の変化を反映したものでもあった。教科書では貿易を国と国のあいだで行われるプロセスとして説明されるのが一般的だ。X国がバターを作り、Y国はワインを造っています。両国は互いの利益のためにそれを交換します、という具合だ。しかし最新の研究では、国ではなく企業間の取引に着目するようになっている。この背景には、国際貿易のなかで扱われるすべての物品とサービスの半分以上が比較的少数の巨大多国籍企業間で行き来しているという実態がある。[37] たとえば、アダニのムンドラー港に到着する物品の大半は、自動車メーカーのマルチ・スズキやアダニ自身の会社のような、大型グローバル企業が持ち込んだり発送したりするものなのだ。

この着眼点は一見特筆すべきものには見えないが、実のところラディカルな意味合いを含んでいる。インドのようなマーケットでは、外国の多国籍企業は単に貿易を支配しているだけではない。こうした企業は、圧倒的に大規模な外国直接投資（ＦＤＩ）の供給源でもあるのだ。こうした見方では、先進的なスタートアップ企業や急成長する中小企業を経済成長の最重要ファクターととらえるのではなく、大企業と各社内で形成されている国際的なサプライチェーンこそがグローバリゼーションの本当のエンジンではないかとの考えが示されている。インド国内では、海外で収入を得ている企業のほうが、国内業務に特化している企業より成長が速い。そうした企業はより多くの雇用を生み出し、生産性も高い傾向がある。その企業活動は、国内の同業他社に厳しい競合条件を突きつけ、業界全体の効率性を高めるというかたちで、各業種の改革にもつながっている。石油化学におけるムケーシュ・アンバニのリライアンスはその一例だ。この帰結として、企業のオーナーが巨額の富を手にすることは自然なことだとフロンドは主張する。こうした結果は経済の変動が成功裏に進んでいることの証左であり、歓迎されるべき、というわけだ。

超富裕層の台頭をより肯定的にとらえるフロンドのような見方は、存命のインド知識人のなかでもっとも偉大な層に入る二人の経済学者、ジャグディーシュ・バグワティとアマルティア・センのあいだで展開された、より広範な論争にも影響を及ぼした。そこで交わされた議論は、それ自体がインドの経済発展をめぐる国内の議論の枠組みを規定するほどの内容だった。

ニューヨークのコロンビア大学で教授を務めるバグワティは、社交的だが時に気難しくなる市場経済主義者で、斜に構えたユーモアのセンスと卓越した論術の持ち主だ。彼の名を知らしめたのは貿易政策に関する学術研究だが、一九七〇年代から「ライセンス・ラージ」をやめるべきとの主張を展開し、数十年後に始まった数々の市場改革に理論的根拠を提供した。彼は八十代になっているが、いまなお経済自由化の擁護論を展開し続け、一九九一年以降のインドの繁栄は貧困を大幅に削減する結果をもたらし、貧困層も衣食のような基本的な物資を以前よりもはるかに多く消費するようになっていると指摘している。[38]

バグワティは不平等に関する懸念を過小評価しがちで、少なくとも再配分に傾斜するいかなる試みよりもまず先に高度成長を確保するための政策を実行すべきと主張している。[39] さらに論争を招いたのは、彼がナレンドラ・モディの熱心な支持者になったと公言したことだった。モディは大規模インフラ投資や輸出特化型の製造業振興によってグジャラートに経済的成功をもたらしたが、これはインド全体でも実践すべきテンプレートになると主張したのである。[40] インドの未来に関する彼のビジョンは、中国をはじめとする経済的な成功を収めた東アジア諸国の多くと同じ道を示すものであり、そこではインド経済が不得手だったことで有名だった工業化や貿易に注力すべしと強調されていた。

おそらくインドでもっとも知名度の高い知識人であるセンは、これとは正反対の見方をしていた。経済の再開放はたしかに活性化をもたらしたが、平等と公正という観点では悪化したというのだ。ベンガル出身でソフトな風貌の彼は、やはり八十代半ばに達していた。最初にケンブリッジ大学で学んだが、このときの同級生にバグワティとマンモーハン・シンがいた。その後は社会的選択理論や飢餓や性別に基づく中絶など、経済学から哲学にまたがる幅広い分野を研究対象とするようになった。こうした業績が評価されて、一九九八年にはノーベル経済学賞を受賞した。

センの最近の研究は多くの部分をベルギーの経済学者、ジャン・ドレーズと共同で執筆したもので、経済自由化以降のインドの実績を厳しく批判していた。これだけ成長したと言われているにもかかわらず、子どもの栄養状態や女性のエンパワーメントといった人間開発の指標ではバングラデシュのような隣国にも後れをとってしまっているではないか、という指摘だ。[41] こうした状況をもたらしたのは、福祉に予算を割かず、拡充もしなかった結果、貧富の格差が拡大したためだ――センとドレーズはそう主張した。センも経済的成功を収めた東アジアの「トラ」に目を向けた。しかしそれは、こうした国や地域が成長したのは基礎的な保健分野や教育に重点的な投資が行われ、それが貧しい労働者が農村から都市の工場に移動し、さらに中間層への上昇に必要な社会的支援となったことが大きいとする、彼独自の観点からだった。それとは対照的に、現代のインドは、社会的なセーフティネットが脆弱で、不平等が拡大しているラテンアメリカの経済のようになってきていると主張した。

バグワティ＝セン論争は一〇年近く続き、どちらが勝者か判定するのは難しかった。モディの首相就任以降は、バグワティ側が影響力を増し、彼の主張はBJPの改革推進派に活用されるようになった。これに対しセンは首相を厳しく批判し――経済政策という点でもヒンドゥー・ナショナリスト政治という点でも――、その結果モディ支持派から攻撃を受けることが少なくなかった。この論争は収拾がつかないところまでいったが、そこには知識人のあいだの独特なコンセンサスが背後に隠れていた。再配分よりも成長のほうが重要だというのがバグワティの主張だった。かたやセンは下層の人びとの状況に目を向けていた。二人にとって、貧富の格差は二次的な問題だったのである。「インドにおける巨大な社会的不平等を批判する者のなかには、比較的裕福な少数派による自分本位の生活や内向きの思考について、無関心もしくは無知な者もいる」。センは二〇一一年に『ニューヨーク・レビュー・オブ・ブックス』誌でそう記している。「しかしわたしは、繁栄に関するこうした歪んだ認識がもたらす幻想のために、インドが社会的搾取の問題に政治的関心を向けなくなってしまいかねないことに大きな懸念を抱いている」(42)

経済自由化を始めるずっと前から、インドは宗教やカーストによる大きな溝によって分断されてきた。農村と都市、それに地域間――南部では工業化が進み、西部は北部や東部よりも急速に豊かになっていた――でも明らかな差異が存在した。インドを初めて訪れる者は、この国には不平等がはびこっていると結論づけるだろう。しかし、実際にはインドは比較的平等な国だという見方が根強くある。その理由の一つは社会主義時代の残滓で、国際的な水準からするとエリートですら少ない収入しか得ることができなかった。インド政府の統計も消費関連のものが多かった。不平等に関する国際的なランキングでは、消費を指標とすればインドは中程度に位置づけられた。

最近の研究では、収入や資産以上にインド社会の分断の深さは疑問を挟む余地がないほどはっきりと示されている。世界銀行のエコノミスト、ブランコ・ミラノヴィッチは二〇〇六年に新たなデータの精査を行い、インドの不平等レベルはアメリカやブラジル、ロシアよりも高く、厳然とした階層社会として知られる「南アフリカよりは低い」ということを発見した[43]。同様の結果はほかの調査でも得られている[44]。同じ年に発表されたIMFのワーキングペーパーでは、インドの不平等レベルはアジアのなかでもっとも高く、かつ急速に上昇していることが示された[45]。インドのジニ係数——不平等に関する指標で、数値〇は完全な平等、一〇〇は完全な不平等を意味する——は、一九九〇年には四五だったが二〇一三年には五一に上昇した。中国の上昇幅はさらに大きく、三三から五三になった。とはいえ五一というスコアが飛び抜けて高いことには変わりなく、ラテンアメリカでよくあるレベルだが、日本や韓国といったアジア諸国のはるか上をいっているのである。

最上位の「一パーセント」に入る基準は国によって大きく異なることが、二〇一六年にクレディ・スイスによって行われた調査からわかっている。北米では四五〇万ドルの資産が必要で、ヨーロッパ諸国の平均は一四〇万ドルだ。それがインドの場合、三万二八九二ドルでしかない。しかしこのグループ内のさらに上位一パーセントが五八パーセントもの富を所有しており、これは世界のなかでもっとも強烈な偏りであるとともに、三九パーセントという一〇年前のスコアからも上昇している[46]。その一方で、インド国民の下位半分は四パーセントしか所有していなかった。

不平等拡大の理由は複雑で、もっとも重要なファクターは何なのかをめぐっては、経済学者のあいだでも見解が分かれている。まず、経済自由化と関係するポジティブなファクターによってもたらされたという側面がある。起業家がグローバル市場とつながる大企業を築けば、自らに利益をもたらすとともに従業員にも高賃金を払うことができる。急速な都市化と新たなテクノロジーが高度技能人材に高い報酬をもたらしたことも重要で、これによって都市部に住み、教育水準の高いアッパーミドルクラスの収入が上昇した。「不平等の大部分は都市部のなかで進行していて、富める者がますます豊かになっているかのようです」。IMFのワーキングペーパーの共著者、ジョアンナ・シャウアーはそう語る。このほかにもいくつかの傾向があり、たとえば南部ケーララ州のようなインドでも豊かな地域と、ビハールのような中部の州に代表される貧しい地域の格差が広がっていることが挙げられる。(47) アジア開発銀行（ADB）は、こうした数々の不平等がこれほど急激に拡大しなければ、数千万の人びとが貧困から脱却できたと指摘している。(48)

そしてとりわけ大きな衝撃をもたらしたのは、トマ・ピケティが二〇一七年に出したワーキングペーパーだった。ピケティと言えば、工業化した各国で新たな不平等が広がっていることについて最初に警鐘を鳴らした『21世紀の資本』の著者だ。共著者のルーカス・チャンセルとともに、ピケティはインドの租税記録に関するデータを収集し、最上層の一パーセントが国民所得に占める割合は、イギリス統治下の一九二二年に統計を取り始めてからもっとも高いレベルになっていることを示した。欧米では、超富裕層の富が全体に占める割合は二十世紀半ばに低下し、最近の二〇年間でふたたび上昇に転じている。インドもこれと同じ傾向を示している。ただし、その要因が違っていた。不平等に関する研究の大半は、超富裕層についてほとんど取り上げていない。人数という点では規模が小さいため、研究調査のなかで捕捉するのが困難というのが理由だ。しかしピケティのデータでは、超富裕層――「〇・〇〇一パーセント」と彼は呼んでいる――のシェアはさらに急拡大していることも示されている。

バグワティの見解への同調ということにもなるが、格差拡大を問題視している者ばかりというわけでは必ずしもない。経済学者のサイモン・クズネッツにちなんで「クズネッツ曲線」と呼ばれる理論は、発展の初期段階では不平等が加速するものの、成長に伴い縮小していく国が多いとして、不平等の拡大は一時的なものにすぎないとする。このため、主流派の経済学者のあいだでは、不平等は発展の促進要因であり、時間の推移とともにいずれ低下していくと論じる向きが多い。しかし、最近の調査――その多くはここでもＩＭＦによるものだ――では、このコンセンサスが覆されるようになっており、不平等の度合いが高い国は成長がゆるやかになる傾向があり、財政不安を招きやすいとしている[49]。ハーヴァード大学の経済学者ダニ・ロドリックらは、労使間で見られるように経済的に大きな分断がある国では、経済構造改革を進めていくなかで強力な支持基盤となりうる広範な国民的合意をつくり出しにくいと指摘している。ブラジルのように発展の初期段階で不平等が進む国は、後でその流れを反転させる際に困難な闘いを余儀なくされるということもある。

二〇一五年のことだったが、わたしはある日の午前中にムンバイで開かれたブックフェスティバルに足を運び、満員の聴衆を前にピケティが講演をするのを聴きに行った。ピケティの英語はフランス訛りが強かったため聴衆の多くが困惑していたが、それでも経済学者の彼はロックスター級の歓迎を受けていた。豊かな国々は不平等の必然的な拡大を何度も食い止めることに成功してきたが、大半のケースは世界大戦や革命の後に起きていた――ピケティはそう指摘した。こうした暴力的事態の悲劇を受けて、統治を担うエリートは、富める者は多額の税金を払い、貧しい者はより多くの社会的支援を受けるべきとの考えを受け入れるに至ったという。さらに彼は、インドの不平等は世界でも最高レベルになっているが対策が講じられている様子はうかがえない、とも指摘した。ピケティはインドの政治家や財界人に批判的で、保健や教育といった基本的な分野にほとんど投資せず、超富裕層に負担すべき税金を支払わせることもしていないと主張していた。「このことを（インドの）エリートがわかってくれているといいのですが」と、講演のなかで彼は言った。「なぜなら、そうでなければ資本主義はもたないからです」

物静かなボス

ゴータム・アダニのオフィスは意外なほど質素だった。アーメダバード中心部の騒々しい目抜き通りから離れたところにある、ガラス張りでメタリックな外観をした寸胴型のビルに入っていた。二〇一三年に会ったとき、アダニは当初思っていたようなタイプとは違った印象を受けた。わたしたちが会ったのは上階の応接室で、カーテンは明るい黄色でソファは金色だった。彼から威圧的な雰囲気は感じなかった。飛び抜けて長身というわけではなく、丸みを帯びた体格と球根のような鼻が印象に残った。彼は口ひげを少し震わせながらしゃべっていた。とにかく強烈な評判を持つ男と言われていたが、実際の彼はかなり内気に見えた。

まずは場をなごませようと、彼のバックグラウンドやどうやってビジネスを学んだかについて尋ねてみた。「わたしは正式な教育は受けてこなかったんです。しかし、人の話にしっかりと耳を傾けるようにしてきました」。静かな口調で彼が言った。「物事を分析するときも自己流です。できるだけシンプルに、専門用語など使わずにやります」。そのあとのやりとりで、彼は対外的な行事が苦手だと語った。「外向的な性格か内向的な性格かと言われれば、自分は内向的ですね。わたしは必要な人間としか会いませんから[50]」

アダニの寡黙さがきわめてはっきり表れたのは、彼の人生のなかで起きた二つの劇的な瞬間について尋ねたときだった。一つ目は一九九七年に、アーメダバード郊外で裏世界の犯罪者集団に誘拐されたときのことだ。事件としては単純なケースだったが、彼にはトラウマが残った。身代金が支払われたとされるが、それまで一日間拘束されたからである[51]。二つ目は二〇〇八年十一月に起きた。銃で武装したテロリストがムンバイのタージマハル・ホテルを襲撃したとき、アダニはそこで夕食をとっていたのだ。

「コマンド部隊が到着してようやく外に出ることができたんです。携帯は使えたので、友人と連絡をとろうとしました」――武装勢力がホールをうろつき、現場にいた人びとを殺戮したり建物に火を放ったりするなかでホテル二階のビジネスラウンジに閉じ込められるという経験をしたにもかかわらず、その夜のことについて語ったのはそれだけだった。スポットライトを浴びるのは基本的に避けたいのだとアダニは言った。ほかのボリガルヒとは違って富をひけらかすようなことはしなかったし、どちらかと言えばひっそりとした生活を送っていた。本人によれば、二〇一〇年に母が亡くなるまで、彼女を置いて休暇をとることは一度もなかったという。

たしかにアダニはヴィジェイ・マリヤのようなタイプではまったくなかった。しかし、わたしがムンバイに引っ越して一年あまり経ったころ、お金を派手に使うことがあるのがわかった。ある日、配達員がわたしのマンションに来て、小型のブリーフケースほどの大きさの、宝石がちりばめられたピンク色の箱を届けてきた。長男カランの結婚披露宴への招待状だった。相手はシリル・シュロフとヴァンダナ・シュロフ――インド最大規模の法律事務所を率いる夫妻――の娘だった。箱のなかにはさまざまなスイーツやナッツがあり、さらに新婦の父が幸せなカップルを描いた銅版画集が目を引いた。分厚いカードには、ゴアの高級リゾートで開かれる全額先方持ちの式の詳細が記されていた。これを含む一連の結婚式がインド各地で予定されており、すでに国内の経済紙が「インドの上流社会で今年最大の結婚式」と報じていた。

わたしと妻は式への出席を辞退することにした。新郎新婦のどちらにも会ったことはなかったし、両家のメンバーともまったく面識がなかったからだ。インドのきらびやかな結婚式では、たとえ関係者のなかに知人がいなかったとしても招待に応じるのはごく一般的なことだとは誰も教えてくれなかった。わたしたちは自分たちの決断をすぐに後悔することになった。翌年になると式について次第に報じられるようになり、招待客リストは「『インド株式会社』の超ＶＩＰ」だと報じた新聞があったほどだ。(52)結婚祝賀行事として、国内各地の会場で豪華なパーティーが開かれた。ゴアの披露宴に際しては、アンバニ兄弟やヴィジェイ・マリヤ、さらにはナレンドラ・モディといった錚々《そうそう》たる大物を乗せたプライベートジェットが相次いで到着したため、同州の小規模な空港で数日にわたって渋滞が発生したという。

わたしが結婚式に招待されていたことを持ち出すと、アダニは肩をすくめ、「インド人はみな派手な結婚式が大好きなんですよ」と笑いながら言った。彼はビジネスの拡大についても慎重に言葉を選び、成長できたのはさほど大したことではないと語った。彼が手がけた最初の商品取引会社は、「ライセンス・ラージ」のもとの工場経営で感じたフラストレーションがきっかけで生まれたという。「原材料が一〇トン必要だとします。それなのに実際に入手できるのは、たったの一トンか一・五トンでした……これでは四日、五日、六日と操業することができなくなり、基本的には工場を閉じるしかありませんでした」と彼は説明する。このギャップを埋めるべく、彼は一九八〇年代半ばに材料の輸入を始めた。九一年以降は輸出も扱うようになり、経済自由化によって多くのセクターで競争が可能になるとインフラ分野に乗り出し、港湾事業に着手した。この決断については、幼少期にムンドラーからさほど離れていない場所にあった政府運営の港湾施設に行った経験が原点にあるという。「あのとき見た船は、実際には小さかったのです。でもわたしにとってはとにかく大きな船に映りました」。当時、巨大なスケールに思えた場所を目の当たりにしたことで、自分でも港を造りたいという願望が形成されていった経緯を振り返りながら言った。グジャラート州が九〇年代に初めて港湾の運営に民間の事業者の参入を解禁し、これによってアダニはムンドラー港の開発計画に着手するようになった。二〇〇九年、彼はさらに電力ビジネスも始め、わずか五年で民間事業者としてはインド最大の電力供給会社となった。

ウォッチャーのなかには、こうした急速な拡大に疑問を投げかける者もいる。それに対してアダニはリスクを積極的に取ってきたこと、また借入について柔軟な姿勢できたことが理由だとしている。彼の説明はこうだ。商品取引業で現金を得て、それをインフラプロジェクトに投入した。プロジェクトが完成すると、それを担保に借入を行い、より多くのプロジェクト建設に取り組んでいったのだ、と。この手法の結果、借入金総額は当時一四〇億ドルにものぼり、インド企業としては史上最大級だった。「借入金の部分についてては心配していません」と彼は言う。「ですが、ひとたび投資をやめてしまえば、五年以内にその借入金が重くのしかかってきてしまいます」

アダニの成功に関する疑問はとくにムンドラーと、モディがグジャラートの州首相だったときに同港が受けた待遇に集中した。長年にわたりアダニは州政府から港湾とそれに隣接するSEZの開発目的で州政府から数千ヘクタールの土地を借り受けていた。こうした土地は長期契約で安価にリースされていたが、アダニはその一部を高い賃料で再リースに回していた[53]。アダニはなんら問題はないと反論し、自分が不当に扱われていると不満を口にした。「土地がアダニに与えられたとはたしかに言えるでしょう」。彼は記者にそう言ったことがあった。「それに何か問題でも？　アダニが土地をかっさらって、まったく開発をしていないと言うのですか[54]？」それでも、インドで縁故資本主義をめぐる懸念が広がっていくなか、アダニとモディの友好関係により厳しいまなざしが向けられるようになった。モディが首相になる前年にはアダニが所有する企業各社の株価が急上昇し、なかには倍増したケースもあったが、これはその後に起こりうる優遇措置への期待からのようだった[55]。

えこひいきに対する批判はモディの勝利後も続いた。モディが首相就任から約六カ月後にブリスベンで開かれたG20首脳会議に出席した際、アダニも同行した。オーストラリアでアダニはインド最大の銀行、ステートバンク・オブ・インディア（SBI）から一〇億ドルの融資を受け、グレートバリアリーフ近くの複合炭鉱施設に投資する計画を発表した。開発計画の中身はその後明らかになったが、その前の段階からSBIが政府の圧力を受けて融資を行ったのではないかとの疑惑が持ち上がっていた。ただし、政権、銀行、アダニのいずれもそうした指摘を否定している。えこひいきされているとの非難がアダニに向けられるのはこれが初めてではなかった。会計検査院は二〇一二年の報告書で、当時州首相だったモディが州営ガス会社からアダニをはじめとする数々の企業に燃料を安価に提供させていたと批判した[56]。さらにアダニは、環境保護規制に関して必要な手続きを当初とらずにムンドラーのSEZ開発が進められていたとする地元住民の訴え――アダニは否定している――をめぐり、長期にわたる法廷闘争に対応しなくてはならなかった（同SEZは二〇一四年に各種許可を取得した[57]）。

これとは別に、さらなる一連の疑惑が当時『エコノミック・アンド・ポリティカル・ウィークリー』編集長だったパランジョイ・グハ・タクルタによって提起された。彼は二〇一七年、アダニ傘下の企業はモディから優遇されており、特別扱いを享受しているとする記事を数多く発表した。ある記事では、政府は経済特区に関する規定を「ねじ曲げ」、アダニ側への課税額を少なくさせたと主張した[58]。別の記事では、アダニの金やダイヤモンド取引に対する税務当局の捜査を政府が徹底しなかったと指摘した[59]。アダニの企業は不正を否定し、最初の記事について雑誌に対し名誉毀損で告訴するとの通知を送付した。これを受けて編集部は最終的に記事をウェブサイトから削除した。グハ・タクルタは自分の記事は間違っていないとする立場を堅持したが、アダニのクレームへの対応をめぐり出版社のオーナーとのあいだに対立が生じ、編集長の職を辞任した。彼の主張の是非はともかく、辞任という決断は、編集長を守らなかった雑誌に対しても、裁判という手法――実際にはその後、審理が行われることはなかったが――をとったアダニに対しても、厳しい批判の声が巻き起こった。アマルティア・センが発起人となって、一〇〇人以上の学者が雑誌の決定に抗議する公開書簡を連名で送った。そこにはこう記されていた。「遺憾なことに、法的通知は捜査ジャーナリズムを威嚇したり抑圧したりする一般的な手段になってしまった(60)」

アダニもモディも、自分たちの取引になんら不適切なものはないと一貫して疑惑を否定してきた。とはいえ、グジャラートに腐敗はないというイメージに対する懐疑的な見方は、多くの専門家のあいだで根強く残っている。「ほかと比べてグジャラートがとくにひどいということはありませんよ。ですが、グジャラートはシンガポール並みとするイメージがあります。これはナンセンスです」。ニューデリーのジャワーハルラール・ネルー大学で企業と政治の関係を研究する左派寄りの歴史家、アディティヤ・ムケルジーがそう説明してくれたことがあった。「グジャラートには州政府から支援を受けることで大きく成長でき、その返礼として政治にカネを提供するというビジネスモデルが残っていたのです」。そのシステムのなかで、アダニとモディには少なくとも利害の一致があった——巨大プロジェクトに熱心な政治家と野心に満ちた若き経営者は、次第に互いを不可欠な存在として見なすようになっていった、と。

わたしとの会話のなかで、アダニは自社の業務拡大が優遇措置によって助けられてきたとする見方に逐一反論した。「モディは誰であれ個人を支援するということはしません。これははっきりと言えます。モディは政策を通じてビジネスを支援しているのです」。ムンドラー開発計画はモディの州首相就任前にさかのぼることを指摘しながら彼は言った。彼はインド政府への不満を口にする人びとにも批判的だった。「企業グループとしてのわたしたちの哲学はこうです。政府のところに行って、『あの件を約束してくれたのに、やってくれないじゃないですか』と泣きつくことはやりません。絶対に、です。わたしたちは政府と協力しながら歩んでいくのです……腐敗やほかのことについてあれこれ言われはしますが、結局のところ彼ら（政府）だって発展を望んでいるのです」。会話を通じて、アダニが友人としても政治家としてもモディを尊敬していることははっきりと伝わってきた。「わたしたちがモディを好きなのは、彼がAさんやBさん、Cさんを助けてくれるからではありません」と彼は言った。「州にとってよいことだと納得すれば、彼はすぐさまわれわれの側に立ってくれるからです」

第2部
政治マシーン

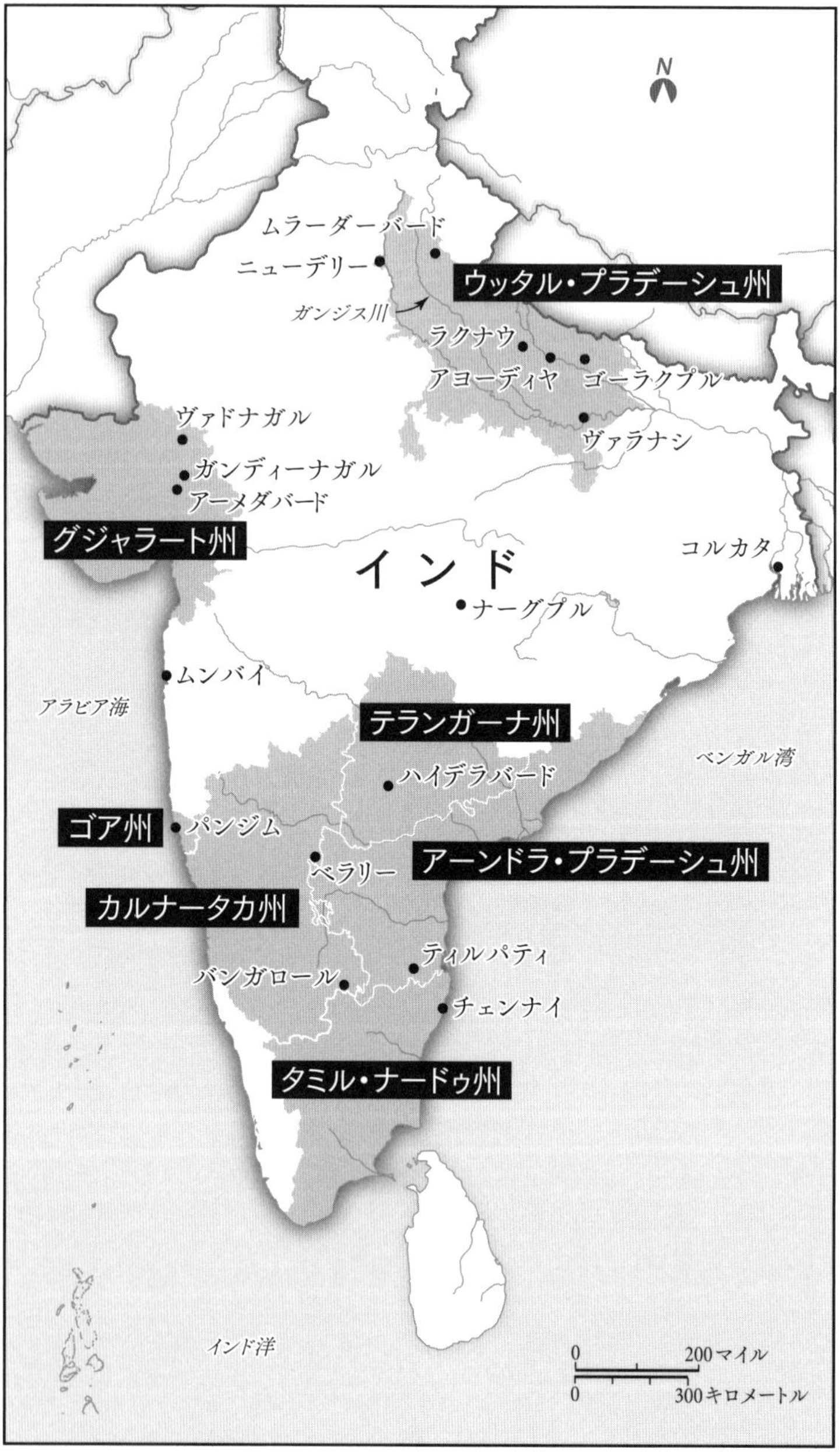
N
ムラーダーバード
ニューデリー
ウッタル・プラデーシュ州
ガンジス川
ラクナウ
アヨーディヤ
ゴーラクプル
ヴァドナガル
ヴァラナシ
ガンディーナガル
アーメダバード
グジャラート州
インド
コルカタ
ナーグプル
ムンバイ
アラビア海
テランガーナ州
ベンガル湾
ハイデラバード
ゴア州
パンジム
アーンドラ・プラデーシュ州
ベラリー
カルナータカ州
ティルパティ
バンガロール
チェンナイ
タミル・ナードゥ州
インド洋
0
200マイル
0
300キロメートル

第4章 「モディファイ」するインド

ツナモ

武装した護衛に囲まれるなか、ナレンドラ・モディは群衆をかき分けてシルバーのジープに体を滑り込ませた。その日は総選挙の開票が行われる二〇一四年五月十六日。まだ昼下がりの時間帯だったが、彼の大勝ぶりがすでに明らかになりつつあった。朝には数百人の支持者がBJPのグジャラート支部事務所に詰めかけ、その規模は時を追うごとに膨れ上がっていった。勝利の報せが入ってくると、オレンジ色のシャツを着た男たちが外の庭で踊りを始めた。紙吹雪が宙を舞った。モディの写真がいたるところにあり、ポスターから聴衆を見下ろしたり、段ボールで作ったお面から目を光らせたりしていた。後方にはひげを生やしたそっくりさんが立っており、自撮り写真のリクエストに丁寧に応じていた。夕方になって本物のモディが姿を現すと、群衆の数は一気に増えた。彼を乗せた車に人びとが押し寄せ、その場にいたわたしの足が地面から浮き上がってしまったほどだ。ジープが出入口に近づくと、車内にいるリーダーをカメラに収めようと、スマートフォンを持った手があちこちから伸びた。クルターに青と白の小粋なシャツというでたちのモディは、勝利の重みについて熟考するかのように助手席で冷静な様子を保っていた。彼が軽く手を振っただけで聴衆からふたたび歓呼の声が上がり、門が開くと間もなくインド第十四代首相の座を確実にした男はなかに入っていった。

その日の早朝、わたしはムンバイから飛行機で一時間かけて現地入りしていた。五月は一年のなかでもっとも暑い月の一つで、この日も苦痛に感じるほど厳しい暑さだった。空港から北へ向かう整然とした片側三車線の幹線道路では車がスムーズに流れていた。行き先はガンディーナガル。長年にわたりモディが権力の拠点としてきた、グジャラートの州都だ。テクノロジー団地やガラス張りのオフィスビル、マハートマ・マンディール――巨大なコンベンションセンターで、グジャラート出身で多くの時間を近くの質素なアーシュラム〔ヒンドゥー教やヨガの道場〕で過ごしたマハートマ・ガンディーにちなんで命名された――といった、州首相としての実績を示す光景が車窓から見えた。その風景は発展を感じさせ、整然としており、モディがこれから率いていく国のモデルと言えるものだった。選挙の前年、彼はインド各地を訪れて腐敗や経済失政を糾弾するなど熱弁を振るった。二〇一四年総選挙はインド史上もっとも多額の資金が投じられた選挙だったが、モディのメッセージはシンプルだった。与党の国民会議派はかつて貧困層の利益を代表していたが、いまや超富裕層の側に軸足を移してしまっているではないか、と。この結果、一カ月以上に及ぶ投票プロセスのなかで、五億人を超える有権者が一〇〇万カ所近い投票所に詰めかけ列を成した[1]。そして人類史上最大の民主主義における権利の行使がこの日の午後に締めくくられると、熱狂的なＢＪＰ支持者でさえこの展開をきちんと理解するのに難儀していた。自分たちがいかに大きな勝利を手にしたか、それに、いまや新聞各紙が「Ｎａ《ナ》Ｍｏ《モ》」と略称で呼ぶようになった男にとってこの結果が何を意味するか、という問いについてである。

ＢＪＰ州支部の事務所はサーバルマティ川からさほど離れていないところにある、三階建ての近代的なビルだった。ハスの花をあしらったシンボルマークの党旗が、暑さにやられたかのように外周の壁にだらりとかかっていた。その日の午前中にわたしたちが到着したときは、テレビ各局のバンが待機しており、スタッフは限られた木々の陰で涼んでいた。建物内のフロアの壁にはさまざまな色の砂で描かれたインドの地図がかかっており、隣には花輪をかけられたモディの写真があった。外では支持者が自分たちのリーダーに惜しみない称賛を送っていた。「インドにはモディが必要なのです」。地元の銀行で窓口係をしているヴィヴェーク・ジェインは一度外に出たわたしにそう言った。熱心なモディ信奉者という彼は一日休暇をとり、祝勝イベントに加わろうとバイクで駆けつけたのだった。ジェインは色落ちしたブルージーンズをはき、よれよれの白いシャツの上には「ＮａＭｏ すべての人びとに教育を」というスローガンが書かれた段ボール紙製のタンクトップをかぶっていた。周りの人びともすぐに同調した。モディは貧しい家に生まれたから庶民のことをわかっている。誠実な人間だから、ニューデリーで腐敗を根絶してくれるだろう。グジャラートで開発を実現した実績があるから、今度は同じことをインド全体でもやってくれる。彼には子どももいないし、親しい家族もいないから――例外は献身的に尽くしてきた母で、この日の午前中も多くの時間を実家で過ごしていた――、彼の統治が国民会議派のような王朝になる心配はない。「インド国民全員が、彼が（グジャラートの）わたしたちにもたらしてくれたのと同じ発展を欲しているんです」。ジェインは最後に言った。「彼はインドをもう一度立ち上がらせ、ずっと続いてきたえこひいきを全部終わらせてくれますよ」

モディが州首相になるずっと前から、インド政治のなかでグジャラートは特別な位置を占めてきた。ヒンドゥー・ナショナリズムという彼のマッチョな主張には、ガンディーやネルーのようなかつての独立運動指導者が掲げた世俗的な平和主義との共通項は皆無に等しかった。しかし、彼はＢＪＰの指導者でありながら、演説でたびたびガンディーに言及した。さらに、帝国主義との闘いでグジャラートが果たした特別な役割、とくに一九三〇年の「塩の行進」――イギリスによる塩への課税に抗議するためマハートマが主導した有名な市民的不服従——についても触れた。モディによるリーダーシップのもと、グジャラートは新たなイメージを獲得し、いまでは経済発展の導き手と見なされるようになった。ほかの州では、企業は土地取得に苦労し、停電に悩まされ、腐敗によって事業拡大プランが阻害されるのを目の当たりにしてきた。グジャラートでは電気はいつでも使えたし、土地の取得は比較的容易にでき、官僚は総じて誠実だった——さもなければ厳格な州首相に見つかるから、という恐怖感からだったが。

　モディの統治下で、グジャラートでは灌漑用の運河が掘削され、幹線道路が造られ、放漫経営だった電力システムがてこ入れされた。彼は海外から投資を呼び込む才に長け、中国のような二桁成長率の達成を指揮した。エコノミストは輸出特化型の製造業を効率化した農業や近代的なサービス業と組み合わせた「グジャラート・モデル」を絶賛した。[2] 外国の投資家も同じように魅了された。「わたしたちは水と電力という典型的な問題に悩まされていたものです」。フォードが二〇一三年にグジャラートで一〇億ドルを投じた工場の開業準備を進めているころ、同社の役員の一人はそう言った。「でも、そうした事態が起きると州鉱工業省の首席次官に会いに行くのです。すると彼は部下に、『おい、すぐに対応しに行ってくれ！』と指示を出してくれるんですよ」。アーメダバードは空気が悪く、道路は車で渋滞しており、完璧とはとても言えない都市だった。しかし、ほかのインドの都市でよくあるようなカオスとは異なり、バスが専用レーンを整然と走っていたし、サーバルマティ川の両岸をパリのような散歩道にしようとする計画もあった。

　ジェインのような支持者にとって、モディは首相になるのにもっともふさわしい人物だった。それでも、開票が行われる前日まで彼が勝利できるか否かは不透明だった。ＢＪＰは同党の選挙運動を、連邦下院《ローク・サバー》の過半数獲得に必要な議席を表す数字を用いて「ミッション２７２」と名づけていた。アナリストの多くが、この目標は達成困難と見ていた。過去の総選挙でＢＪＰが獲得した最大議席は一八二だった。ところが開票日の午後に判明した獲得議席は二八二という驚くべき結果だった。国民会議派以外の政党で単独過半数を制したのは、ＢＪＰが初めてだった。[3] 国民会議派のほうは屈辱的な敗北を喫し、わずか四〇議席という小勢力に転落した。インドで「地滑り的勝利」が起きるとはこういうことだった。あるメディアの見出しはこうだった――「Ｔｓｕ《ツ》Ｎａ《ナ》Ｍｏ《モ》」。[4]

「ナレンドラ・モディは、もっとも輝かしい政治的大勝利の一つと言えるシナリオを書き上げたのだ」。著名な政治評論家のプラタープ・バヌー・メヘタは開票翌日にそう記した。「彼はアウトサイダーだったし、知識人から悪者扱いされ、中央政府も一線を画していた。ところが彼は障害を突破し、インドの政治権力において独立以来最大のどんでん返しをいま起こそうとしているのだ」。[5] 政治家とその共謀相手である財界人の強欲さに国民が怒りを募らせるなか、モディは国内で渦巻く強烈な不満を取り込んだ。開票日のグジャラートに話を戻すと、モディが去るのを見届けた支持者は解散し、市内のあちこちで何千人もの群衆に加わったり、バイクの後部座席で旗を振りかざしたり、街角で楽しそうに踊りに興じたりした。しかしその他の各地ではそこまでの熱狂はなく、多くの人びとは基本的な問題について考えを巡らせていた――現代インドの歴史のなかでもっとも論議を呼び、その分断的な姿勢ゆえに支持者の多くですら勝利に懸念を抱くほどだったリーダーが、そもそもどうやって首相の座を射止めるまでに至ったのだろうか?

ナレンドラおじさん

約一年後のある雨季の昼前、友人とわたしはアーメダバードから三時間かけて、モディの生地ヴァドナガルに向かって車を走らせた。市内から離れていくにつれて、近代をうかがわせるものは少なくなっていった。バラのような色をした花が植えられたこじゃれた鉢が道路脇に並べられていたが、車線が四つから二つに、さらに二つから一つだけになっていくと、それも見当たらなくなっていた。ラクダが、木材が高く積み上げられた青色の荷台を引きながらとぼとぼと端を歩いていた。水が入った桶を頭上に乗せた女たちの姿もときおり見かけた。モディが青年だったころには村に毛が生えた程度の規模だったが、いまやヴァドナガルは活気あふれる小さな町になっており、竹の足場が組まれた工事中の建物がそこら中にあった。中心部には携帯電話の通信カードを売る小さな店がいくつもあり、交差点にはセメントの広告が並んでいた。建設現場の合間から、かつて寺院だった建物が上だけ姿を見せていた。いまとなってはほとんど忘れ去られているが、その光景からは古くからここに人が住んでいたことがうかがえた。この地は七世紀に仏教が栄えた拠点の一つで、中世には交易が行われ、その後、近代的な町並みが広がっていったのである[6]。

モディの父、ダモダルダスが生まれたのは一九一五年ごろで、ガーンチーというありふれた低カーストの家系だった。このカーストは伝統的に食用油の圧搾を生業としてきた。現在彼らは、インド政府が定めるカーストのランクで「後進《バックワード》」カテゴリーに指定されており、モディはインドの社会階層のなかで下半分に属するということになる。村で過ごした幼少期についてモディ自身が語ったことはほとんどない。しかし、それでも寓話のようなエピソードは若干あり、『ナレンドラおじさん』というタイトルで出ている作者不明のコミックでは、真偽は不明だが子ども時代の話が収められている。コマ割りされたカラー刷りの物語では、ワニが棲む地元の池で友人が溺れてしまった際にナレンドラ少年が救出し、その後ワニの子どもを家に持ち帰って母を仰天させたというエピソードが紹介されている。学校の壁を修理するために資金を集めるべく劇を企画して褒められたという話や、級友のシャツにこっそり青インクをつけて誰がいじめっ子かわかるようにして先生を助けたという話もあった。家では従順で家事をきちんとこなすとともに、利発な子どもでもあった。「洗濯したこのシャツ、皺にならないように枕の下に敷いておいたほうがいいな」。ある一コマでは、灯油ランプの明かりのもと、こぎれいなシングルベッドに寝転びながら考えるモディ少年が内心で発したせりふが吹き出しで記されていた。

実際にモディを教えたことがある教師の一人にいじめっ子発見のエピソードを話すと、ぽかんとした表情をしていた。元教員のヒラベン・モディは当時八十歳を大きく超える年齢だった。モディという名字を持つ者は地元で多く、自分は親戚ではないとのことだった。ナレンドラ・モディの生家から数本の通りを挟んだ場所にある、部屋が三つだけの質素な自宅で、とくに優秀というわけではなかったが自信にあふれていた少年のことを彼女は振り返った。「宿題はきちんとやっていましたし、規律のとれた生徒でした」と彼女は語った。そこからさほど離れていない薄汚れた雑貨店で、幼少期の友人というジャスード・パターンは、自分のようなムスリムの少年がモディのようなヒンドゥーと遊ぶことができた、楽しく調和のとれた子ども時代を説明してくれた。中国製の懐中電灯が置かれたラックや南京錠の入った箱が並ぶ店内で、彼は凧揚げをしたり、湖で泳いだり、結婚披露宴で音楽を奏でるミュージシャンの気を散らそうとしたりといった当時の日々を回想した。「わたしたちはかなりやんちゃで、一緒にいたずらをいっぱいしたものですよ」と、笑いながら彼は言った。

現実は当然ながらそれほどのどかなものではなかった。一九五〇年九月にモディが生まれたとき、ヴァドナガルは小さく貧しい場所で、電気も水道も通っていなかった。教育は最低限のものしか行われず、医療も限られていた。ときどき上映されるボリウッド映画、それにアーメダバードから行ったり来たりする列車が通る鉄道を除けば、外の世界とつながる機会はまずなかった。当時、インドの平均寿命は三十歳を少し上回る程度でしかなかった。文字の読み書きができたのは五人に一人以下だった。(7)「わたしが育った村には電気は通っておらず、つらいことがたくさんありました。子ども時代には多くの苦難に直面したものです」。モディは伝記作家に対し、めずらしく率直に語ったことがあった。(8)六人の兄弟姉妹と暮らした家はいまでも旧市街の中心部に近い泥だらけの小径の脇に残っているが、すでに一家の所有ではなくなっている。弟のプラーラドによると、「わたしたちが住んでいたころはセメント造りではなかったし、屋根にはまだトタン板が葺《ふ》いてありました」という。家は父の死後に売却し、新しいオーナーがれんが製の壁を付け加え、一階分増築し、まともな屋根に葺き替えたそうだ。

二〇一四年にモディが就任するまで、歴代インド首相は一人を除いて全員が高位カーストの出身だった。しかし、モディは自分の地味な出自を隠そうとするのではなく、むしろそれを、選挙運動を決定づけるイメージづくりに活用した。子どものころからヴァドナガル駅近くの木製屋台で父がチャイを売るのを手伝っていたというエピソードである。このイメージは比較的最近になって登場したものだ。モディのキャリアをフォローしてきたアーメダバードの人びとの話では、モディの演説のなかにチャイ売りの話が出るようになったのは、彼が自分を全国区の政治家として位置づけ始めた二〇一二年ごろだという。それ以前に彼が家族のバックグラウンドを話題にしたことはほとんどなかった。彼が二期目の州首相を務めていた二〇〇七年、『タイムズ・オブ・インディア』紙はこう記した。「ナレンドラ・モディの真の姿を知る者は誰もいない……彼は食事をとるときすら独りだ[9]」。しかし二〇一四年には、つましい幼少期のことを誇らしげに、そして頻繁に持ち出すようになった。低カーストの生まれ。ワニが棲む湖を勇敢に泳いだ少年。政治の世界に入るため家族のもとを去っていったこと。そしてとりわけ、チャイ売り《チャイワーラー》を父に持つ貧しい出自の少年がいまや国を率いていこうとするまでになったという物語、といった具合だ。

ヴァドナガルの湖はいまでも残っていた――ワニはずいぶん昔にいなくなったそうだが。ダモダルダスのチャイ屋台もなくなっていたが、中央に大きな木がある駅前のぬかるんだ環状交差点《ラウンドアバウト》には同じような屋台が六台あった。近くを客待ちのオートリキシャ数台がのろのろと動いていた。モディが通った中学校はそこから通りを数本挟んだ場所にあった。駅に入ると当時からほとんど変わっていないように見え、ホームは一つだけで、線路は狭軌だった。霧雨の降るなか、数人の旅客がトタン屋根――黄色く塗られ、町の名前が黒で記されていた――の下で雨宿りをしていた。「学校は駅の反対側にありましたから、休み時間には兄弟で父のチャイ屋台にときどき行っていたものです。でもほとんどはナレンドラ一人で行っていました」。モディの弟はそう語る。この駅に来る列車は一日数本しかない。「彼は屋台に向かい、ポットとカップを持つと客車のところまで行って、チャイを売っていたのです」。『ナレンドラおじさん』では、このシーンにさらにエモーショナルなタッチが加えられている。ポットを携えたモディ少年が、車内の座席に座っている制服姿の男二人にチャイを注いでいる。そこにはこんなキャプションが添えられていた――「愛国的なナレンドラは、チャイを注いでもらっていない兵隊《ジャワーン》さんがいないよう、細心の注意を払っていた」。

駅のホーム以上に幼少期のモディに最大の影響をもたらしたのは、近くにある村の古いパレード場だ。八歳のときから彼は毎日家に戻ると鞄を放り投げて、「民族義勇団」（ＲＳＳ）――ヒンドゥー教の組織で、当時発足したＢＪＰの支持基盤となった――の「シャーカー」と呼ばれる集会に直行した。彼らに遭遇した者は、棒を持ち、カーキ色の短パンをはいた成年男子と少年の一団が集団で自重トレーニングをしたり愛国歌を歌っているのを見たことがあるはずだ。一九二五年に発足したＲＳＳは当初、一見無害な慈善事業や信者の連帯が主たる活動だった。それがいまでは「世界最大の非政府組織」と自称し、五〇〇〇万人のメンバーと五万を超える組織を全国に持つと見られるまでになった[10]。ＲＳＳ自体が直接選挙に候補者を擁立することはないが、絶大な政治的影響力を持っており、とりわけメンバーがＢＪＰにとって現場レベルのまとめ役として動いてくれることが大きい。モディをはじめとしてＢＪＰの主要政治家の多くがＲＳＳと深いつながりを持っている。その一方で、ＲＳＳほどインドのリベラル派から不信のまなざしを向けられる組織もない。彼らの多くは、ＲＳＳは押しつけがましい宗教観と大英帝国時代のイギリス軍をモデルにしたと思われる準軍組織的な思想を持ち、その本質は原始ファシストだと見なしていた。

RSSは活動を展開していくなかで、過激なヒンドゥー主義思想を推し進めていった。これは、ガンディーやネルーのような穏健派が唱える世俗的な多文化主義に対する事実上の否定だった。「スワヤンセヴァク」と呼ばれる活動員を触発したのは、「ヒンドゥー性」を意味する「ヒンドゥトヴァ」の理論だった。そこではインドのアイデンティティとヒンドゥーの信仰は不可分の関係にあることが主張されていた。カーストによる区別を否定するとともに、インドを精神的母国と見なすすべての宗教はすべてヒンドゥーであるとした。この分類方法だと、シーク教やジャイナ教は含まれるが、イスラーム教やキリスト教——今日人口の約一四パーセントと二パーセントを占める——は明らかに除外される。[11]この思想によって、もっとも大きな悲劇的事態が引き起こされた。一九四八年、ヒンドゥトヴァのイデオローグでRSSの元活動家だったナトゥラーム・ゴードセーが、夕刻の集団礼拝が始まるのを待っていたガンディーの胸を銃で撃って殺害したのである。ネルーは「この組織の人間の手にはマハートマ・ガンディーの血が滴っているのだ」と述べて、RSSを非合法化した。独立以来、彼らは三回非合法化されているが、このときがその一つだった。[12]ところがその一年後、活動再開が許可された。それ以降、RSSは「サング・パリヴァール」の名で知られ、商業組合から農民団体、若者や学生組織、そしてBJPを含むヒンドゥー・ナショナリズムの一大ネットワークを築き上げていったのである。

幼少期の仲間だったジャスードー・パターンは、当時のモディが狂信的なヒンドゥー主義少年だったという見方は当たらないとした。ヴァドナガルの少年の多くがRSSの集会に参加していたが、暇つぶしが大きな理由だったというのだ。とはいえ、RSSが掲げる連帯や理想にモディが共感したのは確かだった。パターンの回想によると、当時のモディがパレード場での集会で刺激を受けて、インド軍に敬意を払う必要性を力説する即興スピーチを学校でやったという。「彼の話は一〇分から一五分続き、兵隊さんの任務について語っていました……好評でしたよ」。ヒンドゥトヴァの思想は、偉大なインド文明が漂流するなかで自分をどう位置づけるべきかという意識をモディのなかに植えつけた。RSSは、インドはまずムガル帝国のもとでムスリムの侵略者に汚され、次にイギリスの植民地主義者が来て、そして最後にモダンで英語を話すニューデリーのエリートが世俗主義や社会主義といった外来思想を携えてやって来たと教えていた。RSSの過激なナショナリズムは彼をさらに大きな思想へと誘っていった。数度にわたりアメリカを訪問し、ヒンドゥーを世界宗教として認知させた十九世紀の行者、スワミ・ヴィヴェーカーナンダの教え。そして一九二三年に『ヒンドゥトヴァ――ヒンドゥーとは誰か？（*Hindutva: Who Is a Hindu?*）』を著してRSSの理論的支柱となったヴィナーヤク・サーヴァルカルも、モディの知的ヒーローの一人となった[13]。家族の重要性、国家への奉仕、社会秩序、清潔さ、正直であることといったRSSの中核的教義の多くは、モディの演説のなかで頻繁に言及されており、のちに腐敗対策に乗り出す際の譲れない一線にもなった。

RSSがモディにもたらした確信が、十代後半のときに家族と対立して出奔したという、彼の青年期でもっとも際立ったエピソードに影響を及ぼしたことはほぼ間違いない。まだ幼児だったころ、彼は近くの村に住むジャショダベンという少女と婚約させられた。地元で続く伝統的な児童婚の一プロセスだった。成人に近づいていくなかで結婚を正式なものとし、一連の流れを完成させる時期がやってきた。モディが十八歳、ジャショダベンが一歳下だったとき、二人の儀式が執り行われた。しかし、モディの意思には反していたと見られる[14]。それからほどなくして、彼は若き妻を残して二年にわたる巡礼へと旅立った。「ヒマラヤのあちこちで放浪していたんです」。彼は伝記作家にそう語っている。「当時の自分には、愛国主義の感情とともにスピリチュアリズムの影響もいくらかありました――そうした考えが混在していたのです。二つの思想を分けて考えることは不可能です。あのころ、自分が何をしたいのかもはっきりとしていませんでした」[15]。その後、彼は帰省するが、衣類を入れた小さなバッグ一つしか持っていなかったという。息子の帰還に母は喜んだが、それもつかの間のことだった。モディは一泊しただけで、荷物をまとめてふたたび家を出て行き、帰ってくることはなかった[16]。自身の結婚について彼は数十年にわたって沈黙を貫き、RSSにもそのことを明かさないできた。しかし二〇一四年、国政に出ようとする直前になってようやく妻の存在を認めた[17]。

アーメダバードに戻ったわたしは、モディの弟プラーラドと会った。彼はビジネスで成功を収め、郊外にある緑豊かな住宅街に住んでいた。リビングの壁には花輪をかけられたヒンドゥーの神々の像があった。その部屋で、彼と妻はクリーム色の豪華なソファに腰かけてコーヒーを飲みながら応対してくれた。プラーラドは薄茶色のクルターを着て、金縁の眼鏡を鼻に乗せていた。ややふっくらとした唇、短く刈り込まれたごま塩の顎ひげといった容貌の彼は、驚くほど兄と瓜二つだった。しかし、兄が人と交わらず距離を置くタイプと言われるのに対し、彼は人を歓迎し善意あふれる雰囲気を醸していた。プラーラドの説明によると、兄は家を出た後アーメダバードに行き、おじの一人が持っていたチャイ屋台で短期間働いたという。またしてもチャイ売りだったのだ。「ナレンドラはその仕事が気に入らず、やめてしまったのです」と彼は言う。その後、モディはRSSにフルタイムのボランティアとして加わった。「彼はRSS、それに国家建設と愛国主義のための仕事にのめり込んでいきました……その結果、人生をそのために捧げると決意したのです」

モディはRSSアーメダバード支部に寝泊まりするようになった。幹部の使い走りをし、禁酒と菜食、禁欲的な独身生活という質素な日々を送った。夜は床にマットレスを敷いて眠った。彼はあっという間に存在を認められ、「専従活動家」を意味する「プラチャーラク」となって、規律と禁欲というR

SSのライフスタイルを身体に染み込ませていった。女性が事務所を訪問することは厳しく禁じられていた。三人の兄弟が彼と会うことはめったになかった。モディは一九九九年に父が亡くなった際、「数時間」だけヴァドナガルに帰省したが、それを除けば生家に戻ったことはほぼなかった。[18] プララドは、モディが母以外のほぼすべての親族と関係を絶っていると説明しつつも、兄に対して「兄弟」を意味する「バーイ」を名前の後に付けて呼ぶことで敬意を表していた。話の最中、彼の十代の息子が入ってきて挨拶をしてくれた。彼はひょろっとした体格で、ゆったりとしたスポーツウェアを着ていた。息子は誰もが知るおじさんと会ったことはほとんどないんです――プララドはそう説明した。ニューデリーで行われた首相就任宣誓式に同席した家族は誰もいなかったという。彼が続ける。「最後に彼を見たのは二〇〇七年のことでした。ナレンドラ・バーイは二回目の選挙に勝ち、州首相の就任式があったので見に行ったのです」

専従活動家になったモディは、時には徒歩で、時にはスクーターに乗り、各地を訪ねていった。RSSのメッセージを広めるとともに、すぐに彼のトレードマークとなった聴衆を魅了する話術を磨いていった。会計士でいまはBJPのスポークスマンを務めるヤマル・ヴィヤスは、一九八〇年代にモディが実家に来て食事を所望するとともに、時事問題について自説を展開したときのことを振り返ってくれた。「彼は勧誘員でしたね……営業マンと言ったほうがいいかもしれません」。アーメダバードの狭苦しい事務所で彼はそう語った。一九七五年から七七年にかけて非常事態《エマージェンシー》が布かれたあいだ、RSSはふたたび非合法化され、モディをはじめとする活動家は地下への潜伏を余儀なくされた。インディラ・ガンディーが強権的な統治を行ったこの期間中、自由は制限され反対派は投獄された。モディは身分を隠して街から街へと転々としなくてはならないときもあった。当時のモディが写っている貴重な白黒写真を見ると、若き日の彼は黒い顎ひげをびっしりと生やし、サングラスをかけ、白のターバンを巻いてシーク教徒に変装していた[19]。この期間中、彼は当局の目を盗んで非常事態宣言への反対を唱えるパンフレットの印刷や配布を行ったことで、RSSによる抵抗活動の重要な一翼を担うようになったとともに、インディラ・ガンディー率いる国民会議派への生涯にわたる憎しみを形成していった。

一九七七年の春に民主主義が復活するなかで、RSS内部でのモディの地位はさらに高まっていった。彼は非常事態についてのパンフレットを作成し、インド中部のナーグプルにあるRSS本部、それに政治の中心地ニューデリーでも活動に従事した。このころの彼を知る者は、当時からモディは自信に満ちていたと語っている。すぐに議論に入り、話は魅力的で、好戦的だが説得力があったという。顎ひげを丁寧に刈り込み、私服を禁ずるRSSの規則に反して服の着こなしも際立っていた。前出のヴィヤスはモディが両親の住む実家を訪ねてきたときのことをこう回想している。「ほかにも来た人はいましたが、名前までは覚えていません……でも彼はちょっと違いました。当時から彼は自分自身の考えをしっかり持っていました」

評価の高まりを受けて、彼は一九八〇年代半ばに当時創設されて間もなかったBJPに派遣されることになった。同党は国民会議派に対抗するべく立ち上げられた、総じて中道右派的な政党で、保守的な上位カースト集団や小規模の商店主、それにヒンドゥーのイデオローグといった層から支持を得ていた。ここでモディは組織部門のマネジメントに長けていることを証明してみせた。とりわけ選挙対策の巧みさは突出しており、グジャラート州各地の党公認候補に対する定期的なチェックを欠かさなかった。九〇年代前半のモディの役割について、ヴィヤスはこう語っている。「朝五時から八時にかけて彼はBJPの事務所に来て、四、五人の若いスタッフを電話の前に座らせていたものです。ほとんどの候補者は、電話がかかってきたときにはまだ寝ています。電話口に出るまでに四、五分はかかるのです。だから、スタッフが彼らを電話で起こしているあいだに、出た者から順に話をしていたのです」。こうした取り組みを通じてモディは全国区の指導者と関係を築いていった。とりわけ大きな転機となったのは、九〇年にＢＪＰ幹部のＬ・Ｋ・アドヴァーニー〔当時は党総裁。のちに副首相・内相を歴任〕が主導した、ラーム・ラート・ヤートラーと呼ばれる示威行進運動の企画運営に携わったことだった。アドヴァーニーは、ヒンドゥーの神話や伝説に出てくる山車《だし》に似せたトヨタの改造トラックに乗って、インド各地を訪ねて回った。ウッタル・プラデーシュ州の聖地アヨーディヤーにバーブリー・マスジッドというモスクがあるが、そこにヒンドゥー教のラーマ神を祀る寺院を建立しようと支持を呼びかけることが彼らの目的だった。この行進はきわめて大きな、そして暴力的な結果を招くことになった。それから二年後、暴徒化したヒンドゥーの活動家がモスクを破壊する事件が発生し、インドはもっとも過激な宗教間対立の一つと言える時期に突入していったのである。

　そのころまでにモディ自身も、実行力が伴った強硬派で、大衆を煽り立てることに長けた指導者としての評判を確立していた。彼の影響力拡大はＢＪＰの党勢拡大と軌を一にしていた。同党はまずグジャラートで州政権を獲得し、国政では一九九六年に短期間政権を担い、二年後にはアタル・ビハーリー・ヴァジペーイー首相のもとでふたたび政権を発足させた。グジャラートについて言えば、ヒンドゥー・ナショナリズム拡散の実験室のような存在になった。そこでモディは、ヒンドゥー文明が弱体化し、キリスト教徒やムスリムに乗っ取られることを恐れるヒンドゥトヴァのイデオローグと出会っていった。左派の社会理論家アシーシュ・ナンディは、ＲＳＳの専従活動家だったころのモディにインタビューしたことがある。二〇〇二年に発表したエッセイのなかでナンディは、強硬派の信念に導かれた、断固とした意思を持つ「権威主義的な人間」を見たと記している。「彼のなかには潔癖とも言える厳格さと……暴力に対する空想が同じ比率で同居していた」という。「あらゆるムスリムに反逆の疑いがあり、テロリストになりうると決めつける壮大な反インド謀略について説明したときの、冷たく抑制された口調をいまでも覚えている。インタビューを終えた後、わたしは動揺を隠せなかった……教科書に出てきそうな典型的なファシストに初めて出会ったのだから[20]」

謝罪拒否

二〇〇二年二月二七日、午前八時になる直前のことだった。すし詰めの列車がアーメダバードから約一二〇キロ離れたグジャラート東部の街、ゴードラーに入った。一〇年前にバーブリー・マスジッド破壊事件が起きた聖地アヨーディヤーへの巡礼を終えたヒンドゥー教徒数百人が乗っていた。この路線には、数日前から巡礼者や活動家を満載した列車が来ていた。彼らはかつてモスクがあった場所にラーマ寺院建設賛成を訴えるデモを終えて帰る途中だった。こうした列車が通ることで、駅近くに住んだり働いたりしている地元のムスリムとのあいだに緊張が生じていた。その日の朝、列車に火がついた。これが放火だったのか事故だったのかは、どの説明を信じるかによって異なってくる[21]。数時間後、救急隊が客車から撤去した黒焦げの遺体の数は五九にのぼった[22]。

州首相府にいたモディのもとに死者発生の報せが届いたのは、その日の午後のことだった。夕方には州政府として二四時間喪に服すことに同意したが、批判派はこの決定について、街頭での抗議行動を引き起こす結果を招いたとのちに指摘している[23]。インド国内での宗教コミュニティ間の緊張はすでに高まっていた。アメリカの同時多発テロを受けて、過激なイスラーム教徒がグローバルな規模で台頭していることにヒンドゥー教徒が懸念を抱いていたからである。激高した人びとが暴徒化してアーメダバードの街頭に繰り出していった。彼らは、ゴードラーで起きたことは無辜のヒンドゥー巡礼者に対する血なまぐさい大量殺人だと確信していた。それが三日間にわたる暴力的狂乱の幕開けとなった。市内各地でムスリムの家屋が略奪され、商店は焼かれ、モスクは破壊された。武装した男たちがムスリム居住区を徘徊し、大量殺人、遺体の切断、成人女性や少女に対するレイプといった、中世のごとき蛮行が繰り広げられた。インドで暴動の様子がテレビで生中継されるのはこれが初めてであり、視聴者はその残虐さに戦慄を覚えた。破壊されたムスリムの住宅や商店は二万軒、宗教施設は三六〇カ所にのぼった。暴動は州内各地に広がり、およそ一五万人が住む場所を失った。公式の報告書では列車の死者数を一〇四人としているが、人権団体などの推計ではその数は二倍以上となっている[24]。

多くの人びとが「虐殺」――単なる無秩序な暴動ではなく、公的な支持のもとで行われた統制のとれた殺戮――と呼ぶこの事件は、モディの評判に消し去ることのできない汚点を残した。モディ支持派はこう弁護する。彼は数カ月前に州首相に任命されたばかりで十分な経験を積んでいなかった。彼は三日以内に事態をコントロールすることに成功したが、それ以前にインドで起きた暴動ははるかに長く続いたではないか。彼自身に直接の責任はない。これに対し批判派は、流血の事態――その多くは彼も属するヒンドゥー・ナショナリズム運動のメンバーによって画策された[25]――を阻止するための手をほとんど打たなかったとして、州首相のモディを控えめに言って職務怠慢、厳しく言えば共謀にすら相当するとして糾弾した。暴動から二カ月後、人権団体のヒューマン・ライツ・ウォッチが「あなた方を助けようとの指示は来ていない」と題した報告書を発表し、ＢＪＰとつながりのあるヒンドゥー過激派団体がいかにして殺戮の実行を支援したかについて詳しく伝えた[26]。暴徒は「刀やトリシューラ（ヒンドゥー神話に登場する、先が三つに分かれた槍）、高性能爆弾、ガスシリンダーで武装してやってきた」と報告書は記している。「彼らはムスリムの家や不動産の所在地が記されたプリントアウトをもとにしていた。こうした情報はアーメダバード市政府をはじめとする情報源から得られたものだった。彼らは警察が自分たちの側についているとの確信を持って、殺戮に乗り出していった」

組織統率力の高さで知られる指導者のはずのモディが、暴動の背後にいた者の正体について見当もつかず、事態を早い段階で収拾できなかったとは信じがたいと多くの者が考えている。一方で、モディを批判する者は次のように指摘する。彼の対応は殺戮の広がりを許容するもので、怒れるヒンドゥー教徒をなだめるとともに、州内の反抗的なムスリムにものを教えてやるためでもあった、と。暴動から一〇年後、暴動時に警察幹部だったサンジーヴ・バットは、モディが治安部門の幹部に対してヒンドゥー教徒に「怒りを発散させてやれ」という指示を出したと法廷で証言した。ただしモディはこれを全面的に否定しており、バット自身はのちに解職された。[27] モディが介入したのは殺戮が制御しきれないレベルになってからだとヒューマン・ライツ・ウォッチは指摘する。モディを強く批判するハーヴァード大学のマルタ・ナスバウムは、暴動から一年後に「もっとも腹立たしい特徴は、法にかかわる職員間の共謀があらゆるレベルで起きていたことだ」とまで記している。[28]

二〇〇二年の事件について全面的かつ独立した捜査は一度も行われていないため、モディ個人の役割は最終的に確定していない。おそらくこれからもそうなることはないだろう。批判派にしてみれば、彼の罪に疑いはない。この見解は比較的最近まで多くの外国政府も共有してきた。モディは、暴動時に自分がとったとされる行動がもとで二〇〇五年にアメリカ入国を禁じられた。イギリスやほかの国々からも入国を拒否された。こうした措置は彼が首相に就任するころになってようやく解除された。[29] 支持派は支持派で、モディの潔白に疑いの余地はないととらえている。二〇一一年、暴動時に残酷なかたちで殺害された国民会議派所属の政治家の未亡人が提訴した裁判のなかで、最高裁はモディの直接的関与を示す証拠はないとした。それから二年後、モディは別の法廷でも無罪を勝ち取った。「神は偉大なり」。判決後、彼はそうツイートした。その後、三日間にわたる公開断食が企画された。宗教間の融和を訴える行事とされたが、祝勝会のようではないかと疑念の目を向けられもした。

モディは、二〇〇二年の事件をめぐる疑惑から完全には解放されてはいない。しかし、彼は自分のイメージを回復しようと熱心に取り組んできた。シンガポールと韓国の実績に触発された彼は、若いころからの過激な主張を前面に押し出すことはやめ、代わりに経済発展という目標に邁進するようになった。専制的な東アジアのスタイルをインドに持ち込み、建築物や幹線道路、発電所といったインフラ整備にエネルギーを注いでいった。彼が「躍動する《ヴァイブラント》グジャラート」という投資誘致イベントを鳴り物入りで立ち上げると、インド企業の経営者はマハートマ・マンディール・コンベンションセンターに馳せ参じ、モディを称賛するとともに数十億ドル規模のグジャラート向け投資計画を発表した。外国企業トップとの契約交渉に役立てようと、たどたどしかった英語にも磨きをかけた。実務的で、異論を許さないというのが彼の統治スタイルだった。エッセイストのヴィノード・ジョシはこう指摘する。「モディを支持する者も嫌う者も、本質的には彼に対して同じ印象を共有している……モディはほぼ絶対的とも言える権威、それに制度や規則に逆らう意思を持っており、儀礼や確立されたヒエラルキーにとらわれず『仕事を成し遂げてくれる』強力でカリスマ的なリーダーだと信じられているのだ(30)」

とはいえ、州首相としてのモディの実績は言われるほど簡単に評価を下せるものではない。アマルティア・センのような批判派によってたびたび指摘されているように、真新しい幹線道路や光ファイバー網が整備される一方で、栄養失調や教育を十分に受けられない子どもの数で見た場合、グジャラートのランキングはそれほど華々しいものではない(31)。モディのクリーンさはよく知られているが、それでも彼の実績は、敵対者への嫌がらせを目的とした治安関係者の派遣や法的に認められない容疑者殺害事件での警官の関与といった、公権力の濫用を含むスキャンダルによって汚されてきた。二〇〇二年の暴動以降、ムスリムとの和解を促す行動をほとんどと言っていいほどとらなかった。その結果、彼はインドで経済的にもっとも活力に満ちてはいるが、社会的にはコミュニティの分断の度合いがもっとも高い州の一つを築き上げ、グジャラートの各都市のなかにはおびえるムスリムだけが集まって暮らす居住区ができていった。モディが着る服の仕立屋は、明るい色の服に身を包んで演説をすることの多い州首相が緑――イスラーム教を象徴する色――の服だけは決して着用しないことに衝撃を受けていた。[32]

しかし、二〇一四年に国政に打って出たモディはかつての宗教的強硬派から大きく変貌を遂げていた。二〇一二年の州議会選挙で勝利し州首相として三期目に入った彼は、BJP内部で権力基盤を確立しようと直ちに行動を開始した。これまで党を支配してきた長老政治家の多くはモディに対して懐疑的だった。総選挙で勝つには自党の伝統的な支持基盤を超えた幅広い層からの支持が必要だが、モディはあまりに分断的な人物だというのである。しかし党内のヒンドゥー・ナショナリストは彼を英雄視しており、モディはそのイメージを活用して反対派を脇に追いやったことで、重鎮の懸念はいとも簡単に否定された。次いで彼はグジャラートでの公正なテクノクラートとしての実績から、腐敗や経済低迷といったインドが直面する問題を解決できる人間として自身を位置づけようとした。彼のもとで作成された選挙マニフェストでは、ラーマ寺院建設や多くのヒンドゥー教徒が神聖視している牛の保護といったヒンドゥー・ナショナリスト的政策は形式的に掲げられているにすぎなかった。その代わりにマニフェストは開発に関するポピュリスト的なスローガンで埋め尽くされていた。政治学者のアシュトーシュ・ヴァルシュネイが指摘するように、これは「穏健なモディ」をつくり上げるための意識的な企てであり、かつての分断的なレトリックはすっかり姿を消していた。[33]

ただし、穏健派へのイメージチェンジを図るなかで、二〇〇二年の暴動はその対象外だった。この問題をめぐっては、モディはその後も批判に強く抗う姿勢を崩していない。モディが首相の座に意欲を示し始めたころ、次のような見方が強かった。たとえ自分に対するイメージを和らげ、反対派に攻撃材料として使わせないようにする目的のためだったとしても、彼は象徴的な謝罪を行わざるを得なくなる、と。モディが控えめな表現ながら、後悔の言葉を口にしたことがなかったわけではない。「わたしの気持ちはひどく揺さぶられました」。二〇一三年に彼はそう記している。「心痛、悲嘆、苦悩、苦痛、苦悶、苦しみ……そうした言葉では、あれほどの残酷な行いを目の当たりにしたときに感じたまったくの空虚な気持ちを表現することはできないのです」[34]。かつて彼は暴動時の心境を車で犬を轢《ひ》いてしまったときのことに喩えたことがあったが、この比喩にはインドの多くの人びとが気分を害されたと感じている。「車を運転していたのは別の人間で、自分たちは後部座席に乗っていたとしましょう。その車に子犬が轢かれてしまったら、心が痛むでしょうか？　もちろん痛むでしょう」。彼はインタビュアーにそう語った[35]。しかし、彼が自らの責任を認めたり、悔悟の念をはっきりと示したりすることはなかった。いかなるかたちであれ謝罪を行った場合、得られるものより失うもののほうが多くなるとＢＪＰは計算していたように見えた。モディ自身も、謝罪の有無にかかわらず国民は自分を選んでくれると確信していたようだ。彼に謝罪を行う考えはなかった。結局のところ、そこまでする必要もなかったのだ。

最後の切り札

総選挙での勝利から数週間後、モディはニューデリーで行われた壮大な式典で就任宣誓を行った。焼けるように暑い五月下旬の午後で、その前日はジャワーハルラール・ネルーの命日だった。インド政界のリベラル派はこの巡り合わせを皮肉なものととらえていた。新たに就任した首相が、初代首相によって築かれた世俗主義の解体をすぐに始めるのではないか——彼らの多くはそう恐れていた。モディが大勝したことで彼が首相としてふさわしいか否かをめぐる問題に決着はついたが、どのようなタイプの国家的指導者になるのかという疑問が新たに浮上した。リー・クアンユーのインド版と言うべき経済発展と宗教間の融和に注力する改革派になるのか、それともトップの座に就くやいなやかつてのマイノリティに対する嫌悪感がふたたび表に出ることになるのか。

選挙結果が出る前の段階では、インドの新聞は「モディ対ラーフル」、すなわちＢＪＰを率いるモディとネルーの曾孫であるラーフル・ガンディーが互角に闘う構図になることを欲していた。ところが、ハンサムだが経験値の低い国民会議派の名目的指導者であるガンディーに対して、トップの座にふさわしくない無能な君主というレッテルをモディが貼ったことで、その期待は急速にしぼんでいった。疲弊した会議派がモディのスマートな選挙マシーンへの対抗に苦慮するなかで、双方の選挙運動は比較できるレベルにはなかった。会議派とつながりのある政治アナリスト、プラヴィーン・チャクラヴァルティは二〇一四年総選挙の際にこう解説してくれた。「インドには三つの選挙運動があるということをみんな理解していないんですよ。十九世紀のような農村を対象としたもの。二十世紀型の都市の中間層を対象としたもの。そして最近の、スマホを使いこなし、ネットでコミュニケーションをとりたがる二十一世紀の若者を対象としたものです」。モディは三つすべてをターゲットにして選挙運動を展開した。一番目の層には大型集会で近づこうとし、二番目の層向けにはテレビ広告に多額の資金を投じた。若年層向けにはフェイスブックやワッツアップ〔ＬＩＮＥのようなメッセージアプリ〕、ユーチューブで新たに開設した「ＮａＭｏ」チャンネルを通じた全面的なソーシャルメディア選挙運動を遂行した。政治学者のクリストフ・ジャフレローは、これを「モディを中心に据えた」選挙運動であり、かつてないほど大統領選挙的な性格を帯びていたと指摘し、こう記している。「モディはＢＪＰにおける唯一無二のリーダーとして位置づけられていました……同党は一人だけを前面に押し出すべく、合議的な性格を最小限にしたのです」[36]

大衆に対するモディのアピールは、中間層が抱く欲求への共感に基づいていた。きちんと給料がもらえる仕事、子どものための一定レベルの教育、バイク、できれば自家用車を買えるチャンス、といったところだ。彼はヘリやプライベートジェットで各地を移動したが、そのなかで最南部や北東部の小規模州といった、ＢＪＰがこれまで無視してきた地域にも足を運んだ。世論調査では、一般のインド人は雇用や基本的な生活物資の価格上昇を気にかけているとの結果が出ていたが、これはまさにモディがたゆまぬ「発展《ヴィカース》」によって解消すると約束した問題だった。彼がとくに重視したテーマは腐敗であり、国民会議派政権のもとで起きたスキャンダルの蔓延だった。インドでは、繁栄の果実は不均等なかたちでしかもたらされておらず、規則は超富裕層や彼らの政界の友人をえこひいきしていた。モディはこの流れを覆すと公約したが、そこには矛盾点があった。彼はインドのボリガルヒを抑えつけてみせると約束していたが、その選挙運動は当のボリガルヒからの潤沢な寄付で賄われていたのである。とはいえモディは汚職に終止符を打つと公約することで、クリーンな政治家としてのイメージとスキャンダルにまみれた国民会議派の最大の弱点を対比させることに成功した。二〇一四年の初め、彼はガンディー家が長年地盤としてきたウッタル・プラデーシュ州アメーティーで演説を行った。「わたしの真言《マントラ》はこうだ。わたしは食べることはしないし、ほかの者が食べることも許さない」と彼は言った。「食べる」のが何を意味するか十分にわかっている群衆からは喝采の声が上がった。(37)

アメリカの共和党がキリスト教福音派、小規模な商店主、ウォール街の金融関係者といった多様な勢力から支持を得ているのと同じように、モディも反腐敗というメッセージを使うことで、ヒンドゥー強硬派と穏健派中間層を束ねる、これまでにない政治連合を構築しようとした。彼の強みは、自分が純粋培養のテクノクラートでもなければ、内にこもる狂信主義者でもないという点にあった。むしろ彼はその両方を代表する存在で、国民に対して繁栄に向けた希望と強力な自尊心を抱かせることでそうあらんとした。「ＢＪＰの公約は、ヒンドゥーの黄金時代を復活させるというよりも、アヨーディヤをいわばヴァチカンのような存在にした、強力で現代的なヒンドゥー国家を打ち立てるものだ」。作家のイアン・ブルマはそう記している。(38)二〇一四年のモディの選挙運動は発展が最大のテーマだったが、それでも彼の支持基盤を意識したシグナルを見出すことはできた。彼がヒンドゥー教で最大の聖地の一つ、ヴァラナシの選挙区から立候補したことはその一例である。選挙期間中にムンバイのマリーン・ドライブに掲げられた看板では、モディの巨大な写真とともに「わたしはヒンドゥー・ナショナリストだ」というスローガンが添えられていた。二〇〇二年の血塗られた事件がもたらした数々の試練にもかかわらず、この暴動への対応ですら党内での彼の人気を示すものとして受け止められた。批判的なリベラル派の謝罪要求に断固として屈しないことが、強さの証しであると見なされたのである。

数十年にわたるインドの経済発展が旧来型のヒエラルキーを破壊していった――低カーストの政治家が政治権力を勝ち取り、主婦や娘たちが労働市場に参入するようになった――なかで、モディの訴えはヒンドゥー多数派の心に響いた。彼らは自分たちの伝統に誇りを持ちたいと考えるとともに、現代の市場経済がもたらしてくれる物質的な繁栄を謳歌したいとも願っていた。モディの勝利は、政治権力の分散化という長年にわたる常識を覆すことになった。ラジーヴ・ガンディーがモディと同程度の勝利を収めてからの三〇年間、国民会議派もＢＪＰも地域や特定のカーストを支持基盤とする対立政党によって弱体化を余儀なくされてきた。その結果、中央では不安定な連立政権が常態化した。しかしモディは国民の心をつかむ真新しいナショナリズムを構築し、国民会議派が代表してきた古いアイデンティティの凋落にも助けられていった。

一九八九年当時、モディのキャリアはまだ始まったばかりだった。この年、フランシス・フクヤマが『ナショナル・インタレスト』誌に「歴史の終わり？」と題したエッセイを寄稿し、欧米型の市場経済と民主主義の勝利を予測した。「すべての国が自由主義社会として成功する必要はなく、ただ単に人間社会において従来とは異なる、より高次の形態を代表するというイデオロギー的な主張をやめるだけでいいのだ」。フクヤマはそう主張した。[39] すでに民主主義を確立し、ポスト社会主義の段階に入っていたインドは、ここで言われるような市場経済民主主義への転換にとってまたとない実験例になるに違いなかった。そして実際に、モディはまさにその転換をもたらしてくれるのではないかと期待されたテクノクラート的リーダーだったのである。

インドは社会主義の痕跡を拭い去っていくなかで急速に資本主義的な国になりはしたものの、まったくというわけではないにせよ、社会の自由度はほとんど向上していない。そのなかで国民が支持したのは、物質的繁栄を約束してくれる政治家だった。同時にこの政治家は、ヒンドゥーとしての強いアイデンティティという心地よさ、イスラーム過激主義の脅威やそれと同じくらい不安なグローバル経済の侵入といった外部勢力からの保護も約束した。アメリカの作家、ロバート・カプランはこう記している。「インドという精神は、過剰な資本主義と激化する民族・宗教対立という新時代のなかで不安定な転換を経てきた。こうした状況が生じた一因は、グローバリゼーションがもたらした社会の均質化そのものに対する過激な反応にある[40]」。モディは世界規模で進行している潮流の一部であり、ロシアのウラジーミル・プーチン、日本の安倍晋三、トルコのレジェップ・タイイップ・エルドアン、そしてなんと言ってもアメリカのドナルド・トランプのように、保守的でナショナリスティックなリーダーと軌を一にしているのである。モディは二〇一二年にこう言っている。「わたしにとって世俗主義とは『インド・ファースト』のことだ[41]」

しかし、モディへの強い支持にもかかわらず、彼のビジョンはインドの多くの人びとに大きな不安をもたらしている。二〇一四年五月の開票日、わたしは日没直前にアーメダバードへと戻っていった。南に向かう道では、若者が運転するバイクが車のあいだをすり抜けていき、後部座席に乗っている男たちはBJPの旗を振りかざしていた。この選挙で、同党は州内の二六選挙区で全勝した。しかし、グジャラートのすべてが祝勝ムードにあったわけではなかった。そのことに気づいたのは、アーメダバードで最大のムスリム居住区《ゲットー》、ジュハプラに入ったときのことだった。

ＢＪＰの支持者を乗せた平台のトラックが、スピーカーから勝利を祝うダンス音楽を大音量で流しながら外の通りをゆっくりと走っていた。しかし太陽が傾き始め、インド政治の新たな時代が最初の夜を迎えようとするなかで金曜礼拝を知らせる放送が響き渡ると、居住区内の通りには人の姿がほとんどなくなっていた。ジュハプラは市内中心部から約七キロの場所に位置する「市のなかの市」で、ひっそりとした小径は村落の雰囲気を残しているものの、ざっと四〇万と言われる住民でごった返している。二〇〇二年の暴動以降、居住区の人口は急増した。州内各地で家を失った何千人ものムスリムが、周囲のヒンドゥー居住区と壁で隔てられたこの地区に安全を求めて大挙してやってきたからだった。

「ここに住んでいるムスリムはモディのことも暴動のこともよく知っていますが、ほかの多くの問題についても彼が原因だと見ているのです」。ジュハプラの政治活動家ワカール・カズィは、家具がほとんどない自宅で静かにお茶をすすりながらそう説明した。[42]「モディが進める開発はここには決して届きません……［それに］わたしの名字はワカールですから、居住区の外に出ることもままなりません……アーメダバードは宗教によって完全に分断されてしまっているのです」。話をするなかで、カズィはその日の夜に祝勝ムードのＢＪＰ支持者が暴力的な行為に及ばないだろうかと不安がっているように見えた。平穏無事かどうか、今晩もう一度確認してもらってもいいですか――彼はそう頼んできた。

モディはグジャラートで達成した成功をインド全体にもたらすと約束して選挙に勝利した。このメッセージは多くのムスリムにも受け入れられ、二〇一四年には過去の選挙以上にＢＪＰにムスリム票が投じられた。モディ支持派にとって、彼が統治してきたグジャラートは変貌するインドの最良の部分を体現する存在だった。工業化と都市化が進む活気に満ちた中継拠点や、億万長者を輩出し、消費意欲旺盛な中間層が拡大する社会といった側面だ。モディ自身もインドでもっとも有名な建国の父の言葉を好んで引用して、彼が推進するビジネス重視の開発モデルは最終的には最貧困層にも恩恵をもたらすことになると主張した。「マハートマ・ガンディーはこう言っていたものです。『もっとも恵まれない者に何をなすべきか？』と。これを踏まえて、わたしの開発政策はとてもシンプルな判断基準を設定しているのです。それは、貧困層のなかでもいちばん底辺にいる者にどれだけ恩恵をもたらすことができるかというものです」。彼はあるインタビューでそう語っていた。(43) しかし一〇年にわたる彼の統治のもとで、そうした開発の恩恵がジュハプラにもたらされることはほとんどなく、住民は未舗装の道路や不安定な水の供給、不十分な教育体制に不満を抱いていた。カズィは縁故主義との対決というモディの目玉公約についても懐疑的で、その理由としてＢＪＰの政治家がゴータム・アダニのような経営者と友好的な関係にあることを挙げていた。グジャラートのムスリムはいまもほとんどのケースで賄賂を払わなければことが進まないという。

ジュハプラの通りは整然としており、住宅もこぎれいで、スラムというわけではない。むしろここは、困難を抱える難民から専門職に就いている中間層、裕福なビジネスオーナーまで、あらゆるバックグラウンドを持つムスリムに安心を提供する場所なのだ。二〇〇二年の暴動では、かなり裕福なムスリムですらヒンドゥー教徒の地区に住むことがいかに危険かを残酷なかたちで認識させられた。「ここはアメリカで言われるような意味でのゲットー、つまり貧民だけが住む場所ではありません。むしろ十九世紀ヨーロッパのユダヤ人地区のようなゲットーで、あらゆる階層の人びとがここに住むことを強いられているのです」。インド系アメリカ人作家でジュハプラ在住の人権活動家、ザヒール・ジャンモハメドはそう語る。開票日の夜、グジャラートでの実績を持つモディが勝利したことで、経済発展の道のりはたやすいものになり、腐敗との闘いにも勝つことができるのではないかという希望がインド各地で多くの人びとのあいだに広がった。しかし彼の地元の小さな片隅では、それとはほぼ正反対の感情が漂っていた。モディをよく知る住民は公正さやグッドガバナンスといった洗練された彼のイメージに懐疑的で、ニューデリーに移ってから何をするのかについても疑問を投げかけていた。「ここの人たちはこう言っています。今回の選挙で唯一よかったことは、これでモディはわたしたちの州首相ではなくなるから状況はよくなるだろうって」。ジャンモハメドが言った。「でも、本当にそうでしょうか？ ジュハプラについて言えば、わたしは懐疑的です」

第5章

汚職の季節

浄化への道

空気が寒さを帯びてきたある秋の日、ニューデリーの中心部でインド政府の閣僚が板張りの会議室に静かな足取りで入っていった。白いシャツに袖なしのジャケットを着たナレンドラ・モディが閣議の開始を宣言し、首相就任からの二年間でもっとも衝撃的な発表を行う手はずを整えた。その日の昼間、首相府からいつもとは違う内容のメッセージが二つ伝えられていた。一つ目は、その日の晩の閣議への出席は必須であるというもの。もう一つは、携帯電話の持ち込みは禁止という内容だった。[1] しかし、各閣僚が着席して「二〇一六年十一月八日」という日付が入った無味乾燥な議題リストを前にしても、何が起ころうとしているのかわかった者は誰もいなかった。話し好きなエネルギー相、ピユーシュ・ゴヤルは言う。「あんなに重要な決定が発表されるとは思ってもいませんでした……〔その後〕財務大臣がわたしのほうを見て、にやりとしたのです。それで何かが起こるんだということを悟りました」[2]

モディの計画は徹底した秘密保持のもとで進められてきた。少人数のチームが一年近くにわたり首相公邸のバンガローで準備作業に取り組み、数人の閣僚と中央銀行関係者への情報共有が行われたのはそのあとのことだった。[3] モディはその日の夜のテレビ演説でこう述べた。「国の発展の歴史において強力かつ断固とした措置を講じなければならないときが来ました……腐敗の蔓延を断ち切るべく、現在流通している五〇〇ルピー紙幣と一〇〇〇ルピー紙幣は今晩零時をもって法的紙幣としての効力を失うとの決定を下しました」[4]。ほぼすべての決済が現金で行われていたインドにおいて、それは単に想定外というだけではなかった。地震が起きたに等しかったのである。

「次の日、銀行は休業します」。モディは国民への演説でそう説明した。営業再開後、二種類の高額紙幣――当時のレートで七ドルと一四ドルに相当し、合計流通額は二二〇〇億ドルにものぼる――を使いたい者は、新紙幣と交換する必要がある、とも。この発表に、ちょうど同じ日に行われたアメリカ大統領選挙の帰趨に気を取られていたメディアは驚愕した。「ショックとしか言いようがありませんでした。こんなことが起こるなんて、予想だにしていませんでしたから」。この年までモディの上級顧問の一人だった、経済学者のイラ・パトナイクはそう認めている。[5]

現地語で「ノートバンディ」、英語では「ディマネタイゼーション」と呼ばれる高額紙幣廃止の背景にある考え方は、シンプルなものだった。インドは「ブラックマネー」という巨大な問題に蝕まれている。この言葉は課税を回避している現金や資産のことを指すが、犯罪で得られた資金から単にまっとうな中間層が申告を怠っていた所得まで、あらゆるものが含まれた。納税に関する怠慢は国民的習慣のようなものかもしれない。一二億を超えるインド人のなかで所得税を納めている者はわずか三八〇〇万人しかおらず、これは世界でも最低のレベルだった。[6] しかし、モディがその日の夜の演説で強調したのは腐敗と犯罪だった。高額紙幣廃止によって、テロリストやマフィア、それに賄賂で得た「紙幣をタンスに隠している」政府関係者の秘匿財産をねらい撃ちにするというのだ。大規模な秘匿資産を持っている者はそれを銀行に持ち込み、入手元について説明する必要がある。それに、彼はこう付け加えた。「当面は困難を伴うでしょう……［しかし］国の浄化というこの運動のもと、数日間はその困難を耐え忍んでくれないでしょうか？」(7)

「困難」とは何なのか。発表から二日後、営業を再開した銀行に瞬く間に客が殺到したことで、その意味がはっきりした。新紙幣の印刷はまだ始まったばかりで、深刻な不足状態が発生した。ATMの前には長い行列ができたが、現金はあっという間に底を突いた。旧紙幣の口座預入や交換に関するルールが二転三転したことで、混乱が生じた。経済学者は高額紙幣廃止の実施を批判し、実効性に疑問を呈した。毎日のように行われる訂正やルール変更は、モディと彼のチームがこの実験について深く考えていなかったことを裏づけた。数億の人びとが現代経済史上もっとも破壊的な政策の一つと言えるこの事態を耐え忍ぶなかで、長い行列をとらえた写真が何週間にもわたり新聞の一面に掲載された。行列が短くなる兆しは一向に見えず、当初英断との声が多かったこの決定は、この上ない大失敗なのではないかと思われるようになった。

実はディマネタイゼーションは政治的謀略なのだという説が広がり始めた。どの政党も選挙運動をするに当たって「袖の下」で渡される資金に依存しているが、高額紙幣廃止による現金不足のなかで、資金が潤沢なBJPはライバル政党よりも円滑に乗り切ることができ、今後各州で行われる議会選で有利な立場に立てる――というのがこの陰謀論の主張だった。しかし実際のところ、モディが念頭に置いていたのは腐敗に縛られたくないという考えだった。二〇一四年に政権を奪取して以来、モディ政権は高い効率性を発揮した。真の意味での大胆な経済改革はほとんどなかったが、それでもモディはまずまずの経済成長率を達成し、物価上昇に歯止めをかけ、高い支持率を維持した。しかし腐敗をめぐる問題となると、政権の実績は一長一短だった。プラス面では、国民会議派の前政権時のような巨大汚職事件はほとんどなくなった。炭鉱や通信周波数帯域といった公有財産の売却については、親しい関係にある企業に譲渡するのではなく、入札方式を導入した。この決断によって、天然資源の分配をめぐるスキャンダルの根絶に役割を果たした。企業経営者は総じて、利益誘導に対するモディの断固とした姿勢を称賛した。ある億万長者の経営者は二〇一五年半ばにこう語った。「以前だと、朝起きて新聞に目を通すと、ある規制によって商売敵の一人がなぜか利益を得ているという記事があったものです……ありがたいことに、そんな日々は終わりましたよ」

しかし一般のインド人にとっては、日々の賄賂という情けない現実にほとんど変化はなかった。モディが首相に就任する二年前に行われた世論調査では、九割以上がいまなお自分たちの国は腐敗していると回答した[8]。トランスペアレンシー・インターナショナルが毎年発表している「腐敗認識指数」の二〇一六年版でインドは七九位にランクされていたが、この順位は過去五年でほとんど変動がなかった[9]。次の年に同団体が発表した別の調査では、六九パーセントのインド人が過去一二カ月間で公的サービスを得るために賄賂を払ったと回答しており、これはアジアでもっとも高い数値だった[10]。キックバックや見返りは、土地収用から政府契約まで、いまなお国内のいたるところで健在だった。ブラックマネーの早期申告に対する罰則免除をはじめとする汚職対策が新たに講じられたが、大きな注目を浴びることはなく、効果も限定的だった。州政府や地方政府レベルの腐敗にはメスが入らず、過去の汚職事件に対する捜査は結果を出さないまま延々と続くだけだった。ある調査によると、一年のなかで政府と取引をした者のうち半数が賄賂を支払っていたという[11]。学校への入学、病院への入院、水道契約、出生届の提出、結婚証明書の交付、死亡証明書の交付――インドでは、生活のなかで必要な基本中の基本と言える手続きに違法な金銭の支払いが必要なようだった。その一方で、政府との緊密な関係を通じて甘い汁を吸うことで金持ちになった経営者については、ほとんど誰も罰せられることはなかった。モディは「スーツと革靴を履いた者の政府《スート・ブート・キ・サルカール》」と批判されることになった。この覚えづらいフレーズはラーフル・

ガンディーが言い出したもので、政府がスーツを着飾った縁故資本主義の金持ちの所有物になり、彼らのために動き、彼らによって支配されていることを意味した。[12] ディマネタイゼーションは、BJPの政治的支持基盤の一つとされる小規模企業経営者にもたらすコストを承知の上で、モディがラーフルの非難をかわすべくどこまで踏み込んだ対応がとれるかという試金石だった。

数週間後、わたしはムンバイの自宅近くで、倒壊しそうな植民地時代の家屋が立ち並ぶ裏通りにある仕立屋に入ってみた。道路の反対側にはまだ現金が残っている数少ないATMがあり、十数人の人びとが列をつくっていた。店のオーナー、ムケーシュ・パフジャは入口に近い机の後ろに座り、周りには丁寧にたたまれた受取用のシャツが積み重ねられていた。彼は、自分のビジネスは倒産寸前だと愚痴をこぼした。現金決済が主流の商売で客が消費を控えたことで、売上が七割も落ちてしまったというのだ。彼はこう話す。「全部ブラックマネーなんですよ。衣料品業界では……服を一着仕立てるとして、縫製もして、代金は一五万ルピー［二二〇〇ドル］といったところです。カード払いにする人なんていますか？ 誰もしやしません」

パフジャはムケーシュではなく、「ミケーレ」――イタリア式の読み方で、最後の音節は「レイ」に近かった――という名前で通していた。若いころ、近くのタージマハル・ホテルに泊まっていたアリタリア航空の男性客室乗務員が廉価なあつらえのスーツを買おうと店にやってきたときに、このニックネームをつけてくれたのだという。彼が一九九四年に自分の店を持つ前から、ブラックマネーは業界では当然のことだった、と彼は言う。「ブラック」な決済のほとんどは、税務当局がその事実を知らないということを別にすれば、犯罪にかかわるものは何もないという。しかし、買い物が高額――ウェディングドレスや金時計、さらには住宅――になればなるほど、水面下での取引が行われる可能性が高くなる。マンションの購入はその最たる例で、よくあるのは正式な「支払額」とは別に、その半額を「別会計」としてさらに支払うという方法だった。パフジャが続ける。「大型のジュエリーショップでは、二〇〇万ルピー［三万ドル］もするような一つはめの宝石ですら、全額『ブラック』で決済するんですから……正式なかたちではまったくやりません」。しかし、彼には葛藤があるようだった。パフジャの店は税金を納めていた——本人の話によればだが——ものの、いまや「ホワイト」な顧客のあいだでも現金供給不足で動揺が走っているという。「この状況をどうしろと言うんでしょうか？」彼が問いかける。「正直者の納税者が締め付けられているんですから。でもモディはもろもろの腐敗を止めさせるために対策をしなくてはならないんです。きっと今回のことはその役に立つはずです」

　インドのブラックマネー問題は、インディラ・ガンディー首相の社会主義路線が最高潮に達した一九七〇年代にまでさかのぼる。当時、裕福なインド人には九七・七五パーセントという懲罰的な税率が突きつけられており、このため富裕層は資産を秘匿し、経営者は利益を過少申告した。[13] 経済学者のスワミナタン・アイヤールはかつてこう説明したことがあった。「理論上は、これによってインドは社会主義の楽園になるはずでした……実際には、インドを巨大なブラックエコノミーに変えてしまったのです[14]」。資産がある家は、購入したものを売却することで収入を調整する術を学んだ。「父は自家用車を売却しなくてはいけなくなってしまったんです」。ムンバイの金融業界で働くある友人は、八〇年代の幼少期に起きた出来事を振り返ってくれた。「通りを下っていつも卵やパン、牛乳を買っていた地元の店に行ったんです。父は店主に自分が何をしたいか伝えると、店主はなんとかしてみせると言いました。すると次の日、別の男が現金を満載したスーツケースを持って家にやってきたので、こちらはキーを渡しました。うちが車を売却したのはこんな具合でしたが、ほかの人たちも同じだったでしょう」

　税務当局の目をかいくぐるこうした創意工夫は、ディマネタイゼーションが進むなかでも起きていった。不正な資金をため込んでいる者は、すぐさまそれをロンダリングするスマートな方法を見出した。

テクニックの一つは中間業者《ミドルマン》を用いる方法だった。彼らは旧紙幣をディスカウント価格で購入し、それを地方の貧しい村で小分けにして配分する。手数料と引き換えに、村人はその旧紙幣をあたかも自分自身のものかのように各自の銀行口座に預け入れる。後日、元の所有者にはクリーンな新紙幣で現金が戻ってくる、というわけだ。モディが言うような、現金を満載したスーツケースがベッドの下に隠されているというイメージは多くの場合、幻想でしかなかった。というのも、ブラックマネーを手にした者は、その現金を金や不動産といった物理的な資産に変えるのが一般的だったからである。不正な資産のかなりの部分がいわゆる「ベーナーミー」資産――別人の名前で登録することを意味する――として蓄えられるか、「ハワーラ」と呼ばれる非公式送金手段を用いてインド各地を転々としていた。こうした闇経済の正確な規模を知る者は誰もいなかった。わかっていたのは、とにかく巨額だということだけだった。世界銀行の調査では、二〇〇七年時点でGDPの五分の一をやや上回る規模といい、ある学者は三分の二にものぼるとの試算を示したことがあった。[15]

高額紙幣廃止は多くの者に困難を強いるものだったが、モディは腐敗との闘いを自己犠牲的な文脈で説明した。「親愛なる国民のみなさん、わたしは国のために自らの家を捨て、家族を捨て、すべてを捨ててきました」。最初の発表から数週間後に行われた感情に訴える演説で、彼はそう言った。涙をこらえるように見えたときもあった。「みなさんがわたしを選挙で選んでくれたのは、腐敗と闘ってほしいと願ったからではありませんか？ ブラックマネーを食い止めてほしいと願ったからではありませんか？[16]」彼の考えでは、この決断は強力な既得権益層――決して名指しはしなかったが――を抑え込むためのものだった。彼はこう続けた。「わたしは焼き殺されようとも、今回の取り組みはやめません。わたしを生かしてはくれないでしょうし、わたしは粉々にされるでしょう。七〇年に及ぶ彼らの略奪行為が危機に瀕しているのですから[17]」。テクノクラートとして理性的に説明を行うのではなく、「純化」や

「浄化」といった言葉を用いることで、ディマネタイゼーションは儀礼的な性格を帯びるようになった。道徳的な言葉で語られた内容は、青年期の彼が接したＲＳＳのイデオロギーを思い起こさせるものだった。モディの大胆な取り組みに疑問を呈する者に対しては舌鋒鋭く反論し、国家再生における痛みの一つなのだと説明した。

腐敗との闘いという観点ではディマネタイゼーションは欠陥のある武器で、とくに二次的な経済ダメージを不必要にもたらしたという点が大きかった。しかし、モディが富裕層に対する怒りをかき立てるかたちで世論の支持を取りつけようとしたことで、大げさで恣意的なポピュリズムの様相を呈してもいた。ディマネタイゼーション開始後の数週間、テレビのレポーターは銀行の前に並ぶいら立った顧客や作物を売ることができなくなった農民を追い求めていたが、いずれも徒労に終わった。その逆に、インド人は総じて高額紙幣廃止に賛成であることがわかった。モディは大衆が思い描く悪党たち――賄賂を取る警察官、不公正な官僚、途方もなく金持ちの政治家――を標的にするという賢い戦法をとっており、すべてのターゲットがディマネタイゼーションで罰が当たると見られていた。ニューデリー在住の経済学者ラジーヴ・クマールは、わたしにこう説明してくれた。「心理学的には、コネがある者や腐敗した者の顔に平手打ちを食らわせるようなものと見なされ、中間層の歓心を買うものでした……ありとあらゆる不正な手段で私腹を肥やした連中が当然の報いを受けたわけで、人びとは歓喜していますよ」(18)

汚職三昧

近代インドの歴史のなかで、腐敗はさまざまなかたちで起きてきた。東インド会社によるベンガル獲得の立役者、冒険家のロバート・クライブ〔プラッシーの戦いでイギリス軍を率いた人物〕が略奪によって富を築いたのではないかという疑惑から一七八八年に行われた初代総督ウォーレン・ヘイスティングスによる利益の不正取得をめぐる裁判まで、大英帝国の行政官にも汚職疑惑はついて回った。これは歴史家のウィリアム・ダーリンプルが好んで持ち出すエピソードだが、こうした汚職問題の深刻さゆえに、古いヒンディー語で「略奪」を意味する「ｌｏｏｔ」という単語があっという間に英語でも用いられるようになったという。[19]二十世紀になって独立を求める声が大きくなっても、状況はほとんど改善されなかった。「わたしたちは内側から弱体化してしまったようです」。一九三九年、国民会議派の金銭的不正に幻滅したマハトマ・ガンディーは怒りをあらわにした。「蔓延する腐敗を耐え忍ぶくらいなら、会議派全体をふさわしいかたちで葬り去ってもよいとわたしは思います[20]」。楽観的なインド独立運動家は、イギリスによる支配から脱すればクリーンな統治がもたらされると期待していた。しかしそうした希望は、一九六〇年代にインディラ・ガンディーが政権を掌握するころにはほとんど消え去っていた。「ライセンス・ラージ」のもとで腐敗があまりにありふれたものになった結果、新聞の星占い欄の主要項目になったほどだった。「どの方面でも改善に向かいますが、不安がないというわけではありません」。一九八五年の『ヒンドゥスターン・タイムズ』に掲載された乙女座の運勢ではそう注意されているが、そのあとに続きがあった。「関係者に賄賂を渡せば、仕事は完了したも同然です[21]」

経済自由化推進派は、社会主義経済の崩壊によって今度こそ腐敗に終止符が打たれると予測した。彼らはある意味で正しかった。一九九一年以降は、セメントやスクーターの購入、あるいは電話回線の開設のために賄賂を払う必要はなくなったからである。しかし、賄賂という行為そのものに歯止めがかかったわけではなく、改革プロセスによって新たな、そしてはるかに大規模なルートが恥知らずな者たちのためにつくり出された。国の統制が緩和されるなかで、通信や航空といった、かつては経済のなかで重要度の低かった分野が急速に成長し始めた。土地やコモディティのような資産の価値も上昇し、とくにグローバル経済と深く結びついている業種で顕著だった。ジャグディーシュ・バグワティは、「こうした価格上昇は政府関係者（および彼らと結託しているビジネスマン）が不正に巨大な利益を手にする機会を何倍にも拡大した」と指摘している。[22] 小規模な小売レベルの腐敗はなくならなかったが、大規模な卸売レベルの腐敗という新種も登場した。その結果、二〇〇〇年代にインドを席巻した汚職スキャンダルは、略奪の範囲という点でも規模という点でも、かつての形態とは完全に異なるものになっていた。「腐敗《コラプション》」という表現――一般的には私的な利益のために公的な職権を濫用することを意味する――は曖昧で、賄賂から選挙での買収、たかりや縁故主義まであらゆるものを含む概念だ。しかしほかの新興国と同様、インドで問題となったのは新たな縁故資本主義――政治学者のミンシン・ペイが「エリート間の結託」と形容した概念――と、それに付随する巨額の贈収賄だった。[23] 公有財産を虎視眈々とねらう政治家、官僚、経営者はどの新興国でも見られた。ロシアでは、一九八九年以降、すべての産業が貪欲なオリガルヒに荒らされ、彼らの手に落ちていった。中国の経済改革プロセスでは全面的な民営化こそ行われなかったものの、共産党の幹部は巨大国有企業を管理下に置くとともに利益を吸い取るべく、経営者と協働した。自由化によって長きにわたり国の統制下にあった経済の大部分が民間セクターに移管されたインドも、ロシアや中国とよく似た状況だった。

こうしたなか、政治指導者や公務員は突如として自分たちが価値ある国家財産をコントロールできる立場にあることを認識するようになった。それを受けて、さまざまなかたちで利益追求が行われるようになった――ミラン・ヴァイシュナヴはインドの腐敗と犯罪行為に関する研究書『犯罪が報われるとき（*When Crime Pays*）』でそう指摘した。特定の企業の利益になるように規則を改定する権限によって利益を手にするという方法が一つ。鉱山の採掘権や土地といった限られた天然資源を分配するという方法もあった。政治に関与する方法もあり、とりわけ政党への違法な献金というかたちをとった。[24] しかし、こうした事態の原因を経済成長そのものに求めるというのは無理がある。ポーランドのように、いくつかの国は縁故主義の波にさらされることなく市場経済改革を成し遂げているからである。むしろインドで明らかになったのは、腐敗は政治的な問題であるということで、自由化に際して国による経済の管理や規制の方法を変える必要が生じた。その変化が起こらなかったことで、権力やコネを持つ者が「結託」と呼ぶ構造――財界人、政治家、官僚が結びつくことで各自が利益を得るシステム――を築き上げるのは至極たやすいことだった。「腐敗」という言葉はもともと新鮮だったものが腐っていくという意味だが、インドの場合、それはダイナミックかつきわめて企業家精神あふれるプロセスで、狡猾な裏取引や規制の網をかいくぐろうとする大胆不敵な試みといった特徴を持つ。実際、二〇〇〇年代の一時期には、インドの改革プロセスが解き放った縁故主義は抑制不能としか言いようがないレベルにあるのではないかと映ったほどだった。

混じり気のない、シンプルな縁故主義

しかしこの問題が一方的なゲームかと言うと、決してそうではなかった。インドで新たに起きた汚職の大波を食い止めようとした人物を一人挙げるとすれば、それはヴィノード・ラーイだ。物静かで眼鏡をかけた元公務員の彼に会ったのは、二〇一六年のある蒸し暑い日の午前中、シンガポールでのことだった。このときラーイは現地の大学で非常勤のポストに就いていた。茶色のパンツに青と赤のチェックのシャツという服装で現れた彼は、リラックスしているように見えた。銀髪を後ろになでつけた髪型で、しゃべると黒いまつげがぱっと開いた。彼の研究室からは緑豊かなキャンパスを見下ろすことができた。喧噪のニューデリーとはまるで別世界のような風景だった。そのニューデリーで彼は二〇〇八年、インドの第十一代会計検査院長に就任したのだった。

大方の想像どおり、会計検査院長の役割は退屈なものと相場が決まっていた。慎重かつ年配の人間

が就くポストで、仕事はと言えばほとんど誰も読まない無味乾燥な報告書を次々に作成することだった。しかしラーイが着任したのは、陰謀のるつぼと化していた都市だった。二〇一〇年の英連邦競技大会《コモンウェルス・ゲームズ》に向けた準備が急ピッチで進むニューデリーは巨大な建設現場となっていた。この大会はインドの経済発展を誇示するイベントと位置づけられていたが、ほどなくして腐敗まみれの大失態となってしまった。このころマンモーハン・シン政権は、えこひいきのにおいがぷんぷんする状況のもとで通信や鉱区のライセンスを大企業に次々と付与していた。時を置かずして何十件もの贈収賄スキャンダルが表面化し、「汚職の季節」と呼ばれるようになった。そしてまさにインドの道徳的支柱が揺らぎつつあるなかで、ラーイはこれまでにないタイプの国民的英雄となった。彼はインドの腐敗問題の実態を明るみにする率直な報告書を公表し、冷静な良識を示すとともに政界関係者の金権体質に対する怒りをあらわにした。

ラーイが会計検査院長に就任したのは二〇〇八年一月のことだった。「当然、デリーの多くの人たちは、悪いことが行われているのは知っていましたよ」と彼は言った。「噂話やゴシップはありました。でも問題は証拠です」。その証拠が示されたのは二年後のことだった。携帯電話の第二世代（2G）通信周波数帯域の不正配分を取り上げたその報告書は大きな注目を集めた。それまで、通信は経済自由化以降のインドで成功分野の一つだった。作家で国民会議派所属の政治家でもあるシャシ・タルールは、一九八〇年代に市外通話をする際の思い出を記したことがあった。当時市外に電話をかける際には何時間も前に回線を予約しなくてはならなかった。ただし「ライトニング」と呼ばれる特別接続を確保するために特別料金を払うなら別で、これだと待ち時間はたったの三〇分で済んだという。「これがインドだ。稲妻《ライトニング》ですら落ちるのに長時間かかるとは」と彼は記した。九一年以前、自宅の固定電話回線は富裕層にしか手が届かないぜいたく品だった。それがわずか二〇年後には、五億以上のインド人が携帯電話を持つようになり、中国に次いで世界第二位の携帯電話市場となった。[25]「わたしに言わせれば、携帯電話は過去二〇年間のインドの転換をきわめてよく表すデバイスだ」。彼はそう指摘した。その携帯電話が、この汚職事件のなかで最大のシンボルになろうとしていた。

「2G汚職」が明るみになったのは、ラーイが会計検査院長に就任するわずか数日前のことだった。シン政権は、貴重な通信周波数帯域のライセンスを競争入札方式ではなく「先着順」という怪しげな方式で分配しようとしていた。二〇〇八年一月十日、通信主管部局は数時間前という直前のタイミングで、入札希望者に対しニューデリーの政府施設に来るよう伝えた。ある記事はこう指摘する。「一五の事業者が集合時間に集まり、銀行の小切手や融資保証、その他の必要書類を用意していた――どれも普通なら取得に日数を要するものばかりだ……選ばれた事業者だけが事前に耳打ちされていたことは明らかだ」。[26]次に各社の役員が大急ぎで書類に記入すると、執務室から別の執務室へと飛び回り、カオスのような状況が発生した。その日が終わるころには、一〇〇件以上のライセンスが八社に交付され、数年間にわたりインドの評判を汚すことになる契約が完了していた。それから少しずつ詳細が漏れ伝わるようになってきた。大企業の代わりに動くダミー会社からロビイストと経営者の生々しい通話内容のリークまで、そこは何でもありの様相を呈していた。その背後にいたのがIT通信相のA・ラージャだった。南部タミル・ナードゥ州出身の個性的な政治家だ。

二〇一〇年にラーイが報告書を発表したことで、ようやく2G汚職スキャンダルの規模がはっきりした。ライセンス交付が入札方式で行われていた場合との差額として、一兆八〇〇〇億ルピー（二六〇億ドル）の損失を国庫にもたらしたと報告書は指摘した。[27]ラージャは刑事訴追を受け、一一年の裁判開始まで拘置所に留め置かれた。一方、最高裁は一年後に一二二件のライセンスすべてを無効とする判断を示した。[28]さまざまな通信企業の幹部が一時的に留置される事態も発生した。メディアの報道が過熱するなか、ラーイは賛否が分かれる人物として取り上げられた。真相解明に取り組む正義の士として称賛されたかと思えば、インド企業の名声に泥を塗る狂信者として攻撃の標的にされたこともあった。ラーイは批判に屈することなく、英連邦競技大会開催に至る過程の不正から天然ガス契約をめぐる汚職まで、数々の問題について報告書を発表していった。しかし、これらは二〇〇〇年代後半に発覚したさまざまな疑惑全体からすれば氷山の一角でしかなく、「数百億ドル」もの資金が抜き取られたとの推計もある。[29] 一九八〇年代、経済学者のロバート・クリットガードは腐敗を「独占＋《プラス》自由裁量－《マイナス》責任」と定義した。[30] ラーイが会計検査院長になるまで、インドの汚職スキャンダルはこの公式に完全に合致していた。

数々のスキャンダルのなかでもおそらくもっとも重要なものは最後に登場した。ラーイ会計検査院長が二〇一二年の報告書で明らかにした「石炭汚職《コール・スカム》」だ。[31] インドはほぼ一〇年にわたり、得られた石炭の使用は鉄鋼所や発電所といった近接する工業プロジェクトに限るという条件で、炭鉱採掘権を無償で事業者に付与してきた。当初、採掘権を取得しようとした事業者は皆無だった。石炭は国際市場、もしくは国営の石炭大手コール・インディアを通じて安価に入手できたからである。ところが中国の急成長を背景として二〇〇〇年代に石炭の国際価格が高騰すると、インド国内の炭鉱採掘権の価値も急上昇した。二〇〇四年から〇九年にかけて、二〇〇件以上の採掘権が分配された。分配先の多くは名の知れた企業だった。しかし、採掘権を得るまで鉱業にはほとんど関心を示さなかった企業も含まれていた。採掘権獲得のプロセスについてラーイがこう説明する。「たとえば、わたしがある州の新聞王で、石炭大臣に強いコネを持っているとしましょうか。それでこう言ってみるんです。『発電所プロジェクトをやろうと検討しているんだけど、炭鉱を一つくれませんか?』とね。そうやって炭鉱を手に入れるんです。もちろん、例のものと引き換えに、ですよ」。彼のチームによる計算では、炭鉱採掘政策によって数々の経営者が得た棚ぼたの利益は合計で三〇〇億ドルにものぼったという。[32]

インドの汚職事件は一定のパターンをなぞりつつも、具体的な手口は異なっていた。英連邦競技大会汚職は現金供与の見返りに契約を結ぶというタイプで、インド・オリンピック委員会のトップがこれを仕切っていた。不正が発覚したきっかけはコスト上昇をめぐる問題が明るみになったことで、選手村のトイレットペーパーが一ロール当たり四〇〇〇ルピー（六二ドル）で調達されていたというケースもあった。[33] ほかにも、組織委員会とコネのある企業が契約を受注し、見返りにキックバックが支払われたのではないかという指摘があった。これとは対照的に、2G汚職ではライセンス取得のための贈賄が行われたほか、小規模な企業が巨大コングロマリットのダミー会社になっていた。しかし、この事件で逮捕された者はみな不正行為に手を染めたことを一貫して否定し、事件の審理のために設置された特別法廷で二〇一七年後半にラージャや関係各企業の担当者が無罪となった際にも潔白を主張した。このときの判決で判事は七年に及んだ捜査に触れ、有罪を立証するために十分な証拠を提示しなかったとして検察官を厳しく批判した。[34]

「石炭汚職」は数々の汚職のなかでもっとも複雑な事件だった。二〇一四年、最高裁が突然、国民会議派政権時代に行われた種々の採掘権交付を「恣意的かつ違法」としてすべて白紙に戻すという決定を下したことで、ようやく問題に終止符が打たれた。[35] この汚職は間接的ながらマンモーハン・シンに影響を及ぼした唯一のケースでもあった。彼は二期に及んだ首相在任期間の初期に石炭大臣を兼務していたからである。すでに数々の汚職スキャンダルでひどく弱体化していたが、シンはなんとか持ちこたえた。一連の経緯のなかで彼は採掘権の分配を止めさせようとしたが、彼の権威の限界ゆえに自らの意向を通すことができなかった。[36] 結局、汚職は続き、政官財、それにもろもろの仲介者が炭鉱採掘権というパイを山分けしていった。おそらくほかのいかなるスキャンダルよりも、石炭汚職という結託ほどインドの核心部分における腐食を如実に示したものはないだろう。「これが縁故主義というやつです」。ラーイがため息をつきながら話を締めくくろうとして言った。「完全な縁故主義。混じり気のない、シンプルなものです」

仲介人がゆく

　現金を満載したスーツケースが権力の中心に運ばれていく――マン・ブッカー賞を受賞した小説『グローバリズム出づる処の殺人者より』で、アラヴィンド・アディガは腐敗についてこの上なく直接的なかたちで描いている。この作品は、貧しい村人だったがニューデリーの裕福な家で運転手の仕事を見つけた男、バールラームが主人公の話だ。バールラームは主人を殺害し、二流の（そして腐敗にどっぷりと浸かった）ビジネスマンにのし上がる。物語中盤でこんなシーンがある。彼は、イギリス人建築家エドウィン・ラッチェンスが一九〇〇年代に英領インドの新首都として設計した、「ラッチェンスのデリー」と呼ばれる官庁街に、主人とその友人を車で送っていく。以下は作中のバールラームの回想だ。「ライシナの丘に向かって車を走らせて、丘をのぼり、警備員が手をあげるたびに車を止めて車内をチェックさせて、やっと官邸のまわりに建つ大きな丸屋根の建物のひとつの前で、車を止めました」[37]（鈴木恵訳）。主人は建物の中へと消え、数時間後に怒りと罪悪感を覚えながら戻ってきた。彼はこれから着手しようとしている投資プロジェクトへの支援をかたちだけでも取りつけようと、スーツケースを渡してきたのだった。帰り道で主人が突然、その高潔さで知られるインドの国父の像を指さした。「大臣に賄賂を渡してきたばかりの人間が、ガンジーの前を通りすぎるなんて。とんだお笑いぐさだ」と彼は言った。「いろいろと複雑なんだよこの国は」。友人が応えた。

　現実の贈賄シーンは、このようにドラマチックにいくことはまずない。ただ、リスクを十分に計算した上で行動するというのはよくあることで、そこに双方のあいだを取り持ってくれる仲介者が登場するのだ。ラーイによると、特定の政治家の関係者には契約を取り持ったり便宜を図ってくれたりする力があり、仲介人の仕事を請け負っているというのはニューデリーでは周知の事実だそうだ。そのうちの何人かは、国民会議派の党職員やガンディー家の関係者だという。ほかには、幹部政治家の家族だったり地元かカーストが同じ側近だったりするケースもあるということだった。多くの場合、彼らは政商そのもので、姿を現すと企業が法令に触れないよう手助けをしたり、有力者に取り次いだりといったことをした。学者のスニル・キルナーニーに言わせると、経済自由化から数十年を経て、インドは「守衛《ゲートキーパー》に多くを依っている社会」になってしまった。ラーイが二〇一〇年に通信汚職についての報告書を発表して間もないころ、彼はこう記している。「過去数十年の変化は、腐敗の重要性や可能性、必要性をさらに高める方向にしか進まなかった……新たなカースト制度の頂点にいるのは、政治家の宮廷、ファイルが散乱する官僚の執務室、ヴィトラのオフィス家具が置かれた役員室やCEOのサロンへの『アクセス』を請け負ってくれる者たちなのだ(38)」

こうした「守衛」は突然生じた新しい現象ではなく、社会主義時代に国家の周辺をうろつき回っていたフィクサーの末裔と言える。「かつてのインドでは、みんなこう言っていたものです。『あれを買おうこれを買おうとデリーに出てきたら、悪いやつにつかまっちまった』ってね」。インドでもっとも有名なコメディアンの一人、アヌヴァーブ・パールはわたしにそう語った。パールは十代のとき、日用品を買うにも賄賂や仲介人が必要だということを認識したという。「そういう経済体制のもとで育ったものですから、ネットショッピングのように透明性の高い方法があるいまでも、『おれがなんとかしてやる』と言う人からものを買うほうが安心に思えてしまうんですよね。たとえその人間がほぼ間違いなく嘘つきだとしても」。一九九一年以降、テレビや冷蔵庫を買うのにブローカーを通す必要はなくなったが、彼らはビジネスの世界でこれまで以上に不可欠な存在になっていった。また、収賄する側の役人や政治家にしても、フィクサーが間に入ってくれることでリスクを回避するとともに、相手に直接賄賂を要求しなくても済むことでメンツを保つことができた。ある調査ではこう指摘されている。「仲介人は市民にとっても役人にとっても取引コストを低減してくれる存在だ……彼らは誰にアプローチすべきか、どうやって実行するか、そしてどの役人が今後も『収賄に応じ続けてくれるか』を熟知している」(39)

ごく一般的な状況下ですら、仲介者は不可欠の存在だ。そのことにわたしが気づかされたのは、自分のインド駐在が終わりに近づき、妻と二人で飼い猫の出国をどうするかという問題に取り組み始めたときのことだった。(40)インドに来たとき、わたしたちは二匹のメインクーンを連れてきた。毛がふさふさした猫で、インドの暑い夏にはかなり不向きではあったが。二匹を入国させるのもかなり大変だったが、出国となると書類の記入や獣医による診察が必要で、悪夢のような手続きに悩まされることになった。友人のアドバイスで、ペット輸出専門のエージェントを雇い、それなりの額を報酬として支払うことにした。ある日の朝、わたしは手続き完了に向けて、エージェントのアシスタント、それに二匹の猫とともに車でムンバイから郊外の政府施設に赴いた。わたしたちは一時間ほど駐車場で待機し、農業局の検査官が来るのに備えた。その後、担当官が姿を現し、二匹に気のない視線を向け、喉から手が出るほど欲しかった書類――その書類そのものの必要性をきちんと説明できる者は誰もいなかったが――を渡してくれた。エージェントに支払った手数料のうち、いったいいくらが「特急料金」として担当官に渡ったかはまったく不明だった。そして結局のところ、この「知らなくて済む」ことが重要だったのだ。エージェントのおかげで書類を正しく記入できたことはありがたかったが、それ以上に賄賂が払われたかどうかを知らないことのほうがさらにありがたかったのである。

裕福な中間層にとって仲介人を通すことは面倒だが、貧困層にとってはまさに生活を左右する存在だ。ある学術調査の推計ではインドでは人口の約半分が一日当たり三八ルピー(〇・五ドル)で生活しているとされるが、この層にとってはごく少額の「面倒」な賄賂ですら生活を直撃する。[41] わたしは南部の都市ハイデラバードを訪れたことがあるが、そこではジャヤンマ・ドゥンパという女性に会ってきた。彼女はナンダナヴァナム——訳すと「天空の庭」——という、ぬかるんだ道とトタン屋根の家が並ぶスラムに住んでいた。[42] 色あせた赤と緑のサリーを着たドゥンパは一間しかない家の前に立って、七人家族のためにどうやって食事を用意するか、どうやってブリキのバケツで簡易コンロを作り上げたかを見せてくれた。火をおこすのに基本的に柴を使っていたが、穴の開いたサッカーボールのように、燃料になりそうなものが辺りに落ちていればそれも活用した。制度上、地元政府は調理用コンロを無償で支給することになっていたが、そのためには仲介人に賄賂を渡さなくてはならず、ドゥンパにはとても払えるものではなかった。その代わりに彼女は毎週何時間もかけて地元のマーケットで柴を買い、頭上に乗せて持ち帰っていた。いつかコンロを手に入れたいと願っていたが、近い将来それが実現するとは期待していなかった。彼女が言う。「本来ただなはずなんですよ……だけど、ここではただのものなんて何もありやしません」

ある独創的な学術研究によると、インド経済が成長していくなか、税関での通関手続きから運転免許試験まで、エージェントはほぼどんなタスクでも処理できるようになったという。[43] 研究グループはニューデリーで運転免許試験を受けた人びとを対象に調査を行い、四分の三近くがエージェントを雇い、ほぼ全員が合格したという結果を得た。自力で試験を突破しようとした受験者は、たとえ運転技術が優れていたとしても不合格になる可能性がはるかに高かった。エージェントは手数料の一部を試験官に賄賂として渡していたのに対し、エージェントを雇わなかった受験者は恣意的に落とされることが多く、次はエージェントを雇うようにという忠告になっていた——調査報告の執筆者はそう結論づけている。「ipaidabribe.com」という二〇一一年に立ち上げられた反腐敗プロジェクトのサイトでは、運転免許試験をめぐる苦情は当然のごとく定番のトピックで、金銭をたかられたという匿名の投稿であふれ返っていた。このサイトでは、州のＩＤカード発行なら二〇〇ルピー（三ドル）、電気設備の点検免除であれば一万ルピー（一五七ドル）といった具合に、各種手続きについての詳細な「相場価格」がリアルタイムで掲載されている。土地の登記のように複雑な手続きの場合、支払額は何倍にもなる。しかるべき相手に対し賄賂を払えば、タスクを丸ごと回避できるという場合すらある。二〇一七年のある投稿では、試験をまったく受けずに運転免許を取得したことが自慢げに報告されていた。投稿者はこう書き込んでいた。「自分から賄賂を直接渡すことはしませんでした……［だけど］ＲＴＯ［地区交通局］向けのエージェントを通したことは、何人かが潤ったということなのでしょう」[44]

フィクサーがはびこるようになったのはなんと言ってもビジネスの世界で、巨大なスケールの腐敗をもたらすことが少なくなかった。外国の多国籍企業はとくにターゲットにされた。一九九一年当時、インド向けの外国直接投資はわずか一億ドルでしかなかった。それが二〇一七年には六〇〇億ドルにまで膨れ上がっていた[45]。資金の流入に伴い、ある人が官僚版「エスコートサービス」と形容した新たな層が生まれた。彼らは、困り果てた外国人に現地のしきたりを伝授し、政治家の恩寵を受けられるよう支援を提供した。インドは世界でも有数の武器輸入国だが、ここでもフィクサーがうまみたっぷりの武器購入契約の締結を支援しようと手ぐすねを引いて待ち構えている。アメリカやイギリスのような国の企業にとって仲介人の存在はとくに重要だ。というのは、腐敗対策法令によって外国での贈賄が禁止されているが、エージェントがやったことにすれば関与を否定できるからである。外国企業は現地企業と提携し、現地パートナーに政府との折衝を任せるケースも多い。わたしがヴィノード・ラーイに会いに行ったとき、彼は二〇一三年に会計検査院長の職を退こうとしていたころのエピソードを話してくれた。ある外国の通信企業グループトップとランチをともにしたときのことだ。この会社はインドの企業と合弁事業契約を結んだが、2G汚職スキャンダルに巻き込まれることになってしまったという。ラーイはこの企業トップについてこう語った。「彼はとてもフランクでしたね……こう言っていたんです。『インドでビジネスをするにはこれ以外に方法はないと教えられたんです』とね。もし何か悪い事態が発生すれば、インド側パートナーの責任だと言い逃れができると彼が考えていたのは明らかでした。それで彼は見て見ぬふりをしたのですが、結局のところ見破られてしまいました」

わたしたちの現状

どの角度から見るかにかかわらず、インドの腐敗をめぐる状況は複雑だ。中間層の人びとは、その多くが自らも贈賄のエキスパートや脱税者でありつつも、堕落した政治家といかがわしい経営者に対し怒りをあらわにした。贈収賄の社会的浸透ゆえに、政府の首席経済顧問を務めたコーシク・バスは二〇一一年に、いっそのこと合法化してはどうかと提案したことがあった。[46]この提案は強い反発を招いたが、ロジックは明解だった。人は罰則を受けることはないとわかれば違法な支払いをしたことを認める可能性が高くなるだろうし、その結果、警察はそもそも最初に金銭を要求した者を特定しやすくなるだろう、と。

腐敗が社会悪であるということについて、異論を呈する者もいる。左派の重鎮で社会学者のアシーシュ・ナンディは、バスの提案から数年後に似たような指摘をして物議を醸した。[47]彼は賄賂を貧困層、とくに低カーストの者に恩恵をもたらす「平準化ファクター」と説明したのだった。同様の見方はアメリカの作家、キャサリン・ブーがムンバイ空港近くにあるスラムの生活を描いた『いつまでも美しく』でも記されている。そこでは、アーシャ・ワゲカルという極貧ながら地元の政治フィクサーにのし上がり権力を手に入れた女性が、シンパシーの込もった筆致で描き出されている。「インドでもエリート層の間では、腐敗という語はネガティブなイメージしかない。現代においてインドがグローバルに成功するのを阻む原因の一つだとみなされている」とブーは記している。「だが、貧困層にとっては、腐敗こそが実際に残された数少ないチャンスだった」[48]〔石垣賀子訳〕

腐敗と成長の関係にも一筋縄ではいかない難しさがある。両者はネガティブな関係にあるというのが直感的な印象だ。世界で腐敗度が最高レベルにある国々はいずれも貧しい。また、腐敗は経済活動を阻害し、企業と政府に対する信頼を低下させるほか、生産的な分野から資本が流出し、容易に収奪されうる分野に振り向けられてしまう。インドでは二〇一三年ごろに汚職スキャンダルがピークに達した後、数年にわたる経済の停滞が起きており、この見方を裏づけるものと言える。

しかし、この議論にはもう一つ別の側面がある。その主張のなかでもっともよく知られているのは、アメリカの政治学者、サミュエル・ハンチントンによるものだ。彼によると、腐敗は経済発展において単なる不幸な副次効果ではなく、多くの場合望ましいもので、「近代化への道を滑らかにしてくれる、喜ばしい潤滑油」と位置づけられている[49]。多くの国が高成長と高汚職レベルを両立させようとしており、その最たる例は中国だ。同様のことは東アジアで高成長を遂げた国や地域についても言える。ある学術研究は、「政治的恩顧主義《クライエンテリズム》やその他の利益追求の手法は、アジアの高成長期に大きく広がった」と指摘する[50]。そうしたケースでは、ビジネス契約の際に「袖の下」があることで、結果として官僚や政治家が投資を促進する方向に動くという。作家のジョー・スタッドウェルが二〇一三年に発表した『アジアの成長の秘密（*How Asia Works*）』で説明しているように、縁故主義と成長の合体は意識的な経済戦略になったのである。韓国やマレーシアのような国では、政府が育成したい輸出産業やインフラ開発に投資してくれるのであれば、企業がおいしいところをくすねても許されるという暗黙の了解があったという。「利益は、首尾よく開発を進める国家が企業家を惹きつけ、そしてコントロールするための餌なのだ」。スタッドウェルはそう指摘している。[51]

ハンチントンの議論はさらに別の論点を指摘している。インドは開発の促進に用いるという戦略的な意図なしに汚職の蔓延を許してきた。たとえそうであっても、これまでのインドのシステムは投資の歯車が円滑に回るようにする役割を果たしてきたのであり、この事実が正しいことは「汚職の季節」後の数年のなかで明確になった。モディの反腐敗政策は、会計検査院、裁判所、メディアによる監視の強化とも相まって、そうした縁故主義でもっとも悪質な部分に終止符を打とうとした。しかし、かつての腐敗システムが機能を停止したものの、より公正な新システムに取って代わられたというわけではない。その結果ニューデリーでは、政府機能が麻痺して決定不能な事態が生じた。官僚は違法行為と糾弾されることを恐れて決断を避けるようになり、企業側は新規プロジェクトへの投資を控えざるを得なくなった。この結果、投資は冷え込むことになった。

こうした腐敗をめぐる問題の背景にあるのは、インド政府の脆弱性という長期的課題だ。経済の急成長によって、政府は刻々と変化するビジネス環境に後れをとらずについていくことが求められるようになった。しかし多くの場合、国家はこの任務に対応できる態勢がほとんど整っていなかった。バンガロールのアウトソーシング企業「チームリース」会長のマニーシュ・サーバルワルは企業と政府の相互作用を注意深く見てきた人物だが、その彼がこう教えてくれたことがあった。「インドには、明示的に許可されない限りあらゆるものが禁止されているという、イギリス統治時代にまでさかのぼる伝統がありました。これがいまでも続いているのです」。数十年にわたりインドは「改革」を経済的な意味でしかとらえておらず、政府調達のような根本的問題の改善についてはほとんど着手してこなかった。中国で高成長と高レベルの汚職が一体化したのは、政府機構がきわめて効率的だったことが一因だった。それとは対照的に、インドの場合は、ある分野では非常に介入的かと思えば別の分野では能力を欠いていた。インドを蝕んでいたのは、サーバルワルが言う「官僚的コレステロール」に尽きる。非効率的で、腐敗がはびこり、内側から目詰まりしてしまうシステムという意味だ。

　世界銀行が毎年発表している「ビジネス環境ランキング」を見ると、インドの現状がいかにひどいかをあらためて強く認識させられる。モディが高額紙幣廃止を実施した二〇一六年、インドの順位は一九〇カ国中一三〇位という惨憺たる結果だった。[52]原因の多くは法制度に根差すものだった。たとえば、「一九四八年工場法」という法律は恐怖の源で、工場のオーナーが階段の塗装や窓枠のニス塗りをする際の規定まで含まれていた。[53]ある推計によると、工場を開設するには五七件の許可証が必要で、ホテルの場合、その数は九〇にのぼった。[54]かつてヴィジェイ・マリヤが所有していた酒造メーカー、ユナイテッド・スピリッツは、操業に当たり二〇〇〇件という途方もない数の許可証が必要だと主張したことがあった。[55]さらに、主任工場検査官、規律監督官、ボイラー・圧力容器監督官といった執行部門の役人という恐るべき一団が待ち構えており、操業停止に追い込む力を持っていた。[56]こうした頭の痛い手続きも腐敗が起こる理想的な環境をつくっていた。自分たちに見返りが提供されない限り処理を遅らせると、監督官が脅したからである。

　ハーヴァード大学の研究者ラント・プリチェットは、インドという国について「破綻している《フェイリング》」のではなく「ぐらついている《フレイリング》」と表現したことがある。彼が言わんとしたのは、インドの政府機構に優秀な部分はあり、それは上層部に集中しているが、下に行くにしたがって逆の状況が起きているということだった。「警察、徴税、教育、保健、電力、水道——つまり、ほぼすべての日常サービスで長期不在、無視、無能、そして腐敗がはびこっていた」と彼は記している。[57]土地の取得は悪名高い問題だった。複雑な規定のため、企業が農民から直接土地を購入することは困難で、代わりに政府所有の「土地銀行」に頼らざるを得なかった。官僚も土地の使用目的を工業に変更する際に影響力を行使し、地価の高騰という結果をもたらした。これらのすべてが関係者の結託につながり、「土地マフィア」とよく言われる集団が形成されていった。土地を買い上げ、使用目的を変更し、売却して巨額の利益を手にしようと企む企業家と役人のゆるやかな連合体である。これと同じ方法でほかの多くの国有資産も切り売りされていった。ムンバイやバンガロールのような都市の給水車を仕切る「水マフィア」や、建設業の旺盛な需要に応えるべく国内各地で河床を不法にさらう「砂マフィア」がその例だ。

非効率な政府は別のかたちでも腐敗をもたらした。ある調査によると、貧しいが豊富な鉱物資源を持つ東部ジャールカンド州では、投資プロジェクトを実行に移すには二四〇件の許可を政府から取りつけなくてはならなかったという[58]。延々と続くお役所仕事的手続きは、地方レベルの役所の控室から始まり、エンジニアリング監督官室や承認委員会に上がり、その後ようやく州首相のデスクに届けられるというルートをたどる。大型産業プロジェクトとなると、問題はプロセスだけに限らず、数々の許可を政府から取りつけなくてはならないのはほかの国でも同じだ。しかしインドの場合で問題なのは、一つひとつのステップが致命的な遅延をもたらすという点だ。産業プロジェクトを実施しようとする企業は、「ファイル」の処理が滞っていると絶望的な口調で語っていたものだった。個別のプロジェクトに関する書類が入った文字どおりの「ファイル」が、部署から部署へと時間をかけて回されているという意味だ。このため、遅延リスクを懸念する企業家には、意思決定過程の上層部にいる者——理想的なのはファイル処理をスムーズに進めてくれる高官や政治家だ——と合意を結ぼうとするインセンティブが芽生えていった。

このようにインドの政府機構は恐るべき存在に映る一方で、逆に奇妙なほど弱々しく、きわめて複雑な国家を統治するという任務にのみ込まれつつあるようでもあった。人口比で見た場合、インドの公務員の数はほかの国よりもざっと三倍にもなっていた[59]。しかし、「インド行政職」（ＩＡＳ）——中央政府と州政府で高官ポストの大半に就いている上級官僚——の数は五〇〇〇人にも満たない。その多くはニューデリー以外の任地に配属されており、「郡徴税官」といった肩書のポストに就き、多くの小国に匹敵する規模の地域で絶大な権力を備えた知事のような役割を担っている。

その権力の大きさにもかかわらず、ＩＡＳの構造はその前身である「インド文官職」（ＩＣＳ）の時代——植民地政府では一〇〇〇人にも満たないイギリス人職員が何億ものインド人の運命を握っていた——からほとんど変わってこなかった。親しみを込めて「バブー」（英語の「ミスター」に相当する敬称）と呼ばれたＩＡＳ官僚は、能力に欠け、腐敗に手を染めがちな雲の上の人と見なされていた。典型的なイメージはこうだ。白の制服に身を包み、ニューデリー市内を車であちこち回ることで毎日を過ごす。乗っていたのは丸っこい車体で年代物のヒンドゥスターン・アンバサダーで、後部座席のウィンドウにはカーテンがかけられ、ルーフには青色の点滅ランプが置かれていた、という具合だ。このような見方をされていたとしても、公務員は非常に名誉な存在であり、世界で最難関クラスの採用試験——毎年一〇〇〇人程度の定員に対し五〇万人が応募する——を突破した者のみが就ける職業だった[60]。ＩＡＳ官僚は知的な面で手強いことが多く、規制の変更や執行といった絶大な権力を行使できることから、企業経営者からはひどく恐れられていた。ただし、私的な場になるとＩＡＳ官僚の多くは自分たちの地位が相対的に低下していることを嘆き、民間の競争によって優秀な人材が奪われ、ニューデリー以外の任地で働く者のうち、かなり多くが地元政治家と結託して、さらなる腐敗の蔓延に手を貸してしまっていることにいら立ちを覚えていた。

腐敗はほかのかたちでも国家の枠組みにダメージを与えていた。それがもっともはっきり表れているのは職員の採用だった。若年層の拡大が続くインドでは、公的機関の下級職ですら熾烈な競争が起こっていた。二〇一五年に掲示されたウッタル・プラデーシュ州の配送員募集には、月収一万六〇〇〇ルピー（二四〇〇ドル）という条件にもかかわらず、二〇〇〇万人の応募があった。[61] ランクの高いポストは、名声よりもキックバックを得られるという点で重みを持っている。イギリスの政治経済学者ロバート・ウェイドは、南インドの灌漑担当エンジニアの任用をコントロールする複雑なカネの動きを解明した論文を一九八二年に書いて注目を集めた。[62] 彼の調査によると、次のような構造があるという。灌漑エンジニアは、河川の流れをある町から別の町に変えるといった権限の行使を通じて、多額の賄賂を手にすることができる。しかし、毎回の賄賂の一部を高官や政治家に上納するのではなく、もっとシンプルかつスマートなシステムが存在していた。各エンジニアは採用の段階で、自分のポストで得られる賄賂に見合った「手数料」を非公式に支払っていたのだ。当時、基本的な「運営・管理」の仕事であればエンジニアが事前に支払う額は一〇万ルピー（一五七〇ドル）だったという。ひとたびポストを確保すれば、そのエンジニアは支払った賄賂の三倍近い額を手にすることができた。「おいしくてたまらない利益だろう」――ウェイドはそう指摘している。

この種の腐敗はインド中に広がり、公的セクターの仕事をめぐる巨大な闇市場が形成されていった。このシステムでは、屈折したインセンティブがはびこっていた。ある調査によると、ムンバイの警察官は犯罪多発地域に配属してもらうべく多額の賄賂を渡すという。これは、そのほうが犯罪者と被害者の両方からカネをせしめるチャンスが著しく増えるからだ。[63] これと同様に、税関職員は大型の港湾に配属してもらおうと賄賂を渡し、税務調査官は儲けの多い大企業をカバーする地域での仕事を希望するという。多額のカネを対象にするポストであればあるほど、そこから引き出せる額も大きくなるということだ。ＩＡＳ官僚は、こうした腐敗行為に見て見ぬふりをするか、その分け前にあずかるかという不快な選択を強いられた。公正な立場で臨む者は、賄賂を必要とするポストにはそもそも応募しないことが多かった。事を大きくしようとする者はうまみの少ない閑職へとすぐさま追いやられた。

インドの高度成長期は、限られた能力しかない国家がいかにして腐敗を深刻化させるかという実例を数多くもたらした。しかし、海に面したゴア州に吹き荒れた腐敗騒動ほどそのことがはっきり表れたケースはないだろう。ヤシの木が並ぶビーチで有名な同州はかつてポルトガルの植民地だったが、二〇〇〇年代後半に鉱山の違法採掘の蔓延が表面化したことで、ありがたくない注目を浴びることになってしまった。数十年にわたり、ゴアでは観光と鉱業が経済の主力産業だった。ゴアのビーチは魅力的だが、その一方で鉄鉱石鉱山は繁栄の安定的供給源になっていた。この事業は地元の同族企業が独占しており、州内の赤茶けた大地を採掘して取り出した鉄鉱石を地元の鉄鋼生産会社に売却していた。ところが、国際的な商品価格が高騰し始めたことで、この構造に変化が生じた。「二〇〇五年ごろ、中国がそこに参入してきたのです」。ある日の午後、ゴアの州首相を務めるBJPのマノーハル・パリカルは、州都パンジムを見下ろせる豪華な公邸でそう語った。有能な行政官と評されるパリカルは、一二年に反腐敗を掲げて州政権奪還に成功していた。それから一年後に行われた取材で、彼は中国で起きた〇八年の北京五輪に向けた大規模な建設ラッシュがいかにして鉄鉱石の国際価格を一気に押し上げたかを振り返った。ゴアでは採掘ブームが始まり、中国の需要に応えようと地場の鉄鉱石業者が猛烈な増産を行った。パリカルが言う。「ラッシュが始まったのです……鉱山採掘の実績ゼロの者が、景気のいいうちに一山当てようと殺到しました。政治的コネがある者もいました」

二〇一三年にわたしが彼のもとを訪ねたころには鉱山採掘ブームはとっくに終わっていたが、その後遺症はまだはっきりと残っていた。ある日の朝、わたしは州の鉱山採掘大手企業を率いるアンバル・ティンブロとともに州の内陸部を車で移動していた。[64] わたしたちはまず、真っ白に塗られたカトリック教会がある小さい町をいくつか通り過ぎた。次に通ったのは小さな村々だったが、小ぎれいな平屋建ての家の多くで、敷地内にカラフルな大型ダンプカーが停めてあった。鉱山開発ブームが始まり、鉄鉱石の国際価格が急騰するなかで、ゴアでは狂乱と言うべき状況が起きた――ティンブロはそう説明する。通常であれば鉱山開発を始めるのに数年を要するところを、新規採掘権が突如として手当たり次第に交付されるようになった。仕手筋や詐欺師が列を成して押しかけ、採掘機材から闇市場での資金調達まで、ありとあらゆるものを供給した。何百万トンもの鉄鉱石が不法に採掘された。ティンブロは当時の狂乱を振り返りながら、困惑としか言いようがない表情を浮かべていた。「貸与された採掘権は政治家やその友人に分け与えられていました……新参者、商人、トラックの請負業者が参入し、荒っぽい手法があちこちではびこっていました。悪巧みが横行していたのです」。多くの村人がダンプカーをローンで購入し、地場の採掘業者向けに輸送業を始めた。ところが中国経済が減速に転じ、国際商品価格が暴落すると、そうしたサービスはもはや必要ではなくなり、州内各地の村々で道端に何百台ものトラックが停められたままという状態が生じた。

ゴアと隣接する南部の大規模州、カルナータカではこれよりもさらに激しい狂乱が吹き荒れた。主役はレッディー兄弟という、州政府と結託して活動していた有力企業家三人組だった。三人のうちいちばんの大物、ガリ・ジャナルダナ・レッディーが最初に鉱山採掘権を獲得したのは二〇〇四年で、ちょうど鉄鉱石の国際価格が上昇し始めたころだった。レッディーはベラリーという鉱山の町を自らの王国につくり変えた。厳重な警備が施された邸宅に外国の高級車が並ぶ、いわば「独立王国」という状況で、インドの中規模の町というよりもコロンビアの麻薬カルテルの潜伏先と言ったほうがしっくりときた。数百社にのぼる採掘企業が雨後のタケノコのように登場し、毎日何千台ものトラックを満杯にするほどの鉄鉱石を採掘した。トラックは爆音を立てながら、中国向け輸出の準備を整えた最寄りの港へと向かっていった。政治的な干渉は最小限しかなく、レッディー自身が州政府の閣僚になるやいなや、その傾向はとくに強まった。のちに行われた正式な捜査では、「行政とガバナンスの崩壊」がこの汚職スキャンダルを招いたと非難し、七〇〇人以上の政府関係者による大規模な不正があったと指摘された。[65] レッディー本人は不正への関与を否定したが、一一年に違法採掘の容疑で逮捕され、保釈されるまで三年以上を監獄で過ごすこととなった。

こうした汚職スキャンダルは、インドという屋台骨が揺らぐ国に対しグローバリゼーションがいかなる要求を突きつけているかを明らかにした。ゴアはインドのなかでも豊かで統治が行き届いている州だが、そこですら州政府や公務員は腐敗の波に急速にのみ込まれつつあった。「違法採掘」という言葉は、採掘許可の規定量以上に鉄鉱石を掘る事業者から、そもそも許可証など一切なしに新規鉱山開発をする者までを指す包括的な用語になった。公式の統計では、好況期に鉄鉱石の産出量は倍増した。しかし実際には、それをはるかに上回る量がひそかに採掘され、無届けで輸出されていることは周知の事実のようだった。環境保護活動家は、野生生物保護区や採掘が禁止されている森林地域での鉱山開発といった、数十件にのぼる規定違反例をとりまとめていた。森林局や鉱山・地質局といった州政府の関係機関は、法を執行するのに最低限必要な手段すら事欠く状態だった。不正な採掘を阻止するはずが逆にそこから利益を得るようになってしまったことから、ゴアは経済学者が言う「規制の虜《とりこ》」の典型例と言えた。環境保護団体「ゴア財団」のクロード・アルヴァレスによると、鉱山採掘ロビーやそれをバックでコントロールする政治家から多くの役人が賄賂を受け取ってしまっているという。「みんな金儲けをしているんですよ」。彼はそう言った。

最終的にこうした汚職に終止符を打ったのは外部からの介入だった。二〇一一年以降、最高裁は鉄鉱石採掘を全面的に禁止する決定を下したが、最初に適用されたのはカルナータカで、その次がゴアだった。[66] その後に行われた通信ライセンスや石炭採掘ライセンスの取り消しも同じだったが、これは腐敗に業を煮やした司法によるショック療法だった。作家のグルチャラン・ダースは言う。「鉱山採掘は、改革がされていないインドの駄目な部分の縮図なのです……政治家、役人、警察、大企業の結託、雇用を仕切る強力な労働マフィア、地元住民の権利剝奪、環境へのダメージといった具合に」[67]。さらに言えば、この業界の問題は全体に共通する教訓を示してもいた。腐敗とは単に強欲さがもたらした結果というだけでなく、国家機構の限界というはるかに複雑な問題でもあったのである。

この背景には、政治という厄介な問題が横たわっている。中国もインドも深刻な腐敗に悩まされてきたが、インドのほうは民主主義国家だ。ほぼすべての汚職スキャンダルの背景には、政党の政治資金という根の深い問題と、各党が企業からの違法献金に依存しているという現実があった。シンガポールでのヴィノード・ラーイとの会話の終盤、具体的な質問をいくつかぶつけてみた。「汚職の季節」のなかで起きた談合とは結局どのようなものだったのか？　現金が詰まった封筒を手渡すようなあからさまな取引だったのか、それとも代替品を使った、洗練されたやり方だったのか？　とくに重要なポイントとして、賄賂を受け取った政治家の取り分と所属政党に上納する分の比率はどの程度だったのか？　ラーイはため息をつき、石炭ライセンスや通信ライセンスの「相場」を突き止めることはできなかったし、現金の授受が具体的にどのようなかたちで行われたのかもわからなかったと認めた。「事業者同士のせめぎ合いがあり、ロビー活動もありました。目の前にぶら下がった［石炭の］鉱区が得られるのなら、賄賂を払ってもいいと各自が考えていたのは明らかです……政治家は一〇〇ルピーにつき七〇ルピーを党に上納し、残りの三〇ルピーを自分の懐に入れていたのかもしれません。それか、政治家が七〇ルピーをキープし、党に渡すのは三〇ルピーだったのかもしれません。実際のところどちらだったのかはわかりませんよ。ですが、合計額がきわめて大きな額にのぼることだけは間違いありません」

第6章

金権政治

誰もが使うブラックマネー

長い一日を終えて広々とした執務室に戻ったアキレーシュ・ヤーダヴは、緊張から解放されたひととき を味わった。このとき、インド最大州にして政治的に最重要州でもあるウッタル・プラデーシュで州議会選挙が行われていた。その日、ヤーダヴはヘリで会場から会場へと飛び回って七つの大集会で演説をこなし、州都ラクナウの私邸に戻った。翌日にはさらに六回の集会に顔を出す予定が組まれていた。二〇一七年二月のことで、わたしは学者や研究者のグループと一緒に行動し、選挙戦について話を聞くため彼に会いに来ていた。急ぎ足で部屋に入ってきた彼からは、やりがいのあることに取り組んでいる雰囲気が漂っていた。選挙運動のときと同じ、白のクルターと黒のベストを着ていた。彼は当時四十代前半で、黒髪を後ろになでつけていた。若いころにサッカーで怪我をしたそうで、童顔のなかで鼻が曲がっているのが目を引いた。遠くの壁にはモザイク状の彼のポスターが掲げられていたが、これはヤーダヴの顔を本人の小さな写真を何十枚も集めて作ったものだった。外は暗くなっていた。デスクに置かれた自転車――彼の党のシンボル――を形取った時計は午後七時五五分を指していた。

ウッタル・プラデーシュ――「UP」という略称で呼ばれる――では五年ごとに州議会選挙が行われるが、これは以前から「世界最大の地方選挙」であり続けている。約二億二〇〇〇万の人口を抱えるUPは、西はニューデリーと境を接し、そこから八〇〇キロ近く東にある聖地ヴァラナシまでをカバーする州で、「カウ（牛）ベルト」の名でも知られる地域の中心に位置している。[1] 聖なる川ガンジスが横断し、無数の聖地が散らばるこの地はインドの「心臓部《ハートランド》」であり、独立後だけでなく、その前のイギリス統治時代やムガル帝国時代でもアイデンティティの核心として機能してきた。人口の多さゆえに、UPでの選挙はインド政治でもっとも重要な意味を持つが、二〇一七年の州議会選はとくに激しい戦いだった。ヤーダヴの社会主義者党《サマージワディ》（SP）は五年前の前回選挙で勝利したが、今回は二〇一四年の連邦下院総選挙で「モディ・ウェーヴ」によって圧勝した余勢を駆って攻勢をかけるBJPの挑戦を受けていたからである。

選挙戦では、各党の指導者のあいだで、州のプロジェクトからカネを中抜きしたとかブラックマネーの取引に手を染めたといった腐敗問題をめぐる非難の応酬が展開された。しかしラクナウでわたしたちと接したヤーダヴに言わせると、インド政治におけるカネの問題はいまやすべての政党に影響を及ぼすまでになっており、彼の政党も例外ではないという。「問題はカネがブラックかホワイトかということではなく、どうやって仕事を進めていくかです」。ニューデリーでの汚職対策、とりわけモディの高額紙幣廃止――ヤーダヴの立場では当然とはいえ、失敗との判断を下していた――について彼はそう言った。「農村に暮らす人たちが家や車を買うとしましょう。誰も税金を納めなくてはならないなんて知らないんです。『これは自分のカネだぞ』、つまり自分の稼ぎなんだから、と思っているんですよ」。なぜ収入を申告する者があまりに少ないのかについて、そう説明した。「ですが、じゃあ貧困層から税を徴収できますか？　そんなお金は彼らにありませんよ……腐敗を減らすにはどうしたらいいかって？　選挙ではみんなブラックマネーを使っているんですから！」

政治学者のアシュトーシュ・ヴァルシュネイは、二十世紀のインドを規定してきた「基本的な言説」が三つあると指摘する。[2] 一つは「世俗的ナショナリズム」で、ネルーやガンディーが奉じたこのイデオロギーはいまでも公式の国是であり続けている。二つ目は「ヒンドゥー・ナショナリズム」で、世俗的ナショナリズムのアンチテーゼとしてＢＪＰやＲＳＳがこの考えを推進してきた。そして三番目に来たのが「カースト別の社会正義」で、低カースト集団の利益を代表する政党が政治権力を手にするようになってきた。ただし、ほんの少しだけシニカルになれば、この三つに続くものとして、「カネ」という四番目の要素を加えようと思うかもしれないが。

経済自由化が始まる前、インドの民主主義は低コストでローテクの状態だった。ところが一九九一年以降、政治の世界にカネが一気に流れ込み、二〇〇〇年代半ばに高度成長が始まると、この傾向はさらに強まった。厳格な政治資金規定により、表向きには政党が費やす資金額は少なかった。しかし実際には、絶え間なく行われる選挙という祭典の必要経費は数億ドルの規模に膨れ上がっていた。ある学者の推計によると、二〇一四年の総選挙だけで五〇億ドルもの資金が動いたという。[3] これが確かだとすると、インドはアメリカに次いで世界で二番目にカネがかかる民主主義ということになる――インドの場合は資金の大半が申告外という違いはあるが。腐敗や縁故主義といったインドの問題は、政治の違法資金という問題にメスを入れない限り解決不可能だという見方については、衆目が一致している。とはいうものの、この問題を好んで取り上げる政治家はほとんどいないのが現状だ。「選挙ではみんなブラックマネーを使っているんですから！」というヤーダヴの率直な物言いは含蓄に富んでいると言える。

一九九〇年代初期に父のムラーヤム・シン・ヤーダヴが立ち上げた社会主義者党（ＳＰ）は、インド政治におけるカースト復権の典型例だ。大まかに言って、千年に及ぶカースト制度はヒンドゥー教徒を四つのカテゴリーに分け、僧侶階級であるブラーミンを頂点とし、労働者階級のシュードラを底辺に位置づけている。各カーストはさらに無数のサブカーストに分かれている。こうした制度の枠外で、最下層とされているのがダリットで、かつて「不可触民《アンタッチャブル》」と呼ばれた人びとのことだ。一九九一年以降、インドの社会構造のなかでカーストの重要性が低下したという側面はあった。都市化が進み、都市生活の流動性によって旧来の農村のヒエラルキーが崩壊し始めるなかで、それはもたらされた。これはダリットの社会改革者でインド憲法の起草者でもあるB・R・アンベードカルがかつて予言した変化だった。「偏狭な思考の巣窟、無知と狭隘さと共同体主義の掃きだめ以外の何物でもない農村にいったい何の意味があるのか？」と記しているように、農村の生活に対する彼の辛辣な見方は、ガンディーによって美化された牧歌的な見方とは対極にあった。[4] ところが、経済の再開放以降、インドの多くの地域でカーストは重要な政治勢力になっていった。九〇年代初めに政府がカーストの公的区分——先進カースト、その他の後進カースト、指定カーストおよび指定部族——を定め、公的セクターの限られた職を配分する際の基準として用い始めたことで、この傾向はいっそう強まった。党名こそ左翼イデオロギーを感じさせるものの、社会主義者党は間違いなくカーストを基盤とする政党であり、ヤーダヴ・カーストという、伝統的に農民を主体とし、UPの人口のおよそ一割を占めるグループを最大の支持基盤としている。[5] 社会主義者党を推進力として、ヤーダヴ・カーストはUPで急速に支配的なカースト集団になっていった。

　庶民的で率直な性格のムラーヤム・シン・ヤーダヴは、あらゆる意味において政治の天才だった。遠く離れた農村でも人びとと関係を築き、誕生日や結婚式をほとんど覚えているといったタイプの政治家だ。彼は二〇一二年に息子が州首相になる以前、三度にわたり同じポストを務めた。かつて「連合州」〔略称はUPで現在と同じ〕と呼ばれたウッタル・プラデーシュは、植民地時代のインドでは「宝石」と称された。ところが独立以降、古くからの地域バランスに少しずつ逆転現象が生じていった。かつて開発が進んでいなかった南部や西部が急速に成長する一方、UPをはじめとする北部諸州は、封建的な風土や低劣な行政、深刻な貧困に引っ張られた結果、相対的に後進的なポジションに滑り落ちていった。その後、とりわけヤーダヴ家による統治のもとで、「グーンダ・ラージ」という言葉が登場した。「グーンダ」とは、ヒンディー語で「無法や不正を働く悪党」という意味である。

UPはむき出しの利権政治がはびこる州としても有名になった。特定のカーストを優遇することで支持を獲得し、容赦ない暴力がそれを支えた。州内の多くの地域、とりわけ荒涼とした東の周縁部は、犯罪集団――多くは政党が引き込んだ者――の支配下にあると言われた。アキレーシュ・ヤーダヴは州首相としてこうした州のネガティブなイメージを払拭しようとした。彼はオーストラリアで教育を受けたが、四十代前半になって上品ぶった態度はおくびにも出さない普通のインド人として登場した。若妻のディンプルはボリウッド映画のヒロインかと見紛うルックスだったが、彼女の存在も政権にささやかな魅力を添えた程度だった。

執務室で取材に応じた若きヤーダヴは、立て板に水を流すような口調で州政府の実績について説明した。各種工場への投資、警察や救急車を呼ぶときの無料電話の開設、ラクナウからニューデリーまでの有料道路の新設といった具合だ。ナレンドラ・モディと同様、彼も大型インフラプロジェクトやテクノロジー重視戦術を好み、子どもを対象としたノート型パソコン一〇〇万台配付スキームを展開した。彼の指揮下で電力問題が改善し、主要都市では停電はなくなり、「農村では一日一六時間から一八時間」電力が供給されるようになったと彼は言う。彼は州内で急増する若年人口についても触れ、自分の選挙運動に駆けつけた若者について熱く語った。「聴衆を見渡すと、彼らは青いジーンズをはいていて、携帯で写真を撮っていました」。その日の前半、州の片隅にある町で行われた集会に参加したときの様子について彼はそう語った。「わたしたちは非常に透明性の高い時代に生きているということの証明ですよ」

自覚のイメージをクリーンなものにしようというヤーダヴの試みは、部分的にしか成功しなかった。依然としてUPは経済発展の州別ランキングで下位に低迷し、犯罪のランキングでは上位をキープしていた。州の地方紙は殺人、誘拐、放火といったニュースで埋め尽くされていた。わたしがアキレーシュ・ヤーダヴに会う前、党組織の運営をめぐる彼と父とのあいだの反目が表面化し、数カ月にわたってメディアを賑わせており、彼のクリーンなイメージが損なわれることになってしまった。UPでは毎年一〇〇万を超える若者が労働市場になだれ込んでいくが、豊かな西部や南部諸州のような産業開発がほとんど進んでいない同州では、提供できる雇用機会はきわめて限られていた。社会指標も惨憺たる水準のままで、とくに女性に対する性被害が大きな問題だった。二〇一四年、ムラーヤム・シン・ヤーダヴは、レイプが多発している事態について「少年が過ちを犯すこともある」という軽率な発言をしたと報じられたことで、性犯罪を擁護しているのではないかと非難を浴びたこともあった[6]。

ほかの貧しい北インド諸州――UPのすぐ南にあるマディヤ・プラデーシュや東で州境を接するビハールなど――にしても、先述した指標という点では大して変わらない状況にある。しかし、その規模と象徴的な重要性ゆえに、UPはとくに注目を集めてきた。同州は過去一五人のインド首相のうち八人を輩出し、ヴァルシュネイが言う三つの「基本的な言説」のすべてで中心的な舞台となってきた。最初は国民会議派の牙城、世俗的ナショナリズムの基盤として。次いで、一九九〇年代に起こったBJPによるヒンドゥー・ナショナリズム再覚醒の舞台として。そして、ヤーダヴの父やカリスマ的ダリット政治指導者のマヤワティの州首相就任が示すように、新たな低カースト政治の発祥地としてだ。しかしこうした段階を経ながらも、経済となるとUPはほとんど発展を達成することができなかった。その理由の一つは、同州がインドの民主主義に変化をもたらした四つ目の要素の先駆けだったことにある。中央選挙管理委員会の元委員長シャハブッディーン・クライシの言葉を借りれば、「銭力《マネーパワー》」の台頭だ。

汚れた民主主義

インド政治にカネが流入するようになった近年の事態がなぜ重要なのか。それは、立憲政治という観点で史上もっとも注目すべき実験の一つであるインドの民主主義が汚されてしまっているからにほかならない。一九四七年以降、インドは議会制民主主義を全面的に実践してきた。当初の予想に肯定的なものは見当たらなかった。近代の学術モデルでは、貧しい国では民主主義がうまくいくことはまずないというのが定説だったからだ。ポーランド系アメリカ人の政治学者アダム・プレウォルスキーは、次のような研究結果を発表したことがあった。ＧＤＰが一定レベル以下――具体的には一人当たりで六〇五五ドルを下回るケース――の国は、民主的な政府を維持することはほぼ不可能だ、と。(7)独立時点でインドのＧＤＰはそのラインに遠く及ばなかった。さらにインドは階層によって大きく分断された社会であることに加え、国のかなりの部分が農村で、読み書きができない割合は人口の五分の四にのぼっていた。教科書のモデルどおりにいけば、分離独立によって誕生した隣国パキスタンがそうだったように、インドもほどなくして専制主義に転落する可能性が高いと見られていた。「豊かな国の大半は民主主義国だし、民主主義国の多くは豊かだが、そのなかでインドはもっとも驚くべき例外だ」。政治学者のサミュエル・ハンチントンはかつてそう論じた。(8)

インディラ・ガンディーが「非常事態」を布告した一九七〇年代半ばの混乱を除き、この不安定な立憲政治の実験はなんとか成功を収めてきた。「インド政治にかつて存在した信頼性は損なわれてしまった」。学者のスニル・キルナーニーは一九九〇年代後半に著書『インドの理想（*The Idea of India*）』で、インド政治で世俗的ナショナリズムが退潮していることに触れた際にそう指摘した。「とはいうものの、壮大かつ往々にして激動だった半世紀を通じて、一つの力強い継続性が見られた。それは民主国家の存在である」。キルナーニーのようなリベラル派の多くは、インドの世俗的なアイデンティティが損なわれ、それが宗教やカースト、言語に基づいた強力な政治運動によってもたらされていることに懸念を抱いている。民主的統治の複雑さゆえにインドの経済発展は遅々としており、とりわけ中国のようなインフラ整備ができていないと考える者もいる。とはいえ、インドの民主主義が成功したのは確かだ。言語的にも民族的にも中国をはるかに上回る水準で多様であり、ヨーロッパ諸国のように簡単に分裂しうるインド亜大陸を一つにまとめたのだから。

政治に巨額のカネが流れ込んだからといって、投票にまで腐敗が蔓延したわけではなかった。たしかに有権者の買収を示す証拠は数多くあったが、それでもインドの選挙はおおむね自由かつ公正に行われ、投票結果そのものが改竄されたとする証拠はまずなかった。「選挙倫理規定」という強力な武器を備えたインド中央選挙管理委員会は、容赦ない警察官として振る舞っている。騒々しい街頭選挙運動は禁止されており、投開票作業は驚くほど低コストで行われている。真の問題は、政党の選挙運動コストが法外なレベルにまで高騰していたことで、各党は巨額の資金を違法なかたちで調達せざるを得なくなり、多くの場合その供給元は大企業だった。政党指導者はその見返りとして、十九世紀ニューヨークのタマニー・ホールの規模がかわいく見えるほどの資金や権力を備えた政治マシーンをつくり上げてきたのである。

金権政治の悪影響は、ヴィニート・ヴィクトルからすればこの上なくはっきりしたものだった。わたしがこの男性と出会ったのはUP州東部のとある沿道で、アキレーシュ・ヤーダヴに取材をした数日後のことだった。二月下旬の暖かい土曜日の朝、青空が広がるなか、わたしはガンジス川の湾曲部に近い小さな町に立ち寄った。聖地ヴァラナシから、未舗装の部分も多い穴だらけの道を車で二時間かけてたどり着いた。数日後にはラクナウに行く州議会議員を選ぶための選挙が予定されていた。二輪車が爆音を立てて走り過ぎていくその脇で、わたしたちは立ち話をした。すぐ隣にはスナックやタバコを売る掘っ立て小屋があり、日よけ代わりの防水シートが二本の棒で支えられていた。近くにモスクがあり、木々の向こうから緑と白のミナレットが四つ姿をのぞかせていた。

ヴィクトルは地元の学校で教師をしていたが、ジーンズとライムグリーンのポロシャツ、それにシャープな印象の縁なし眼鏡という外見から、会計士かITコンサルタントであってもおかしくない雰囲気を醸していた。アキレーシュ・ヤーダヴは誠実な人間のように見えるが、現地で大きなプレゼンスを持つ社会主義者党は「ダコイト（強盗団）」だらけだと彼は言った。社会主義者党の州政府は彼の町に何もしてくれなかった。一方で、数年前に地元自治体のトップに選出された同党所属の女性政治家は、一気に資産を増やしたという。ヴィクトルはその女性を「ベーグム」――「権力のある女性」という意味――とだけ呼んだ。「カネは全部あの人たちの懐に入ってしまうんですよ」。その政治家と家族について彼が言った。「あの人たちはまともな家に住んでいたわけでもなかったし、まともな車もありませんでした。それがいまではあるとあらゆる設備が整っているんです」

わたしたちの周りには大勢の人びとが集まり、権力を手にするため多額のカネをつぎ込み、私腹を肥やしたほかの政治家の話を教えてくれた。州の貧困対策スキームに使われるはずの資金が個人的な目的に費やされたり、建設作業契約や政府での仕事を得るために賄賂が渡されたりしているとの説明があった。警察はヤーダヴ・カーストで占められており、ムスリムやクリスチャンは言うに及ばず、ほかのカースト集団から苦情が出てもほとんど関心を示さないという。ある者が言うには、屋内にトイレを新設する村人にその費用を支給する新たな取り組みがあるが、そこからカネを吸い取ろうとする不正があるそうだ。政治家と設備業者がぐるになって、偽のトイレの写真を使って政府の手厚い補助金を申請する手口だという。

「ぼくたちみたいな庶民は、一生かけて働いたとしてもああいう財産を手にすることは無理なんです」。悲しげな表情を浮かべながらビクトルが言った。それでも自分はまだましなほうだと彼は考えていた。学校の教師という仕事がある。大きくはないが水道が通っている家があり、そこで妻や二人の子どもと暮らしているからだ。彼の手首にはカルヴァンクラインによく似たロゴが付いた大ぶりの時計があった。近所でここまで恵まれている人はほかにはいません――彼はそう言った。まともな仕事はほとんどなく、男たちは農作業や建設現場で働くしか方法はなかった。この地方の若者のうち、少なくとも半分がラクナウかニューデリーに出稼ぎに行き、運がよければドバイまで行ける。一〇年前、彼もヨーロッパに行って仕事を探そうとしたことがあったが、年老いた両親の面倒を見るため最終段階で計画を諦めたとのことだった。

ヴィクトルが住んでいたのはUPの「犯罪《クライム》ベルト」の中心部で、ダコイトやマフィアのボスが登場するボリウッド映画の舞台としてよく登場する、「ワイルド・イースト」と呼ばれる地域だった。しかし、この地域を旅して感じたのは、無法地帯というよりはそこに漂う無気力だった。特筆すべき産業と言えばれんが製造くらいしかなく、マスタードや小麦を栽培する畑が広がる美しい景色のなかに煙を吐き出す煙突が点在していたが、それ以外に工場らしきものは皆無だった。大きな町に出ると、発展を感じさせるしるしをいくつか見つけることができた。携帯電話の電波受信塔が道路脇にそびえ立ち、衛星放送受信のための皿状のアンテナが壁の外に突き出ていた。こうした壁のほとんどは少なくともれんが造りだったが、村内の道を少し逸れるだけで、足もとは泥でぬかるみ、「クッチャ」と呼ばれる、藁《わら》と泥で造られたぐらぐらしそうな古い家が目に入ってきた。

この地域の大規模な都市は総じて人であふれ返り、雑然としている。通りの端にはごみがうずたかく積み上げられ、空はスモッグが立ち込めている。しかしこうした場所ですら、セメント袋の広告や有名なヨガの導師が経営する企業が作ったアーユルヴェーダ製品を宣伝する看板が道路脇に設置されており、豊かになりたいという切実な思いが伝わってきた。なかでも数がもっとも多かったのは教育関連の看板だった。「DPSワールド・スクール」「聖マーガレット・カレッジ」「神聖《ディヴァイン》パブリック・スクール」といった具合だ。こうした看板があらゆる町で何十枚も掲げられていた。これらの一つひとつが示していたのは、新しい家や適度な消費生活、子女への教育機会といったささやかな経済的成功ですら実現することができない地域から脱出し、どこか別の場所で仕事を見つけられるというチャンスの約束だった。

カッチャワンの町でヴィニート・ヴィクトルは、UPの低成長はカースト政治と腐敗の合体が原因だと指摘した。今度の州議会選では買収が横行することになるでしょう、と彼は言う。さまざまな党が投票日の前日に村で各戸を訪ね回り、酒やカネを配っていた。アキレーシュ・ヤーダヴに話を聞いた際に彼がしていた自慢話を思い出し、現地の電力事情について尋ねてみた。ヴィクトルはコンクリート製の電柱から伸びる黒い電線を指さした。周辺の村とは異なり、カッチャワンは比較的最近のこととはいえ電気が通っているのだと彼が説明した。わたしたちが立っていたところも含め、いくつかの道路には街灯がついていた。「しっかりした電線が来ていますから、ここのところ電気はちゃんと通っていますよ」と言い、選挙前の数カ月にわたり電力事情は不思議なほど改善されたと補足した。しかしひとたび選挙が終われば状況は悪化に転じ、数カ月で到来する焼けるような夏のなかで、一日わずか六時間から八時間程度しか電気《パワー》が来ない状態に逆戻りするだろうと予測していた。「ぼくたちは選挙の前なら力《パワー》がありますが、結果が確定してしまえば何も残らないでしょうね」

偽装結婚式にうってつけの日

インドの民主主義は安上がりというわけにはいかない。過去三〇年で、選挙に候補者を立てた政党の数は激増し、独立後間もない時期は十数党しかなかったのが二〇一四年には五〇〇近くにまでなった。[9]このうち全国レベルで主要なプレーヤーとなっているのはごく一部だけだが、政党の増加によって各地の選挙が三党や四党の争いになることが多くなり、選挙戦をより激しく、カネのかかるものにしていった。有権者登録をした国民の数も急増し、二〇一四年には八億一四〇〇万人に達した。[10]そうしたなか、インド経済の急成長によって政治権力の価値――そこから何を搾り取れるかという意味――が高まり、権力を維持しようとするため各党が費やすカネの総額をさらに押し上げる結果をもたらした。選挙運動資金をチェックする規定はなく、帳簿に載らない資金を提供してくれる企業が数多くあるなかで、問題はむしろこうだった。「いくら資金を調達できるか?」

大規模選挙集会は選挙運動費の使途という点では氷山の一角にすぎない。UPに滞在していたある日の午前中、わたしは群衆をかき分けて、支持者がひしめく広場でナレンドラ・モディが演説するのを聴きに行った。会場は州の東端にある、デオリアという発展から取り残された感のある埃っぽい町の郊外だった。数万人にのぼる聴衆はほぼすべてが男性で、サフラン色の服を着た熱心な支持者が旗を振ったりBJPのスローガンを叫んだりしていた。地元の村人は数人のグループに分かれて近くの家の屋上に陣取り、ショーが始まるのを待ち構えていた。インドの政治家は地方の集会に駆けつける際にヘリを使うことが多い。長時間の移動や道路の渋滞を避けることが主な目的だが、劇的な演出のためという側面もある。水平線のかなたから小さな点のようなものが出現し、次第にバタバタバタというローター音が大きくなり、砂埃を巻き上げながら着陸する――そんな到着までのプロセスも、そのあとに始まる行事を盛り上げていた。ただ、着陸までのシーンを見届けると出口へと向かう参加者がいるのもよくあることだった。ヘリはステージのすぐそばに駐機されることが多かったが、それは演説する者の力を視覚的に象徴するためだった。自らが突出した存在であることを誇示するかのように、モディはこの日の午前中、軍用ヘリ一機ではなく三機——攻撃されるリスクを分散させるためか——で到着した。

ステージのかたわらにヘリ三機が駐機するなか、モディが演説を始めた。彼は明るい黄色のチュニックに身を包み、オレンジと緑のスカーフを肩にかけていた。アキレーシュ・ヤーダヴの実績に対する批判や断行されたばかりの高額紙幣廃止の擁護といったテーマをヒンディー語で一時間近くにわたり訴えかけた。彼の話術に聴衆はすっかり魅了された様子だった。演説のなかで、名指しこそしなかったが「ハーヴァードとオックスフォードの知識人」を嘲笑するくだりがあった。ディマネタイゼーションを強く批判していたアマルティア・センと前首相のマンモーハン・シンを指しているようだった。「ハーヴァード出身の知識人がいるけどね」。嘲りをにじませた口調で彼が言った。「もう一方にいるのは、貧しい母のもとに生まれ、勤勉を通じて経済を変えようとする息子なんです[11]」。モディは両手を使った力強いジェスチャーと長い間合いで聴衆の心を操っていた。片方の肘を演台に乗せて前に身を乗り出すポーズをよくとっていたが、その仕草はあたかも聴衆を招き寄せて秘密を打ち明けるかのようだった。ポイントを強調するときには、演台の両端をつかんでから話のスピードを遅くし、左から右へと聴衆に目をやった。そこからペースは加速に転じた。片方の腕を振りかざし、もう片方を空に向かって突き上げ、立てた指を揺らしていた。「自分は貧しい者を助けるために生まれてきました。だからいま、あの人たち［豊かな者］はみんなわたしを攻撃しているんです。彼らが攻撃しに来たとき、誰か守ってくれる人はいますか？」演説の終盤、彼はそう問うた。「おれたちです！」聴衆が叫び返した。

モディが演説をするなか、わたしは会場を見回し、コストを計算しようと試みた。ヘリ以外にも、ステージ、音響機材、地元有力者向けの座席や天幕があった。長さ一メートルの木製の警棒で武装した数百人の警備員が、せり出してくる聴衆を押しとどめていた。オレンジの旗、キャップ、ベストが支持者に手渡されていた。彼らの多くは周辺の町から会場までバスで送ってもらっていたが、数百ルピーが支払われていたかもしれなかった。複数の推計によると、この種の大規模集会、とりわけ大都市で開かれる場合の経費は、一回当たり一〇〇万ドルを優に上回るという[12]。これとは別に、現代の選挙ならではの諸費用がある。世論調査会社への委託料、選挙コンサルタントへの謝礼、道路脇に貼るポスター代、テレビ広告の出稿料、フェイスブックのページ運営関連経費といったところだ。この結果、十九世紀型の手法と二十一世紀型の手法が一つになり、両方の費用がかかるようになった。

正式な選挙資金報告は、各党が実際に費やした金額のごく一部でしかない——モディの演説を聴きに行ったときから約一週間後、元中央選挙管理委員長のシャハブッディーン・クライシはわたしにそう語った。元ＩＡＳ官僚のクライシは、二〇一〇年に「選挙の番人」と言えるこのポストに就任した。完全な白髪と歯に衣着せない物言いで、彼は歴代委員長のなかでもかなり際立った存在になった。彼はこう言った。「最初の記者会見のときから、自分たちはあらゆる『銭力』を追及し、新たなショック療法を使っていくと明言しました」

それからの数年のなかで、クライシは各党が有権者を買収する際の巧妙な手口をリスト化した。「どれもすごく手が込んでいましたよ」と彼は言う。「現金を渡す者もいますが、方法はほかにもあります。偽装結婚式をやって村人を酒食でもてなすとか、あるいは携帯電話を渡すとか。ＳＵＶ、サリー、仕事、思いつくものならほとんど何でもです」。彼の自伝には、四〇あまりの手口の概要が掲載されている。村の顔役を通じた現金のばらまきに始まり、太陽光電灯、薬物、牛、肥料の提供などさまざまだ。ただ、どれが効果的だったのかはなんとも言えないという。彼の直感では、政党は候補者が何をしているか承知しており、浮動層の支持を獲得したり支持層に確実に投票してもらえるよう、金品を注意深く配分していた。それらを受け取っても、誰に投票するかは有権者次第だった。とはいえ、ライバルが無料の品々を提供しているなかで、自分たちがそれを拒否してしまえば、少なくとも負ける可能性が高まることは確実だった。

選挙管理委員会の規定では、政党は収支報告書を提出しさえすれば、いかなる使途でも資金を使うことができた。BJPは二〇一四年に七一億ドル（一億一一〇〇万ドル）を使ったと認めているが、それですら実際の額のほんの一部でしかないと専門家の多くは考えている。[13] なお、個別の政治家に対しては厳格な上限があった。二〇一七年のUP州議会選の場合、候補者一人当たり四万三〇〇〇ドル、前回〔二〇一四年〕総選挙の場合は一〇〇万ドルあまりと定められていた。[14] 内輪の会話では、ほぼ全員がこうした規制には何の意味もないとばかにしていた。BJPの幹部政治家ゴーピーナート・ムンデーは、ほんの一時期だったが西部マハーラーシュトラ州で下院選に勝つためおよそ八〇〇〇万ルピー（一二〇万ドル）を費やしたと公に認めたことで物議を醸した。[15] ムンデーはすぐさま発言を撤回したが、クライシいわく、これはほかのインド各地でも同じで、多くの政治家が数百万ドルを費やしているそうだ。彼が続ける。「鉱山採掘とか酒類とか不動産といった業界の経営者がいますから、カネの供給源に不足はありません……彼らの考え方はこうです。使えるカネはたんまりとある。それでうまくいくかもしれないし、うまくいかないかもしれない。でも、やってみなきゃわからないだろうってね」

こうしたカネの流れを捕捉するのは不可能に近かった。選挙管理委員会は職員を選挙運動イベントに派遣し、投票日までに現金がインド国内を車やプライベートジェットで運ばれる流れを突き止めようとした。選管によると、UP州内だけで、選挙戦が始まって最初の数週間で一八〇〇万ドルのほか、酒類二〇〇万バレルと薬物二七二五キログラムを押収した。[16] これらはいずれも浮動票を獲得するために用意されたものと見られている。しかし、クライシが一つの買収手口を禁止しても、その一方で政党側はすぐさまほかの方法を編み出していた。インドで民主主義が始まってまだ間もないころに存在した問題の多く——選挙に必要な資機材の不足や投票所での暴力事件など——は解決されてきたと彼は主張した。ところが、違法献金の拡大については収まる兆しが一向になかった。会話の終盤、彼はこう言った。「わたしたちは『銭力』の問題をコントロールできていません……どの党も、どの候補者も規定を破っています。誰が捕まるかというだけの問題になっているのが現状です」

「キャパシティ」のある男

インドの違法選挙資金の実態を垣間見たことで、さらなる疑問を持たないわけにはいかなかった。そもそもこのカネの出所はどこなのか？　規定上は、大企業は選挙限定の「基金」を通じて支持したい政党に献金することが可能だが、そうした献金団体を実際に立ち上げたコングロマリットはごくわずかしかなかった。[17] 企業をはるかに上回る額の献金が個人によって行われているが、名前を申告する必要があるのは二万ルピー（三〇〇ドル）以上の献金の場合のみだ。[18] それ以下の場合、匿名による献金で差し支えなかった。その一方で、規定を回避すべく一口一万九九九九ルピーの献金を複数回行うことを禁止する規定は存在しなかった。以前ですら、こうした正式な献金ルートは、各党がひそかに入手するものも含めた資金総額のなかではほんの一部にしかすぎないと選挙資金の専門家の大半は見ていた。ある報告書の推計では、二〇一四年の総選挙では全体で五〇億ドルが費やされたが、およそ五分の四が違法に調達され、かつ使われることになったという。[19]

「ブラック」な政治資金について公開の場で進んで語ろうとする政治家は皆無に近い。そのなかで、ラジーヴ・ゴウダは例外的存在だ。彼は社交的な経済学者から国民会議派所属の国会議員に転じた人物で、わたしに会ってくれたのはＵＰ取材に行く約半年前のことだった。二〇一四年、ゴウダは「ラージヤ・サバー」と呼ばれるインド上院で、南部カルナータカ州から議員に選出された。ウォートン校

〔ペンシルヴェニア大学のビジネススクール〕とカリフォルニア大学バークレー校で学んだ彼は、キャリアの大半をアメリカで過ごし、行動経済学や金融リスク論についての論文を量産してきた。バンガロールに戻った彼のことを知ったのは、政治にカネが及ぼす悪影響について書かれた比較的最近の記事を通じてだった。選挙運動資金について関心を持ったのはフラストレーションがきっかけだった——彼は電子メールでそう教えてくれた。彼自身が以前、選挙に立候補しようと試みたが失敗したという経験をしていたのだ。

わたしたちは、ニューデリーにモンスーンが到来している最中の二〇一六年八月のある日、夜に会うことにした。その晩、雨は降っていなかったので、わたしはオートリキシャでローディー・ガーデン——十五世紀の陵墓が点在する緑豊かな公園——の外れに面した彼の議員宿舎を訪ねた。ゴウダはシンプルなネルー・ジャケットとぱりっとした白いシャツを着て、正門の前で待っていてくれた。彼は五十代前半で、矢継ぎ早に言葉を発した。学生の注意をそらすまいと懸命な大学講師のように、疑問文で終わる話し方が特徴的だった。少ししか家具のないリビングでワインを飲みながら、彼は父も祖父も政治家で、自分が帰国したのもそのあとに続こうと考えたからだったと説明した。

有名な家の出であることに加え魅力的な経歴を持っていたことで、当初ゴウダは楽観的だった。彼は「ローク・サバー」、すなわちインド下院の選挙区から立候補できないかと党関係者に感触を確かめたり、打診を試みたりした。ところが、そうした試みはあちこちで拒絶されてしまう。「わたしに十分な選挙資金がないことがわかるや否や、彼らは突然興味を失ってしまうんです。わたしが何を言わんとしているか、わかるでしょう?」と彼は言った。あちこちの選挙区で立候補できないかと試みたが、どこでも駄目だった。「彼らが考える『勝てる候補者』というのは、ブラックマネーを大量に持っていそうな人間のことですよ。わかります?」彼はさらに話を続けた。「この男は完全な悪党だから、一緒にいるところなんて見られたくないとわたしたちは思います。でも彼らはこう考えるんです。『こいつこそいいやつだ。なんと言ってもカネがある。キャパシティがある男だな』、とね」

「キャパシティ」とは、党の活動員に給料を払い、ボランティアに食事を提供し、彼らに車やバスといった移動手段を提供できる能力のことを意味した。選挙集会や演説会、広告やエンターテインメントにカネを出せる能力でもあった。資金の必要性は、「ブース」費用という基本的なところから発生していた。各選挙区には一〇〇〇以上の投票ブースがあり、そこでの対応を意味していた。「党が関与してくるのも高くつくんですよ」。ゴウダが笑みを浮かべながら言った。「党はこう言ってくるんです。『いいでしょう。わたしたちが行って、あなたの選挙区で集会を開きましょう。有名なゲストも連れていきますよ』。でもその費用は誰が負担しますか？　それをなんとかして捻出しないといけないのです」。投票日が迫り、現金がばらまかれるようになると、前にも増して「キャパシティ」が重要になった。カネさえあれば常に当選は確実というわけではなかったが、それなしには選ばれる対象になる可能性すら小さくなってしまうのである。

結局ゴウダは下院での出馬を断念し、上院で議員のポストを確保することにした。上院の場合、議員は任命されるので、選挙を勝ち抜く必要はまったくない〔厳密には、有権者による選挙を経ないという意味で落選の可能性は低いが、各州議会議員による選出作業は行われる〕。しかし、限られた手段しかないほかの候補者は、潤沢な資金を持つ支援者を開拓し、自分にはない「キャパシティ」を提供してくれるよう依頼せざるを得なかった。地元の財界人にアプローチした者もいた。州議会や自治体レベルの議員と関係を築き、自分に代わって資金調達を依頼するケースもあった。「実際のところ、下院の選挙に出られるなどとばかげたことをよく考えたものだと思いませんか？」ゴウダがわたしに訊いてきた。「そういう問題を十分クリアできると考えたネットワークがあったから、自前の資金がなくてもやっていけると思ったんですよ」

これとよく似た話は、中央政界にいる別の有名政治家から聞いたことがあった。下院の激戦区で勝つ

ために は、少なくとも「六〇〇〇万か七〇〇〇〇万（ざっと一〇〇万ドル）」が必要なのだという。運がよければ、この一部は所属政党が支給してくれることもある。しかし、それでも大半は自分で捻出しなくてはならない。ゴウダが説明を続ける。「すごく運に恵まれていれば、地元政界で円滑に事を進めてくれる有力者を一人見つければそれで済むでしょう……あなたのことを信じると言ってくれて、すぐに見返りを求めない人物であることが理想的です」。素直に支援を提供してくれるビジネスマンを見つけることができなければ、地方政界の有力者が次のターゲットになるケースが多い。「顔も知らない誰かがあなたの名前で資金調達を肩代わりしてくれるんですよ」とゴウダは言う。こういう経緯で、政治家本人はクリーンだとしても、腐敗のシステムに否応なしに引き込まれてしまう。「悲しいことですが、これが現実なのです。ほかに方法はないのですから」

政治家と支援者の関係は多くの場合、信頼関係に基づいており、双方とも協力の詳細を明かそうとはしたがらない。政治や社会に対する問題意識から資金を提供し、見返りはほとんど求めない者もいる。南インドで党組織の運営に携わるある政治家は、傘下の政治活動員で、新聞販売の仕事から地元の議会選挙で当選した者の例を話してくれた。この男性は周囲から非常に好かれていたが、資金に乏しく、市内を移動するときにも自転車を使っていたほどだった。政治家は彼に州議会選挙に出てほしいと考えていた。「こう言ったんです。『選挙に出馬するんだよ』とね。すると彼は涙を流しながら言いました。『先生、わたしには車がありません。どうやってやれとおっしゃるんですか？』でも彼の人気は高いし、選挙に出れば勝てることはわかっていました。そこで何をしたと思いますか？　ビジネスをやってる知人のところに行って、『もう一台車があるでしょう。あれを彼に使わせてくれませんか』と頼んだんです。次に別の知人のところに行って、『この男には新しい服が必要なんです。ちょっと用意してやってくれませんか』とお願いしました。そうやって、みんな協力してくれましたよ」

ただし、資金提供者の大半は協力と引き換えに見返りを要求してくる。当選するために多額の投資をした政治家も、手にした立場を活用してコストの回収にかかる。こうした地方レベルの問題はニューデリーで何倍にも増幅する。高騰する選挙運動コストという問題に直面する全国レベルの党指導者は、気前のいい大企業経営者への依存をさらに強めていくからだ。要するに、インドの「銭力」システムのもとでは、誠実な者が選挙で勝つことは事実上不可能になっている。ラジーヴ・ゴウダが言う。「今日の政治家について考えてみましょうか。『これはすごい、あの人のようになりたいものだ』とは考えません。『これはひどい、あの野郎はなんで資産の一部でもこっちにくれないんだ？』と考えるのが普通です……制御不能な状態に陥っており、それはこれからも変わらないでしょう。制限はないですし、いわば軍拡競争みたいなものです」

ムラーダーバードの『ザ・ソプラノズ』

ＵＰ州議会選の結果は、三月初旬に最後の投票プロセスが終わってから数日後の、土曜日の午前中に発表された。アキレーシュ・ヤーダヴの希望は粉々に砕かれた。若き州首相は二期目を獲得すべく粘り強い選挙戦を展開したが、そうした努力もむなしくＢＪＰが地滑り的大勝利を収め、ナレンドラ・モディがインドの中心部で展開した訴えの強力さをあらためて思い起こさせた。腐敗との対決と雇用の創出というモディの公約は、ヒンドゥー教徒の誇りに鋭く訴えかけるアプローチとも相まって、ＢＪＰの伝統的支持基盤を大きく超えて勢力を広げ、州議会の全選挙区のうち約五分の四で勝利するという結果をもたらした。選挙結果は首相への信任を意味するとともに、悪い意味でＵＰの名を知らしめた犯罪とブラックマネーが蔓延する州政府に対して有権者がノーを突きつけた格好でもあった。

ＵＰの政治家は他州の者よりあからさまにブラックマネーを使っているが、主要政党はどこも同様のゲームを展開している。なかには特筆したくなるほど斬新な方法で資金調達をしている者もいる。西ベンガル州首相を務める小柄なママタ・バネルジーは、過去一〇年の大半にわたりインド東部の同州を統治してきた政党「草の根会議派《トリナムール・コングレス》」の資金調達のため、アートに目を向けた。アマチュア画家でもある彼女は、親交のある企業経営者の多くに自分の作品を購入してもらうというかたちで二〇〇万ルピー（約三万一〇〇〇ドル）を献金してもらったと説明しており、合法的に高額資金調達をするための芸術的手法《アート》を編み出した。[20]大半の指導者にとって資金調達の方法はかなり限られていた。金持ちを自党に引き入れて彼らに資金提供を要請するか、外部で金持ちと交友関係を結び、そこで資金提供を要請するかしか方法はなかった。巨額の費用という現実を前にして、気の遠くなるような長い資金調達プロセスにわたしは衝撃を受けることがたびたびあった。一方で資金を引っ張ってこなくてはならないという絶え間ないプレッシャーがあり、他方で見返りを用意しなくてはならないという内心の推測や覚悟、負い目に政治家はさいなまれていた。

いわゆる「カロールパティ」政治家――一〇〇〇万ルピー以上の資産を持つ者のこと――が劇的に増えたことは、カネがものを言うという近年のインド政治の現実を如実に示すものだった。あの三月の土曜日にUP州議会議員になった者たちのうち、四分の三以上が「カロールパティ」、すなわちざっと一五万ドル以上の資産を持つという基準を満たしていた。国政レベルでは、議員は平均で少なくとも二〇〇万ドルの資産を持っていた。[21]さらに、本物の金持ちもいた。各党が上院に安泰な議員の椅子を用意して引き入れた企業家である。二〇〇〇年代半ば、社会主義者党は、当時UP州で投資事業を行っていたアニル・アンバニを自党所属の上院議員として当選させた。UP州で多数者社会党（BSP）を率いるダリット指導者のマワヤティは、州首相在任期間中に卓越した資金調達スキームをいくつも編み出したことで評判となった。そのうちの一つは「チケット」、つまり同党公認で選挙に立候補することだが、その権利をカネと引き換えに渡しているという疑惑だった。マヤワティは否定しているが、ウィキリークスが暴露したアメリカの外交公電によると、二〇〇九年総選挙でBSPの「チケット」を得るための「相場」は「およそ二五万ドル」だったという。[22]「マヤワティ――ある淑女のポートレート」という詩的なタイトルがつけられたこの公電では、彼女が州首相を複数回務めた際の越権行為をめぐる疑惑が記されている。「彼女が新しいサンダルが欲しいと言うと、誰も乗っていないプライベートジェットをムンバイに飛ばしてお気に入りのブランドのものを持ち帰らせていた」。公電の起案者はそう指摘する。こうした話はインド警察の関心をたびたび招くことになった。しかし、当局がさまざまな腐敗疑惑について長年にわたる捜査を展開してきたが、彼女は断固として否定し、不首尾に終わった。[23]

資金調達の必要性はもう一つ残念な副作用を引き起こした。絶え間なく続く、犯罪歴のある政治家の増加だ。多くの国では、犯罪にかかわった可能性のある候補者は有権者から排除される。ところがインドでは、BJPや国民会議派のような政党ですらそういう候補者を積極的にリクルートしているのだ。二〇一四年に当選した下院議員のうちざっと五分の一が誘拐や恐喝、殺人といった「重大な」犯罪歴を持つ者で、この割合は一〇年前と比べてほぼ倍増している。[24]有権者はこうした候補者を拒絶するのではなく、暴力や強要を断固とした力の表れと見なし、犯罪歴のある政治家なら州から自分たちを守ってくれたり、逆に利益を引き出してくれたりすると受け止めている。「有権者の多くは投票する際、『犯罪歴があるにもかかわらず』ではなく『犯罪歴があるからこそ』そうした候補者を選ぶのである」。ミラン・ヴァイシュナヴは著書『犯罪が報われるとき』でそう記している。犯罪歴というバックグラウンドがこれほど魅力的であるがゆえに、犯罪容疑をかけられている候補者が当選する確率は犯罪歴のない候補者よりも三倍高くなっている。

こうした政治、富、犯罪の複雑な交錯について、ある日の午後説明をしてくれたのは、温和な雰囲気を漂わせるベルギー人の若き研究者、ジル・ヴェルニエだった。彼はニューデリーに移り住み、UP政治のアナリストとして高い評価を得ていた。「『ザ・ソプラノズ　哀愁のマフィア』〔一九九九年から二〇〇〇年代に放映されたアメリカのテレビドラマ〕とよく似ています。実際、あのドラマが驚くほどわたしの蒙を啓いてくれたんです」。白いクルターを着た彼は、ニューデリー南部郊外の自宅で甘いチャイを飲みながらそう語った。トニー・ソプラノが表向きは廃棄物管理コンサルタントとして資金を作ったことになっているのと同様に、UPの錚々たる経営者の多くも酒造や建設といったそれぞれの業種で合法的な基盤を持っていた。しかし彼らの活動の拡大は、犯罪的性格を持つほかのライバルとのあいだに軋轢《あつれき》を生む。ヴェルニエが解説する。「ビジネスが一定規模を超えると危険水域に入ります。だから守ってくれるものが必要になるのです。一つの方法は自ら政治家になること。もう一つは政治家に守ってもらうことです。頼られる政治家のほうは当然うれしいですよ。カネを持ってきてくれるんですから」。犯罪歴のある政治家の増加によって、政治システム全体に対する国民の敬意は低下した。しかしひとたび当選すると、こうした犯罪歴がある者は往々にしてポピュリスト的な庶民派の雰囲気を漂わせたロビン・フッドのような存在に転じた。ヴェルニエが言う。「こういう政治家がギャングかどうかは問題にならないのです……大事なのは気前がいいかどうか。犯罪歴がある政治家でも、強欲すぎると見なされれば吹き飛ばされてしまいます」

　酒造界の大物で金融業も手がける悪名高き男、グルディープ・「ポンティ」・チャダほどUPでときおり表面化する犯罪と企業、それに政治の結託を体現する者はいない。二〇一二年十一月、当時まだ五十二歳だったチャダは、ニューデリー南部の緑豊かな住宅街にある自宅で起きた銃撃戦で命を落とした。「チャダは権力側ときわめて親しい関係を築き、それによって企業家としての成功という比類なき名声を手にした」。ジャーナリストのメヘブーブ・ジーラニは『キャラヴァン』誌でそう記した[25]。彼は弟との不和が原因で射殺されたが、その死によって現代インド最強の悪徳経営者という彼のイメージはさらに高まることとなった。

チャダは長身で大きな太鼓腹を持ち、金持ちが着ていそうな服を好んだ。しかし彼は、ニューデリーから車で約三時間の距離に位置する工業都市ムラーダーバードの小さな家に生まれ、幼少期は貧しかった。父とおじが酒類の卸売業を手がけており、チャダもそこで十代のころから働き始めた。そこからわずか数十年で、彼は北インドの大部分で他を圧倒する酒の帝国を築くまでになった。彼は、暴力団を使ったり賄賂をばらまいたりすることでビジネスを拡大していった。それだけではなく、一九八九年にムラーヤム・シン・ヤーダヴの選挙戦を支援するため父に代わって現金の詰まった鞄を運ぶ役割を担った経験を通じて、政治家のパトロンになることの価値を認識するようになった。彼はヤーダヴの党に接近し、一九九〇年代にムラーヤム・シン・ヤーダヴが一回目の州首相を務めた際には権勢を振るった。チャダは酒造ビジネスに加えて、まず砂利採取業と不動産業に進出し、その後は砂糖精製業から食品加工業、ボリウッド向けの金融業など、あらゆる業種に手を広げていった。彼は、前出のジーラニが言う「ギャツビー式のファームハウス・パーティー」を通じてコネを築いていった。ちなみに「ファームハウス」とは、ニューデリーでは「豪邸」を意味する表現だ。市外の招待客はパーティーのために用意されたチャーター便に乗せてもらって参加した。ディワリ祭の時期になると、チャダがロレックスやオメガの腕時計を「何千個も」用意して渡す習わしがあるとメディアは書き立てた。知人の一人は当時のことをこう振り返っている。「みんな同じモデルの時計を着けているわけですよ。お互いにその時計を見て、どういうことなのか合点がいく、というわけです[26]」

チャダが謳歌したような政治家との共存共栄関係は一時的なものでしかなかった。「運び屋《バッグキャリア》」――カネの提供、保管、洗浄を請け負う役割のこと――を務めた企業人は、ひとたび支援する政治家が権力を失ってしまえば、瞬く間に逆境に追い込まれることはよくある話だった。しかしチャダはほかの者とは違う狡猾さを持っていた。当初はヤーダヴ一族の強力な支持者だったが、その後、最大の政敵だったマヤワティに乗り換えると以前にも増して栄華を極めた。UPの政治指導者にとっては、チャダとの関係は魅力的に映ると同時に深く考える必要がなかった。いくらでもカネを出してくれたし、見返りに求められるものも穏当な内容だったからだ。とはいえ、長年の政治家との関係を通じて、酒類の取扱許可証、廉価な土地、優遇税制の適用、警察による保護、司法による寛大な対応といった具合に、政治的配慮によってのみ獲得できる恩恵を彼が手にしていったのも確かだ。死の直前、チャダは社会的地位さえも手にしようと邁進した。手がけてきた各種事業を「ウェーブ」という不動産やショッピングモールを中心とするコングロマリットに統合したほか、子会社を設立して学校の無料給食という、うまみのある州政府事業の契約を獲得することにも成功したのである(27)。

チャダはUPでもっとも悪名高い経営者かもしれないが、その知名度ですら、カネと権力が交錯するなかで裸一貫からのし上がったもう一人の地元出身経営者からすればかすんでしまう。ラクナウに本社を置くコングロマリット「サハラ・インディア」の会長を務めるスブラタ・ロイだ。彼の場合も、キャリアの始まりは州東部の貧しい都市、ゴーラクプルでランブレッタのスクーターに乗ってスナックの配達をするという、地味な仕事だった。一九七〇年代後半、彼は「パラレル・バンキング」という小規模なビジネスを立ち上げ、農民やタクシー運転手、使用人といった通常の銀行では口座を開くことができない貧しい人びとを対象に、有利な利率の金融サービスを提供した。ロイの事業は何百万もの顧客を集めるまでになった。口座開設件数の増加にしたがって預金額も上昇し、その資金を活用して彼は金融や住宅からインフラ、消費財といった多岐にわたる一〇〇社以上の企業からなる帝国をつくり上げるに至った。ビジネスが最高潮に達したころは、航空会社を立ち上げ、F1チームのオーナーとなり、クリケットのインド代表チームのスポンサーとなって自社のロゴをユニフォームに載せ、ニューヨークのプラザやロンドンのグロブナー・ハウスといった外国のホテルを購入するまでになった。

ロイの富の拡大に合わせて、彼本人に対する個人崇拝も拡大していった。一〇〇万人以上にのぼるサハラの従業員は彼のことを「マネジング・ワーカー」と呼び、ロイが着ることの多い黒のベストと白のシャツに倣うかたちで、週一回は黒と白の制服、それに白い靴下を着用するよう求められた。ロイは長身でスリム体型、磨き上げた靴のような黒髪に丁寧に整えられた口ひげという風貌だった。長時間にわたるサハラの全社会議は社歌の演奏で士気を上げるところから始まり、ロイがそれを仕切った。出席者は開いた右手を胸に当てるというサハラ式の敬礼で互いに挨拶を行い、それを済ませてから「マネジング・ワーカー」が愛国主義の重要性を説いたり、「集団的物質主義」と彼が呼ぶ、超常的と言っていい内容の個人哲学について語ったりするのを拝聴した。[28] 数多くの突飛な特徴はあったものの、サハラのビジネスは成功した。一〇〇億ドル超の資産を持つに至り、きらびやかな空港ホテルの数々やインド各地で「タウンシップ」と呼ばれる高級住宅街を展開した。

ロイは私財を投じて「サハラ・シャヘール」という名の広大な施設をラクナウ東部に建てた。青々と茂る芝生が広がるなかに建物の白大理石がきらめき、講堂や映画館、ゴルフコース、クリケット場まであった。単なる豪邸というよりムガル帝国時代の要塞といったほうが近いこの場所でロイは隠遁者のように暮らし、ときおりボリウッドのセレブや政権の実力者が多数参加するきらびやかなパーティーに顔を出した。彼はどの政党とも接点があったが、ヤーダヴとのつながりはとくに緊密だった。二〇一二年にアキレーシュ・ヤーダヴが選挙に勝って州首相就任を確実にした夜、ロイは大規模な祝勝パーティーを開き、白のベンツで揃えた車列がゲストを豪邸の庭に送り届けていった。[29]「ポンティ」・チャダと同様、ロイとヤーダヴの協力関係もすぐさま経済的果実をもたらした。サハラは二〇〇〇年代になって不動産業にも進出して経営を多角化し、州内各地で広大な土地を取得していった。その後、ロイはインド国内で約一四〇平方キロメートルもの土地──ワシントンDCの面積の約四分の三に相当する広さ──を所有するに至るが、UP州での土地取得もその一環だった。[30] 驚くべきことに、ロイは公的に登記されたどのインド企業よりも多くの土地を所有していたが、こうした成果は政界に友人がいなければ事実上不可能だっただろう。

ロイの政界とのつながりはさらに深く、数百万にのぼる貧しい顧客から集めた預金のなかに、政治家が出所を隠そうとして持ち込んだ資金があるのではないかと質す者もいた。「サハラは政治家のカネも預かっているのか？」サハラについての著書があるジャーナリストのタマル・バンディヨパドヤイは、二〇一四年にロイに対し単刀直入に尋ねた。ちょうどこのころ、彼のビジネスに対し当局が厳しい目を向けるようになっていた。[31]「サハラはブラックマネーをホワイトマネーに変える装置なのか？」という疑問も提起された。サハラが同社の投資スキームは出資金詐欺に当たるのではないかという指摘を一貫して退けてきたのと同様に、ロイはいずれの糾弾についても明確に否定した。しかし依然として、サハラが具体的にどこから資金を調達したのかという問題は謎に包まれたままだった。二〇一二年、金融規制当局はロイに対し、三〇億ドル以上の資金を投資家に返還するよう命じた。[32] それから三年後、当時六十五歳だった彼はニューデリーのティハール監獄に送致された。別の金融商品をめぐる事件の審理に出廷しなかったとして、法廷侮辱罪に問われたためだった。それからの数年間、彼は監獄に出たり入ったりを繰り返した。ぐらついていたビジネスを立て直そうと奔走し、美文で飾り立てた自伝的なマネジメント本三部作を書き上げたほか、自分はいかなる不正もしていないと熱心に否定を続けた。

チャダやロイのような、かなりの額を献金してくれて信頼の置ける支援者は、喉から手が出るほど現金を欲している政治家にとっては問題を解決してくれるありがたい存在だった。縁故主義の連環は自己増殖していった。協力関係が強力であればあるほど、企業経営者は利益を挙げることができ、それを元手にさらに多くの額を献金できるというわけだ。ジル・ヴェルニエはこう解説する。「選挙のコストは急上昇していますす……単に毎回の選挙に費やすカネだけではないんですよ。パトロンとのネットワークを築くためのカネ、そもそも候補者になるためのカネが必要ですから」。政治指導者は権力を勝ち取るだけではなく、長期にわたり権力を維持しなくてはならない。有権者から見放されたとき――二〇一七年にアキレーシュ・ヤーダヴが苦杯をなめたときがまさにそうだ――に備えて、再起を図るための余剰資金も必要になる。ラグラム・ラジャンはRBI総裁在任中、こう指摘していた。「というわけで、この連環は自己完結しているのです……汚職政治家にとって、貧しい者へのばらまきや選挙での勝利を可能にしてくれる資金の提供元である企業人は、なくてはならない存在です。腐敗した企業人のほうも、公的なリソースや契約を安価に受注させてくれる汚職政治家を必要としています。そして政治家は貧しい者や恵まれない者の票を獲得する必要があります。どの選挙区でも、依存のサイクルのなかで互いに結びついているのです[33]」

UP取材が終わりに近づいていたころ、わたしは選挙運動費用の高騰とこれまで以上に増加しているブラックマネーの関係についての疑問を、ある日の夕方にパーティーで出会った政府高官にぶつけてみた。パーティーの会場は州東部のゴーラクプル――サハラのスブラタ・ロイがキャリアを始めた場所――にある政府関係者が所有する大きな邸宅の庭で、わたしたちは立ち話をしていた。ラクナウから東におよそ二七〇キロの距離にあるゴーラクプルは、ごみごみとして、くたびれた雰囲気の街だった。貧困と犯罪、暴力が混ざり合った悪質な状態がはびこるさまは、UPのなかですら悪名高かった。しかし、暖かく心地よい夜に邸宅の庭に立ち、蚊を手で払いながら進行中の州議会選について噂話をしていると、どこか遠い世界のことに思えた。

モディが行った高額紙幣廃止の実験によって、今回の州議会選で飛び交うブラックマネーの額はたしかに減少した——政府高官はそう言った。しかし彼はもっと大きな問題を認識していた。選挙にかかる費用は過去一〇年で急上昇しており、対策を講じなければ今後もさらに上昇する一方になる、と。その彼ですら、この州で「銭力」がとくに重視されている課題になっているかという質問には眉をひそめた。「ここでそういう問題はありますよ。ですが、UPは貧しい州だし、ゴーラクプルはとくに貧しいということを忘れてはいけません」。どことなく気分を害されたような表情を浮かべながら彼が答えた。北インドの汚職スキャンダルでは、本来貧しい者を助けるために用意された福祉プログラムからカネをかすめ取ろうという犯罪者がよくいる、と彼は教えてくれた。ただ、UPの場合、かなり大規模かつ儲かっている企業が大口の献金をしてくれるため、実は選挙運動費用は国内のほかの地方より相当限られているのだという。「本当にスマートな縁故主義というやつを見たければ」と、彼が笑みを浮かべながら言った。「南に行ってみないとね」

第7章　南インド式縁故主義

アンマの魅力

二〇一四年春のある朝のこと。わたしは個人崇拝の現場を見てみようと、チェンナイで街路樹が立ち並ぶ静かな通りを歩いていた。前方にはエレガントな白い三階建てのビルがあり、入口には旗がかかっていた。コロニアルな雰囲気を感じさせる場所で、一階の柱やバルコニーはギリシャ式だった。丸っこい文字は、そこが南部タミル・ナードゥ州の政治を三〇年以上にわたり支配してきた二大政党の一つ、「全インド・アンナ・ドラヴィダ進歩連盟」（ＡＩＡＤＭＫ）の党本部であることを示していた。前庭の小さな金色の像は党創始者の男性で、帽子をかぶり、分厚い眼鏡をかけ、勝利のサインとして腕を空高く掲げている。しかし、現在の党の顔によって彼の影は薄くなっていた。いま党を率いるのはジャヤラム・ジャヤラリターという名の、小柄だがパワフルな女性だ。四つの巨大な看板に笑みを浮かべていない彼女の姿があり、そのうちの一つは建物と同じくらいの高さだった。

南部の商都チェンナイは、ほかのインド都市部とは異なる雰囲気を持っていた。七〇〇万の人口を擁し、蒸し暑く強烈なにおいが立ち込める巨大都市だが、ムンバイやニューデリーよりもペースはゆったりとしており、中心部では建設途中のガラス張りの高層ビルよりも静かな通りや低層ビルのほうが印象的だった。現地のエリート層も自分たちはほかとは違うと考えていた。早起きし、生活は倹約し、数学からカルナティック音楽〔南インドの古典音楽〕まで、頭脳や精神面の探求を重視していた。多くの人びとが「マドラス」というイギリスがつけた都市名を懐かしげに使っていた（マドラスは、一六三九年に東インド会社が来る前まで現地を支配していたダマル・チェンナッパ・ナヤーガルを顕彰するかたちで、一九九〇年代半ばに「チェンナイ」に改称された）。しかし、こうした抑制的な習慣はジャヤラリターに対する個人崇拝的な支持をさらに奇妙なものに見せた。そのさまは、あたかも人びとがこの地を大衆煽動や、それに伴う独特な南インド版縁故資本主義に明け渡したかのように映った。

専制君主的かつ引きこもりがちなジャヤラリターは、そのころにはめったに公衆の面前に姿を現さないようになっていた。しかしチェンナイにいる限り、彼女の視線から逃れることは不可能だ。明るい色で描かれた何千枚ものポスターが交差点やバス停、幹線道路の高架に貼られ、利用者を見下ろしている。党本部の壁にはさらに数十枚が貼られていた。外の通りでは物売りが支持者向けの記念品を売り歩いていた。金のフレームに入ったジャヤラリターの写真、ジャヤラリターの絵はがき、派手な色使いのジャヤラリターじゅうたんやジャヤラリタースカーフまであった。彼女はタミル語映画のスター女優出身で、若き日の姿ははっとするほど美しかった。当時の写真に写る彼女は、コケティッシュな表情でカメラを見つめていた。笑顔を浮かべた最近の写真も何枚かあり、手を顎に添えながら中空に視線を向けていた。しかし大半の写真には、厳粛な雰囲気を漂わせ、落ち着いた色のサリーに身を包んだ年配の女性の姿があった。二重顎と真っ白な肌をした顔が特徴で、おでこにはビンディと呼ばれる赤い印が塗られ、長い黒髪はシンプルに後ろで束ねられていた。

信奉者たちのあいだでジャヤラリターは「アンマ」――タミル語で「母」の意味――と呼ばれてい

た。この呼び名は、いまや数え切れないほど多くの公共施設や商業施設の名称につけられていた。数十店舗の「アンマ・カフェ」がチェンナイのあちこちの通りに立ち、イドリーという香りのいいコメのケーキやコメとマメを使ったポンガルという黄色いスープの朝食を、手厚い補助金を投入して一食わずか一ルピーで提供していた。あちこちにある「アンマ屋台」では野菜が特価で売られているかと思えば、「アンマ・ドリンキングウォーター」のボトルや「アンマ・セメント」の袋から彼女がこっちをじっと見つめていた。政治ブランドをとことん多方面に展開していった結果、彼女の写真は激安の薬品から映画館、塩や茶にまで載るようになった。彼女の党の支持基盤だった農村では、その存在はさらに大きく感じられた。徹底したポピュリズムや彼女の写真がこれほどまであちこちにある様子を踏まえれば、ジャヤラリターは多くの中東の独裁者を赤面させるほど圧倒的な存在に違いなかった。

こうした集中的な写真の投下は、タミル・ナードゥ州民が映画に対して注ぐ情熱がその一因となっている。本好きで聡明な子どもだった彼女は、寡婦になっていた母――彼女自身も女優だった――から映画の世界に入るよう勧められた。ジャヤラリターが最初にブレークしたのは、「MGR」の通称で知られ、当時のタミル映画界で最大のスター俳優だったマルドゥル・ゴーパラン・ラーマチャンドランと十代のときに出会ったのがきっかけだった。チェンナイの党本部にある金の像の主はこのMGRだ。二人は映画で共演し、恋仲になった。さらに、カーストのアイデンティティをめぐり対立が激化した時期にジャヤラリターが彼に続くかたちで政界入りし、両者は実力者として台頭していった。

一九五〇年代以降、「ドラヴィダ進歩連盟」（DMK）という地域政党が低カーストのタミル人の待遇を改善するとともに、上位カーストであるブラーミンが不釣り合いなほど大きな権力を持っていることを攻撃する運動を開始した。一九六七年に州政権を獲得すると、DMKは州政治からブラーミンを排除するようになった。MGRは当初DMKの熱心な党員だったが、二〇年後に対抗政党としてAIADM

Kを立ち上げ、七七年には州首相にまで上り詰めた。パートナーでもあり政治的右腕でもあったジャヤラリターはMGRの死後、八七年に同党を引き継いだが、それは亡くなった彼の妻との激しい公開闘争を経てようやく実現したことだった。それからの三〇年間、ジャヤラリターはDMK――こちらの党首も映画界の出身だった――とのあいだで熾烈な綱引きを展開してきた[1]。こうした経緯について、ある伝記ではこう記されている。「タミル・ナードゥは、一人の脚本家と二人の俳優という、作品を通じて自らを表現する達人によって五〇年近く支配されてきた[2]」

五回にわたる州首相在任を通じて、ジャヤラリターは彼女ならではのポピュリズムを開拓してきた。有権者はイデオロギーなどほとんど気にかけないという推測に基づき、インドの政治家の多くはばらまきを通じて支持を獲得する術を身につけていった。こうした実態は「競争的ポピュリズム」と称されてきた[3]。選挙の季節になると、農民の債務免除を公約したり、貧困層の関心を引くような甘言を弄したりすることがあちこちで起こった。しかしジャヤラリターはさらに独創的だった。二〇一一年、彼女は二〇億ドル以上の予算を投じてタミル・ナードゥ中の生徒に七〇〇万台近いノート型パソコンを提供すると公約し、それを彼女自身のイラストが描かれたリュックサックに入れて配付したのだ[4]。このほかにも、女性票を見込んだアンマブランドの電動ミキサーやフードプロセッサー、農民票をターゲットにした種子や羊、ヤギの無償供与といったばらまきも展開した。

こうしたばらまき政策は、新聞の全面広告で自らの成果を定期的に誇示する姿勢とも相まって、その厚かましさゆえに嘲笑の対象となった。しかし政治戦略の観点では、これは疑いなく成功だった。ジャヤラリターが最初に州政権を獲得したのは一九九一年のことだった。二〇一四年当時、彼女は州首相四期目の途中で、タミル・ナードゥ州政治で中心的な存在であることは疑いなかった。在任期間が長くなるにつれて、彼女は横柄な態度をとるようになり、ジャーナリストと話をすることは皆無に等しく、演説をすることもなくなった。支持者にも報復的な姿勢が目立ち、ほんの少し彼女を批判しただけでも法廷で延々と説教されたり、路上で襲撃に遭ったりした。州の元公務員で政敵になりうると見なされたある女性は、顔に酸をかけられた[5]。ジャヤラリターは、党の候補者をご機嫌取りや媚びへつらう男性だけで揃えたことでもとくに悪名高かった。彼女がいる場所でひざまずくことで指導者への忠誠を示した者もいたし、前腕に彼女の顔のタトゥーを入れた者もいた。

州のあらゆる重要決定事項はジャヤラリター自身が下していると言われていたが、それだけにとどまらず些細なことにも口を出していたようだ。彼女の意図を代弁できる者は誰もいなかったが、かといって本人が公の場で話をすることもめったになかったため、トップの意図をめぐり州は混乱状態に陥ることが少なくなかった。数少ない側近の一人に、俳優や脚本家を経て文化団体の代表になった、チョー・ラマスワミという年配の人物がいる。わたしが二〇一四年に会いに行った当時、彼は『プライベート・アイ』〔イギリスの大衆タブロイド紙〕や『ジ・オニオン』〔アメリカのオンライン・ゴシップメディア〕のタミル語版に相当する風刺紙を低コストで発行していた。「彼女は決断力のある、何事をも恐れないリーダーです」。ある日の午後、市内中心部にある新聞社の雑然としたオフィスで、お香のにおいが立ち込めるなかで彼は言った。「残念なことですが、党内関係者にはある傾向ができてしまいました」。ばつの悪そうな表情を浮かべながら付け加えた。「彼らはあまりに従順で媚びへつらうようになってしまったのです」

さらに理解を深めようと、わたしはパンディアラジャンという名の男に会いに行った。彼は財界のリーダーで州議会議員でもあり、若干ではあるが独自の評価ができる人間と言われていた。比較的最近ＤＭＫを離党し、ジャヤラリターに鞍替えした人物だった。ただ、かつて政敵側に身を置いていたことから、彼女が本当の意味でパンディアラジャンを信頼することはないというのが大方の見方だった。とはいえ、アンマのインナーサークルの内実について多少なりとも話してくれる人物がいるとすれば彼以外にないと、さまざまな友人が教えてくれた。わたしたちは彼のオフィスで会うことにした。部屋にはジャヤラリターの大きな写真がデスクに一枚、壁にも一枚飾られていた。

パンディアラジャンは人材採用コンサルタント会社を創業し、成功を収めた。最初のころはビジネスのことについて楽しく話が進んだ。ところが、こちらから彼の指導者の話題を持ち出すとトーンが一変し、ジャヤラリターのさまざまな長所についての模範的な解説コースへとわたしを誘った。開発に対する揺るがぬ注力、国際情勢に関する驚くほど詳細な知識、八カ国語を操ると言われる語学の才能、将来の連邦首相候補としての適性——といった具合だ。こうした話が延々と続くなか、わたしの視線は彼の服に移っていた。アンマの党に所属するほかの政治家と同様、パンディアラジャンは半透明の胸ポケットがついた白いシャツを着ていた。ポケットに入っていたのはアンマの写真だとはっきりわかった。彼女への忠誠を対外的にこの上なく強く示すもので、わたしたちが会話を続けるあいだ中、彼女の顔がこっちをしっかりととらえていた。

追従がジャヤラリターによる統治の一側面だとすれば、腐敗はもう一つの側面だった。現職の州首相としては珍しいことだったが、彼女は二〇一四年、職務において「不釣り合いな」額の資産を得たとして有罪判決が下され、刑務所に収監された。一九九〇年代初めに一期目の州首相を務めた際、わずか一ルピーという名目上の月額報酬にもかかわらず、彼女の個人資産はほぼゼロからおよそ五億三〇〇〇万ルピー（八〇〇万ドル）にまで増加した。[6] 法廷での審理では、彼女の富に関する驚愕の実態が白日の下にさらされた。彼女が所有する家の一つに警察が立ち入り捜査を行ったところ、七〇〇足以上の靴に一万枚のサリー、相当な量の金の装飾品があることが判明した。[7] 裁判は二〇年近くにわたって続き、彼女自身が君臨する王国で公正な裁判は不可能という判断で、後半の審理は隣接するカルナータカ州で行われた。その後下された判決はセンセーションを巻き起こした。インドの州首相に汚職疑惑がかけられることは珍しくないが、そのときまで実際に有罪判決を受けた者はいなかったからだ。地元メディアは、抗議の自殺が一〇件以上起こったほか、多くの支持者がショック死したと報じた。[8] 堅実なタイプの党人型指導者が州首相代行に就いたが、彼は執務室で州首相の椅子に座ることを固辞し、ジャヤラリターが復帰して職務を再開するのを忠実に待った。

収監されたからといって、ジャヤラリターの人気にほとんど影響はなかった。懲役四年という実刑判決が下されていたが、解釈の変更で一カ月もしないうちに釈放され、五回目となる州首相のポストに復帰した。二〇一六年に行われた次の州議会選では、七〇〇〇万のタミル・ナードゥ州民は彼女にふたたび大勝利をもたらし、選挙ごとに政権交代が起きてきた同州の政治にあって三〇年ぶりに連勝を果たした政治家となった。彼女の選挙運動はおなじみのやり方だった。「有権者は、今度は冷蔵庫をくれるのか、バイクをくれるのかと噂し合っている……彼女はその期待にしっかりと応えていた」。選挙戦が始まる前、『アウトルック』誌に掲載されたあるエッセイはそう指摘した。[9] 数々の「おもてなし」には、携帯電話の無償配付、補助金で廉価になったスクーター、学生向けのノート型パソコン配付拡大、結婚を控える女性向けの八グラム金貨の無償提供が含まれていた。

支持者の熱狂はジャヤラリターが有罪判決を受けた後も続いた。二〇一五年、彼女の六十七歳の誕生日を記念して、空手のインストラクターで熱心なジャヤラリター支持者のシーハン・フサイニは、彼女を称えるために自らを磔《はりつけ》にする挙に出た。彼が着ていた白のTシャツには赤い大きな文字で「アンマ」と記されていた。彼は両手を広げて立ち、空手道場の生徒によって合板の十字架に張り付けられ、六分間にわたる苦悶のときを過ごした。招待された党の活動員が見守るなか、この模様は駆けつけたテレビ局数社によって生中継された。[10] その二年前、フサイニはジャヤラリターの六十五歳の誕生日を祝うため、数年かけて少しずつ溜めてきた自分の血液一一リットルを使って彼女の顔をかたどった像を造ることさえした。こうした行為は間違いなく極端だったが、マイルドなかたちで自分の身体を傷つけることで州首相を称える方法は決して珍しいことではなかった。

懐疑的な考え方のタミル人は、こうした個人崇拝――媚びへつらう党関係者、狂信的な親愛の情の表現、定期的に生じる自傷行為――によって政権が州民とのつながりを失っているという実態が隠蔽されてしまっており、政権関係者は本来の意味が完全に失われた文章をただ読み上げているだけのようだと疑問を呈した。しかし、わたしが見る限り、ジャヤラリターへの愛情と敬慕の念は本物だ。腐敗をめぐる評判は絶えなかったが、チェンナイ在住の裕福なプロフェッショナルの多くが彼女のことを有能な行政官と評価し、その権威主義的スタイルを陰ながら称賛していた。農村に住む人びとも、多くが州首相の名前が記された思いがけないギフトを受け取っていたことから、ジャヤラリターは自分たちのことを気にかけてくれる恩人であり、宣伝戦略が意図したようにタミル人の「母親」のような存在と見なしていた。

当然ながら、二〇一六年後半に彼女が死去した際の感情の発露は本心からのものに見えた。ジャヤラリターの体調が悪化しているという噂は何年ものあいだチェンナイで飛び交っており、以前にも増して人前に姿を現さなくなったのもそのためだと言われていた。しかし、公の場でこの話題を持ち出すのはタブーだった。支持者は彼女が糖尿病を長く患っていることを口にはしなかったし、ジャーナリストは訴えられるかもしれないという恐怖から記事化をためらってきた。長期に及ぶ入院の末、ついに彼女の死が訪れたときに衝撃が走ったのもこのためだったかもしれない。一〇〇人を超える支持者が後追い自殺をしたと言われた。州内では想像を絶する規模の追悼行進が行われ、大量の自殺未遂が発生し、自らの指を敢然と切り落とした者まで出た[11]。「彼女の健康――命と言ったほうがいいかもしれない――をめぐる不安は、異常な共鳴現象をもたらした」。タミルの歴史家V・ギータは彼女の死後間もなく発表した追悼記事でそう記した。[12]「彼女の容態が悪化しているのではと想像することすら禁ずる風潮は、新しく、おぼろげな光に包まれた彼女を際立たせることになった。彼女は文字どおり、わたしたちが考える人間の範疇外に置かれた存在だったのだ」。ジャヤラリターが死去したことで、ある種の安堵がもたらされた。不滅の神のごとき存在によって支配されてきたこの州が、彼女がいなくなった状況にどう対応するかをようやく真剣に考え始めたかのようだった。

滞在型盗賊

ジャヤラリターは、蓄財の実績やときおり表れる残忍さから、コメディに出てくる専制政治家のイメージにこの上なくぴったりと当てはまる人物だった。しかし彼女は複雑で、多くの意味において称賛に値する政治家であり、その統治スタイルはインド各地で実践される縁故資本主義がいかに多様性に富んでいるかを示していた。映画の世界でスターダムに上り詰めて一世を風靡したところから政界に転じて頭角を現し、その間に数々の攻防を経てきた――彼女のライフストーリーは映画並みのクオリティを求める大衆の心をつかむものだった。彼女は父権制社会における女性としてだけではなく、上位カーストでいることで厳しい目にさらされる州にあってブラーミンという立場でも、権力の座を射止めた。かつての彼女は自らの女性性を利用したこともあった。政界入りしてまだ間もないころ、男性の政治家から手荒に扱われた彼女は州議会から逃げるように飛び出して同情を得たことがあった。このエピソードは、叙事詩『マハーバーラタ』の登場人物ドラウパディがサリーを引き裂かれるという辱めを受けたストーリーに比せられたという。[13]しかし、彼女はその後こうした女性的なイメージを超越し、若々しい新星として振る舞うことをやめ、何があってもどっしりと構え、周囲を威嚇する政治家としてのイメージを確立していった。

ジャヤラリターの私生活は複雑で、とくに腹心の女性との長期にわたる友情は謎めいていた。この女性はジャヤラリターの豪華な邸宅に数十年にわたって住み続け、「親密」と婉曲に表現されることが多い関係を築いてきた。この関係にはさまざまな興味の目が向けられたが、ジャヤラリターは自らの意思の力でそれを耐え忍んだ。ほかの多くの政治家とは異なり、彼女は王朝を築こうという試みはほとんどしなかった。このことは、彼女の死後に内部抗争によって党が崩壊したことで、本当だったことが証明された。彼女の資産、とりわけかつてのフィリピン大統領夫人、イメルダ・マルコスを髣髴させる靴のコレクションをめぐる驚愕の実態について、新聞は嬉々として報じた。しかし、その後の人気の高まりは、質素なライフスタイルと保守的な振る舞いのたまものだった。彼女を知る者は、知性的で思慮に富んだリーダーで、ミッションスクール仕込みの完璧な英語を話し、政治よりも文学を好む人物だと評した。「彼女の読書範囲は幅広く、お薦めの本を教えてほしいと聞いてきたものです」と明かすのは、彼女と緊密に仕事をしたことがあるニューデリーの経験豊富な外交官だ。体調が思わしくなくなるなか、引きこもりがちな姿勢すら同情をもたらした。「現在の彼女は過去によってかたち作られているが、それは孤独によって特徴づけられている」。ジャヤラリターの非公認伝記を著したタミル人作家のヴァーサンティは、彼女が死去する数年前にそう記した(14)。

こうしたプライベートな側面が詮索されるなかで、ジャヤラリターはさらに根の深い難題を突きつけていた。それは、タミル・ナードゥ州の奇妙な成功についてだった。ウッタル・プラデーシュのような北部諸州では、縁故主義は経済の停滞とセットで展開する傾向が強かった。それとは対照的に、タミル・ナードゥは腐敗の蔓延にもかかわらず、彼女の統治下で大きな発展を遂げた。彼女は一九九一年に経済自由化が始まって少ししたころに州政権を獲得し、インドがグローバリゼーションを全面的に再受容していく流れが最高潮に達した二〇〇〇年代に他を圧倒する存在になっていった。海外に出て行った多くの移民や活発な港湾、アジアと西洋をつなぐ海上輸送路に近いというポジションを背景に、タミル・ナードゥはインドで外国ともっとも強くつながる地域の一つとなった。もともと工業化が大きく進んでいた州の一つだったことで、タミル・ナードゥは外国からの投資誘致で他州からうらやましがられるほどの実績を挙げていった。一九九六年、アメリカの自動車大手、フォードがインド初の工場を建設する計画を立てた際、ジャヤラリターは土地の無償提供や優遇税制の適用を提示することで、チェンナイへの誘致に成功した。[15] ヒュンダイやルノー、ＢＭＷといった企業もこれに続き、チェンナイは「インドのデトロイト」と自称するまでになった。

チェンナイはテクノロジーのハブ拠点にもなった。市内南部からかつてフランスが交易拠点としていた植民地ポンディシェリ〔現在の名称はプドゥチェリ〕までの主要幹線道路沿いに、ビジネスやソフトウェアの研究開発センターが続々とつくられていった。タミル・ナードゥは社会的発展も短期間で達成した。実現を支えたのは、学校給食の無料化という先駆的なプログラムや女嬰児殺しを止めるための養子プログラムといった州政府独自の施策だった。彼女の統治下で、タミル・ナードゥはより安全で、より豊かで、より教育水準の高い州になった。[16] 二〇一六年、ある調査で同州はインドでもっとも統治が行き届いている二州のうちの一つと評価された。[17] 過去二〇年の大半を、大規模な腐敗や独裁者のごとき思いつき、政治的なばらまきを展開してきたリーダーが率いてきたにもかかわらず、これほどの実績を達成したのである。「よきにつけ悪しきにつけ、ジャヤラリターは成功を欲するインドの州首相全員が模倣したいと考えるテンプレートになった」。彼女の死後、評論家のミヒル・シャルマはそう指摘した。[18]

ジャヤラリターが死去したときですら、彼女が汚職によって州の発展を築いてきたことを否定する者はほとんどいなかった。裁判所の審理記録によると、彼女の個人資産は一〇〇〇万ドルを若干下回る程度だった。かなりの額には違いないが、ほかと比べて飛び抜けて大きいというわけではなかった。彼女の資産が公開されたことに憤慨した支持者は、尊敬を集めているとされるニューデリーの政治家のほうがはるかに多額のカネを集めているではないかとたびたび反論した。こうした資産は、彼女や部下のタミル人政治家が選挙運動や利益供与ネットワークを維持するのに必要な巨額の資金に比べれば、些細なものにすぎなかった。そうはいっても、ジャヤラリターと彼女の政敵は、州の経済発展を大きく損なうこともなければ、当時ニューデリーの政界を機能停止に追い込んだような大規模な汚職スキャンダルを招くこともなく、資金調達に成功したのも確かだった。

　こうしたタイプの縁故資本主義は、豊かな南部五州――ケーララ、タミル・ナードゥ、カルナータカ、テランガーナ、アーンドラ・プラデーシュ――を後進的な北部とは別格の存在にしていた。この五州のうち、ケーララを除くすべてが衝撃的なレベルで腐敗していた。ある調査によると、カルナータカはインドでもっとも腐敗が深刻な州で、アーンドラ・プラデーシュ州が二番目、タミル・ナードゥが三番目だった。[19] しかしこうした州はいずれも経済的なサクセスストーリーを達成しており、発展レベルはサハラ以南のアフリカというより、むしろ東南アジアに近い。長きにわたり、南インドは際立った政治的アイデンティティを保ってきた。その背景には、地域の大半の人びとが使うドラヴィダ系諸語という共通項や、政治面や文化面で忍び寄るヒンディー語圏の北インドによる浸食に指導者が抵抗してきた歴史があった。しかし、この地域は縁故主義という点でも際立ったモデルをつくり上げ、それは「腐敗と成長は手を携えながら進んでいく」というサミュエル・ハンチントンの理論を証明するものでもあった。「南インドでも、政治家は収奪をするという点は同じです。しかし、そうするのと同時にパイそのものを大きくしようとするのです」。ペンシルヴェニア大学で政治学を教えるデヴェーシュ・カプールは、以前わたしにそう語った。「これが北インドになると、政治家は自分たちのためにパイからできるだけ多くを切り取ろうとしますが、ほかの者に分け与えるだけの分はすぐになくなってしまうのです」

大規模だが秩序だった腐敗という南インドモデルをジャヤラリターほど体現していた人物はいないだろう。二〇一四年にナレンドラ・モディが中央で勝利を収めるまでの数十年で権力を獲得した有力地域政治家は少なくないが、彼女はまさにその一人だった。「総督《サトラップ》」と呼ばれることの多いこのグループには、西ベンガルのママタ・バネルジー、ウッタル・プラデーシュのムラーヤム・シン・ヤーダヴやマヤワティといった、南部から遠く離れた州を権力基盤とするリーダーも含まれていた。人材雇用企業「チームリース」を率いるマニーシュ・サーバルワルは、こうしたリーダーの実績をもとに、「移動型強盗」と「滞在型盗賊」という、政治権力の対極的な二つのモデルをつくり出した。彼は次のように解説する。「『移動型強盗』は昔の中国のフビライ・ハーンや、現代で言えばウッタル・プラデーシュのマヤワティのような政治家のことで、『有り金を全部出しな』と要求してきます……『滞在型盗賊』はジャヤラリターのようなケースのことですが、『そのプロジェクトの利益の一〇パーセントを分けてください。あと、そのビジネスをどうやって拡大するかも教えてほしいですね』と言うわけです」

アメリカ人経済学者のマンサー・オルソンは『権力と繁栄（*Power and Prosperity*）』で、旧来型の「移動型強盗」をはたらく政治指導者が減少し、各地域に根差した支配者に取って代わられるという事態は、人類の発展における重要な段階であると論じたが、サーバルワルの区分はこれと合致するものだった。彼のポイントは、現代の北インドの政治家は、取れるものは何でも手中に収めていくという強盗のような特徴を示しがちだということだった。そうした地域ではビジネスの投資を欠いていることから、貧困層向けの福祉プログラムからカネをかすめ取るような公的リソースの略奪を意味することが多かった。これとは対照的にジャヤラリターのような南インドの政治家は、中国やマレーシアのような効率性の高い縁故主義――こうした国では急成長と腐敗の蔓延が同時進行し、「東アジアのパラドックス」と形容されることもあった――を発達させたのである。[20] サーバルワルは言う。「南インドは、『滞在型盗賊』が多いという幸運に恵まれてきました……政治家のインセンティブと人びとの利益が密接につながっているという点で、より中国式に近い利益共有のかたちが存在しています。そのため、腐敗はそれほど凶悪なものにならず、厄介なものでもないのです」

ジャヤラリターは一期目の州首相在任中に、高い授業料を払って利益共有の重要性を学んだ。このとき彼女は、強欲で浪費を好む政治家という評判を得てしまった。州民の怒りがとくに集中したのは、一九九五年に彼女が養子のために主催した大規模な結婚披露宴に対してで、二三〇〇万ドルを費やし一万人以上が招待された[21]。この披露宴は二つの点でギネスブックに掲載されている――一つは規模の大きさで、もう一つは参加人数の多さだ[22]。「寺院と彼女の豪邸の庭を結ぶ三マイルの道は、電飾が付けられたギリシャ式の円柱とエロティックなポーズをとったインドの王子の像で飾り立てられていた」――ある記事はそう報じた[23]。この披露宴は社交面においては華々しい勝利だったが、政治的には大惨事となり、翌年の州議会選で大敗を喫した際の大きな要因となった。

二〇〇一年に州首相に返り咲くと、ジャヤラリターはより穏当なスタイルの統治に徹した。政府上層部に属する高官の一人は、ある日の午後にチェンナイ中心部に近い雑居ビルのオフィスで、この姿勢の変化について解説してくれた。州首相一期目のときに見せた厚かましいスタイルは、政界でのキャリアが浅い時期に資金繰りに困る政治家に共通するパターンなのだという。「彼らは相当な規模で富を蓄えねばと考えるのです。彼ら自身やその子ども、さらにそのまた子どものための貯金ですね」と彼は解説した。しかしこの種の私的な蓄財は、各政治家が所属政党の選挙運動のために調達を迫られる、はるかに大きな額の資金に比べればかなり少額で、重要性も低い。「彼らのやり方は、『ポートフォリオ選択アプローチ』とでも呼ぶべきものです。どういうことかと言うと、ある分野では資金を調達するが、ほかの分野ではサービスを提供するのです」と彼は言った。カネは政府からの契約受注を通じて調達するか、投資プロジェクトで引っ張ってくるか、あるいは州の歳出プログラムから流用するかになる。こうしたオプションのなかからどれを選ぶかは、捕まるリスクを計算した上で判断することになる。しかし同時に重要なのは、有権者が関心を持っていそうな大型インフラプロジェクトや公共投資プロジェクトに代表される経済成長の実現を忘れてはいけないという点にあった。ジャヤラリターは、酒造や鉱山採掘といったセクターを政治活動のための資金源として活用するというかたちで妥協した。その他のセクターについては、政府調達の契約額から一定の割合を要求するとか工場建設を実現したい企業から賄賂を受け取るといったかたちで、初期段階で分け前を要求するだけだった。そのあとは部下の官僚に進行を任せ、プロジェクトが順調に進み、期限内に実施できているかどうかを確認するだけだった。このアプローチは関係者全員を満足させ、政治家にも州民にも利益をもたらすものだった。

これこそがジャヤラリターという人間の複雑さだった。かつて腐敗にどっぷりと浸かっていたリーダーでありながら、ある種の「よきガバナンス」の信奉者でもあり、かと思えば私的な蓄財や政治資金調達を行ってきた可能性も大いにあった。ポピュリスト的ばらまきに対する彼女の直感は正しく、年を経るごとに強まっていく一方だった。このことは、二〇〇六年の州議会選で敗北を喫した際にこの上なく強烈に認識したはずだ。彼女はばらまき公約の規模で劣るという、めったにない状況――ライバル政党のDMKはテレビの無償配付を公約していた――に置かれたのである。この失敗を二度と繰り返すまいと彼女は決意した。タミルの二大政党は激しく対立したものの、両者のあいだにイデオロギー的な相違点はほとんどなかった。いずれも権力獲得を何よりも重視し、組織的な腐敗と選挙時の手厚いばらまき公約のセットを目標達成の最上の手段と見なしていた。しかしジャヤラリターは経済発展の必要性を強く自覚しており、その実現のための政策推進を取り仕切っていた。

「腐敗は問題にならないということを政党側もわかっているのですよ」と、前出の政府高官は言う。

州の指導者があまり手荒なことをせず、発展を実現してくれるのであれば、賄賂を受け取っているかどうかにはこだわらない――タミル・ナードゥの有権者はそう考えているようだった。財界の指導者も冷静で、ジャヤラリターの腐敗行為を一種の税金――ビジネスを進めていく上でのコストだが、予測も対処も可能なもの――のようなものととらえていた。「彼らは払うものを払いさえすればAIADMKはしっかりと仕事をしてくれるという点で、ジャヤラリターのほうを支持している」。ウィキリークスで暴露された外交公電でアメリカの政府関係者はそう記した。同じ公電では、ジャヤラリターの統治スタイルを称賛する地元の豪商の話が引用されている。「彼女にカネを払えば、仕事はうまくいったも同然です[24]」

アーンドラ企業家

遠くから眺めると、インドの国会議事堂は静かなたたずまいを見せている。平べったい円形の造りで、支柱が取り囲むその姿は、ニューデリーの深いスモッグのなかでもはっきりと認めることができた。一九二七年の完成当時、この建物のなかには「人民議会」「州代表議会」「藩王国議会」という、三つの議会が入っていた。ちなみに三つ目は、イギリス統治下のインドで国土の大部分を名目上支配していたさまざまな「藩王国」のマハラジャが集まる場所として機能していた。サー・ハーバート・ベーカーによって設計され、古代ギリシャとインドの様式を融合した議事堂は、権力と帝国秩序の殿堂だった。ただ、これが気に入らなかった者もいた。「スペインの闘牛場を思わせる造りだ……水車の片側が何かの拍子に落ちて横に転がってしまったかのようでもある[25]」

荘厳な中央議場は、一九四七年の権力移行に始まり、その後数年にわたって行われた憲法制定をめぐる激論まで、独立後に繰り広げられたドラマの舞台となってきた。ところが近年は、ここでの議論は低俗に堕し、とくに下院の討論は罵倒合戦とパフォーマンスとしての退場で悪名高くなってしまった。しかし、一筋縄ではいかないインド民主主義の歴史においても、二〇一四年二月十三日に起きた混乱とその引き金となったラガダパティ・ラージャゴーパールの存在は、間違いなく特別な位置を占めることになるだろう。

その日の議事日程には、テランガーナという名の新州創設法案の審議が含まれていた。これはインドで行われてきた「州分割」の動きのなかで、最新の展開だった。一九五〇年代に各地方をおおむね言語別に再編するという全国的な運動が進められるなかで、アーンドラ・プラデーシュはテルグ語話者の統一州としてつくられた経緯があったが、新州創設法案はこれを二つに分けるものだった。アーンドラ・プラデーシュ州がつくられたのとほぼ同じころから、経済水準が劣る同州内陸部の活動家は独自の州創設を要求してきた。肥沃な土地を持つ豊かな沿岸部の住民が州政治を支配しており、自分たちの利益のために州の資源をかすめ取っているというのが彼らの主張だった。数十年に及ぶ分離運動がついに実を結んだのは二〇一三年だった。当時の国民会議派政権が要求を受け入れ、州分割法案を上程すると約束したのだった。

テランガーナ州創設に向けた動きに対し、アーンドラ・プラデーシュ州内では歓迎と怒りの抗議が入り交じり、賛否両論の状態が生じた。二〇一四年二月十三日には、暴力的混乱が議会にまで持ち込まれる事態になった。論戦が過熱するなか、新州創設反対派の議員が議場の中央部に押しかけて言い争いを始めた。ある議員が自席からマイクを引きちぎって荒々しく振りかざしたため、メディアがそれをナイフと勘違いして報じるといった一幕もあった。別の議員は「統一アーンドラ・プラデーシュ断固支持」と書かれたボードを掲げて議長席の前に陣取った。国民会議派所属の議員だったが、テランガーナ州創設には強く反対する立場だったラージャゴーパールも乱闘に加わるべく突進していった。彼はほかの議員ともみ合ったかと思うと、突如ポケットから催涙スプレー缶を取り出し、高々と振りかざして中身を吹き付けた。

驚いた議員たちはハンカチで顔を覆い、頬に涙を流しながらわれ先にと議場の外に逃げ出していった。大混乱のなかで議員の一人が心臓発作を起こし、待機していた救急車へと搬送されていった[26]。ただでさえ汚れていたインド民主主義のレベルが一段と低下したという非難がわき起こった。ある議員は待ち構えたテレビカメラを前に「インド議会史においてもっとも恥ずべき日だ」と言い、別の議員は「恥ずべきことで、前代未聞かつ看過できない」といら立ちをあらわにした[27]。

その日以降、ラージャゴーパールは「催涙スプレー議員」として知られるようになったが、彼は別の点でも注目されていた。「わが国の議会史上最悪の振る舞いをしたと評される男（この称号を手にする代償は大きかっただろうが）は、典型的な政治家ではなく、インド財界のなかでも伝説的でとくに恵まれたスター的存在なのだ」。大騒動の数日後、新聞の編集長で知識人のシェーカル・グプタはそう記した[28]。公表されているラージャゴーパールの資産は三〇億ルピー（四七〇〇万ドル）にのぼり、インドでもっとも裕福な国会議員の一人だった。しかし彼は、インドで増えつつあった、企業家から政治家への転身組の一人でもあった。ヴィジェイ・マリヤがそうだったように、このグループは完全に合法なかたちで自らの資産を用いて政界でのキャリアを開拓し、多くの場合それをビジネス面での利益獲得に役立てていた。こうした企業家出身の政治家は、ジャヤラリターのタミル・ナードゥを含め南インドではよく見られるケースだった。しかし、ビジネスと政治が交差するなかで利益を得ることについてとくに定評があったのは、なんと言ってもタミル・ナードゥと隣接するアーンドラ・プラデーシュの豪商だ。彼らには州名をもじって「アーンドラプレナー」すなわち、「アーンドラ企業家」というあだ名がつくようになったほどだった。

数年後にわたしがラージャゴーパールの自宅を訪ねた際、彼は催涙スプレー騒動についてあっけらかんとして、後悔している様子はとくに感じられなかった。このときには彼はすでに国会議員の立場から退いていた。彼が自身の品位を汚してまで救おうとしたアーンドラ・プラデーシュ州は結局、二〇一四年半ばに分割されたため、抗議として自ら議員辞職したのだった。ただ、依然として政界の仕事には携わっていた。表向きは兄弟が経営していることになっている一族のコングロマリットのため、アメリカであれば「ロビイスト」と呼ばれるような役割を担っていたのである。議会の会期中にはニューデリーの高級住宅街にある三階建てのモダンな邸宅――デンマーク大使館のすぐ奥に位置し、グレーの門扉の外には武装した警備員が配置されていた――に滞在していた。彼は約束の時間に一時間以上遅れて到着し、政府の閣僚とのミーティングのために遅刻してしまったことを何度も詫びながら応接室に姿を現した。瞑想のときによく唱えられる「オーム・シャンティ」という真言《マントラ》が彫られた金の腕輪を手首にしていた。話の最中、彼の対応は紳士的かつ気遣いが感じられ、チャイを勧めてくれたり幼い息子のことについて話をしてくれたりした。そうした様子は、政界の悪役にして熟達した縁故資本家という世間一般のイメージとはかけ離れていた。

彼本人の説明では、二〇一四年のあの日にとった行動は「嘆かわしい」ものではなく「勇敢な」ものだったという。「わたしの行動は自衛のためですよ。自分自身ではなくて、同僚議員の一人を守るためだったんです」。あの場に介入したのは、もみくちゃにされていた高齢の議員を守るのが目的だったというのだ。テランガーナ州創設運動に反対の立場をとったことで、政治的暴力のターゲットにもされたと彼は語った。「何度も襲撃されそうになったんです。あのスプレーをいつも携行するようにしていたのはそのためです。銃やナイフは使いたくありませんからね」。彼は自分の行動を後悔してもいないし、それに対して実際に非難を受けたわけでもないという。実際、地元のアーンドラ・プラデーシュ州沿岸部では、州分割を阻止するために果敢な行動に出た人物として彼は尊敬を集め、思いがけず英雄のような存在になった。

ラージャゴーパールは商業を生業とするカンマ・カーストの出身で、若いころに父が創業した「ランコ」——正式名は「ラガダパティ・アマラッパ・ナイドゥー・アンド・カンパニー・インフラテック」——という企業に入社した。同社のビジネスは一九八〇年代から九〇年代初めにかけて徐々に成長していき、まず銑鉄を手がけ、次いでセメントへと事業を拡大していった。経済自由化が始まると成長は急加速し、インフラ分野で強みを発揮するようになり、ハイデラバードの高級住宅街から石炭火力発電所まであらゆる案件を扱った。同社は巨額の借入金を元手として二〇〇〇年代半ばに大きな飛躍を遂げ、このころインドの大型インフラプロジェクトで活用され始めていた「官民パートナーシップ」(PPP)方式のエキスパートとなった。中国では、橋や道路は国有企業によって整備されるのが一般的だった。インドの場合、一八七〇年代にアメリカで起きた鉄道ブームのときと同様に、先頭に立っていたのは民間のコングロマリットだったのである。

当初、PPP方式は打ち出の小槌かのように映った。政府の財政に一ルピーも支出を強いることなく、何十億ドルもの新規投資を可能にしたからである。[29] 欧米で同様の方式が実践されていることに刺激を受け、初期のPPP支持派は別の期待も抱いた。厳格な業務実施契約は腐敗撲滅の特効薬にもなり、それまでインドのインフラセクターを支配してきた随意契約に終止符を打つことができるのではないか、というわけだ。しかし現実に起きたのはその逆で、PPPは天文学的な額の利益収奪という、まったく新たなメカニズムを生み出したのだった。この方式が広く採用されたのに伴い、受注する企業もまた強大になっていった。二〇一三年に評論家のプラタープ・バヌー・メヘタは、こうした状況に対してインドは「受注企業の、受注企業による、受注企業のための政府」、すなわち「受注企業国家」になってしまったと指摘した。[30]

PPP方式はとりわけアーンドラ・プラデーシュ州で積極的に活用された。同州のコングロマリットはこの新方式の達人になり、幹線道路や港湾から空港、公共住宅スキームまで、あらゆる案件に入札を行った。インド各地を訪ねていくなかで、わたしはあることに気づかされるようになった。それは多くの場所で、地元ビジネスエリートによる巧妙かつ問題のある商慣行に対して、人びとがある種の屈折した誇りを抱いているということだった。たとえば、ムンバイの銀行関係者は金融面の不正行為をひそかに支持していたし、ウッタル・プラデーシュでは、政治家が福祉プロジェクトからカネをかすめ取る際の手際のよさは非難される一方で、それと同じくらいに静かな称賛を集めていたのだ。とはいえ、インドでもっとも洗練されたかたちの縁故資本主義を実践しているのは、洗練された利益供与政治と巨額の富を持つ「アーンドラ企業家」を擁するアーンドラ・プラデーシュ州以外には考えられなかった。さらに、芸術的とすら言える完璧なその手法は、他州にもすぐに広がっていったのである。

縁故資本家のなり方

新たに単独の州となったテランガーナの州都で、多くの「アーンドラ企業家」の本拠地でもあるハイデラバードは、以前から富と深いかかわりを持ってきた都市だ。ここはかつてインド最大の藩王国の中心地で、十八世紀初めから続くイスラーム王朝の王でムガル帝国の継承者でもある「ニザーム」によって一九四八年まで統治されていた。最後のニザームとなったオスマン・アリー・カーンは、広大な土地とゴルコンダ・ダイヤモンド鉱から得られる巨万の富により、当時、世界最大の富豪だっただけではなく、史上最大の富豪の一人だったとも言われている。

彼の統治が崩壊した後も、ニザームが所有する規格外の富は数多く残っていた。ハイデラバードの街中からかき集めたロールスロイスの車両群。途方もない量の宝石コレクションを守る宦官たち。そして何よりも複雑に入り組んだ性愛――彼には何十人もの側室と数え切れないほどの私生児がいたという。ある解説によると、「最後のニザームには、死去した時点で一万四七一八人ものスタッフがいた……主宮殿だけで、約三〇〇〇人のアラブ人ボディガードがおり、飲料水を運ぶために二八人、シャンデリアの掃除のために三八人、クルミをすりつぶすためだけに数人が雇用されていた」[31]。一九四八年になって、ハイデラバード藩王国が独立を達成したインドへの編入を強いられたことで、彼の統治は終焉を迎えた。しかしその規格外の富は、周りを取り囲むデカン高原の荒涼とした大地だけでなく、荘厳な王宮と洗練された文化の所在地として知られる都市を生み出したのだった。

近年になると、ハイデラバードは南インドでもっとも重要なビジネス拠点の一つに成長し、以前とは違う意味での富が蓄積される場所として知られるようになった。この地に来る者は、有力「アーンドラ企業家」によるコングロマリットの一つ、GMRが建設したぴかぴかの新空港に降り立つことになる。空港からは別の地元企業が受注して整備した高架高速道路を疾走し、ガラス張りのビルが立ち並ぶ印象的な風景を眺めながら市中心部へと向かう。一九九〇年代にハイデラバードの一部地域は「サイバラバード」という名前に正式に改称された。野心的な州首相、チャンドラバブー・ナイドゥーが退屈な州都を大型ハブ都市に生まれ変わらせ、マイクロソフトやオラクルといった企業から投資を誘致し始めたころだった。インドのIT業界は総じて腐敗とは無縁ととらえられることが多いが、ここハイデラバードはこの分野でも例外だった。二〇〇九年、同市最大のITアウトソーシング企業サティヤム・コンピュータの会長が一〇億ドル超の粉飾決算を認めたことで一気に経営が破綻するという、アジア最大の企業不正事件の一つが起きたのである。ただし、現代のハイデラバードが持つ富の創出、それにビジネスで抜け道を巧妙に見つける才能という点では、不動産や建設といった旧来型のセクターの存在感が圧倒的に大きかった。こうした企業を率いていたのが「アーンドラ企業家」、すなわち「手っ取り早く利益を挙げようとする、リスクを厭わないテルグ人インフラ企業家」という新興グループで、シェーカル・グプタは彼らのことを「アーンドラ・オリガルヒ」と呼んでいた[32]。

「わたしたちがいるこの街は、インドのなかでもほぼ間違いなく最悪な状況のところです」。二〇一六年半ばのある日の午後、腐敗撲滅運動に取り組むジャヤプラカーシュ・ナーラーヤンは、ハイデラバード市内の事務所でそう言った。部屋にはほとんど家具がなく、壁にインド全図が一枚、あとは隅にガンディーの小さな胸像が一つあるだけだった。スリムで優雅な雰囲気を漂わせるナーラーヤンは、かつて清廉な政府の実現を掲げて自前の政党を立ち上げ、アーンドラ・プラデーシュ州議会選に出馬して当選を果たしたことすらあった。しかしその後、カオス状態のインドの選挙に幻滅した彼は、「民主的改革財団」というシンクタンクを設立し、市内大型ホテルの近くにあるみすぼらしいマンションの八階に事務所を構えた。

ナーラーヤンは三人のインターンを自室に呼び入れてから話を始め、現地の腐敗をめぐる深刻な状況について詳しく解説してくれた。アーンドラ・プラデーシュもテランガーナも、インドのなかできわめて多額の選挙運動費用を要する州であり、したがって違法な選挙資金調達という点でも最悪のレベルにあることはほぼ間違いないという。選挙費用の高騰を受けて、地元の政治指導者は財界の支援者からこれまで以上に巧妙なかたちでブラックマネーを引き出そうとし、その資金を使って幅広い層から票を獲得しようとしているということだった。経済成長は数十年に及ぶ、きわめて現地化した縁故主義のもとで達成されてきたと指摘し、こう続けた。「おそらくわたしたちは新モデルの開発者なのですよ」。そこでは、政治家の利益とディベロッパーの利益があまりに深く一致したため、両者の見分けがほとんどつかないほどだった。「ここではそのプロセスが制度化されるとともに専門的になっているのです。とはいえ、インドのほかの地域も急速にこれに倣おうとしていますが」

ナーラーヤンはこのシステムの起源について、経済自由化以降の数十年のなかでアーンドラ・プラデーシュ州政治を支配してきた二人の政治家による対立という観点から説明を試みた。まず登場したのはハイデラバード「中興の祖」、ナイドゥーだった。彼はテルグ・デーサム党（ＴＤＰ）の党首として一九九〇年代半ばから一〇年近くにわたり州首相を務めた。ビジネス振興に積極的なテクノクラートとして、彼はインフラ整備に注力するとともに、外国のＩＴ企業から投資を誘致する才に長けていた。彼の実績には称賛の声が寄せられた――九九年、『タイム』誌は彼を「インド亜大陸でもっとも確かなビジョンを持つ政治家」と評したし、その翌年、ビル・クリントン大統領が訪印した際には新設された「ハイテク・シティ」というテクノロジー研究開発施設を視察し、積極的な投資誘致政策に同大統領から惜しみない賛辞が贈られた。[33] ところがそうした経済的開明さにもかかわらず、二〇〇四年の州議会選でナイドゥーは大敗を喫した。相手は最大の政敵、Ｙ・Ｓ・ラージャセーカラ・レッディー、通称「ＹＳＲ」。好戦的でポピュリスト的姿勢を鮮明にする国民会議派の指導者の一人で、〇九年にヘリコプター事故で命を落とすまでのあいだ州を統治した。

「この二人は規格外の政治家でした。無節操で、野心的で、仕事熱心。そして互いに激しい政治闘争を繰り広げてきたのです」とナーラーヤンは言う。「両者とも、善悪を完全に無視した権力への執念という点では一致していましたけどね」。いずれも政治マシーンの構築にかけては達人級で、強力な利益供与ネットワークを通じて影響力を発揮していた。ナイドゥーはクリーンという評価を得ていたが、その彼にしても出自こそ地味だったものの、その後、裕福になっていった。しかし二人のなかで、縁故主義の温床という評判をアーンドラ・プラデーシュに定着させたのはＹＳＲのほうだった。彼の手腕で、経済発展と手に負えないレベルの腐敗――それに対抗できるのはおそらくジャヤラリターだけだっただろう――を同時に実現したのだから。

州首相として、YSRは保健や住宅といった分野で数々の州政府プログラムを展開したが、これがまた甘い汁をもたらす打ち出の小槌になった。アーンドラ・プラデーシュの活発な経済は地価の上昇をもたらし、YSRはそうした土地を自分とつながりの深い財界関係者にどしどし分配していった。州政府の行政改革や債務削減、投資環境の整備といった経済改革もたしかに行われたが、ポピュリスト的な大盤振る舞いと怪しげな開発スキームのほうが目立ってしまった。そのなかでもっとも注目を集めたのは「ジャラヤグナム」と呼ばれる巨大な灌漑整備事業で、のちに『タイムズ・オブ・インディア』がこれを「不正のなかの不正」と指摘したほどだった。[34]会計検査院の調査では、政治的つながりを持つ地元企業六社とのあいだで結ばれた契約のなかで、数十億ドルもの資金が行方不明になってしまったという。ウィキリークスによって暴露されたアメリカの外交公電では、「(インドの基準ですら)常軌を逸したレベルの腐敗」がいかにYSR州政のシンボルになったかが冷ややかに報告されていた。[35]「ナイドゥーは悪だとわたしたちは思っていました」。同じ公電では、地元紙の編集長を務める人物による発言が引用されていた。「しかし、いま起きていることに比べれば、あれは子ども騙しでしたね」

ただし、こうした貪欲な縁故主義からアーンドラ・プラデーシュがほとんど悪影響を受けていないというのも確かだ。タミル・ナードゥがそうだったように、同州も一九九一年以降の数十年で高成長と他州からうらやましがられるほどの社会的発展を謳歌し、エリート層の欲望や結託によって誰もがそれまでの重荷から解放されたかのようだった。対立し合ってきた二人の指導者の政策によって、同州にはインドでも最高レベルのインフラ――建設を担ったのは主に地元の請負事業者六社――がもたらされた。ランコやGMR、ライバルのGVKといった企業は全国レベルでも有力なコングロマリットに成長した。ジャヤラリターをはじめとする指導者も、「腐敗と開発の共存体制」を仕切ってはきた。しかしアーンドラ・プラデーシュでは、天賦の才能を持つ指導者が政治とビジネスの結託をこの上なく強くしたことで、両者の境界線がどこにあるのか判別が不可能なほどにまでなっていたのである。

「政治家と請負企業はきわめて深い関係を築いていきました」とナーラーヤンは言った。州議会の議員席は財界人か、少なくとも有力企業家と同じ一族か同じカーストに属する者で占められるようになった。ラガダパティ・ラージャゴーパールのように、なかには国会議員になった者もいた。州首相を務めていたころ、ナイドゥーは「バンガロールよさようなら、ハイデラバードよこんにちは」というスローガンを掲げ、ハイデラバードが知名度の高いライバル都市に代わって早晩インドの主要なＩＴハブの座に就いてみせると自信を示した。しかし、アーンドラ・プラデーシュのあるベンチャーキャピタリストは、両者には別の区分があると指摘する。「バンガロールとハイデラバードの違いはこうです。バンガロールで稼いでいる連中は行政を仕切っている連中とは別なんです……ハイデラバードの場合、ビジネスマンと政治家は一体化しています。企業家やその家族が、政界にいる人間とつながっているんですから」。腐敗を育《はぐく》む独特な環境をもたらしたのは、まさにこの一体化であり、そこで形成される信頼関係だったのである。

インドのほかの地域と同様、アーンドラ・プラデーシュでも、うまみのあるインフラ契約や公有地が政府と関係の深い企業に配分され、その見返りにキックバックが支払われるというかたちで、結ばれた取引《ディール》はその役目をしっかりと果たした。甘い汁を吸いたがる企業家はいくらでもあった。しかし、それでも政治家は警戒を緩めるわけにはいかなかった——往々にして複雑になりがちなカーストとビジネスの関係を描いた『インドの新・資本家（*India's New Capitalists*）』の著者、ハリシュ・ダモダランはそう指摘する。ＹＳＲのような政治家からすると、取引で一方の当事者がカネを持ち逃げしたり、契約内容を履行しなかったり、取引の中身をメディアにリークしたりしかねないといったリスクが存在する。その点、アーンドラ・プラデーシュでは、カーストによるつながりが安心感をもたらすことが多い。うまみの多い開発スキームに関与している者のほぼすべてがカンマかレッディーという、州内のビジネスを支配する二大商業カーストの出身だからだ。ダモダランが言う。「彼らは自分たちが本当に信頼できる人間を欲しているのですよ……つまりそれは、同じカースト、できれば同じ一族の人間、ということを意味しています」

理想的なのは取引の当事者双方に親族がいることだが、これを達成するためには、企業家一族のなかからメンバーを政界入りさせるのがいちばん手っ取り早い。州議会議員になれば、ルール改定をめぐる働きかけや有用な情報の取得といったかたちで、内側から取引のプロセスに関与することが可能になるからだ。「こういうふうに図々しく言う連中がいるんですよ。『ちくしょう、なんであいつらに言うことを聞かせられないんだ？　おれたちが政治家になってやろうか？』とね」。コンダ・ヴィシュウェーシュワル・レッディーはわたしにそう語った。彼自身も裕福なビジネスマンから国会議員に転じた人物で、ハイデラバードの空港が含まれる地域の選挙区で当選を果たしていた。「その点、アーンドラ・プラデーシュは先頭を行っていますよ」。州内のインフラ企業による成功について、彼は悪びれるそぶりはほとんど見せずにそう補足した。「あの人たちは大物ですから。すばらしい発電プロジェクト、すばらしい土地、すばらしいインフラ契約を取ってきてくれます」

政治家のほうが企業を設立し、自社に契約を受注させたり便宜を図ったりするという逆のコースもある。こうしたケースが堂々と展開されることもあるが、多くの場合、政治家が親族や関係者の名前を使う「ベーナーミー」という手法を通じて秘密裏に事が進められる。南インドではよく見られていたこうした手口は、すぐにニューデリーでも広まった。腐敗によって得られる利益を最大化するには、自ら会社をつくるとともに、ルールに手を加えることで事業を拡大するのが近道だと政治家たちが認識するようになったのである。「インドでは、『政治的起業』とわたしが呼ぶ、ほかでは見られないようなユニークな現象が起きています。この五、六年で定着してきた感がありますね」。二〇一二年、かつて通信業界で起業した経験があり、当時は上院議員を務めていたラジーヴ・チャンドラセーカルはわたしにそう語った。「連中（政治家）はこう言うんです。『現金が詰まったブリーフケースやスイス銀行の口座、その他もろもろのやり方はもはや不要だね。いまやるべきは、自分で会社を持つこと。株式を保有すればいいのさ』」[36]

この手口で利益を得るには、企業側が「環境のマネジメント」――インドで「利益誘導」を婉曲に言うときによく使われる表現――に長けている必要があった。公共事業の競争入札で受注をねらう企業は現実的とはとても言えないような低い価格で応札することがあるが、この背景には自分たちが持つコネを使って落札後に再交渉を図り、はるかに高い価格に引き上げたいという期待があった。入札を経ずに契約受注となるケースもあれば、あらかじめ入札プロセスがあまりに細かく規定されていたためまじめに競争しようと考えていた他社が応札を断念してしまうケースもあった。そこで好んで用いられるのが高値での入札だった。受注企業は普通では考えられない値付けをした上で、その価格と実際の作業コストの差額をかすめ取るのである。

しかし、南インドのさまざまな政府機関で勤務した経験を持つある政府関係者によると、こうした場合でもバランス感覚が重視されるという。ジャヤラリターやYSRのような賢い政治家は、最低入札額の事業者や最大の利益を巻き上げようとする事業者のように、あからさまに極端な内容で応札する事業者を避ける傾向があった。その代わりに選ばれるのは、取引に応じてくれるとともにプロジェクトを実行する能力のある企業で、灌漑事業であれ、空港ターミナルの建設であれ、対象案件をしっかり遂行する一方で、彼らの取り分についても理解してくれることを意味した。「彼ら［優良事業者］はコストが一〇〇ルピーの作業に対して一四〇ルピーかかると請求してくるのですが、実際には一〇〇ルピーしか使わずにしっかりとした仕事をしてくれるのです」。前出の政府関係者は言う。「一〇五ルピーという見積もりを出して八〇ルピーしか使わず、仕事の中身はそれなりという事業者もいますよ。しかし、そういう仕事は三年か四年で欠陥が見つかりますから、避けておくのが賢明なのです」

ほかにもさらに巧妙な手口がある。YSR州政権時代、もっとも悪名高い企みはその息子にしてこの期間に企業家となったジャガンモーハン・レッディーによって進められた。ハンサムでチャーミングなレッディー・ジュニアは、セメントから不動産まで多岐にわたる業種で会社を次々と設立した。そのなかにはメディア企業も含まれ、発行する新聞は実質的に父の広報紙の役割を担っていた。彼にビジネス方面でのバックグラウンドはほとんどなかったが、興味深いことに有能な資金調達役であることを証明してみせた。このこと自体はとくに珍しくはない。インドの同族経営企業は資金調達に長けていた。提供元には実態をよく知らない海外のプライベート・エクイティ・ファンドも含まれ、その多くがハイデラバードの請負企業にかなりの額の資本を投下した。レッディーの戦略はとくに手が込んでいた。のちに行われた警察の捜査によると、投資家は父の州政府からの見返りと引き換えに、かなりつり上げられた価格で株式を購入させられたというのだ[37]。YSRは数十平方キロメートルもの土地を自分と近い関係者に配分し、そのうちかなりの部分が息子の息がかかった企業に向けられた——会計検査院はのちにそう指摘している[38]。

このスキームはジャガンモーハン・レッディーの首を絞めることになった。二〇一二年に汚職容疑で逮捕され、保釈されるまでの二年間の大部分を裁判を待ちながら監獄で過ごしたのである。逮捕の前年には国会議員にも選出されていた。五七〇〇万ドルの個人資産を申告した彼は、インドでもっとも金持ちの国会議員になった。獄中生活にめげることなく、彼は野望を膨らませていった。父の急死を受けて、国民会議派を飛び出し、父の遺産を活用するべく新党「YSR会議派《コングレス》」を立ち上げたのである。エッセイストのプラヴィーン・ドンティーによると、彼が支持を獲得できたのは、地元の住民が指導者の腐敗に対し完全に慣れきってしまっていたことに加え、レッディーのスキームが公費から資金を吸い上げるというよりは民間セクターの商取引にかかわるものが多かったためだという(39)。

アーンドラ・プラデーシュで用いられた数々の手口のなかで、不正な土地取引ほど悪名高かったものはなかった。ハイデラバードでは、車でごった返す幹線道路の多くがカーブを描いていた。かなり前からメトロの建設が計画されており、線路を支えるためのコンクリート製の白い柱が道路脇に連なっていたためだった。メトロ建設計画は二つの点で異例だった。一つは工期の問題で、二〇〇〇年代初めには完成するはずだったのが、それから一〇年以上が経過した二〇一七年にわたしが訪問したときですら、車両の姿を見つけることはできなかった。もう一つは斬新な資金調達方法だった。「世界で採用されている鉄道輸送システムの大多数とは異なり、このメトロの建設費用は公的資金によって全面的にカバーされるわけではないのだ」。ジャーナリストのマーク・バーゲンはプロジェクトについてそう記した。代わりにハイデラバードの政府がやったのは、地価の上昇分によってメトロの開発コストを回収させるという考えに基づき、駅建設予定地付近の土地を贈与するというものだった(40)。

その結果もたらされた状況については、疑問の声が数多く上がっている。計画反対派の一人は言う。「メトロは表面上のことでしかないのです……不動産こそが本丸です」。ハイデラバードでは、建設が予定されている各路線がいずれは有力な政治家一族が所有する土地まで延伸され、それによって地価が大きく上昇するだろうという見方を誰もがしていた。ここまで厚かましい取引に現実味は感じられないようにも見える。しかし、悪名高い「土地マフィア」が開発計画についてのインサイダー情報をもとに農民から土地を買い叩くことが横行し、不動産そのものが政治家と財界エリートのあいだで一種の非公式通貨として機能している州にあっては、この件に限らず真相を見極めるのは困難だ。

アーンドラ・プラデーシュ州の洗練された縁故主義システムで往々にして決定的なピースとなったのもやはり土地で、インフラ事業のキックバックと不正な選挙資金をつなぐ役割を果たしていた。ここで政治家が直面したのはタイミングの問題で、なんらかの不正行為によってカネを調達すると、それを次の選挙まで保管しておく必要が生じたのだった。政治学者のデヴェーシュ・カプールはこう解説する。「政治家は不動産業界の関係者に手元のカネを預けるんです……不動産関係者は今後も土地をもっと得るためにも政治家を必要としているから、持ち逃げされることはないと確信しているわけです」。そうした取引は双方にとって好都合だった。不動産のディベロッパーは政界の友人から資金をやすやすと手に入れることができ、少なくとも選挙が近づいて政治家側から返してほしいと言われるまでのあいだは、そのカネを好きなように使えるからだ。こうした資産を企業側が現金化するにはさまざまな方法があった。だが、ある幹部政治家によると次のようなかたちがとられていたという。「ほとんどのケースでは、彼ら［豪商］は土地を売却するんだよ。土地を売れば、評価額の七割か八割で現金が得られるからね」

カプールと共著者のミラン・ヴァイシュナヴは、ユニークな学術調査でこの説の検証を試みたことがあった。政界の協力者から突然資金の返還を求められた建設業界の有力者は、ビル建設のような新規プロジェクトのため現金不足に直面することになるはずだ――彼らはそう仮説を立てた。(41) カプールが説明する。「セメントは建設業にとって不可欠の材料ですよね。そこで、わたしたちは選挙の時期にセメントの需要が落ち込むのかどうか、データを調べてみたんです。結果は思ったとおりでした。実際のところ、このつながりは見事なほどはっきりと表れたのです」。こうした関係はきちんとした見返りすら必要とはされず、いつかどちらかが相手を必要としたときに助け合うという合意さえあれば十分とされた。「善意がすべてなんです。そのためには選挙で何をするのかがものを言います」。同州のある企業家が言う。「インドでは、ビジネスはいまでも政府に依存しています。ですから、支配者と仲よくなっておくことで彼らから善意を示してもらえるようにしておくのです」

しばらくのあいだ、このシステムは「アーンドラ企業家」にとって非常にうまく機能し、急速な経済拡大期を下支えした。その成果は主要空港のほぼすべてではっきりと見ることができる。ロンドン・スクール・オブ・エコノミクスの経済学者、メーグナード・デーサーイーは二〇〇八年の時点ですら、こう記している。「中国に行けば、新しい空港や整然とした高速道路、上海リニアがある。それがインドとなると、空港はスラムなのだ[42]」。しかしその年の後半にはGMRがPPP方式のもとでハイデラバード空港の新ターミナルを完成させたし、二〇一〇年にはニューデリーでさらに壮大な国際線ターミナルをお披露目した。両空港と同じように真新しい旅客ターミナルがバンガロールとムンバイでも完成したが、こちらはGVKが手がけたものだった。一〇年もしないうちにインドの空港は世界最悪レベルから最高レベルへと移行した。時をほぼ同じくして、ハイデラバードのインフラ企業も無名の地元建設会社から全国区のトップ企業へと成長を遂げたのである。

ニューデリーの応接室で行ったラガダパティ・ラージャゴーパールへの取材に話を戻そう。彼は自分をはじめとする豪商がこの時期に見せた途方もない野望と、結局はそれをかなわぬものにした傲慢さについて振り返ってくれた。「問題はこうでした。あのころインドの経済成長率は九パーセントで、誰もが中国のように二桁成長を達成できるだろうと期待していたんです」。ランコはとくに野心的だった。高度成長期の初期に成功を収めた同社は、経済成長とインフラ投資が今後もずっと続いていくと考え、さらなる借入を行った。ラージャゴーパールは発電所建設、鉱山採掘、幹線道路整備へと次々に乗り出していった。競合他社の多くも同じ対応で、政府系銀行から借入を行い、その資金をさらに野心的なプロジェクトにつぎ込んでいった。当時言われていたのは、インドは需要増に対して供給が限定的というかねてからの構造的ギャップに苦しんでおり、この傾向はとくにインフラセクターで顕著というものだった。このギャップを埋めるべくアーンドラ・プラデーシュの五大インフラ企業が借り入れた金額は合計で二二〇億ドルにものぼった。「すべての主要インフラ企業には、二つの興味深い共通点がある。一つは政治家かその近親者によって経営されているという点。もう一つは公的セクターの金融機関から莫大な額の借入をしているという点だ」――ある調査ではそう指摘されている。(43)

ところが、状況は悪化に転じていった――最初は少しずつ、その後は猛烈な勢いで。ラージャゴーパールはその経緯を流れるように説明していった。二〇〇八年の世界金融危機、それを受けたインド経済の減速、「汚職の季節」到来。そして最後に、ニューデリーに広がった「政府の麻痺状態」で、汚職事件の捜査が進んだことで政財界の関係者に衝撃が走った。彼が続ける。「経済活動の多くが停止状態になりました。需給ギャップなど吹っ飛んでしまいました。わたしたち企業家がリスクを取ってまでもろもろのプロジェクトを進めてきたのは、成長のポテンシャルを見込んでのことでした。しかし、その成長は起こらなかったわけです」

長年にわたりインドの複雑なビジネス環境のなかで独特の手法で利益を挙げてきたかに見えた豪商たち――彼らはある日突然、その手法ゆえに自分たちもこれまで築き上げたものを失ってしまったことに気づかされたのである。この問題はインド各地の企業家に影響を及ぼしたが、かつて他を圧倒する存在だったアーンドラ・プラデーシュのインフラ業界のトップ企業群はとくに大きな被害を受けた。そのなかで、ラージャゴーパールほどこの苦境を体現した人物はいなかった。催涙スプレー事件で悪名を轟かせた彼は、見通しが利かなくなった投資プロジェクトの立て直しや苦境に陥った自分の会社の肩にのしかかる巨額の借入金の返済対応に追われ、ニューデリー市内を奔走することになった。話のなかで、彼はしょんぼりとした口調でこう語った。「当然のことではありますが、借金を返す当てがなければビジネスはお先真っ暗ですね」

新・金ぴか時代

第3部

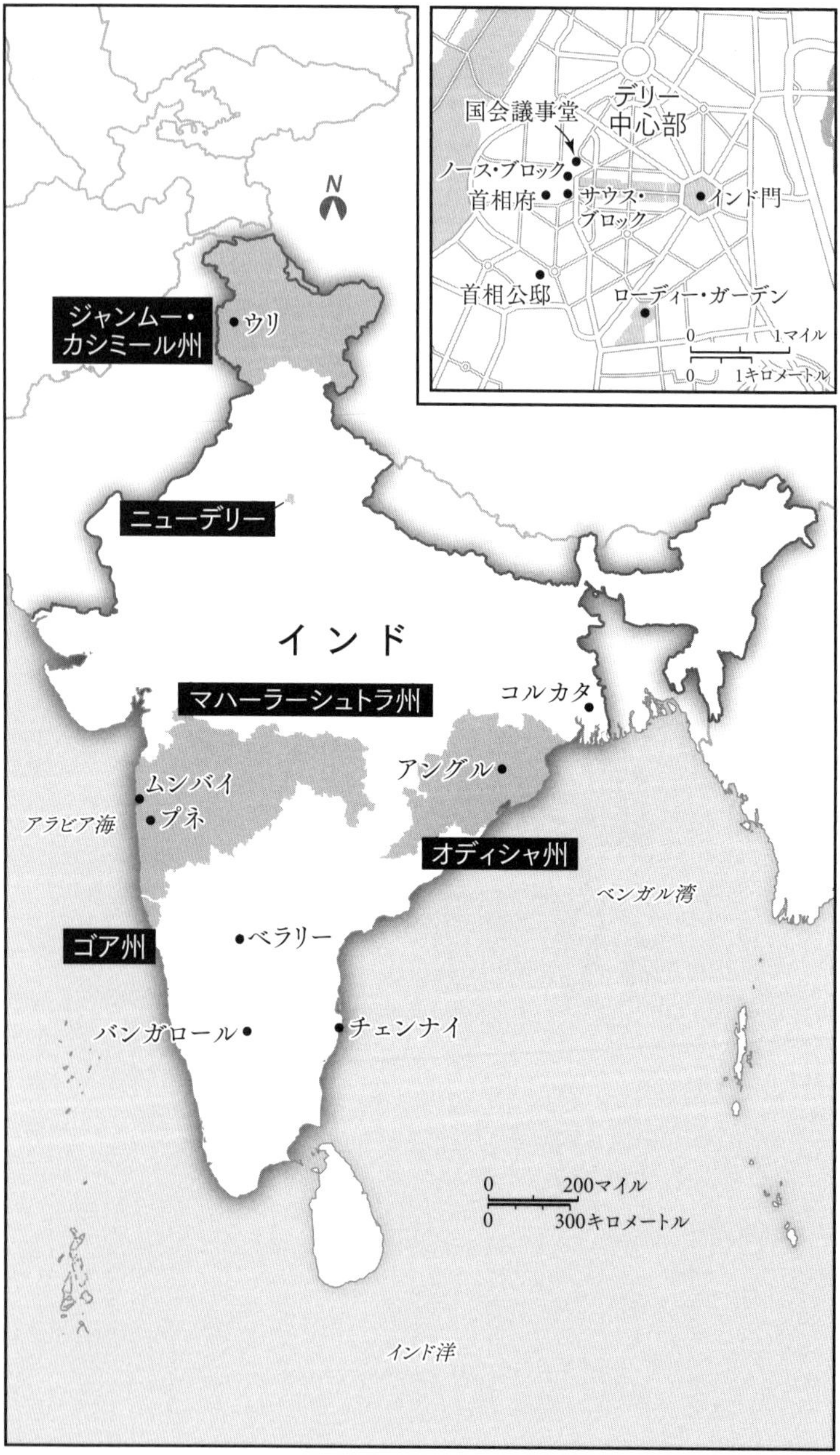
国会議事堂
デリー
中心部
ノース・ブロック
首相府
サウス・
ブロック
インド門
首相公邸
ローディー・ガーデン
0
1マイル
0
1キロメートル
N
ジャンムー・
カシミール州
ウリ
ニューデリー
インド
マハーラーシュトラ州
コルカタ
アングル
ムンバイ
プネ
アラビア海
オディシャ州
ベンガル湾
ゴア州
ベラリー
バンガロール
チェンナイ
0
200マイル
0
300キロメートル
インド洋

第8章

債務の館

ビッグブル

ラケーシュ・ジュンジュンワーラーとの夜の外出を軽くとらえるべきではない――彼と行動をともにして五時間が経過したころ、わたしは警告の意味を理解し始めていた。一本四五〇ドルもするジョニーウォーカー・ブルーで始まったムンバイのオフィスのテラスを皮切りに、夜が深まっていくにつれてまずは地元のバー、その次はお気に入りの中華料理店と場所を変えていった。わたしはかなりくたびれてきていたが、彼にとってはまだ序の口といった様子だった。

歯に衣着せぬ発言と下品なジョークで知られる名物投資家のジュンジュンワーラーには、こんな伝説がある。わたしたちが会った二〇一二年に発行された『フォーブス』によると、彼はわずか一〇〇ドルの手持ち資金で投資を始め、一二億五〇〇〇億ドルにまで増やしたというのだ[1]。彼は体格が並外れて大きかった。顔は丸々として、太鼓腹の上に着たシャツはテントのように見えたほどだった。ウェイターが笑みを浮かべて挨拶に来たが、ジュンジュンワーラーがテーブルに着くと緊張した面持ちに変わった。「おれが使うのは自分のカネだけ。他人のため、なんてことはないね」。着席してしばらく経ったた後、なみなみと注がれたウイスキーのグラスを肉厚の手で持ちながら彼が言った。「なあ大将、おれが好きなのは自由であることさ。おれは誰にも責任を負いやしない。そんなことはくそ食らえだ。だからこそ、自分のやりたいことを口にできるっていうわけさ」

その率直な物言い以上に、ジュンジュンワーラーは容赦のない過激な意見の持ち主として知られていた。事を大げさに報じる経済ニュース専門テレビ局は「ビッグブル」と呼んで、その外見と揺らぎのない投資姿勢を婉曲に表現していた。膨張する億万長者クラブに投資家として初めて仲間入りした彼は、割安な企業を探し当てる特別な嗅覚を持っていた。かつては無名だった「タイタン」という時計メーカーはその代表例で、二〇〇〇年代の大半で同社の株価は暴騰した。彼はインドという国全体の将来性に対しても絶対的な信頼を置いていた。「インドの成長エンジンを止めることなんて不可能さ。民主主義、人口、企業家精神。これからもっと大きなことが起こる」

わたしがジュンジュンワーラーに会いに行ったのは、モンスーンが終わった二〇一二年十二月の汗ばむ夕方のことだった。彼はデスクに陣取り、少なくとも五台の端末に囲まれてデータのチェックに余念がなかった。秘書がわたしを案内すると挨拶の言葉を小声で発したが、視線はモニターに釘付けになったままだった。映画『マトリックス』さながらに刻々と変わっていく数字を彼が見つめるのを、わたしは部屋の隅から立ったまま数分間にわたり眺めていた。彼はときどき、受話器をつかんでは「売り」「買い」とヒンディー語で相手に叫び、数百万ドル規模の売買指示を出していた。彼の服装はシンプルだったが、指に光る巨大なダイヤモンドの指輪だけは例外だった。そこに注目することで、彼が吸う何本ものタバコ――かび臭い煙のにおいが部屋に立ち込めていた――から目をそらすことができた。部屋の一角には花輪をかけられたガネーシャを祀る神棚が置かれていた。ガネーシャはヒンドゥー教でゾウの姿をした陽気な神様で、商売に幸運をもたらしてくれると信じられている。その太鼓腹は、どことなくジュンジュンワーラーの腹と似ていた。

その日の売買が終わると、わたしたちは外のテラスに移った。バーにはドリンクが充実し、床には人工芝が敷き詰められていた。外に目を向ければ南ムンバイの古ぼけた金融街ナリマン・ポイントにひょろりとそびえる高層ビル群の眺望が楽しめた。一五階の高さから眺めると、ビルの合間のかなたにマラバール・ヒルの輪郭を見つけることができた。湾の対岸にある高級住宅街で、ジュンジュンワーラーが妻と三人の小さい子どもと暮らす家もそこにあった。北には片持ち梁式のアンティリアのシルエットが浮かび、薄暮のなかで建物がまばゆい光を放っていた。

ジュンジュンワーラーにビジネスを始めたころについて尋ねると、地味なスタートだったという答えが返ってきた。「アンバニやほかの大財閥があるだろ、あれはみんな帝国の建設者なのさ。莫大な遺産を相続しているからね。おれにはそんな遺産なんてまったくない」。株に興味を持ったきっかけは税務当局勤めで同僚と一杯やりながらマーケットの話をよくしていた父の影響だったという。「すごく、本当にすごく好奇心旺盛な子どもだったんでね」と彼は振り返る。十代のころに培った興味から、彼はフルタイムの株式トレーダーになった。ボンベイ証券取引所（ＢＳＥ）は一八七五年にアジア初の株式市場として設立されたが、それから一世紀経ってもインドのマーケットは小規模なままだった。金融はいかがわしい仕事だと見なされてきた。「母がこう言ってたよ。『それじゃ結婚相手がいなくなるよ！』ってね。そんなことは気にせずに進めたけど」と彼は言う。株式取引はブローカーのカルテルが仕切っており、株価の操作も起こりがちだった。「そのころはマーケットの透明性もあまり高くなくて、いわば『ワイルド・ウェスト』だったからね」。ジュンジュンワーラーは当時のダラル・ストリート――インドのウォール街――について懐かしそうに振り返った。「でもね、おれはインドが社会主義を捨てる日が来るとずっと確信してきたし、インドで新しい殿堂を造るのなら、それは株式市場だと思っていたよ」

レストランに場所を移した後、今度は投資へのアプローチについて訊いてみた。すると彼は下品なユーモアを交えてこう答えた。「マーケットっていうのはね、女みたいなものさ。常に上から目線で、常にミステリアスで、常に不確実で、常に気まぐれで、常にエキサイティングときてる！」その後、彼はレコーダーをオフにするよう求め、マーケットがセックスと似ている理由について卑猥なモノローグの第二弾を展開し始めた。わたしはその内容を繰り返すことはしないと約束したが、彼が以前も同じような比喩を――マイルドな表現ではあったが――用いていたのを耳にしたとは打ち明けなかった。それは前の週に行われた会議の場での一幕で、ほかのパネリストと大声で言い合いになり、これ見よがしに指を突き立てるジェスチャーをしたときのことだった。ムンバイはもっといいナイトクラブとストリップバーができない限り、グローバルな金融センターとして成功することは絶対にないだろう――彼はそう主張して聴衆から笑いをとったのだった。

夕食をとりながら、ジュンジュンワーラーは若干ブロークンな英語――そこから彼の地味な出自がうかがえた――でまくし立てるように話を続けた。話が止まるのは中毒のようにタバコを吸うときだけで、必ずと言っていいほど空咳を伴っていた。食事をする際の様子は本当に楽しそうだった。「おれはグルメだからね。とにかく食い物が好きなのさ」。その言葉の正しさを証明するかのように、周囲にいたほかの客が何事かと目を向けるほどの大きさでときおり遠慮なくげっぷをした。

こうした言動はいずれも彼のきらびやかな側面の発露だった。ベントレーを所有し、次はプライベートジェットの購入を予定しているという投資家。数年前には金に糸目をつけずに五十歳の誕生日パーティーを企画し、二〇〇人のゲストを会場のモーリシャスまで飛行機で送り届けたこともあった。ただ、愛すべき謙虚さも彼にはあった。彼によると、海外旅行は好きではなく、モーリシャスツアーは例外だったという。アメリカには行ったこともなく、行きたいと思ったこともなかった。絶対的信仰とすら言えそうなインドに対する信頼も熱を帯びていた。「おれがインドについてとにかく楽観的になったのは二〇〇一年ごろだったね」。彼はニューヨークで起きた同時多発テロについて触れながら説明した。「アメリカ人が三〇〇〇人死んだところで、歴史の流れは変わりやしないって思ったものさ」

二〇〇二年、当時のBJP政権による改革が実を結び始めていたなかで、彼はインドが「長期的かつ構造的な強気市場のとば口に立っている」と訴える論説を執筆した。「おれは二〇〇三年に声を振りらんばかりに絶叫していたね」と振り返る。「買い、買い、とにかく買い！　愛する嫁さんの宝石を売り払ってでも買いだ！」彼の予測は正しかったことが証明された。インドの金融市場は輝かしい五年連続の活況を呈し、株価は過去最高を更新し続けた。タイタンをはじめとするジュンジュンワーラーの優良投資先は株価が何倍にも上昇した。インド全体としても発展が進み、億万長者リストはこれまでにないほど多くの富豪がひしめくようになり、ジュンジュンワーラーもそこに含まれるまでになった。

インドの超富裕層のなかで専業の投資家であるジュンジュンワーラーが占めるポジションは独特だった。『フォーブス』のリストには投資家が数人入ってはいた。その一人、ウダイ・コータクは民間銀行コータク・マヒンドラの創業者で、ジュンジュンワーラーのオフィスから通りをいくつか挟んだところに住んでいた。ヘッジファンドのマネージャーや銀行家は欧米の超富裕層を体現する存在だったが、インドの場合はいまなお企業家の独壇場だった。とはいえ、ジュンジュンワーラーの富の源泉はほかとは違っていたかもしれないが、当時インド経済の上層部に属する者たちのあいだで駆け巡っていた楽観論を踏まえれば、彼の前向きな見方は珍しいものではなかった。

二〇〇〇年代後半になると、インドは中国のような高度成長期に入り、八パーセントかそれ以上の成長を遂げる時代が到来するのではないかという観測が広がった。二〇〇八年に世界金融危機が起きたときも、インドは強靭さを失っていないように映った。財界リーダーは、ジュンジュンワーラーが言及したのと同じファクターを指摘した。若年層の多い人口構成、誰の目にも明らかなインフラ投資のニーズ、ルールに基づいた民主的制度（完璧かどうかはさておき）の恩恵、はっきりとした国民の上昇志向――強気のインド人投資家はこうした根本的信念を抱いていたのである。

問題は、こうした強気の姿勢が突如として現実から乖離しようとしていたことだった。「汚職の季節」が到来しつつあり、腐敗をめぐる懸念が政治的課題になり始めていた。わたしたちはアルコールが五臓六腑に染みわたるなかでこの話題について議論を交わしたが、ジュンジュンワーラーは次第に内省的になっていった。彼は「金ぴか時代」の鉄鋼王、アンドリュー・カーネギーの「金持ちのままで死ぬのは不名誉な死だ」という名言に若干のアレンジを加えた言葉を発したことがあった。ジュンジュンワーラーはその前年、財産の四分の一を手放す考えがあることを公表していた。この背景には、彼が比較されることの多い――少なくともインドでは――ある人物の影響が一因としてあった。それはアメリカの著名投資家ウォーレン・バフェットで、彼は世界の富豪に対し富の何割かを手放すよう呼びかけていた。「歴史だけがビジネスで成功する鍵と言うなら、富豪はすべて図書館員で占められているだろう」――ジュンジュンワーラーのオフィスの外には、バフェットの警句を引用した漫画が壁に貼ってあった。しかし、彼の決断はさらに深い懸念、すなわち最近になってほかの億万長者が評判を落としているなかで、自分も一緒されたくないという思いから来ているのではないかとわたしには感じられた。さらに資産の一部を手放す考えはないかと彼に尋ねてみると、決めかねている様子だった。「まあ半分にまで減らすかもしれないけどな、そりゃわかんないよ」。負けが込んだときに倍賭けしたくなる投資家の性《さが》から逃れられないかのように、彼はそう言った。

とことん酔いまくった夜が終わりに近づくと、ジュンジュンワーラーは自分のベンツで送っていこうと言ってくれた。わたしはおぼつかない足取りで後部座席に転がり込んだ。車での移動中、彼は自分の夢は以前と変わっていないと語った。インドで問題になっていた汚職の件が念頭にあるのは明らかだった。「おれは世界でいちばん多くカネを稼ぎたいと思ってるよ。でもな、仕事をしていく上で最大限の品位ってもんが必要だろう」。「富は七世代で消滅する」というインドのことわざを紹介しながら、ビジネス帝国にしても世襲王朝にしても、そのうち没落することになると彼は言った。インドが腐敗で評判を落としていることは気にならないかと訊いてみると、次のような答えが返ってきた。「おれは政府とは何の取引もないし、ライセンスの発行も受けていない。炭鉱なんて持ってやしないし、政治家の友だちもいない。役所なんて絶対に行かないね」と彼は言った。「自慢はしたくないが、おれには誰にも負けない評価がある。どこの銀行でもおれに融資してくれるさ」

債務の館

インド経済にとって恥ずべき事件の発生源としては、ムンバイ中心部のシージェイ・ハウスは不似合いな場所だ。四角形でどっしりした一二階建てのオフィスビルはアラビア海に面しており、ラケーシュ・ジュンジュンワーラーもオフィスを構えるナリマン・ポイントと空港を結ぶ幹線道路のすぐ隣に立っていた。立地は理想的だった。アルタマウント・ロードの住宅街からさほど離れておらず、地元の金融関係者が集まって噂話や儲け話をするときに使われるフォーシーズンズ・ホテルもすぐそばにあった。ビルの左側にはぴかぴかのジャガーやランドローバーを展示するショールームがあり、右側には悪臭を放つ運河に面したスラムがあり、下水が海に垂れ流されていた。ビルの所有者は裕福な国民会議派の閣僚経験者——最大級の資産を持つ政治家の一人と噂された——で、最上階に住んでいるということだった。しかしそれ以外の入居企業は、バークレイズ、ロスチャイルド、野村、さらには破綻前のリーマン・ブラザーズと、ほとんどすべてが投資銀行や証券会社だった。新聞が「インドでもっとも賃料の高いオフィス」と評したこともあった[2]。このビルほどインドの大企業やそれを率いる豪商に対してフレンドリーな場所はなさそうに見えた。ところが、ここの九階にある質素なオフィスこそが、インド資本主義の核心部の腐敗に光が当てられる舞台になったのである。

アシーシュ・グプタは、スイスの投資銀行でシージェイ・ハウスに入居していたクレディ・スイスに二〇〇〇年代後半に入社して以来、ここで勤務を続けていた。彼は四十代後半の証券アナリストで、銀行業の分析を得意とし、金融機関でキャリアを培ってきた。スリムな体軀に二つに分けた黒髪とかぎ鼻が特徴の彼は、ワイヤーフレームの眼鏡をかけ、弁護士を思わせる正確な話しぶりが印象的だった。要点やチャートを掲載したレポートを作成するのがリサーチ部門の責任者を務める彼の仕事だ。レポートは「買い手《バイサイド》」側のクライアント、すなわち投資グループやヘッジファンドに送られ、こうした組織が銀行に資金を託して株式の売買を依頼するという仕組みになっている。リサーチ業務では金融関連の声明の精査に加えて、担当業種の企業や金融機関のミーティングに出席することも必要だった。レポートは無味乾燥で慎重に言葉を選んで書かれることが多かった。しかし私的な場では比較的自由で、ビジネスの問題点について突っ込んだ話をしたり個々人についてのゴシップに興じることができたし、その見返りに情報を教えてもらうこともあった。世界金融危機が終わってさほど時間が経っていないころ、インド最大規模の企業の一部で業績が悪化しているという無視できない話がグプタの耳に入り始めたのも、そうしたミーティングを通してだった。

「関係者の話を総合すると、大企業の多くで経営が厳しい状況になっていることがわかってきました」。二〇一七年、グプタは金融危機の後遺症がまだ残っていた二〇一〇年ごろに記憶をさかのぼって教えてくれた。当時、インドのアナリストは大半が強気だった。中国がそうだったように、インドもグローバルな大混乱のなかで最悪の状態からは脱したと見られていたし、アジアの多くの国では世界金融危機は「欧米金融危機」にとどまっているととらえられていた。〇九年にマンモーハン・シンが再選されたことで、ラケーシュ・ジュンジュンワーラーのような楽観主義者はさらに勢いづいた。これで首相は大胆な経済改革を断行でき、成長がいっそう加速されると予測していたからだった。インドのコングロマリットも絶好調だった。カネにものを言わせて海外で資産を買いあさり、国内では野心的な新規投資プロジェクトを推進した。シンは一九九一年に財務大臣に就任した際、経済改革によってインドの「本能」が呼び覚まされることを期待していると語ったことがあった。(3) 首相として二期目に入った彼は、成功を手にしたかのように見えた。

さまざまなミーティングに顔を出すなかで、グプタはかなり違ったシグナルを感じ取っていた。最初は断片的な噂話でしかなかった。あの大型工業案件がトラブルに陥っているらしい、あの豪商は返済の見込みがまったくないのに資金を借り入れ、その過程で帳簿をごまかしているようだ、といった具合だ。こうした情報は当初少しずつ入ってきたが、ほどなくしてグプタは同じ噂話をあちこちで耳にするようになった。ここまできてようやく企業の幹部はすべてが順調というわけではないと認め始め、その原因についての言い訳も用意していた。グプタは次のように振り返っている。「こういう大企業の人間とのミーティングに出ると、強く自信を持っている人はほとんどいなくなっていることに気づきました……これはもっと深く調べないといけないと決意したんです」

このリサーチの結果が二〇一二年八月にメールでクライアントに送られると、すぐさま波紋をもたらした。銀行のレポートは退屈で機械的なタイトルがついているのが一般的だが、このときグプタは詩的なタッチでいこうと決め、「債務の館《ハウス・オブ・デット》」とした。(4) 三五ページからなる明解な内容の文書には、一〇年にわたる投資ブームによってもたらされた巨大な経済的混乱の実態が赤裸々に記されていた。二〇〇〇年代初め以降、主立った豪商の多くが無謀な借入に邁進し、銀行から受けた多額の融資をレバレッジを利かせた投資に回した。そこで得られた利益を、今度は発電所や有料道路、港湾やボーキサイト鉱山といった野心的な新規プロジェクトにつぎ込んでいった。こうしたプロジェクトの大半はうまくいき、かなりのリターンをもたらした。その後、世界金融危機が起きていたころになると大規模投資ブームの次の波が到来し、以前にも増して多額の融資がそれを下支えした。豪商の借入金に対する偏愛は悪名高かったが、フィクションにまでそのさまが登場したほどだった。「レバレッジとは飛行機で高度を一気に上げるようなもの。レバレッジは小さいものを大きく、大きいものを巨大にする方策だ……レバレッジをかけることで永久に拡大を続けられる」。モーシン・ハミッドは二〇一三年に発表した小説『台頭するアジアで汚れた金持ちになる方法（*How to Get Filthy Rich in Rising Asia*）』でそう記した。[5]

成功は確実と思われていたプロジェクトに暗雲が立ち込めるようになったのは、この投資ブーム第二波の時期だった。すべての大企業が影響を受けたわけではなかった。タタ、それにムケーシュ・アンバニのリライアンスという二大財閥はまっとうな内容のバランスシートを維持していた。グプタのレポートが注目したのはインドでもっとも借入金に依存している企業一〇社で、各社のパフォーマンスが詳細に調べ上げられていた。アーンドラ・プラデーシュ州の三大企業――GMR、GVK、それにラガダパティ・ラージャゴーパールのランコ――はいずれも対象になっていた。ゴータム・アダニのグループやアニル・アンバニが所有するほうのリライアンスも同様だった。残りの企業のなかには、シージェイ・ハウスから通りを下ってすぐのところにある超高層ビルを本社とする電力・インフラ企業、エッサールも含まれていた。

こうした企業についてのグプタのコメントは簡潔かつ抑制的だったが、そこで描かれた現状は疑いなく厳しいものだった。「これら一〇社の合計債務額は過去五年で五倍に跳ね上がりました」と彼は記した。銀行から巨額の借入をしながらこのリストに含まれていない大企業はいくつもあった。ヴィジェイ・マリヤのキングフィッシャーや、そのライバル企業だが疲弊しきった国営のエア・インディアはその代表例だった。しかしこの「債務の館」企業一〇社の借入金は、まったくもって次元の違うスケールだった。債務額を合計すると八四〇億ドルにもなり、これは銀行業界全体の総貸出額の八分の一以上にもなったのである。

インドの銀行制度についてグプタのレポートが示唆した内容は、非常に厳しいものだった。インドの金融機関は前述した大企業の債務レベルの問題にさらされているという点で、いまやアジアでもっとも脆弱な状態に置かれている――彼はそう解説した。端的に言えば、こうした大企業のバランスシートを注意深く見れば見るほど、各社が債務の償還に苦心しているだけでなく、おそらく完済は不可能であることがはっきりしてくるという意味だった。(6) このころ投資家のなかには、中国経済で危険なほど高水準にある債務がなんらかのかたちで金融危機を引き起こすのではないかと懸念していた者がいた。それがいまでは、インドのほうがさらに悪い状況にあるかのようだった。「[金融]業界は、『債務の館』という一見無害なタイトルがつけられたレポートの内容に心底驚かされた」――インド最大の経済紙『エコノミック・タイムズ』はそう報じた。

斜め読みするだけでは、このレポートの内容が驚きをもって受け止められたことが不思議に思えるかもしれない。しかし、「債務の館」が注目を集めた最大の理由は、インドではこれほどまでに詳細な財務情報を入手するのは驚くほど困難なためだった。インドのコングロマリットの組織構造は意図的に不透明になっているのが普通だった。何層にも連なる子会社や孫会社の頂点に持ち株会社が君臨し、資金が各社のあいだを行き来しており、外部の者がその流れを追うのは途方もなく困難な作業だった。こうした企業グループのなかには株式市場に上場しているものもあり、その場合は投資家向けに少なくともなんらかの財務情報は公開していた。しかしそれ以外は非上場で、データを出す義務はまったくと言っていいほどなかったのである。

状況をさらに複雑にしたのは、グローバリゼーションが加速するなかで、こうしたインド企業の多くが、アフリカの鉱山買収やイギリスの工業プロジェクト建設といった海外展開に乗り出していったことだった。企業の財務状況を精査しようとする者にとって、この事態はさらなる悩みの種となった。企業が持つ資金の一部に加え、おそらく借入金のかなりの部分が海外で管理され、多くの場合タックス・ヘイブンを経由していることを意味していたからだ。こうした一連の状況のもと、グプタのようなアナリストは、製鉄所や発電所といった単独の新規投資プロジェクトで資金がどう調達されたかについてはかなり容易に突き止めることができた。しかし、コングロマリット全体というレベルになってくると、「プロモーター」――豪商の異名――以外に借入状況の実態や融資元がどこかといった情報を知ることは不可能だった。グプタと彼のチームは、上述の一〇社の実態を明らかにするべく何カ月にもわたって困難なリサーチを続け、銀行の情報源からひそかに情報収集を図った。そうしているうちに、少しずつではあったが彼らのデータが具体的なかたちを見せ始めていった。「そこで明らかになってきた実態は本当に、とにかく本当に驚くべきものでした」。彼はわたしにそう語った。

こうした企業が二〇〇〇年代の高度成長期に遂げた急拡大について理解するだけでも衝撃だったという。「驚きだったのは電力セクターに着目したときでした」とグプタは言う。当時、石炭火力発電所、とくに「ウルトラ・メガプラント」と呼ばれる次世代型のものが各地で建設されており、グジャラート沿岸部のムンドラー港に隣接し、ゴータム・アダニが運営する発電所もそのなかに含まれていた。建設に際しては、ＰＰＰ方式により何億ドルもの資金が投じられていた。全投資案件中、「債務の館」の企業一〇社だけでおよそ四分の三を占めていたことをグプタは発見した。「これは尋常ではありません。

こうした企業の多くは一〇年前には無名の存在でした。それがいまでは一〇〇億ドルとか一二〇億ドル「相当の投資」を手がけているのですから」

それ以上に尋常でなかったのは、企業家の見通しの誤りだった。彼らはインドでもトップクラスの知名度を誇る豪商で、熟達したリスク判断や迷宮のような政界を遊泳していくスキルによって称賛を受けていた。彼らをとりわけ名高くしていたのは「環境のマネジメント」——談合を行うときの婉曲的な表現——能力だった。ところがここにきて、その能力をまさに発揮したい局面になって、ボリガルヒ的な要素が効かなくなってしまった。多くの者にとってインドをビジネスがきわめてしにくい国にしてきた制約要因が、突如として彼らにも降りかかってきたのである。中央政府は「汚職の季節」の後遺症で機能不全に陥ったままで、以前なら柔軟に対応してくれた官僚が、大規模産業プロジェクトを進めるために必要な何十件もの公的許可を出し渋るようになった。案件が宙ぶらりんになったことで、債務返済に関する豪商の期待もきわめて厳しいものになっていった。

「債務の館」レポートが送られたその当日から、グプタは怒りの電話への対応に追われた。銀行は、自分たちが行った融資は予定どおり返済されることになっていると抗議し、問題を不必要に誇張することでマーケットに動揺を走らせているとして、グプタと彼のチームを糾弾した。名指しされた一〇社も怒り心頭に発し、現在の特殊な状況に言及するとともに、停止中のプロジェクトは近く正常化する見通しだと主張した。「電話をかけてきてわたしを罵倒した人もいましたよ」。グプタが当時の状況を振り返る。「さらに、当行のCEOにまで電話したケースもあったほどです」

しかし翌年もインドの不良債権問題は悪化する一方だった。二〇一三年八月にリリースされた「債務の館」[7]レポートの第二弾は、問題の一〇社による債務総額は一〇〇〇億ドル超にまで急上昇していると指摘した。対外的な場では、各社のトップは経済全体の減速をやり玉に挙げた。しかし内輪では政府への怒りをあらわにし、政府がアクションを起こさないために本来なら有望な投資案件が前に進まない状況に置かれていると主張した。縁故資本主義に対する非難によって政府の意思決定が大きく揺さぶられ、停止状態にまで至るさまを意味する「政策麻痺」というフレーズがニューデリーで飛び交うようになった。

一方、政府側は違った見方をしており、遅延を来しているとすればそれは経営者側のミスによるものだと主張した。「あの連中は最初の時点で取っておくべき許可を得ようともせずに、『後でしっかりやっておくから』と言うんですよ」。対決を厭わない経済学者から国民会議派所属の政治家に転身したジェイラーム・ラメーシュは後年、わたしにそう語った。二〇一三年当時、ラメーシュはインドの環境大臣を務めており、とにかく豪商を嫌っていることで知られていた。森林地域での大規模鉱山開発や電力プロジェクトをはじめとする投資案件を何度も阻止したのは彼だった。豪商の見通しは楽観的で、必要な許可を得ずにプロジェクトに着手し、既成事実をつくっておいてから政治家とのコネを使って問題をクリアしようと考えていた、とラメーシュは指摘した。そして彼はこう続けた。「さらに、高潔な人格の持ち主である首相がいました。『本能』を解放しようと説いてきた首相です。このことも、やりたい放題にできるという感覚が企業家のあいだで強まった要因でした」

たしかにこうした政治側の混乱は豪商側ではいかんともしがたいものだったが、「債務の館」レポートは完全に彼ら側の失態である問題を明るみにした。「仮に発電所を造るのに一〇〇ドル必要としましょうか。そのうち七〇ドルは借入金で賄い、三〇ドルは自前の資産から出します」とグプタは説明する。これは金融論の教科書にも出てくる、借入金と株主資本の合理的な比率だ。出資比率は重要で、それは企業家自身が「主体的な関与」をし、プロジェクトが不調になった際に緩衝材のような役割を担うからだった。銀行側は豪商に対し、ある程度自前の資産を投じるよう求めるのが一般的だ。プロジェクトの円滑な進捗を確保するためのインセンティブという目的もあるが、状況が悪化した場合に損失を吸収させるためでもあった。しかしグプタは、この出資比率は往々にして煙幕でしかないことを突き止めた。豪商は次のような巧妙な手口を編み出していた。A銀行に対しある特定のプロジェクトに自前の資産を投入すると伝えるが、実際にはその資金はB銀行からまったく別のプロジェクト向けとして調達し、ひそかに送金されていたものだったのだ。両行とも実態を知る術はない一方で、当の豪商は自前の資金を動かさずに済んでいた。

　問題の大きさについて説明すべく、「債務の館」は各コングロマリットのレーダーチャートを作成し、さまざまな子会社間で資金が融通される実態を示した。銀行は融資の是非を判断する際、個別の企業の健全性だけを見て、コングロマリット全体の債務レベルについては考慮に入れていなかった。銀行の多くは、豪商たちがひそかに資金を行ったり来たりさせ、その結果、これまで確認されていた分をはるかに上回る額の債務を積み重ねていたことを単に見落としていたのだ。

　インド最大の銀行、ステート・バンク・オブ・インディアの会長を務めるアルンダティ・バッタチャーリヤは、当時、自分を含め各行トップはトリックに気づかなかったわたしに語った。「各企業グループの他人資本比率《ギアリング》まではチェックしていなかったというのが正直なところです」。二〇一三年に「債務の館」レポートの第二弾が出て数カ月しか経っていなかったころ、彼女はそう語った。(8) 適切な資金調達を行ったかに見えたプロジェクトが、実はほぼすべてが借入金によって賄われ、自前の資本はごくわずかかゼロということが白日の下にさらされた。プロジェクトがうまくいかなかった場合、損失分を埋め合わせる資金はまったくなく、貸し手である銀行は直ちに窮地に置かれた。一方、各豪商の債務総額――大半は資金を巧妙に移動させることで集めたものだった――は危機的な水準に達していた。グプタが言う。「わたしたちはこれを『債務の層化《レイヤリング》』と呼びました。『債務の館』という名前もそこから来ているのです。企業という館のいたるところに債務があり、自前の資本はどこにもなく、いまにも倒壊しそうな状況だったのですから」

より寛容な説明の仕方としては、経済学者のダニエル・カーネマンとエイモス・トヴェルスキーが言う「計画錯誤」がある。プロジェクトの立ち上げを計画する者は「非現実的なほどに最良のシナリオに近い見通し」に依拠するという心理的バイアスのことだ(9)。インドの場合、鉄鋼需要は永久に上昇するはずだという前提に基づいて製鉄所が新設されることを意味していた。同様に、石炭はいつでも安価に輸入できるはずだという前提に基づいて発電所の建設が計画された。この結果、国内石炭の主要産地はインド東部にあるにもかかわらず、発電所の多くが何千キロも離れた西海岸に集中した。全体的な話でも、インド経済は快調な発展がずっと続き、行政の問題はなんらかのかたちで対処できると推測されていた。豪商たちの見通しはさらに甘くなった。グプタが言う。「『プロモーター』のあいだに漂っていたのは活況感だけでした。アルタマウント・ロードで隣の邸宅の豪商が発電所を二つ造っていると聞けば、自分も同じことをやってみようか、という具合でしたね」

最悪の場合、豪商の巧妙な会計操作は明白な腐敗行為にはまってしまうこともあった。インドの「プロモーター」はプロジェクトからカネを引き出す達人として知られており、たとえプロジェクト自体が失敗に終わってしまう場合でも例外ではなかった。もっともよく用いられたのは「金メッキ」という手口だった。たとえば、二〇億ドルを投じて製鉄所を建設したいという提案を企業が銀行に行ったとする。このうちの一定割合——仮に一五億ドルとしよう——は銀行からの借入金で賄い、残りの五億ドルは自前の資産から出すということになる。ここでのトリックは、実際の建設費は一〇億ドルしかかからないということだ。銀行からの調達額と実際のコストの差額——このケースでは五億ドル——は利益として経営者の懐に入り、別の投資案件の資金源になる、というわけだ。

サプライヤー側との了解に基づいて行われる、「水増し請求」という手口もある。この場合、プロジェクトの経費――製鉄所のケースで言えば、実際に建設を行う事業者からの請求書――は高額に設定され、差額はサプライヤーと発注元企業のあいだで山分けされるのだ。銀行側は蚊帳の外に置かれる。類似のやり方としては、石炭や鉄鉱石のような輸入産品の価格を水増ししたり、ＰＰＰ契約の条件を有利なかたちに操作したりするといったものがあった。[10]

「こうした状況は縁故資本主義の最悪の形態でした」。当時ナレンドラ・モディ政権で財務副大臣を務めていたジャヤント・シンハは、国民会議派政権時代について二〇一五年にそう指摘した。「彼ら［銀行］は顧客からお金を預かって、それをムンバイやハイデラバードの縁故資本主義の経営者にばらまいていたわけです。経営者側はその資金を元手にあらゆるプロジェクトに着手しましたが、そのなかには成功する見込みのないものが含まれていたのを知っていたはずです。しかし、それでも大金を手にすることができたので、お構いなしでした」。すべての製造業が債務問題を抱えていたというわけではなかった。消費者向け製品を扱う企業は、借入をするにしても合理的なかたちで行っていた。しかし、多くのプロジェクトで資金不足の状態が生じていたのも事実だった。「プロジェクト経費の『金メッキ化』は、キャッシュフロー以外のところから自前の資産として出す分の資金を調達する方法として、ディベロッパーによって幅広く用いられていた手法でした」。エコノミストで銀行経営者のラジーヴ・ラールは二〇一五年にそう記した。[11]豪商たちは制御不能になっていた。ジェイラーム・ラメーシュはこう振り返る。「当時、首相が言っていた『本能の解放』という空気が漂っていました。しかし、その本能によって人間が覆い尽くされてしまったのです」

もっとも根本的なレベルで「債務の館」が明らかにしたのは、インド経済の重要な歯車の一つが破綻していたという事実だった。工業セクターのバックボーンを成すコングロマリット企業は、自分たちが手がけてきた大規模プロジェクトが立ち往生してしまったことに気づいた。経済学者が「過剰債務」と呼ぶ事態に陥った企業は新規投資案件に乗り出す能力や意思をなくしていき、インフラ業界全体を景気後退に追い込んでいった。豪商はインドの政治経済の激変に適応できず、それまでの大言壮語から一転して言葉を失った。彼らの多くは経済自由化前に社会に出て行った。資金は不足していたが政治的問題は交渉で柔軟に対処することが可能だった。その後、この二大基本前提に変化が生じた。第一に、二〇〇〇年代にインドにもグローバリゼーションの波が到達し、資金に飢えていた豪商がいくらでも資金を手にすることができるようになったことで、調達コストが低下した。ところが、汚職スキャンダルが頻発するようになると、「プロモーター」はそれまでの政治トリックがもはや機能しないことを悟った。債務で身動きがとれなくなったことで、システムを動かす力は一気に消滅してしまったのである。

不良銀行

インド中央銀行の総裁として、ラグラム・ラジャンはバランスシート上の問題解消に取り組む国内の銀行支援でもっとも大きな責任を負う立場にあった。しかしそのためには、銀行自身に問題の大きさを認識してもらう必要があった。「ある公営銀行の経営者がわたしに対し、名前は明かせないが、ある豪商に融資をしたと明かしてくれたことがありました」と彼は言う。このときラジャンは二〇一六年にRBI総裁の任期を終えてから約一年が経過したころで、ムンバイを離れてシカゴで教職に復帰していた。「この銀行経営者は、豪商が投資案件の一つから資金を流用していたことを突き止めました。それが判明したとき、こう言ったそうです。『あいつへの怒りが収まらなかったので、与信枠を一〇パーセント減らしてやりましたよ!』とね。これを聞かされたとき、わたしはもう少しで笑い出しそうになりました。それがあなたがやった対応ですか? 与信枠の一〇パーセント削減? ばかげていますよ」

ルールが大きく踏みにじられたにもかかわらず軽いお仕置き程度の対応しかされなかったのは、銀行経営者の及び腰な姿勢を浮き彫りにするものだった。ラジャンはこのエピソードから、インドの金融システムの核心にある根本的な不均衡――リスクを厭わない拝金的な「プロモーター」と慎重かつ低報酬で働く政府系銀行の経営者のギャップということ――について認識を新たにさせられた。「銀行の経営者が臆病だと言いたいわけではありません。ただ、彼らはあの連中［豪商］が自分たちと比べてはるかに大きな力を持ち、権力の回廊のなかで大きな影響力を発揮できることはわかっていたはずです」と彼は言う。「これまでずっと、そういう豪商がテレビや新聞に登場したり、あるいはゴシップ紙のコラムで取り上げられるのを目にしてきたでしょう。そういう相手に対して、ある日突然、毅然とした姿勢で立ち向かうというのは簡単なことではなかったと思います」

ラジャンはこの不均衡への対処にうってつけのアカデミックな経歴を持っていた。金融論を研究する経済学者の多くは理論の整合性にこだわり、金融システムで日々起こる厄介な現実に目を向けたがらない傾向がある。ラジャンは正反対だった。彼がマサチューセッツ工科大学で博士号を取得した学位論文は「銀行業についての論文集」というタイトルだった。[12]金融市場は効率性が完全に保たれているという考えに疑義を呈する論文三篇が収録されており、とくに三本目の論文は企業、融資元、債務の関係を直接扱うものだった。研究者としてのキャリアの初期、彼は債券価格設定や銀行信用、資本構成といった金融セクターでも地味な部分に注目して研究を続けていった。

ラジャンは腐敗の問題についても関心を持っていた。一九九〇年代後半のアジア金融危機後、彼はマレーシアやタイのように「関係に基づいた投資システム」を持つ国々――つまり蔓延する縁故資本主義に浸かっている国々――がなぜ金融崩壊に対し脆弱なのかを説明する論文を発表した。[13]その後、国際通貨基金（ＩＭＦ）で史上最年少の研究部門トップになると、リスクを厭わない金融機関がもたらす危険性を強調し、世界金融危機のかなりの部分を予測する内容の講演を二〇〇五年に行った。[14]しかしそのラジャンですら、ＲＢＩに着任した時点ではインドが抱える債務危機の規模について正確に理解していたわけではなかった。実態を把握するにはほぼ二年を要したのである。

就任当初、彼は別の問題に直面していた。なんと言ってもまずはインフレで、インドは物価を適切にコントロールできていないという災厄に見舞われていた。また、彼が総裁に就任する数カ月前、アメリカの連邦準備銀行総裁を務めたベン・バーナンキが自国の量的緩和――世界金融危機の悪影響を食い止めるために発動されていた数兆ドル規模の資金供給策――を抑制する考えを示唆したことを受けて、インドの金融にも深刻な影響がもたらされていた。世界中の投資家がパニックになり、新興国市場から資金を引き上げた。伝統的に公共財政が脆弱で膨大な経常収支赤字を抱えるインドはとくにその影響が顕著だった。インドは突如として一九九一年以来最悪の金融危機へと引きずり込まれた。ルピーは暴落し、金融市場は大混乱に陥った。政府も危機感を強め、対応策を打ち出そうとした。

大げさな表現を好むタイプではないラジャンは、二〇一三年九月のある水曜日の午後、ＲＢＩの記者会見室で総裁として初めてのスピーチを行った。「いまは楽観できるときではありません。経済は試練に直面しているのです」。彼は現状について努めて冷静に説明した。しかしそのなかでも、彼は債務を返そうとしない豪商に対して始めようとしていた大規模な闘いについて、はっきりとしたシグナルを送っていた。『『プロモーター』には企業のマネジメントがいかにひどくてもトップの座にとどまれるなどという特権はないのです」。スピーチの終盤で彼はそう指摘した。「失敗に終わった事業に資本注入を行う目的で銀行システムを活用する権利もありません」[15]。インド中央銀行総裁の発言だけに、これは言ってみれば宣戦布告だった。「影響を受けるのは銀行だけではないことをはっきりさせておきたかったのです」。彼はのちにそう語った。「企業経営者は業績がいいときには利益を得ておきながら、業績が悪化すると銀行に損失を引き受けさせようとしていました。こうした慣行は終わりにしなくてはなりませんでした」

当時の公式統計によると、インドの銀行による融資の約一〇分の一が不良債権化しており、これはアジア諸国では最悪レベルだった。インドの銀行市場で約四分の三のシェアを持ち、大企業への融資の大半を占める公営銀行の場合はまだ不良債権の比率は低かった。こうした銀行の多くがいわば「金融的故障状態」に陥っていることは秘密でも何でもなかった。ラジャンがＲＢＩ総裁公邸――アルタマウント・ロードにあるムケーシュ・アンバニのアンティリアからほど近い場所にある――に引っ越したのは、「債務の館」レポートの第二弾が発表されてから数週間しか経っていないころだった。このレポートでは、多くの銀行のバランスシートが危険な水準にあることがこれ以上ないほど明確に示されていた。しかし、ムンバイの内部関係者のあいだでは、銀行が抱える問題の実態はさらに深刻なことが以前から噂に上っていた。企業経営者は賄賂と引き換えに銀行から新規融資を受けることが往々にしてあり、実際に返済できるかどうかなどお構いなしにきたことのつけがたまっているというのである。事業がうまくいかなければ、豪商はいつでもニューデリーのコネを使って融資元に政治的圧力をかけてもらい、返済の先延ばしや既存の貸付に関する寛大な再交渉、優遇条件での債務と資産の交換《デット・エクイティ・スワップ》に応じさせた。いちばんひどいケースになると、「エバーグリーニング」と呼ばれる策が用いられた。ある銀行への債務返済に苦しむ企業が別の銀行から借入を行い、ひそかにその資金を返済に回すことで、ずっと先まで返済日を遅らせるという手法だった。

アメリカの投資銀行モルガン・スタンレーでインド部門の責任者を務めたことがあり、穏やかな話し方が特徴のＰ・Ｊ・ナヤクに対し、ラジャンはＲＢＩ総裁就任後間もない時期に、ある要請をした。国営銀行の経営状態が悪化している要因を検証するための委員会を率いてもらえないかと依頼したのだ。二〇一四年半ばに発表されたナヤクの報告書は、慎重な官僚に指導され、政治の介入に足を引っ張られるなかで競争力を持たず、資金不足に陥っている金融機関の暗澹たる実態を浮き彫りにした[16]。インドの不良債権問題はさらに悪化する可能性が高く、景気を維持するために政府はさらなる緊急の資本注入を行う必要があるとナヤクは訴えた。しかし、銀行経営のあり方について大胆な改革を加えなければ、こうした資本注入ですら、不良化した債権はそのままにして新規資本を入れるだけでしかなかった。

銀行の経営状況の監視にあたり、ラジャンがRBIで手にしていた最大の武器は少数の調査官からなるチームだった。彼らに金融機関の動向を注意深くフォローさせ、問題が生じないか注視していたのだった。ナヤクの報告書が発表されると、ラジャンは調査官チームに対し、これまで以上に作業を徹底するよう命じた。調査官は、収支の実態を報告するよう各行の役員に対し強く求めるようになった。その結果判明したのは、悲惨な現実だった。表向きには良好とされてきた大型融資案件の多くが実際には不良債権化しており、返済の見込みがまったくないことがわかったのだ。一方、これまた表向きには良好とされてきた大型産業プロジェクトも実際には政治的あるいはほかの面で行き詰まっており、銀行にも経営者にも資金的な出血を強いることになっていた。「表に出てくる数字はどす黒い問題を隠していることに気づかされました」。ラジャンはそう認める。「そこでわたしたちは、穴が実際にどれほど深いのかを確かめる必要があると指摘したのです」

このころには、インド経済に期待感が戻っていた。二〇一三年にマーケットで起きたパニックは過ぎ去り、経済紙は着実に地歩を固めた中央銀行総裁に敬意を表して「ラジャン・ラリー」が起きているとはやし立てた[17]。さらに大きかったのは一四年半ばにナレンドラ・モディが首相に就任し、改革に向けた期待が高まったことだった。楽観派は銀行システムの大改革を予測し、フットワークの重い公営銀行は経営陣が交代するか、場合によっては民営化されるのではないかという観測もあった。ところがこうした期待にもかかわらず、足もとの不良債権問題は悪化する一方だった。瀕死状態の発電所や製鉄所建設プロジェクト——不良債権の二大発生源——をモディが再開してくれるのではないかという期待は幻想に終わった。四半期を経るごとに債務問題は深刻さを増していった。状況を把握するべく、ラジャンは「アセット・クオリティ・レビュー」という当たり障りのなさそうな内部プロジェクトを翌年に立ち上げた。特別チームが各行の融資リストを徹底的に調べ上げ、問題を明らかにするよう強く求め、不良債権の全体像を初めて明らかにした。ラジャン自身も覚悟はしていたが、判明した結果に衝撃を受けた。「わたしの予想より少なくとも二倍から三倍以上でした。かなりショッキングな結果でした」と彼は振り返る。「わたしたちが次に直面したのは、問題が存在することを彼ら［銀行］に認めさせることでした」

ラジャンのチームは、あからさまな腐敗が行われていることも明らかにした。銀行関係者が収賄容疑で警察に逮捕されるスキャンダルが次から次へと発生した。シンジケート・バンクという平凡な中規模銀行の会長は、経営難に陥っていた鉄鋼業の豪商に対し賄賂と引き換えに融資を行ったという容疑で二〇一四年に逮捕され、保釈までのあいだ拘留された。[18]このように表面化するケースは珍しいが、高級時計を受け取るマネージャーや現金を受け取る見返りに既存の貸付を再交渉したり新規貸付を行ったりする役員など、業界全体では、規模は小さいがよく似た性質の例があちこちで起きていると見られていた。

「幹部を使って……本来なら条件を満たしていない顧客に対し融資を実行させ、貸付額の一部を懐に入れてしまうというのが腐敗した［銀行の］トップがよくやる手口です」。金融専門家のタマル・バンディヨパドヤイは二〇一六年に別の銀行の会長が収賄容疑で起訴されたのち、そう記した。[19]機転が利く企業経営者なら柔軟に対応してくれる行員を自社向け融資の承認にかかわるポストに据えるという手段すらとる、という話をわたしはたびたび耳にした。この真偽を確かめることは難しいが、本来なら融資を受けられない企業に多くの貸付が破格の条件で行われていることを踏まえると、あながち突飛な見方とも言えなさそうではある。「銀行の元会長に何人も会いましたが、銀行の不正行為について彼らが教えてくれた話はとにかく尋常ではないものばかりでした」。Ｐ・Ｊ・ナヤクは報告書作成時の調査プロセスについて説明した際にそう語った。「これはシステム全体に巣くう腐敗と言うべきで、それ以外の何ものでもありません」

とはいえ、ラジャンが説明するように、汚職はインドの金融システムが直面する真の問題ではない。むしろ、容易にはとらえがたいが重要性は高く、貸方と借方である豪商のあいだに存在する力の不均衡こそが問題だったのだ。単に銀行の経営のあり方がまずかったという話ではなかった。重要なのは、大半の国の金融機関であれば借方をつなぎ止めておくために保持しているツールをインドの銀行は欠いていたことだ。問題の一つは情報で、貸方がコングロマリット全体の経営状況を詳細に把握したり、経営者が債務を子会社間で付け替えているかどうかを突き止めたりする能力も意思もなかった。さらに、インドには実効的な破産法が存在せず、破綻しつつある企業から経営者を更迭したり資産を売却したりすることが事実上不可能だった。インドでの資本調達コストは高かったが、それは状況が悪化した場合に回収するのがきわめて困難になるのが理由だった。

大半の国では、経営難に陥った企業家は銀行に対し会社の存続を訴え、貸方が要求する取引はいかなる内容であれ受け入れることになる。ところがインドの場合、取引は別の方向に動いていく。「煎じ詰めて言えば、自分が企業経営者だとして窮地に陥ったとしても、自らそうしたいと思わない限り返済しなくても済むのです」。ラジャンはそう語る。「そして債務を完済しようとする唯一の理由は、その見返りに新規融資をしてほしいからです」

道半ばの闘い

インドの公営銀行の脆弱性については、バランスシートを精査しなくても、支店に足を踏み入れさえすればはっきりとしたイメージをつかむことができる。シンジケート・バンク――二〇一四年に会長が逮捕された銀行――は、南ムンバイのわたしのオフィスのすぐ近くにかなりくたびれた雰囲気の支店を構えており、わたしはそこのATMをときどき利用していた。オレンジ色のロゴからはマスコットのジャーマンシェパード犬と「誠実かつフレンドリーに」というスローガンが目を引いた。支店内に入ると設備はどれもみすぼらしく、黄ばんだ書類がうずたかく積み上がり、行員の動きはのろのろとしていた。一台しかないATMは基本的に動いていなかった。インドで銀行口座を持っている者は人口のわずか半分しかいなかったが、口座保有者の大半は安全で堅実という評判からこうした支店を利用していた。

シンジケートのような金融機関は政府が直接運営しているわけではなかった。証券取引所に上場している金融機関が多かったが、株式の大半は国が所有していた。政府は一九六九年のインディラ・ガンディーによる銀行国有化後に導入された複雑な規制を通じていまなお統制力を発揮していた。こうした銀行は非効率ではあったが、預金者は仮に状況が悪化した場合でも政府が確実に保証してくれるという安心感から信頼できると考えていた。一般職は終身雇用と手厚い福利厚生が受けられることから、勤務先としても人気が高かった。上級マネージャーの給与は民営銀行と比べるとかなり見劣りがした。最大の融資額を持つステート・バンク・オブ・インディアのアルンダティ・バッタチャーリヤの年収はだいたい四万五〇〇〇ドルでしかなかった。[20] しかしこうしたポストは誉れ高かったし、高級住宅が無料で提供されるなどさまざまな手当がついた。このシステムは全体として高い信頼性を提供するものだった。これに対して「レイジー・バンキング」という固有の名前がつけられすらした。リスクを回避し、資産の大半を安全度が最高レベルの政府債権購入に納得ずくで充てる銀行経営者を嘲笑する言葉だ。[21]

このように超慎重という評判があっただけに、このころインドの銀行が展開し始めていた無謀とも言える融資ブームはいっそう驚くべきものに映った。「有名な建設業界の『プロモーター』と話をしたときのことを思い出します。彼曰く、あの連中［銀行関係者］が小切手帳を持って自分の後をついてくるというんです。なんとか融資させていただけないでしょうか、ということだったのです」。ラジャンはそう振り返る。二〇〇〇年代には金利がかつてないほど低くなっていたことで、銀行は容易に資金を用意することができた。しかしそれだけではなく、国内の状況も良好に映った。二〇〇〇年代初期に造られた大型プロジェクトの大半は成功しており、債務の返済は滞りなく行われた。これと同じことが今度ははるかに大きなスケールで再現可能だという前提が広がっていた。

企業経営者がインドの未来にかける期待は熱狂的なレベルで、その熱気はリスク回避指向のはずの銀行経営者にもすぐに伝染していった。ヴィジェイ・マリヤのキングフィッシャーはわかりやすい事例だ。状況が悪化に転じると、銀行は債務の再構成に応じて財務状況の立て直しに必要な時間を提供するとともに、優遇レートで債務と資産の交換《デット・エクイティ・スワップ》も行った[22]。しかし、マリヤに返済能力がないことが明らかになると、銀行側は窮地に陥った。彼らにはキングフィッシャーの経営を乗っ取ることができる法的な手段もなければ、マリヤに対して可能な額だけでも返済させることすらもできなかったのである。債権者と債務者の力の不均衡はあまりに大きかった。

こうした状況にもかかわらず、ラジャンの取り組みは結果を出し始めていた。大物が対象になった案件がいくつかあった。その一つはマリヤのケースで、銀行が段階的にではあるが彼の別荘や飛行機といった資産の差し押さえに乗り出していったのだ。マリヤの名声の象徴だった財産が返済に充てられていくさまは、多額の債務を負うほかの豪商にとって背筋が凍るような効果をもたらした。内輪の席では、企業経営者は魔女狩りだとして不満を口にした。「『プロモーター』はデリーに駆け込み……抗議を行いました。デリー側の人間によると、『これは自分自身で対処すべき問題でしょう』と言ったそうです」とラジャンは振り返る。モディ首相は銀行の大胆な改革に積極的な姿勢は見せず、民営化の可能性も排除したが、銀行融資における政治家の「不介入」という新時代の実現についてはしっかりと約束した[23]。ニューデリーでは、ラジャンにとってかつての級友であるジャヤント・シンハが銀行改革を推進する任務を与えられていた。彼は新たな破産法の制定や経営難に陥っている公営銀行への追加資本注入、新たな管理体制の導入といったモディ政権の銀行改革パッケージの策定にかかわった。彼らの念頭にあったのは、以下の三つの課題を同時に解決することだった。第一に銀行に問題が存在することを自覚させ、第二に問題解決のために必要な資金を注入し、第三に債務者への対処を支援する。シンハはこれを「認識、資本注入、解決策」と呼んだ。

しかし金融システムを正常化させるには、インドの銀行は他国の貸方のように対応する必要があった。つまり、債務を減額し、資産売却を行い、経営陣に厳しく対処して退任させるということだった。しかし、このプロセスの一つひとつが容易ではないことが判明した。債務減額に応じた銀行は、借金を負った豪商を窮地から救うことを意味し、縁故主義ではないかと非難を受けるリスクがあった。「プロモーター」を強制的に排除しようとすれば、法廷闘争に持ち込まれるおそれもあった。「提訴される事態になれば自分の首を絞めることになりかねません」。アルンダティ・バッタチャーリヤは二〇一四年、わたしにそう語った。

電力プロジェクトから有料道路まで、苦境に陥った経営者の資産の購入を考える者も、官僚という壁に当たってしまうか前の所有者とのあいだに対立が生じてしまうことを恐れ、慎重な姿勢を崩さなかった。貸方も強制的な手段に出たいのはやまやまだったが、インドの銀行はシンジケートローンを組む場合が多かったことから、身動きがとりにくい状態にあった。たとえば、ヴィジェイ・マリヤの債務を管理するコンソーシアムには一七もの金融機関が含まれており、豪商マリヤを捕まえるためにはすべての債権者から同意を取りつける必要があった。理屈の上ではこうした状況が続けばリスクを広げることになるが、実際には行動を起こさないことへの自己弁護になっていた。「彼ら［銀行］はヘッドライトに照らされたシカにちょっと似たところがあります。リスクの大きさで固まってしまったのです」。ラジャンはそう解説する。「定年まであと三カ月だし、みんなの機嫌を損ねることになるのに、どうして事を起こす必要があるのか――彼らにはこう考える強いインセンティブがあるんです」

二〇一六年、アシーシュ・グプタはニューデリーに飛び、財務省関係者を対象とする内部の研究会でプレゼンテーションを行った。そのなかで彼は、不良債権問題は融資総額の二割近くという、驚愕のレベルに達することになるとの見通しを示唆した。それでもなお、問題となっているプロジェクトの多くは、返済の可能性がまったくないことを意味する「焦げつき融資《ノン・パフォーミング》」とは認識されていなかった。こうしたプロジェクトの多くは遅延を来すか、あるいはただ単に資金が枯渇し、豪商のほうも自分が投じた資産が無価値になってしまったことで意欲を失ってしまっていた。ランコでラガダパティ・ラージャゴーパールが積み上げた三九〇〇億ルピー（六〇億ドル）の債務の多くは不良債権に分類されていなかった。こうしたケースですら、銀行も借方も状況はいずれよくなると主張し続けることが多かった。しかしこれは通常、債務者に対する返済猶予を正当化する際に用いられる幻想――「繰り延べ《エクステンド》と見せかけ《プリテンド》」のアプローチと呼ばれた――でしかなかった。

遅々とした進捗状況はより根本的な政治問題の表れだ――政府の首席経済顧問を務めるアルヴィンド・スブラマニアンはわたしにそう解説した。関係者のほぼ全員が、傷ついたインドの産業経済を立て直すためにはなんらかの合意《ディール》が必要であることはわかっていた。銀行は債務を減額し、企業は資産売却や新規資金調達を図り、政府は停滞するプロジェクトを抱える企業を支援するとともに公営銀行に資本注入を行うといったように、各当事者が痛みを分かち合う必要があった。問題は、どのような中身であれ豪商の優遇と見なされる行動は政治的にリスクが高いことだった。ひとたび大型投資案件がレールから外れてしまえば、資金を簡単に回収できる方法も借金まみれのゾンビ企業を整理するための法的手段も存在しなかった。こうした困難な状況はインドの経済発展に転換が起きていることを示すものだったとスブラマニアンは指摘する。かつての社会主義体制のもとでは、企業は新たな市場に参入することができなかった。民間企業が排除される分野だったり、複雑なライセンスによって既存の企業が守られていたりしたためだ。こうした状況は経済自由化によって変貌を遂げた。しかしいま、さまざまな業種――電力、鉄鋼、建設、航空、さらには銀行までも――で、経営難に苦しむ企業の内部で資本が停滞していた。スブラマニアンの言葉を借りれば、インドは「参入制限のある社会主義」から「出口の見えない資本主義」に移行したのだった。「創造的破壊」が受け入れられる環境はなかった。言ってみれば、システムそのものが停滞していたのである。

ラジャンは穏やかな気性の持ち主であり、閉塞状況を打開しようと試みる存在には見えなかった。彼は権力階層《エスタブリッシュメント》の出身だった。小さいころには知る由もなかったが、彼の父は最上級幹部クラスの諜報関係者で、アメリカのCIAやイギリスのMI6に相当する組織の創設メンバーだった。アメリカに留学する前は、インド工科大学（IIT）デリー校とインド経営大学院（IIM）アーメダバード校という、インドのビジネスエリートを輩出する二大養成拠点で学んだ。彼の経済観は創造性豊かではあったが、マーケットを信頼し政府を疑うというように、かなりオーソドックスなものだった。しかし、縁故主義に対する嫌悪は道徳的な持論にも根差していた。「インドでは一部の人がきわめて豊かなのは、彼らが有能なビジネスマンだからではなく、システムの操作方法をよく理解しているからです」とラジャンは言う。「わたしは資本主義を本来のかたち、つまりリスクを取ることが報われるシステムに戻したかったのです。しかし、それ以上のものではありません」。インドに帰国する前、彼は自分の考えをまとめた本を共著のかたちで出版した。『セイヴィング　キャピタリズム』――本のタイトルはそうつけられていた。
最後に足かせになったのは、ラジャンが闘いに必要な気性を欠いていたことではなく、時間が足りなかったことだった。ＲＢＩ総裁は二期六年勤め上げるのが通例だった。ところが二〇一六年六月のある土曜日の午後、ラジャンは「熟慮の末に」一期だけで退任するという予想外の声明を発表した。[24]
このニュースを受けて、ただでさえ活発なインドのゴシップ製造工場はフル回転を始めた。ラジャンは学界に復帰するときが来たという発言以外にはまったく説明を行わなかった。彼の友人は、「特殊利益団体」が彼の前に立ちはだかった可能性に言及した。「彼の政策はもちろんいいことだったのですが、副次的な被害を招いてしまいました」。シカゴ大学の同僚で共著者のルイジ・ジンガレスはそう記し、縁故資本主義に対する闘いを展開したことで退任につながったのではないかと示唆するとともに、「融資をやすやすと引き出してきたインドのオリガルヒ」を批判した。[25]政治にまで踏み込むことがあるラジャンのスピーチもニューデリーで物議を醸し、強硬なモディ支持派をいら立たせた。しかしメディアは、不安に駆られた企業経営者もラジャン更迭を要求したのではないかと報じた。その真偽は別にして、銀行側も豪商側も彼の退任を歓迎したことは間違いなかった。さらに悪いことに、ラジャン退任から一カ月もしないうちに、ジャヤント・シンハも内閣改造で異動になり、別の省庁を所掌する副大臣ポストに追いやられてしまった。[26]二人は手を携えてインドの傷ついた銀行システムの改革に取り組み、縁故主義のもっとも悪い部分を制御しようと試みた。彼らの退任によってこのミッションは、好意的に評価しても道半ばの状態のままで放棄されることになってしまった。
シンハは改革の成果について彼なりに擁護した。「インドは資本主義の新たな形態に向けて進んでいる途中で、旧来の縁故主義は一掃されつつあります」。異動後、彼はそう語った。「[モディ]首相はこの改革に全面的にコミットしています。改革はまだ完了していませんが、後戻りという選択肢はないのです」。彼とラジャンが退任するころには、少なくとも銀行の問題は白日の下にさらされていた。ただし、不良債権問題は解決からほど遠い状態にあった。国が大きな位置を占める旧来型銀行制度の基本構造にも変化は見られなかった。公営銀行の大半は経営難に陥ったままだった。それどころか、不良債権の実態がついに明らかになった結果、多くの公営銀行を取り巻く状況はラジャンの就任時よりも悪化していることがわかった。P・J・ナヤク委員会が提案した解決策はほぼすべてが無視された。「報告書では『いますぐ、そして大胆に行動をとらなければ、問題はさらに大きく悪化します』と指摘しましたが、実際にそのとおりになってしまいました」。ナヤクは二〇一七年にそう語った。行動に移さないというインドの公営銀行にはびこるスタイルにも変化は見られなかった。今日ですら、ラジャンがソフトなかたちで嘲笑した例の慎重な銀行経営者――ルールを逸脱した豪商に対し与信枠を削減するという及び腰のペナルティしか課すことができなかった男だ――がもっと大胆に動けたかと言うと、その可能性は低いと言えそうだ。

とはいえ、闘いが道半ばというなら、少なくとも半分までは到達したととらえることもできる。インド企業を長年フォローしてきた者は、変化が生じていると感じている。ラジャンがRBI総裁就任後初のスピーチで攻撃した、豪商の「神聖な権利」――いかなる状況であれトップの座に君臨し、そのためには銀行の融資を悪用することも厭わない――は、かつてのような聖域ではなくなってきた。債務者を起訴しようとする試みの結果、数人の大物が網にかかったし、ヴィジェイ・マリヤは国外に難を逃れさえした。銀行が資産売却を求めたり債務回収スキームに乗り出したりするなか、ほかの豪商たちもプレッシャーを感じるようになった。「債務の館」に登場する億万長者は借入金を返済してはいないにしても、これまでのような優遇条件で新規貸付を受けることは困難だろう。旧時代の安全保障システム

――コネと狡猾さによって帝国を維持できるという感覚のこと――に少なくとも疑念が生じていたのは確かだった。インドの豪商はかつて楽観論に満ちていたが、いまではこの上なく焦燥感を抱いているように見えた。

第9章

苦悩する豪商

夢に描く国、インド

鉄塔の上部に設置されたデッキに立ったナヴィーン・ジンダルは、木々で覆われたかなたの丘のほうを指さした。そこには巨大な工業施設が広がっていた。三本の紅白の煙突がそびえ立つ電力プラントと製鉄所。さらに海綿鉄工場もあり、ぐらぐらと揺れるエレベーターの上には錆色をした金属製の展望台があった。ジンダルはヘルメットをかぶり、高級そうな淡青色のシャツを着ていた。ほぼ完成した巨大施設を見下ろす若き億万長者にとっては、頂点に上り詰めた瞬間だったに違いない。ところが彼は、ただ森林が広がる別の方角に目をやった。「あっちのほうですね、炭鉱区画があるのは。数キロ離れているかな」。彼は顔を曇らせながらそう言った。「この炭鉱があるからこそ、わたしたちはここにいるんです」。彼は元の向きに戻り、眼下のプラントを見るそぶりをした。じりじりと照りつける昼前の太陽がサングラスに映っていた。「これだけのプラントをここに造ったのは、炭鉱があるから。それに尽きます。ところが彼らは決定を覆し、わたしたちは身動きがとれなくなってしまいました」。彼はひと呼吸置き、自分が悲観的になりすぎていることに突如気づいたかのように、明るい笑顔をつくった。「とにかくこういう状況になってしまったので、『あれまあ、いったいどうすればいいんだ？』と言うしかなくなりますよね」

ジンダルのプラントは、鉱物資源が豊富なインド東部、オディシャ州のアングルにあった。国内最大級の規模を誇るこのコンビナートでは、毎年数百万トンの鉄鋼と数千メガワットの電力が生み出されていた。[1]操業開始当時、ここは彼のように華やかな豪商にとっておあつらえ向きの野心的なプロジェクトに見えた。経済自由化が始まる数十年前から鉄鋼王として知られてきたオーム・プラカーシュ・ジンダルの末っ子として生まれたナヴィーン・ジンダルは、まだ三十代半ばだった二〇〇五年に父がヘリコプター事故で死去した際に家業の一部を受け継いだ。ジンダルは瞬く間にやんちゃな企業家でプレイボーイというイメージを確立していった。おしゃれに服を着こなし、ポロをたしなみ、ライフルの腕前はトップクラス。年収は七億三〇〇〇万ルピー（一一〇〇万ドル）にもなり、インドで最高額の報酬を稼いだこともあった。[2]彼は父と同様に政界にも進出した。父が亡くなったとき、兄はニューデリーの西に位置するハリヤーナー州政府の閣僚を務めていた。弟の彼は〇四年に国民会議派所属の国会議員になった。選挙区は同じくハリヤーナー州のクルクシェートラで、父もおよそ一〇年前にここで議員をしていた。

ジンダルに批判的な者は、彼の企業が政府しか提供できない土地や鉱物資源に依存しているとして、利益相反だと非難した。彼はこの指摘を否定した。同様に議員を兼任していたヴィジェイ・マリヤとは異なり、ジンダルは議会で自分のビジネスに関係する議題は取り上げないよう注意深く振る舞った。それでもなお、二〇〇〇年代に炭鉱開発権が売却された際、ジンダル・スチール・アンド・パワー（JSPL）はどこよりも多くの区画を獲得した。[3]二〇一四年になると、この幸運の暗黒面が明らかになった。「コールゲート」スキャンダルのさなか、最高裁が彼に発行されたすべての炭鉱採掘ライセンスを破棄する決定を下したのだ。ほかの企業グループが保有する数十件のライセンスに対しても同様の措置が講じられた。この決定によってＪＳＰＬの株価は大打撃を被り、彼には一切石炭が供給されず、途中までしか建設作業が進んでいないアングルのプラントが残された。

それから三年後、わたしはニューデリーのＪＳＰＬ本社にジンダルを訪ね、彼とコーヒーを飲みながらビジネスの立て直しがどう進んでいるか教えてもらおうとした。わたしが辞去しようとしたとき、彼は思い出したように言った。次の日、問題のプラントを飛行機で一緒に見に行きませんか、ニューデリー空港のＶＩＰターミナルに来てくれれば大丈夫です、と。翌朝六時すぎに到着すると、わたしは人気《ひとけ》のないプライベートラウンジに通された。床には大理石が敷き詰められ、ベージュの革張りソファや派手なフラワーアートが置かれていた。部屋の中央にはパイレックスのガラス製ドームのなかにプライベートジェットのミニチュアモデルが置かれていた。ここを通る要人が自分も一機欲しいと言うときのためかもしれない。部屋にはパーティションで区切られたひっそりとした一角もあり、とくに重要な人物が来たときのためのエリアのように思われた。

それから約三〇分後、ＪＳＰＬの役員陣や大銀行から来たと思しきサイズの合っていないスーツを着た男六人とともに、わたしは専用のセキュリティエリアを進んでいった。わたしたちは日の出直後の陽光が降り注ぐ外に出た。オレンジ色のライトを点滅させた白い車数台に乗り込むと、車列は駐機場を猛烈なスピードで進み、停まっている民間機のあいだを縫って、待ち構える飛行機のもとへ向かっていった。ジンダル本人がようやく姿を現したのはそのときで、ＳＵＶから勢いよく飛び出してスタッフと握手を交わし、短いレッドカーペットを通るとタラップを駆け上っていった。

客室は快適だった。エグゼクティブ仕様のシートが二〇席あり、壁はつや出し仕上げのクルミ材張り。ドアの脇には靴を保管するための戸棚があった。女性の客室乗務員が一人搭乗しており、飛行機が滑走路に向かうあいだにきびきびとした仕草でジュースを配っていた。ジンダルは銀行関係者とともに機内後方の別室へと入っていった。後で判明したのだが、彼らはＪＳＰＬへの大口融資元の一つから来た関係者で、問題のプロジェクトの形勢を変えるためにジンダルが欲していた新規融資について協議すべく、プラントを視察しに来ていた。ジンダルが資金を必要としていることは秘密でも何でもなかった。

——炭鉱開発ライセンスの取り消しによって一〇億ドル以上の損失を被ったというのが彼の主張だった。[4]ただ、これは彼に限ったことではなかった。企業経営者の多くは、ナレンドラ・モディが瀕死状態のプロジェクトの再生を支援してくれるのではないかと期待を寄せていた。しかし、わたしがジンダルと会ったときは二〇一四年のモディ大勝から二年以上が過ぎていたが、残念なことに状況はほとんど何も変わっていなかった。債務を抱え、手に負えないレベルの政治的障害に直面することになった結果、かつて投機的だった豪商は自主的なストライキに入ったに等しい状態で、新規投資を完全にやめてしまっていた。

約二時間後、わたしたちを乗せた飛行機はサヴィトリ・ジンダル空港に到着した。周りには何もない土地に造られた飛行場とターミナルビルで、アングルのプラントから数キロの距離に位置していた。名称はジンダルの年老いた母に由来していた。ターミナルの外では二十数名の営業関係者が迎えに来ていた。彼らはラージャースターンでコンクリートを強化するために用いられる鉄筋の販売を担当しており、そこから飛行機で駆けつけてきたそうだ。ジンダルの表情ははっきりとわかるほど明るくなった。彼は三年前に吹き荒れたモディ・ウェーブで落選したため国会議員ではなくなっていたが、それでも支持者の肩を親しげに叩くような、いわば小売式の政治活動を楽しんでおり、次々と来る自撮りのリクエストにも応じて笑顔でポーズをとっていた。小柄で細身のジンダルは少年と呼んでもおかしくない外見で、その彼がびっしりとひげをたくわえた男たちに囲まれていた。議員時代のルーティンを繰り返すかのように彼は短いスピーチを行い、営業職員に対し日ごろの労をねぎらった。「この取り組みを続けていけば、インドはわたしたちが夢に描くような国になれると信じています」。スピーチの終わりに彼はそう言った。「そしてみなさん一人ひとりがそこに参加しているのです」

　トヨタ製の白い大型ジープの後部座席に乗り込んだジンダルは、プラントまでの移動時間を使ってプロジェクトを取り巻く数々の不運について説明してくれた。プラント建設を決めたのは、「ウクタルB1」鉱区――後刻、鉄塔の上から指し示した区域はこれだった――の採掘権を確保した後だったという。初めて現地を視察したときにはまだ道路がなかったため、ヘリコプターで行ったそうだ。そこで目にしたのは、孤立化した集落が少し、それに低木地と森林だけだった。それでも彼はプロジェクトを進めることにした。四半世紀、あるいはそれ以上にわたりプラントの必要量を十分に供給できるだけの石炭埋蔵量に意を強くし、二〇〇八年に建設作業を開始した。それから六年後に開発ライセンスが取り消されたころには、プラント建設はすでに予定から大きくずれ込んでおり、投資額三〇億ドルの大半を食い尽くしていた[5]。オディシャ州のほかの開発プロジェクトは、「ナクサライト」という毛沢東主義を掲げる反政府組織の問題を抱えているケースが多かった。しかしアングルの場合、少なくともライセンス取り消し前の時点では、ありふれた問題が頭痛の種だった。プロジェクト進捗の遅延、環境保護団体による抗議、規制機関との見解の食い違い、農地の売却価格に納得がいかなかった一部の村民といった具合だ。プラントの事務所で車が停まったので、わたしは外に出たが、閉めようとしたドアが重いことに気づいた。「これ、防弾車なんです。だから閉めるのが大変なんですよ」。ジンダルはそう言い、笑顔でさらに続けた。「注意はしっかりとしておくに越したことはありませんからね」

　それから数時間、ジンダルは各行の関係者を連れて自らプラントを案内し、車で移動しながら巨大施設を一つひとつ見せていった。開発ライセンスの取り消しによって予定されていた設備の一部は建設が中断しているが、さらなる資金を投じて溶鉱炉を新設することにした——彼はそう説明した。ジンダルは当時、鉄鋼と電力プラントで操業を続けるため、公開市場から石炭を高価格で調達しなくてはならなかった。しかしこれとて解決策にはならなかった。当時、鉄鋼の国際価格は低水準で推移しており、中国産鉄鋼が安すぎる価格で輸入されることに彼がたびたび不満を口にすると、周りは同意するかのようにうなずいた。ジンダルの写真はプラントのいたるところに掲げられていた。プラカードからこちらを見下ろしていたり、少し離れた場所の安全喚起のポスターからじっと見つめていたりした。看板の一つでは、笑顔の彼とともにこんなスローガンが示されていた。「わたしたちのリーダー——とるべき道を知り、歩むべき道を示し、自らその道を切り開いていく」

　プラント入口付近で通った環状交差点《ラウンドアバウト》には、巨大なインド国旗がこれまた巨大な旗竿に掲揚されていた。ジンダルはここで立ち止まり、自分が成し遂げた政治的自信作について説明し始めた。テキサスに留学した彼は、巨大な国旗を掲揚するアメリカの慣習に感銘を受けてインドに帰国した。そのころ、インド憲法は数少ない祝日にしか市民が所有する国旗の掲揚を認めていなかった。ジンダルはこの規定の変更に向けて尽力し、成功を勝ち取った[6]。国旗は彼自身のシンボル的存在になっただけでなく、有効な政治的推進力にもなった。この愛国的行動はインド人ならほぼ誰も否定できない目標を掲げ、ジンダルはその先頭に立つ者に位置づけられたからである。ジンダルは国旗のバッジを襟に付けており、スタッフ全員もそれに倣っていた。彼の取り組みによって全国各地に何十基もの掲揚台が作られ、その上にはプールほどのサイズの国旗が掲揚された。「高さは六三メートルあります」。彼らは誇らしげに掲揚台を見上げて言った。「インドはいまや世界でもっとも多く大型国旗が掲揚される国になりました。わたしたちが尽力した結果です」

　オーム・プラカーシュ・ジンダルはこの世を去るかなり前の時点で、事業を分割して四人の息子に与えた。[7] ジンダルが受け継いだ部分は少なく、製鉄所が一カ所、それに若干の炭鉱だけだった。しかし彼はリスクを貪欲に取ることで事業の急拡大に成功し、一九九八年にはゼロに近かった売上高は二〇一二年――炭鉱をめぐる問題が本格的に始まった年――には三〇億ドルを優に超える額にまで増加した。[8] インド初の民間商用発電所を設置して小規模ながら利益を挙げるなど、独創的な才能の持ち主であることも証明してみせた。[9] 石炭や鉄鉱石といった希少資源の獲得にも秀でた才能を発揮した。彼は事業を海外でも展開し、オーストラリアやボツワナ、南アフリカで炭鉱開発に乗り出したほか、ボリビアの広大な鉄山開発プロジェクトで一〇億ドルの契約を締結した。[10] この合意は二〇一二年に崩壊してしまうのだが、この時点でジンダルは、所有する炭鉱四区画がヴィノード・ラーイ会計検査院長の報告書で言及されたことでより大きな問題に直面していた。[11] 二年後、四区画すべての開発ライセンスが最高裁によって取り消された。この措置以降の数年間で、ジンダルによる数々の炭鉱開発契約に対して警察が捜査を開始し、JSPLの事務所を家宅捜索したほか、汚職事件として正式に立件した。[12] ジンダルは一貫して不正を否定したが、一連の展開は彼を窮地に追い込んだ。対外的イメージをことのほか気にかける彼が、長期にわたるインドの縁故主義との闘いのなかで最大の大物の一人になってしまったのである。

その日、ジンダルが役員会議室で議長席に座り、一方に役員数人が、もう一方に銀行関係者六人がそれぞれ着席し、プロジェクトの重要な節目や遅延について検討を重ねる様子をわたしは眺めていた。議論は友好的な雰囲気のもとで行われたが、緊張感もあった。ジンダルが抱える債務は七〇億ドル近くという驚くべき規模に達していた。[13] 銀行側は、さらなる融資がなぜ必要なのか説明を求めてきた。協議は何度か行き詰まり、そのたびにジンダルに打開策を示してもらおうと、出席者の視線は議長席に向けられた。何十億ドルもの債務、道半ばのプロジェクト、ジンダルのポスターをいつも見て事態を打開してくれるはずだと願っている何千人もの社員――彼を見つめながら、わたしはその双肩にのしかかる重圧の大きさに衝撃を受けた。「銀行はどこもわたし自身による保証が欲しいと言い、政府は政府であれをしろこれをしろと要求してくるんですよ」。彼は会議終了後、プラント内の無味乾燥なオフィスでわたしにそう打ち明けた。「いいことが起きるとその功績はオーナーに行きますが、何かしら悪いことが起きると、責任があるかないかにかかわらずその責めも負わされることになるのです」

実際に接したジンダルは礼儀正しく朗らかな性格で、短気で社員を怒鳴りつける癖があるといったような、噂にのぼる別の側面を感じさせるものはまったくなかった。たとえそうだとしても、笑顔の奥には衝動的な気質が隠れていた。石炭汚職《コールゲート》の最中、彼はスバース・チャンドラという豪商にけんかを吹っかけ、それが報じられるまでになったことがあった。チャンドラがオーナーを務めるＺｅｅ《ジー》ニュースというテレビ局は、ＪＳＰＬについて批判的な報道を数多くしてきた。これに仕返しをしようと、ジンダルはおとり作戦を展開した。彼は自社の役員をＺｅｅニュースの記者二人に接触させ、後者が賄賂を要求する様子を録音したのだった。[14] この策略は惨憺たる反応を招き、どちらの側にとってもプラスにはならなかった。ジンダルを貴公子のような存在として描くのは難しいことではない。ポロをたしなみ、厩舎には馬がひしめき、一点の汚れもないネルー・ジャケットを好んで着る——そんな彼は、ジェームズ・ボンドの映画の敵役のような感じが若干したのも確かだった。しかし、こうしたイメージは政治家時代の庶民的な愛国者という人格とは相容れないものだった。「クルクシェートラに行くと、彼はオーダーメイドの高級スーツと飛行士が着けるようなサングラスをかなぐり捨てるのだ」。ライターのメヘブーブ・ジーラニは二〇一三年に発表した人物評でそう記した。[15]「彼は対立する者に反撃しないことを誇りに思っており、テレビのゴールデンタイムで大激論になるような重要な政治トピックから距離を置いている」

ジンダルは自分のトラブルに関連したモディ政権批判を行わないよう注意を払ってもいた。国民会議派と強いつながりがあることで、どちらにしてもBJPから大きな助けが得られるとは考えにくいが、ウクタルB1鉱区はなんとかして取り戻したいと考えている──彼はそう語った。この問題は法廷に持ち込まれていたが、早い段階で結果が出るとは彼も期待してはいないようだった。かつて彼は政治家としての役割と企業経営者としての役割のあいだに利益相反はないと主張してきたが、いまでは自分の選択が問題をもたらしたことを認めるようになっていた。「もし質問されたら、こう答えるでしょうね。『政治とビジネスにはかかわるな』と。ただ、当の本人がそのアドバイスに従うことができなかったのですがね」と彼は言った。会話のなかで、自分が悲観的になりすぎていることに気づいた彼は、突然明るく振る舞うことが一度ならずあった。「インドをわたしたちが夢に描くような国にできるよう、変革をしていかなくてはなりません。それができなければ無駄話に終わってしまいます」。あるとき彼はそう言ったが、「夢に描くような国」に言及したのはこの日のなかで三回目だった。わたしは彼が政界に復帰したいと考えているのではと察し、そのことをぶつけてみた（彼は依然として政治活動用のウェブサイトを維持しており、トップページには「わたしたちが夢に描く国の建設にコミットしています」という、よく似たスローガンが掲げられていた）。彼はほほ笑みながら、そうなる可能性はないと思うと言って質問をはぐらかした。

国民の目には、ジンダルやほかの企業経営者はニューデリーで自分たちを助けてくれる友人を数多く持つ、紛うことのないインサイダーと映っていた。ジンダル自身がこの状況に対していかに異なる見方をしているかには、驚くべきものがあった。というのも彼は、自分の役割は政府や技術的な障壁に対し絶え間ない闘いを挑むことだと位置づけていたからである。彼が自分に突きつけられた数々の汚職疑惑に対していら立ちが収まっていないことは明らかで、それはいずれも政治的な動機に基づくものだと示唆していた。「賄賂を要求されるという事態はさまざまな場所で起こります」と彼は語る。「実際のところわたしたちがそれに応じることは決してありませんでしたが、そうすると彼らは態度を硬化させてこう言うんです。『なるほど、そういうお方なわけですね』と。そしてミスのあら探しが始まるのです」。問題の経緯をフォローしてきた者のあいだでは、炭鉱区画の分配に関する当初のプロセスには根深い問題があり、代替策として導入された新たな競争入札制度は公平かつ効率的だという見方が大勢を占めていた。しかしそれでもジンダルは、自分が鉱区を無償で受け取ったという考え方に強いいら立ちを覚えていた。彼は一度ならずこう指摘した。鉱区の取得は当時適用されていたルールに則って申請を行ったものだ、開発権の取得自体は一〇年に及ぶ長期プロセスの始まりにすぎず、地面を掘削して資源を取り出すには巨額の費用と不確実性が生じる、と。「わたしたちの名誉はひどく汚されてしまいました。石炭汚職？　わたしたちがここで汚職に手を染めていると言うのですか？」彼は周囲の巨大な施設を指し示しながらそう言った。「ここの規模はサンフランシスコのゴールデンゲート・ブリッジのようなものです。三万人が働いているんです。それなのに連中はわたしたちが汚職をしていると言うのですか？」

ラーラー・ランド

その日の夕刻、帰りのフライトで座席に身を沈めると、わたしはジンダルのトラブル、より一般的にはインドの企業経営者が直面するトラブルに思いを巡らせた。客室乗務員がスパークリングワインをサーブしてくれた。後方の客室では豪商ジンダルが銀行関係者とグラスを合わせて乾杯する音が聞こえてきた。協議が首尾よく進んだことがうかがえた。億万長者が自分のプライベートジェットで帰宅するのを申し訳なく感じることはないだろうが、それでもジンダルは懲らしめられて、どこか同情を引くような雰囲気を醸し出していた。

インドの高度成長期の冒険家精神をこれほど明確に体現する存在はほかにはまずいなかった。しかし彼は、自分が手がけてきたなかでもっとも野心的な投資案件の一つを失いかねないという恐怖から、銀行と連携して事業の継続を図ろうとしてきた。ジンダルに批判的な者は、彼が利益誘導を行い、適切な許可を受けずにプロジェクトを不法に進めてきたと糾弾した。真相が何であれ——彼はすべての点について断固として否定しているが——、こうした疑惑はインドで大規模な産業プロジェクトを手がけようとする者であればほぼ全員が直面するであろう、別のジレンマを体現するものでもあった。それは、仮にすべてのルールを遵守して各段階で政府から許可が下りるのを待ったとしても、安心して建設作業を始められるという保証はどこにもないということである。しかしこうした課題の背後にも、ジンダルが築き上げたような巨大企業、さらに言えばインドの産業コングロマリットそのものの将来をめぐるさまざまな問題が横たわっていたのである。

ジンダルは自信家ではあったが、自分が正当な評価を得られていないと考えているのは明らかだった。それは莫大な富をもってしても、プロジェクトの技術的成果や辺鄙な低木地をコンクリートと鉄の森に変えるための意思の力の報酬としては十分ではないかのようだった。自分のビジネス帝国が直面する数々の困難から何か教訓を得たかとジンダルに尋ねてみたことがあった。彼は数秒間考えてから、こう返した。「あらゆることについて本当に、本当に慎重にならなくてはいけないということですかね」

彼がアングルのようなプロジェクトの建設に着手したとき、銀行は融資に積極的だったし、外国の投資家も数多くいた。プロジェクトの先行きを阻むものは皆無に等しかった。「夢に思い描いた国」は手を伸ばせば届きそうな位置にあるかのように見えた。資金調達や契約交渉の渦中に身を置き、新規分野に事業を拡大し、父の世代の人間には想像もできないような規模で展開するビジネスの時代を謳歌する——ジンダル本人が具体的に言ったわけではないが、「プロモーター」としては中毒的な陶酔感を得たときだったのではないかとも感じた。ハイパーグローバリゼーションが二〇年にわたって進行し、資金調達が容易にでき、政治も自分たちのニーズに柔軟に対応してくれるなかで、彼をはじめとする産業界の巨人は自分たちのビジネスをインドの明るい未来に賭けたのだった。ところが腐敗をめぐる懸念が急速に広がり、官僚は二の足を踏むようになった。国際的な商品価格の変動によって、発電所や製鉄所の多くは操業停止に追い込まれた。キャッシュフローは収縮し、債務が積み上がっていった。かつて大胆な決断が十分な利益というかたちで報われるはずだと期待した企業トップは、突如として自分たちが事業存続に向けてあくせくしなくてはならない状況に置かれていることに気づかされたのである。

ジンダルの苦境は、インドのコングロマリットが近年経てきた怒濤のような歴史のなかでは極端な一例でしかなかった。JSPLのような肥大化した組織は、欧米で流行していた企業の常識からするとかなり古いタイプのものだった。欧米のビジネススクールでは、核となる能力の重要性が強調されており、これはインド出身のマネジメント専門家、C・K・プラハラードらの業績から導き出されたものだった。金融投資家も、事業を多角化させた企業について、相当な「コングロマリット・ディスカウント」を加味していた。こうした企業は肥大化し、焦点が定まっておらず、同族企業の場合は創業者の思いつきに振り回されやすいと考えられていたのだ。

しかしアジアのほかの国々と同様に、インドでも同族企業が経済のなかで圧倒的な存在感を発揮していた。このため、こうした企業は自然の摂理の一部のように見えたほどだった。所有権を確保していることで、インド企業のトップは株主からの短期的な要求に応じる必要がなくなり、大胆かつ長期的な投資を行うことが可能になる。このモデルを称賛する者は、こうしたインド企業は株主から預かった資産を適切に管理する姿勢を示し、欧米の一般的な公開有限責任会社〔日本の株式会社に相当〕で期待される役割をはるかに上回るレベルで従業員やコミュニティを大切にしていると指摘した。企業トップには長期にわたり政界との関係を持つ者も少なくない。政府から寛大な対応が得られるかどうかがビジネスの成否の決め手となることが多いインドのような国において、それは明らかに重要なアドバンテージだった。何よりも重要だったのは、ジンダルのような豪商はリスクを的確に判断できると考えられてきたことだった。というのも、彼らは自前の資本を投資に回すケースが往々にしてあり、「自腹を切っている」と言われていたからだ。インドのコングロマリットは次第に消え去り、よりオーソドックスなアングロサクソン的モデルに取って代わられ、企業の所有権の分散や経営と所有の明確な区分が広まる――何年にもわたり、欧米の専門家の多くがそう考えていた。しかし頻繁に指摘されてきたにもかかわらず、こうした予測が現実のものになることはなさそうだった。

インドのコングロマリットが成功した理由については文化や歴史の観点からさまざまな理論が提唱されてきたが、その多くはスウェーデンの経済学者、グンナー・ミュルダールがかつてインドを「ソフト国家」と呼んだ考え方に行き着く。[16] 欧米企業は金融市場で資金を調達し、政府が整備する質の高いインフラに頼ることができる。一流大学の卒業生を採用し、紛争が起きた場合には裁判所で解決を図ることもできる。しかし、インドではすべてが異なっていた。資本調達のコストは高く、インフラは老朽化しており、優秀な人材は少なく、司法制度は時代遅れな上に信頼が置けなかった。[17] こうした状況に対処するためには自分たちでなんとかしないといけない、と多くの企業は考えたのである。

さらに、大きな「制度の空白」と呼ばれる、本来であれば政府が対応すべき問題があった。この考えはタルン・カンナが一九九七年に『ハーヴァード・ビジネス・レビュー』誌で発表した論説で指摘され、繰り返し引用されることになった。[18] そこで試みられていたのは、新興市場で業態を多角化した企業の成功について説明することだった。資金調達はとくに大きな課題だった。ラグラム・ラジャンがＲＢＩ総裁任期中に発見したように、調達コストの高さゆえ、インドの豪商はさまざまなグループ企業間で資金を移動させること――多くの場合、秘密裏に――にかけては達人の域に達していた。グループ内で資金調達を行うことで、インドの「プロモーター」は一定割合以上の株式売却によって外部の投資家に所有権を分散させるのではなく、一族による絶対的なコントロールを維持する道を取らせるという結果ももたらした。最悪の場合、こうした企業は「ラーラー企業」と呼ばれて嘲笑の的になった。「ラーラー」とは、「一族のオーナーが基本的に唯一の意思決定者である企業形態」を暗に意味するヒンディー語で、プロフェッショナルなマネジメントや企業統治といった概念をうかがわせるものは基本的に存在しなかった。

インドの国家体制が貧弱であるゆえにコングロマリットが繁栄したというが、その一方で国家体制が絶大な力を持っていたがゆえに繁栄したという側面もある。かつてジンダルの父が一家のビジネスを切り盛りしていたころ、政府は産業ライセンスを使って生産量をコントロールしていた。ライセンスの交付判断は慎重に行われたため、企業家はいかなる種類のライセンスであれ入手できる可能性があればすぐさま飛びついた。これによってもたらされたのは、本業と何の接点もない分野に事業を拡大する不思議な企業群だった。ウイスキーからビール、ピザ販売から工業用電子部品にまで手を広げた初期のヴィジェイ・マリヤが代表的なケースだ。

このライセンス制度は一貫性に欠けていたが、企業オーナーには不思議なほど支持されることが多かった。なぜかと言うと、彼らは自分たちが保有するライセンスを潜在的な競合相手から身を守るための手段ととらえていたからである。たいていの場合、この制度は利益誘導を誘発することにもなった。企業はニューデリーにロビー活動のための拠点を構え、新規ライセンスの取得や規制の微調整を達成しようとした。いずれも首相を務めたジャワーハルラール・ネルーと娘のインディラ・ガンディーは、大企業の力を削ぐことで自国に優れた社会主義体制を築こうとした。しかし現実には、彼らの政策は正反対の結果をもたらした。政治的なコネを持つ大物経営者は、小規模の企業がとても太刀打ちできないようなかたちで官僚制度のなかを遊泳していく術に長けていることを示したのである。その一方で、二人の指導者がつくり上げた国家体制――多くの分野では深く介入するが、それ以外はほぼ野放し状態――は、コングロマリットにとって繁栄のための理想的な環境を提供するものだった。

一九九一年以降の競争激化によって、古いタイプの企業のなかには没落したものもあったのは確かだが、それ以外にとっては経済自由化は思いがけない大チャンスで、不動産会社が携帯電話事業を始めたり、新聞社の大物が発電所を建設したりすることが可能になった。インドで理性的な豪商の一人と目されるアーナンド・マヒンドラはかつて、こう教えてくれたことがあった。彼のマヒンドラ・コングロマリット――本人は「ビジネス連合」だと主張していたが――は繁栄のため事業の多角化を続けたのだ、と。「C・K・プラハラードがここに来て、インド企業の多くは業態の集中ができていないと叱り飛ばしていたものですよ」と彼は言う。「わたしはむち打ち刑のようなお叱りを自ら進んで毎年受けていたんです。彼はこう言っていましたよ。『他社に干渉するのはやめたらどうだ?』とね」。しかしライセンス制度が撤廃されたことで、多岐にわたる業種――自動車から太陽光、宇宙産業からリゾート開発まで――をカバーする彼のコングロマリットは、既存の事業ラインのなかで新規事業を育めることから、独創的なベンチャーを生み出すに当たって最良の場所になっているとマヒンドラは言う。

この議論に言いたいことがないわけではないが、一九九一年以降もインドのコングロマリットの大半はこれまでと同じ要因によっていっそう繁栄を遂げているかのように見えた。インド政府による基礎的インフラ整備は依然として役に立たないレベルのままだったことから、ジンダルやゴータム・アダニのような企業経営者は十九世紀アメリカの豪商と同様に、鉄道や道路を自前で建設していった。産業ライセンス取得のためにロビー活動をする必要はもうなくなっていたが、経済成長に伴って対処が求められる別の規制やルールが数多く制定されており、各社のニューデリー支社は多忙な状態が続いた。「環境関連の規制の条文が気まぐれな政府にとって新たな武器になり、新たな『ライセンス・パーミット・ラージ』が登場したのです」。作家のT・N・ニナンはそう語る。[19] 没落するとの見方に反して、コングロマリット群はより支配的な勢力になり、経営コンサルタント企業マッキンゼーの調査によると、収益ベースでインドの大企業五〇社中「九〇パーセントという途方もないシェア」を占めるに至った。[20] 投資銀行のクレディ・スイスは、インドの大規模上場企業のうち三分の二が同族経営だと算出し、規模の大きい世界各国の市場のなかで最大の比率になっていると指摘した。[21] ナヴィーン・ジンダルをはじめとする豪商が苦境に直面していたのは確かだった。しかし、それでも彼らの巨大コングロマリットは、一世紀前にアメリカの豪商がそうだったように、依然としてインドの「新・金ぴか時代」のなかで圧倒的存在であり続けたのである。

「ビッグ」で「ファット」な豪商

ニューデリーにある赤れんがで建てられたナヴィーン・ジンダルの本拠地は、ほかの豪商の邸宅と同様に一族の寺院のような造りになっており、建物のそこここに父の写真が飾られていた。南ムンバイにあるムケーシュ・アンバニのオフィスもよく似た雰囲気で、近代的な多国籍企業というよりも中世の宮廷のようだった。タタ・グループはもはやタタ一族が直接経営に携わるかたちにはなっていなかったが、それでも同社の本社——わたしと妻が住んでいた場所から通りを上がってすぐのところにあった——はその後も創業者らの像や写真で埋め尽くされており、インドでは家族のつながりがビジネスのなかで強力な接着剤であり続けていることを如実に示していた。

カーストも同様に重要な役割を担っていた。これは主要な実業家一族の多くがきわめて限られたカーストやコミュニティから輩出されている北インドでとくに当てはまった。ヴィジェイ・マリヤのようなブラーミンに属する者もいた。彼は「ゴード・サーラスワト・ブラーミン」（ＧＳＢ）の名で知られるサブカーストの誇り高きメンバーだった。しかし、より多くの実業家一族を輩出しているのは「バニア」と「マルワーリー」という二大商人コミュニティだ。毎年の『フォーブス』億万長者リストの上位を独占しているのも彼らで、そのなかにはアンバニ一族、ゴータム・アダニ、エッサール社のルイア兄弟も含まれていた。インドのビジネスは「ブラーミン＝バニア覇権」によって支配されている――ある論考はそう指摘したほどだった。[22] この紐帯によって信頼関係が構築され、合意形成や資金調達を容易にし、利潤や収益と並んで忠誠や歴史、コミュニティといった要素を重視する企業文化をつくり上げた。しかし、まさにこうしたカーストや血縁といった紐帯こそが癒着や縁故主義の理想的な温床にもなり、「バニア」という言葉そのものが、きわめて否定的で恥知らずといった意味を含むようになったほどだった。

「彼らは従業員を養うだけでなく、金銭のみならず栄光までも獲得せんとする狂信的なメンバーを育んでいるのだ」。小説家のラナ・ダスグプタは、インドの大規模実業家一族の多くに広がるようになった「好戦的」な企業文化について、そう記したことがあった。「北インドの実業家一族は『常在戦場』という意識を持っており、危機や破壊に接すると血が騒ぐのだ。二十一世紀初頭の大変動によって、積極的な思考を持つこうした一族が自らの経済的勢力を大きく拡大することが可能になった[23]」。この大変動がもたらした変化の一つは規模の面で表れ、小規模な「ラーラー企業」のオーナーがある日突然、正真正銘の豪商に成長し、海外展開に向けた野心や幅広い業種から得られる富を手にするようになった。しかし、彼らは伝統的なビジネスエリートのあいだで生じていた態度やスタイルの変化からも影響を受けていた。こうした志向はスバース・チャンドラからも示されたことがあった。Ｚｅｅテレビを立ち上げたカリスマ的なメディア界の豪商で、ナヴィーン・ジンダルと一時干戈を交えた男だ。「わたしたちの国は四、五〇〇年ものあいだ奴隷状態に置かれてきました。ムガル帝国に始まり、ポルトガル人、そしてイギリス人によってです」。ムンバイ中心部にあるオフィスに話を聞きに行ったとき、彼はそう語った。「わたしたちインド国民はおそらく八〇〇年以上にわたり抑圧されてきたのです……それがいま変わりつつあります」

このスタイルの変化がもっともはっきりと表れたのは、それまでにはなかった派手好みの文化だった。かつてのさえないインド人創業者一族が、高級自動車、プライベートジェット、巨大ヨットといった典型的なぜいたく品を購入するようになった。なかでも、新築された奇抜な大邸宅ほど彼らの成功をわかりやすいかたちで誇示するものはなかった。ムケーシュ・アンバニはここでもパイオニアとして登場し、無視することはまず不可能なビルによって自らの富を顕示しようとした最初のボリガルヒになった。ただ、すべてのボリガルヒがこれ見よがしに新居を建てたわけではない。たとえばジンダルの場合、ニューデリー中心部の広々とした昔ながらの平屋に住み、郊外には数十頭のサラブレッド用の厩舎を併設した牧場にあるような巨大な邸宅もキープしていた。古い邸宅を購入してリフォームした者もいた。製薬業界の「ご老公」的存在で競馬をこよなく愛するサイラス・プーナワーラーは、二〇一五年に七五億ルピー（一億一三〇〇万ドル）を投じ、ムンバイのビーチ・キャンディ地区で海に面した古い宮殿を手に入れた。もともとはワンカネール・ハウスの名で知られていたこの建物は、無名の貴族だったワンカネールのマハラジャの所有だった。プーナワーラーが購入した当時はあちこち荒れ放題だったが、彼はインド史上最高額での住宅購入と言われた決断に際して、この物件をふたたび宮殿のような大邸宅に生まれ変わらせる計画を持っていた。(24)

こうしたケースはあったものの、インパクトが強かったのはやはり新築のビルで、もう一つの代表例がプーナワーラーの大邸宅予定地から少し道を下ったところにあった。その居住用高層ビルは三六階建てで、周囲の建物が小さく見えるほどの大きさを持ち、近くのウィンザー・ヴィラ――若き日のサルマン・ラシュディも住んだことがあるきらびやかな邸宅――に長い影をかけていた。小説『真夜中の子供たち』でラシュディは、子どものころに寝室から外に目をやり、通りの反対側で色白のヨーロッパ人が「ブリーチ・キャンディ・クラブの地図の形をしたプールではしゃぎ回っている」様子を眺めていたことを回想している。[25] それがいまでは、「ＪＫハウス」と名づけられた真新しいビルがかつてのクラブの上にそびえ立っている。竣工してみれば高さは一四五メートルに達し、個人宅としてはあのアンティリアすら抜いてインドでもっとも高い建物になった。オーナーはゴータム・ハリ・シンガニアといい、五十代のレイモンド・グループ――インドでもっとも有名な紳士服チェーンやアパレル小売業など、数々の事業を手がけている――の御曹司だ。

アンティリアとＪＫハウスを際立たせているのは、その規模以上に両者の類似性だった。より知名度の高いアンティリアと同様に、シンガニアのビルも片持ち梁《カンチレバー》の設計で、厚板造りのバルコニーがいくつも主構造から突き出ていた。ムンバイを初めて訪れた者が、アンバニは家を一棟だけでなく実は二棟建てていたのかと勘違いしてもおかしくないほどだった。シンガニアのビルは外部と同様に内装も豪華で、プールが二つ、それに繊維業を営んできた一族の記念品を収蔵するプライベート・ミュージアムがあった。これは完全に偶然だが、シンガニアが自邸の建設計画に着手したのはちょうどアンティリアの完成が近づいていたころだった。ＪＫハウスの建設プロセスは順調とは言いがたかった。二〇一二年には建築基準違反があったとして、ムンバイ市議会がＪＫハウスの建設を差し止めたことがあった。[26] 法廷闘争が数年にわたって続き、その間、工事が中断されたビルの骨組みがダークグリーンのシートで覆われたままにされた。

わたしはＪＫハウスの建設プロセスの各段階を実際に目の当たりにしてきた。とくにブリーチ・キャンディ・クラブのプールに泳ぎに行ったときは、建築作業の状況を——進捗が止まっている場合も含めてだが——はっきりと確認することができた。わたしはオーナーであるシンガニア本人、とりわけ彼が模倣以外の何ものでもない超高級邸宅を設計するに至った奇妙な心理について興味を持つようになった。インドを席巻する変化は圧倒的で、そうしたなかでは金持ちが巨大な居住用高層ビルを建てることはもはや驚くべきことでもなくなったかのようだった。だとしても、パーティー好きで、ナイトクラブのオーナーでもあり、高速で高価な車なら何でも大好きというシンガニアは「プレイボーイ豪商」のイメージにあまりにも完璧にフィットする人物だった。フェラーリを乗り回し、ジェット機を飛ばし、高速スピードボートを四台——ジェームズ・ボンドの映画にちなんで「ゴールデンアイ」「ゴールドフィンガー」「オクトパシー」「サンダーボール」と名づけられていた——所有していた。ムンバイのスーパーカー愛好者クラブの顔役でもあった彼は、ＪＫハウスで複数階にわたるガレージを膨大なコレクション置き場にしていたと言われた。

繊維業界の豪商であることを考えれば期待せずにはいられないが、シンガニアは服の着こなしもやはり派手だった。彼がわたしの取材に応じてくれたのは、二〇一六年に彼の邸宅がようやく完成してさほど時を経てないころだった。白と黒のスリップオン式ローファーを履き、紫とオレンジのストライプが入ったシャツを着てわたしの前に姿を現した。自邸のこと——より具体的に言えば、アンティリアと不思議なほど似通ったデザインについてということだ——について話すのは遠慮したいと丁重に断られてしまったのには、正直失望させられた。それでも、モータースポーツへの愛着やレイモンド・グループの今後の計画についてはとても愛想よく語ってくれた。レイモンドは繊維や織物を製造する企業だったが、その存在をもっとも知らしめていたのは紳士服店で、ＪＫハウスの地上から二フロアが旗艦店になっていた。アーナンド・マヒンドラと同様、彼も自社について「同族経営のコングロマリット」とは呼ばれたくないと語った。自分は「同族経営のもとでの実務家集団」という表現のほうが好ましいと言い、日々の事業推進のためにスキルを持った人材を外部から採用するが、創業者一族が株式の大半を保有し、最重要レベルの戦略的事項について決断を下すという意味だと説明した。ナヴィーン・ジンダルから感じたのとまさに同じように、シンガニアも多額の資産を投じてまでつくり上げたプレイボーイのイメージに少々いら立ちを覚えている雰囲気を漂わせていた。それはあたかも、豪勢な趣味への情熱によって、より重要なビジネス面の信頼性が不当に失われていることを気にしているかのようだった。

マルワーリー・コミュニティ出身のシンガニア家は、かつてインドでもっとも長い歴史を持ち、もっとも重要度の高い経営者一族の一つで、繊維業を始めたのは一九二〇年代にまでさかのぼる。しかし、レイモンド家は依然として名声を博していたものの、ビジネスのほうは最近になって新規参入してきたアグレッシブなライバルに押されがちになっていた。圧倒的な存在感を持つシンガニア邸は、自分たちをムンバイの一軍に残留させるための工作という側面もあるのではないかとわたしは思った。シンガニアは経済自由化を歓迎しているとは言ったものの、ノスタルジックと呼ぶべき心情を吐露することもあった。「以前だとムンバイからデリーに行く飛行機に乗ると、乗客のほぼ全員が顔見知りだったものです。それがいまでは、誰も知らないということがよくあります」と彼は言った。「いまはチャンスこそたくさんありますが、儲けることははるかに難しくなっています……環境がまったく違うのです。ライセンスの取得は必要なくなりました。当時求められていたスキルは政府との関係をどう構築《マネージ》していくかでしたが、いまでは市場経済にどう対応《マネージ》していくかです」

ＪＫハウスやアンティリアのような現代の王宮が豪商によって打ち立てられた成果を目に見えるかたちで誇示するものだとすれば、富の大きさはより社交的な舞台で誇示されることが多かった。大規模で贅《ビッグ・ファット》を尽くした結婚式のことだ。その長さと華やかさで知られるインドの結婚式は、長きにわたって階層やカーストに敏感であり続けてきたこの国では特別な重要性を帯びていたが、近年では富や好みといった要素によってもランク分けされるようになっていた。インドの結婚式は親が子に対して果たす何よりも重要な責任であり、質素な式ですら数日間にわたって行われ、招待客リストが一〇〇〇人を超えることも珍しくない。結婚式シーズンは冷涼な冬の季節だが、この時期で吉兆とされる日には意中の式場の確保をめぐって熾烈な競争が行われるほどだ。中間層の親ですら多額の借金をしてでも式が確実に満足のいく内容になるようにし、花嫁の六回ものお色直しや白馬に乗った新郎の到着といった演出が行われる。しかし、基本的に予算の上限を一切心配しなくてもよいビジネスエリートにとっては、唯一の問題はこうだった——式をどこまで大規模に、そして贅を尽くしたものにできるか?

わたしが初めてインドの結婚式にまつわる経験をしたのは、ムンバイに着任して間もないころ、ゴータム・アダニの息子の結婚式に際し、意匠を凝らした箱入りの招待状を受け取ったときのことだった。しかし、これすら二〇一六年にガリ・ジャナルダナ・レッディーが送った何万もの豪華な青い箱に比べれば、はるかにオーソドックスなものだった。ガリ・ジャナルダナ・レッディーは鉱業界の豪商で、南部カルナータカ州を震撼させた鉄鉱石スキャンダルで逮捕されたレッディー兄弟のなかで最有力の存在だった。レッディーの箱を開けると、蓋にスクリーンがはめ込まれていた。するとビデオが起動し、レッディーが娘とその花婿とともに登場し、花輪をかけられた雄牛と跳ね回る白馬のCGを背景にボリウッドの歌を合唱するシーンが再生されたのである。(27)

豪勢な結婚式が名物のインドですら、その後実際に行われた彼らの式は驚くべきものだった。バンガロール中心部の三六エーカーもの広さを持つ会場には、鉱山王レッディーの地盤、カルナータカ州東部ベラリー市内の実物大模型があり、地元の衣装を着た俳優を配置したり、近傍にあるユネスコの世界遺産、ハンピ遺跡を再現した建物が設置されていたりした。五万人と言われる招待客が何日にもわたって行われた式に出席し、花嫁が着用したサリーと宝石だけで数百万ドルはしたと報じられた。[28]結婚式の総費用をめぐる憶測は過熱の一途をたどった。その大きな理由は、彼らの式がナレンドラ・モディによる高額紙幣廃止――行事費用の支払いに多額のブラックマネーが用いられる伝統的な結婚式にとってはこの措置自体が大混乱の原因だったが――によって引き起こされた現金不足の最中で開かれたことだった。レッディーは式にかかった費用として三億ルピー（四六〇〇万ドル）という控えめな額を主張したが、インド各紙は、総費用は五五億ルピー（八五〇〇万ドル）というはるかに膨大な額にのぼるのではないかと指摘した。

レッディー自身にとってこの式は、一種の社会的贖罪の場でもあった。彼を含む兄弟はBJP主導の州政権と結託して行った鉱山採掘汚職への関与を問われたことで投獄の憂き目に遭い、出所したばかりだったのだ。会場となった州都バンガロール中心部のパレス・グラウンドさえも、彼が自らの活動によって名誉を汚したはずの州に帰還することを発表するとともに、かつて友好関係を持ちながら後で手のひらを返した市の法曹・政界関係者をたしなめるための場所としてしつらえたかのようだった。結婚文化について研究する社会学者のパルル・バンダリによると、レッディーの祝祭は、エリートの結婚式が「競争、保守主義、権力の誇示」の点から注目されるようになったことをこれ以上ないかたちではっきりと示す例になったという。[29]法外な費用がかかった結婚式にはもっとも不健全なホスト役がセットでついてくることが多く、史上最大の巨大結婚式をホストしたタミル・ナードゥのジャヤラリターや、二〇〇四年にラクナウの宮殿を思わせる豪邸で息子のために華美な結婚祝賀パーティーを開いた、サハラ・グループを率いるスブラタ・ロイはその代表例だった。

こうした結婚式は、ホスト役の高尚な趣味や社会的な洗練性を誇示する場でもあった。その最たるものはゴージャスな開催地で、ゴアやラージャスターンの歴史ある街――女優の二〇〇七年にリズ・ハーレイが繊維業界の豪商アルン・ナヤールと挙式したのはジョードプル〔「ブルーシティ」と呼ばれるラージャスターン州の街〕だった——が人気だった。海外はさらにグレードが高いと見なされていた。シンガポールやモーリシャス、モルディヴといった場所だ。パリが舞台になったこともあり、鉄鋼王のラクシュミー・ミッタルは一週間に及んだ娘の式をヴェルサイユでの婚約式で始め、ある新聞は総費用を三九〇〇万ドルと見積もったほどだった[30]。しかし豪商たちにとっては、こうした華美なイベントは「一族とビジネスの結びつきの強化」という、別の目的もあった。結婚は同じ商人カースト内で起こることが多く、レッディーのケースも新郎は同じカーストに属する企業経営者の息子で、名字も同じレッディーだった。式そのものも企業イベント的な雰囲気を伴うことが多かった。ゴータム・アダニの結婚式では、アーメダバードでのレセプションにアダニ・グループの社員数千人が招待されたほか、同社の港からすぐ近くのムンドラーでもレセプションが開かれた。この背後にあるのは、政治権力をめぐるむき出しの動きであり、豪商が政治家一族の御曹司の結婚式に出席したり、政治家が財界の大物の子息が挙式する際に顔を出して格を上げたりといったことが行われていた。ムケーシュ・アンバニはアンティリア一階のボールルームをお気に入りの親族の結婚式場として使わせることがたびたびあり、何百人もの有力者が招待客として呼ばれていた。「エリートの結婚式で最大の見どころは招待客リストです」とバンダリは指摘する。「出席者はホストの権力や地位を反映してますから」

転落への対処

こうしたきらびやかな結婚式や豪勢な新居は、インドのビジネスエリートが抱く自信の深まりを表すものだった。「富の顕示は人びとを不快にさせるという社会主義的な価値観は、過去のものになったかのようだ」。レッディーの娘の結婚式から数日後、ある記者はそう記した[31]。これは決してインドだけの現象ではなかった――ロシアのオリガルヒから中国のニューリッチ層まで、ぜいたくをよしとする新たな文化は主要新興国に広がっていた。しかし、繁栄の顕示欲は、持てる者と持たざる者の格差があまりに大きいインドのような国ではとくに極端なかたちで表れたのだった。

こうした富の顕示は、ラグラム・ラジャンがかつて「関係ベースの資本主義」と呼んだ幅の広い文化にもすっきりと収まるものだった。そこでは優遇と影響力が一体化しており、従業員と友人の面倒見がよく、自社にとって有用な人間が手厚くもてなされた。こうした特徴は称賛に値するもので、タタやビルラのような立派な企業にしても、病院を運営したり民間組織に資金援助を提供したりするなどの慈善活動ですばらしい実績を挙げてきた。しかし、さほど誠実ではない企業の場合、「関係ベースの資本主義」はダークな一面をのぞかせた。従業員の子女向けの奨学金プログラムが協力的な政府関係者への謝礼として提供されることもあったし、一族の慈善財団は正当な活動に資金を出すだけでなく、友人やビジネス契約にカネをつぎ込む際のルートとしても用いられた。インドでは、善行と影響力の区別は、よく言って曖昧というケースが多かった。

インドの豪商には魅力的かつ社交的な性格の持ち主が多いことを考えると、これは往々にして個々人の気質に起因する問題でもあった。わたしはある豪商が所有するゴアの大邸宅に飲みに来ないかと誘われたことがあった。所有者は億万長者のラヴィ・ルイアといい、やはり多額の債務を抱える企業グループ、エッサールを創業した二兄弟の一人だ。エッサールはアグレッシブな姿勢の会社として知られていたが、ルイア本人は気配りができ、誰からも好かれるタイプの人間で、六十歳の誕生日を過ぎていると思えないおどけた気質を持っていた。彼の大邸宅は海を見渡せる丘の上に立っており、ヴィジェイ・マリヤのキングフィッシャー・ヴィラからはわずか数キロの距離だった。ルイア曰く、両家はかつて互いの家のボートに集まって親しく交流していたそうだ。邸内は広々として、装飾が施されていた。黒大理石のバーがあると思えば、ラウンジのすぐ隣にはドラムセットやキーボードを備えた楽器エリアがあり、高そうなアート作品がごく当たり前のように壁にかかっていた。このときと同様のホスピタリティはルイア家がムンバイの自邸で開かれたパーティーでも示された。こちらはゴアよりもはるかに大きな規模の豪邸で、庭からはアラビア海が見渡せ、ルイア一族――創業者二人とその息子たち、それに各自の妻子――全員が泊まるのに十分な数の寝室が用意されていた。息子の一人、プラシャント・ルイアは、一族のビジネス上の決断を下す場所は家のダイニングで、ランチやディナーでいつも集まって会社のプランや契約についてあれこれ議論を交わしていたと教えてくれた。(32)

ルイア兄の陽気さは本当に自然なものに感じられた。それは、たとえ相手のことをよく知らなくても、友人やその関係者に親切に接することがビジネスでよい結果につながるという考え方に根差しているかのようだった。ほかのインド財界の巨人がそうだったように、ルイア兄弟も自分たちが手がけたプロジェクト――グジャラートではムケーシュ・アンバニの巨大コンビナートのすぐ隣にある超近代的な石油精製施設、それに数々の発電所や製鉄所――に誇りを持っていた。エッサールほど急成長を遂げた企業はほかになかった。同社の収益は二〇〇五年におよそ二〇億ドルだったのが、一〇年後には約二七〇億ドルにまで急増した。北米からジンバブエに至るまで各地で製鉄所を買収したほか、イングランド北西部のチェシャーで石油精製施設を入手し、一時期ではあったが子会社がロンドン証券取引所に上場していたこともあった。(33)しかし同社の成長もやはり膨大な借入金――二〇一三年の「債務の館」レポートによると、なんと一五〇億ドルにも達していた――によって実現したものだった。しかし、規制制度の混乱やプロジェクトの遅延、商品価格の変動がセットで押し寄せたことで打撃を被ると、エッサールはこの借入金の返済に苦慮することになる。(34)同社はかつて綱渡りのような財務状況を経験したこともあった。企業がピンチに陥ったときに銀行が介入し資金を追加注入するケースが多いインドでは、債務不履行という事態は存在しないに等しかった。しかしエッサールは、どうにかして切り抜けたとはいえ、かつて一九九九年に鉄鋼部門が対外債務の不履行に陥ってしまったことがあった。(35)

さらに言えば、ルイア一族の直感的なホスピタリティの提供がビジネスの世界にも及んでいることを指摘しないわけにはいかない。「汚職の季節」で、エッサールは2G汚職スキャンダルに巻き込まれた。ただし、この事件で関与を疑われたほかの企業と同様、二〇一七年に特別法廷が証拠不十分により不起訴処分を決定したことで正式に無罪が決定した。一五年には『インディアン・エクスプレス』がリークされた内部メールの数々を報じ、エッサールがBJPの有力政治家、ニティン・ガドカリ〔元BJP総裁でモディ政権の重要閣僚の一人〕とその家族をフランスのコートダジュールに連れていき、ルイアのヨットでもてなしていたことが白日の下にさらされた。(36)一連のメールから、政府関係者にロビー活動を展開し、ジャーナリストの支持を獲得し、親しい関係にある者に職を提供するといった取り組みの詳細が明るみになった。これらはいずれも違法ではなく、エッサール側もこうした行為はなんら悪いものではないと主張した。しかしこの件は、エッサールのようなコングロマリットが拡大するにつれて、ニューデリーでのロビー活動も洗練されたものになっていくことを示すものではあった。リーク報道から一年後、雑誌『キャラヴァン』がエッサールのビジネスについての小文を掲載し、同社は「財務状況のマネジメントより政府との関係のマネジメントに長けている」と指摘した。(37)エッサールはこれについても不正疑惑を否定し、不首尾に終わったものの同誌に対し損害賠償請求を行う事態にまで至った。

こうした影響力を行使するスタイルは、インドの豪商が築き上げた会社の形態にも反映されていた。わたしは、ゴータム・シンガニアのような企業オーナーから自社について、同族所有ではあるが「プロフェッショナルがマネジメントを担当している」と言われるたびにその人数をカウントしていたが、あまりの多さに途中でやめてしまった。しかしたいていの場合、そうした企業の重役はオーナーと同じカーストや地域の出身で、完全に創業者一族というロイヤルファミリーの「家臣」として動いていた。取締役会は高給取りで年輩のイエスマンであふれており、やはり同じ商人コミュニティの出身であるケースが多かった。インドの同族所有企業に投資した外国の未公開株式投資会社《プライゲート・エクイティ・グループ》は、その秘密主義と不透明な意思決定スタイルに衝撃を受けることが多かった。しかし、小口株主であれ経営状況を懸念する銀行であれ、自分たちが投じた資金がもはや戻ってこないのではないかと恐れる外部の者に対し、彼らが影響力を行使するハードルを高くできるという点で、こうした慣習は理にかなっていた。実際、この戦略は機能していた。ごくわずかな例外を除き、インドではきわめて多額の債務を負う豪商ですら、トラブルに陥っても所有する企業の支配権を維持し続けることができたからである。

　とはいうものの、「汚職の季節」を経たのちもインド企業は大きな変化を経験し、無傷でいられた者はほとんどいなかった。なかでも重要だったのは、かつての関係ベースのビジネス手法がうまくいかなくなったことだった。ニューデリーで政治的な支援を獲得する試みは急にはねつけられるようになった。政治家も官僚も、自分たちが縁故主義にかかわったと追及される事態を恐れるようになった。これは銀行側も同じで、親しい企業だからといって役員や部長が優遇条件で融資を提供することは難しいと感じるようになり、企業にとっては新規借入をするのが以前にも増して困難になった。多くの豪商が、資産売却を強いられるという不本意な状況に追い込まれた。エッサールも例外ではなく、グジャラートの重要な石油精製施設をロシアの石油関連企業に売却することになった。[38]

　当の豪商が自分たちを政界に影響力を行使できる顔役だと認識していなかったのは言うまでもない。むしろ、企業家であり、国家の建設者であり、能力の低い者なら尻込みするような障壁を乗り越えてきた成功者だというのが彼らの自己認識だった。ほかの者が失敗する状況でも、プロジェクトを達成し富を手にすることができる存在ということだ。彼らのうちほぼ全員が賄賂を贈ったことはないと主張した。「そうした支払いで事がうまくいくとはとても思えませんね」。『ニューヨーク・タイムズ』のインタビューで、リライアンスが利益誘導をしているというかねてからの指摘について強く問われた際、ムケーシュ・アンバニはそう答えていた。「個人的には、そうしたカネはほとんど意味を成さないと思います……わたしたちは『関係』を信じていますから」

インドのコングロマリットの内部メカニズムについて理解を深めていくなかで、わたしにずっと衝撃を与え続けていたのは、オーナーが負う特別な重圧だった。なかでもきわめて明白だったのは資金に関する懸念で、「斬新な資金調達」をしてきた者についてはとくによく当てはまった。もっとも巧妙な企業の場合、帳簿を二種類用意していると言われていた。一つは公開用、もう一つは一族のあいだだけで保管する完全に内部用のもので、実際の資金の動きがわかるのは後者のほうだった。次に、政府に対する懸念があった。いかなる企業であれ、政治家や官僚のさじ加減で悲惨な事態が生じかねないからだ。企業の財務状況が悪くなればなるほど、オーナーは政治家の気まぐれな対応に振り回されやすくなり、その結果、これまで以上に彼らに服従するようになる。「彼らは、企業経営者というのはもみ手をしながらスーツケースを持ってきて、いつでもカネをくれるものだと思っているんですよ」。ある豪商はそう語る。これがもっとも鮮明に表れるのが毎年の政府による予算発表のときで、財務大臣が発表したさまざまな措置を各業界のトップが次々に称賛するというシーンが展開されるのが常だった。翌日の新聞には、ほかのビジネスリーダーによる媚びを売るかのような甘い採点が掲載された。一〇点満点中八点を下回るようなケースはまずないと言ってよかった。

さらに、一族のなかでの支配権をめぐる典型的なプレッシャーもあった。父や兄弟、息子のあいだでの意見の相違に加えて、継承プロセスそのものもとにかく複雑で、子どもたちが支配権をめぐって争ったり、逆にまったく関心を示さなかったりするケースもあった。同族企業を経営するという重圧のなかで、きわめて多くの豪商が宗教にのめり込んだり縁起を担ぐことに熱心になったりするのは不思議ではないのかもしれない。

信仰が重要な意味を持っていたのはヴィジェイ・マリヤのケースで、彼は毎年巡礼に出かけ、寺院に寄付を行っていた。セメント業界の豪商にしてインドのクリケット協会を仕切っていたナラヤナスワミー・スリニヴァサンは、敬虔なヒンドゥー教徒としても知られていた。しかし、ジェイピー・グループ――これまた借入金に過度に依存するコングロマリットで、「債務の館」のメンバーだった――の創業者、ジャイプラカーシュ・ゴールに匹敵する者はほかにいないだろう。ジェイピーは、インド初のF1サーキットを建設したほか、デリーとタージマハルのあるアーグラを結ぶ、インドでも最高レベルの幹線道路の整備も手がけた企業だ。ミーティングの場で、ゴールがコメントをするたびに、オフィスの壁に何枚もかけられたヒンドゥー神の絵に向かって祈りを捧げる彼の姿がしばしば見られた[39]。

豪商のあいだに広がる不安感の大きさは驚くべきもので、ラナ・ダスグプタが「好戦的」と形容する層がこうした感覚を抱いていることを踏まえるとなおさらだった。モディの勝利以降、インドのビジネス王朝は闘いを楽しむのではなく、落ち着かず、不安にさいなまれる集団になってしまった。彼らの浮き沈みの激しさは、ある意味でビジネスの一部でしかなかった。豪商でいることの重要な意義はリスクを取ることだった。アメリカで一八七〇年代に起きた熱狂的な鉄道建設ブームの際、大企業の経営者は途方もない額の借入を絶え間なく行い、その後、盛大に没落して現実に呼び戻された。しかし、こうした好不況が豪商自身にもたらす心理的なインパクトは、その後も切実なものであり続けた。かつて怖いもの知らずで投資を行ってきたインドの豪商の多くが、いまでは肝心の軍資金だけでなく、動物的本能までをも欠くようになっていた。インドという雄牛《ブル》は強気《ブル》な姿勢をかなり失っていたのである。

アングルに話を戻すと、ナヴィーン・ジンダルは自分の野望がいかに変化したのかについて語ってくれた。かつて彼は、インドでは見たことのないほどの規模で製鉄所と発電所のコレクションを作ってみせると考えていた。それがいまでは、より穏当な内容にならざるを得なかった。債務を返済し、着手したプロジェクトを完成させて初めて今後のことを考えられるというわけだ。話のなかで、ビジネスの立て直しに集中したいという理由で、趣味のポロをする頻度を控えていると語ったほどだった。

「わたしたちはこれまで積極的にビジネスを展開してきましたが、今後はかなり控えめになるでしょうね」。彼はほかの企業経営者にも共通する新たな姿勢についてそう説明した。過去数年にわたり腐敗疑惑はインド経済のあらゆるところで生じ、大企業を率いる豪商のみならず、メディアからもっとも神聖な国民的スポーツであるクリケットまで、ほとんどすべての重要な組織に及んだ。激動する環境のもとで、二〇〇〇年代を特徴づけた可能性や野望を追求する機運もしぼんでいった。「いま現在ということで言えば、そういう意識はなくなってしまったと感じます。いつか戻ってくるかもしれませんが」とジンダルは言った。「みんなこれまで以上に堅実にやっていく術を学んでいくのでしょう。わたし自身については、かなり慎重になるんだと思います」。彼はそう言って、両手を上げた。「インドにはこういう考え方があります。わたしたちは何も持たずに来て、何も持たずに去っていく、と。いまは試練の時期なのです」

第10章 スポーツ以上のもの

Uターン作戦

「マリーン・ドライブUターン作戦」が発動されたのは二〇一三年五月中旬の蒸し暑い夜遅くのことで、場所はアラビア海の海岸から数メートルのところだった。シャンタクマラン・スリーサントは、ムンバイにあるワンケデ・クリケット・スタジアムの正門を日付が変わる少し前に車で出発した。彼が所属するラージャスターン・ロイヤルズはその日の夜に行われたインド・プレミアリーグ（IPL）の試合で敗北を喫していた。しかし、試合の結果を引きずる雰囲気はまったくなかった――ムンバイ北部のファッショナブルな郊外、バーンドラーのナイトクラブでは飲み物が用意されており、花形ボウラー〔野球で言えば投手に相当するポジション〕の彼は先に入店している友人の輪に加わろうと車を走らせた。自分が警察に尾行されていることには気づいていなかった。ましてやそれが数週間にわたって続いていたとは思いもよらなかった。

「Uターン作戦」という名前は、ムンバイのマリーン・ドライブにある静かな袋小路からとられていた。そこはスタンドの歓声が届くほどスタジアムに近い場所で、試合が進行するなか、警察官のチームが待ち構えていた。試合終了とともに三つの班が市内各地に散らばった。一班は市北部に向かうスリーサントを尾行した。数時間後、同班が車に近づき、慌てふためく速球派ボウラーを連行した。同日夜、ラージャスターン・ロイヤルズの選手二名も別途逮捕されたほか、インド各地で一一人の胴元が夜間の家宅捜索で拘束された。インドで愛される国民的スポーツの歴史のなかでもっとも深刻なスキャンダルが幕を開けた瞬間だった。

次の日の午後にデリー警視総監のニーラジ・クマールが首都で記者会見を開いたが、それまでに逮捕のニュースは急速に広がっており、クリケットに夢中なインドメディアは大混乱状態に陥っていた。クマールはでっぷりとした体格で、頭ははげ上がり、淡いカーキ色の制服に身を包んでいた。逮捕容疑について説明する彼は精神的に疲れている様子だった。カメラのフラッシュが光るたび、制服に付けられたいくつもの銀のバッジがきらめいた。「胴元と当該選手のあいだに、特定のオーバー〔クリケットの試合における投球単位〕で最低限の特典を与えるという約束が交わされていた」と彼は説明した。この不正は「スポット操作」と呼ばれ、試合のなかで一部を操作することでギャンブラーが特定のプレーに賭けを張って勝てるようにする一方、試合全体の勝敗には必ずしも影響を及ぼさないという仕組みになっていた。

あらかじめ決められたサインによって操作の始まりが伝えられた――クマールはそう説明した。手を使ったジェスチャーや腕時計をいじるといった方法に加え、スリーサントのケースではタオルをズボンにたくし込んだ状態で投球動作に入るというサインが用いられた。警察は疑わしい状況をとらえた映像を公開し、七万ドルもの現金が詰め込まれた鞄が報酬として選手に支払われたとの見方を示した。そして、スタジアムから遠く離れた某所では、こうした一見何でもない仕草が、高額を張るギャンブラーや怪しげな賭博シンジケート、国際的な地下犯罪組織といった名もなきグループによる違法賭博によって莫大な利益の源泉になっていたのである。「首謀者は海外に居座っている」――クマールが言えるのはそれだけだった。

　二〇〇八年の創設以来、ＩＰＬは数々のスキャンダルに見舞われ続けてきた。あからさまに手を加えられた結果誕生した二カ月間のトーナメント方式によって、クリケットのイメージは大きく変わった。白いウェアを着た選手が五日間にもわたりプレーする――しかも引き分けで終わることが多い――スポーツだったのが、選手は明るい色のユニフォームに身を包み、引き分けは起こり得ない、手に汗握る一大イベントに生まれ変わったのである。以前は半分程度の入りのスタンドで年輩の男性が静かに観戦したものだったが、いまやインドのクリケットスタジアムは毎春八週間にわたってあふれんばかりの熱狂に包まれる場になっていた。世界最高峰の選手が人気インド人選手とともにプレーするのを見ようと熱心なファンの若者が詰めかけ、グラウンド脇のチアリーダーは雰囲気を盛り上げ、バットにボールが当たったときのささやかな音はけたたましい音楽によってかき消された。

　もっとも重要だったのはカネだった。ＩＰＬは、拡大するインドの消費者層のあいだで「飽きるまでクリケットを見続けたい」というニーズが高まっていることに着目し、夜のテレビ視聴に完璧に合わせたプログラムを提供した。インドは隣国にして宿敵のパキスタンと試合をすることがその時々であったが、その際にはテレビの前の視聴者は五億人にもなると言われた(1)。しかしＩＰＬ発足前まで、インドにはそうしたニーズに対応できる、高い権威を備えた消費者仕様のリーグは存在しなかった。二〇〇七年、ＩＰＬの初トーナメントが開催される少し前、連盟は競売を行い、都市に拠点を置く八つのチームの所有権を総額七億二三〇〇万ドルで売却した。落札したのはムケーシュ・アンバニやヴィジェイ・マリヤといった大物豪商のほか、数名のボリウッドスターだった。さらに放映権やスポンサー契約で数十億ドルもの資金が入ってきた。すずめの涙ほどの給料しかもらえなかったクリケット選手が、たった二カ月の仕事でひと財産を築けるほどの報酬を提示された。しかし、ＩＰＬ立ち上げは、抑圧されていた消費者のニーズを満たすだけではなかった。選手や連盟の運営者、それに彼らの周りに群がる人びとがクリケットの真の価値を認識したことで、流入したカネによって新たな欲望が生み出されたのである。

インドでは、クリケットが持つ重要性はファンの情熱を超えたところにまで及んでいた。インドという国自体に対して、「未来の超大国」と言われることが多い。しかし、すでにインドが国際的な頂点に立っている分野はと言われると、ほとんどないのが実情だった。そのなかで、クリケットだけは間違いなく頂点にあった。ＩＰＬ発足前から、インドはクリケットが盛んなほかの十数カ国の前に立ちはだかる巨人であり、伝統的なクリケット強国であるイングランドやオーストラリアをもしのぐようになっていった。インドのクリケットファン人口は他国のファンをすべて合わせた数よりも多い。クリケットは国内でも圧倒的な存在感を持っていた。注目の試合ともなれば街からは人が消え、アナリストはサッカーやバスケットボールといった人気が劣る娯楽を「クリケット以外のスポーツ」とひとくくりに扱っていた。

クリケットに対する国民の人気の偏りは何世代にもわたるものだったが、それが「テレビ放映権」という、うまみのある力の源泉になっていったのは一九九一年に経済自由化が始まってからだった。経済自由化開始当時、インドで自宅にテレビがあったのは一〇〇万世帯にすぎず、放送局も「ドゥールダルシャン」という退屈な公営チャンネルしかなかった。[2] それが二〇〇〇年代半ばまでに、インド経済の成長に合わせてメディアの世界も何百ものケーブル局や衛星放送局が乱立するようになり、クリケットの放映権はいかなるコンテンツよりも重要視されるようになった。ＩＰＬ発足とそれに伴う数十億ドルの契約によって、クリケットが持つ資金吸引力が明らかになった。

このスポーツほどインドがめざしている国家像をはっきりと表すものはなかった。かつてアマチュア選手によってプレーされていたのが、突如としてほかのスポーツから参入してきた国際的なマネジメント会社や専門家の集団によってプロ化された。多国籍企業が各チームのスポンサーになろうとなだれ込み、スリーサントのような選手に目を見張るような契約料を払って「ブランド大使」になってもらった。消費者向け製品を扱う企業は、購買力を増しつつある数億の人びとにアプローチできる確かな手段はクリケット以外にないと考えた。ルパート・マードックのスター・スポーツやソニーといった国際的な巨大テレビ局から資本が投下され、後者のソニーは一〇年分のテレビ放映権として一〇億ドルという前代未聞の額を出したほどだった。IPLという興業の拡大に合わせて、その資産価値も上昇した。あるマーケティング企業の資産によると、「ブランド価値」はおよそ四〇億ドルになるという試算がはじき出された。(3)「クリケットが『グローバル化』しているという言い方はもはや正確ではない」。オーストラリアの作家、ギデオン・ハイはそう語ったことがあった。「わたしたちがいま直面しているのはクリケットの『インド化』で、インドが反対すれば何も実現しないし、インドが認めるものなら何でも実現するのだ(4)」

こうした華やかさとは裏腹に、IPLはトラブル続きだった。オールドファンは「トウェンティ20」と呼ばれるテレビ中継にフィットさせたスタイルや、それに伴う容赦のないコマーシャリズムを嘆いた。「トウェンティ20」はインド発祥ではなく、数年前にイングランドで作られたものだった。しかしこのアイデアを借用し充実させたのはインドで、卑しいコマーシャリズムによって「ゲームの精神」がずたずたにされてしまうと懸念した者は落胆した。IPLのスター選手は飲酒や乱闘行為、あるいはそれ以上の悪行でインドのタブロイド紙にたびたび取り上げられた。マネジメント体制の破綻や財務状況をめぐる問題点もあった。インドではクリケットの管理体制は以前からきわめて政治化していたが、資産価値の上昇に伴い主導権をめぐる対立も熾烈になっていった。二〇〇八年に起きたムンバイ・テロ後の懸念が残るなか、発足から二年目のIPLは全試合を南アフリカで開催した。三年目はふたたびインドに戻ったが、そこで壮絶な闘いが発生した。ＩＰＬをつくり上げたカリスマ的リーダーのラリット・モディと、クリケットを統括する「インド・クリケット協会」（ＢＣＣＩ）を率いる有力な豪商、ナラヤナスワミー・スリニヴァサンのあいだでＩＰＬの主導権をめぐる対立が生じたのである。

ＩＰＬにまつわるもろもろの論争があったものの、Ｕターン作戦によって明るみになった経緯は完全に別次元の問題だった。スリーサントは国際的なクリケット選手で、インドで国民から愛されるエリート選手がこうしたかたちで八百長の疑いをかけられるのは初めてのことだった。うつろな視線のスリーサントが警察車両から引きずり出されるシーンはどのニュースチャンネルでも繰り返し流され、インドでもっともカリスマ的で自信あふれるクリケット選手の一人がショックを受け落胆している様子を視聴者の脳裏にに刻み込んだ。この疑惑を受けてＢＣＣＩ会長のスリニヴァサンは直ちに調査を行うと約束した。ところがそれからわずか一週間後――その年のＩＰＬ最終戦の数日前――に、グルナート・メイヤッパンというスリニヴァサンの義理の息子に当たる人物が拘束されるという事態も発生した。

警察の発表によると、メイヤッパンは胴元と接触しており、表向きは彼が経営するが実質的にはスリニヴァサンが決定権を握る「チェンナイ・スーパーキングズ」というＩＰＬのチームに関する情報を漏洩していたということだった。この説明を受けて、すでに激怒していたニュース各局は二四時間態勢で疑惑追及と辞任要求を展開するようになった。スリニヴァサンはセメント業界の大御所だったが、ＩＰＬの所有者でもあるＢＣＣＩの会長に就任したことで、クリケット界で最大の有力者と目されることが多かった。陰鬱な雰囲気を漂わせ、特定することは難しいがクリケットのあらゆる部分に影響力を発揮する人物だと受け止められていたのである。それがここにきて浮上した疑惑で、彼はスキャンダルの渦中に放り込まれることになった。スリニヴァサンは自分は不正には関与していないと主張したが、メイヤッパンの逮捕によって、ＩＰＬで起きている危機はもはや腐敗した選手数人だけに限ったものではないという見方は強まる一方だった。むしろ、この腐敗はトップにまで及んでいるのではないかと見られるようになった。スリーサントのようなスター選手が国際的なキャリアを危険にさらしてまでなぜ小金を稼ごうとしたのか――打ちひしがれたファンのあいだではそうした議論が交わされた。しかしその一方で、このスキャンダルは、腐敗を引き起こしたのはそもそも誰で、スリニヴァサン、さらにはＩＰＬが生き残れるかどうかという喫緊の問題を提起することにもなった。

スポーツに対する純粋な感情以上に、ＩＰＬスキャンダルによってインドのもう一つの側面に関心が向けられることになった。通信業界や鉱山業界と瓜二つの貧弱なガバナンスや財務状況の改竄といった問題が生じていたのである。クリケットを運営していた小規模な組織に、経済自由化開始によって突如として多額の資金が注ぎ込まれることになった。ＩＰＬの財務状況は不透明だったが、主催者側、スポンサー、各チームのオーナーのあいだの利益相反は明らかで、スリニヴァサンのケースはとくにそれが当てはまった。この背後には七五〇〇億ドル規模という恐るべき国際的違法賭博産業や、それをコントロールすると言われる謎のシンジケートがあり、いずれもギャンブルが根強い人気を誇るものの公式にはスポーツ賭博が禁止されているインドにおいて成長を遂げてきた。それが、北上するスリーサントを警察が尾行したあの二〇一三年五月の蒸し暑い夜になって初めて、あらゆるピースが一つに集められ、クリケット界のみならずインド全体を揺るがす大混乱をもたらしたのである。こうしたなかで、対照的なスタイルではあるがそれぞれのやり方でクリケットという新たな力のありどころを体現してきた二人の男の興亡が繰り広げられた。一人はＩＰＬを実現に導いた尊大な立役者、ラリット・モディ。もう一人は、インドを世界のクリケットを支配する国に導くも、その後、自ら築き上げた帝国の解体を目の当たりにすることになった陰鬱な実力者、スリニヴァサン自身だった。

「モディ・カメラ」の国

ＩＰＬがクリケットにもたらした変化は、いちばん初めに行われた試合の時点ではっきりと見て取れた。二〇〇八年四月の蒸し暑い木曜日の午後のことで、場所はバンガロールのＭ・チンナスワミー・スタジアムだった。試合はロイヤル・チャレンジャーズ・バンガロールとコルカタ・ナイトライダーズの対戦だった。前者のオーナーはチームの本拠地バンガロールの大物豪商、ヴィジェイ・マリヤ。チーム名は自社のウイスキーブランド「ロイヤル・チャレンジ」を恥ずかしげもなく宣伝するものだった。後者はボリウッドを象徴するスター俳優シャー・ルーク・カーンによって立ち上げられた。チーム名は一九八〇年代のアメリカのテレビドラマからとられていたが、なぜそれが選ばれたのか説明できる者は誰もいなかった。

開会式はとにかく派手だった。竹馬乗りや曲芸師がグラウンドを跳ね回り、チームカラーの衣装に身を包んだスタントマンがスタンドの屋根から懸垂下降をしてみせた。ワシントン・レッドスキンズ〔アメリカンフットボールのプロチーム〕からレンタルしたチアリーダーのチームが、花火やレーザー光線をバックにダンスを披露した。しかし、本当の花火が始まったのはピッチ上だった。ニュージーランドの国際選手、ブレンダン・マッカラムが七三回の投球に対して一五八得点《ラン》を叩き出し、「トウェンティ20」の最高記録を達成したのだ。これほどの記録はかつてないものだった。そして初めから開幕の夜まで、一連のイベントを仕切っていたのは一人の男、ラリット・モディだった。

スポーツ組織の運営者のなかには舞台裏から目立たないように活動することを好む者もいるが、モディはそれがいかなるものであれ、外部から向けられるあらゆる関心を受け止めるタイプだった。彼はＩＰＬのシーズン中には試合に顔を出し、都市から都市をプライベートジェットで駆け回り、スタジアムに近いホテルを転々とした。試合開始前には寝る間もないほどのスケジュールが詰まっていた。選手やスポンサー、チームのオーナーとのミーティングをこなしたかと思えば、タバコを立て続けに吸いながら、ブラックベリー〔キーボード付きの携帯電話〕で矢継ぎ早に指示を飛ばした。試合中も細身のアルマーニのスーツを着こなし、縁なし眼鏡をかけ、暑さのなかでうっすらと汗をかくモディは人目につきやすかった。プレーが進行している最中でも、スタンドの彼をねらった「モディ・カメラ」が本人を見つけるとズームインし、たまたま同席していた映画スターや政治家、地元の豪商の姿までもとらえていた。最後は——日付が変わる直前になることも多かった——試合終了後のパーティーを主催した。かつての落ち着いていたクリケットに何が起きてしまったのかと年輩の幹部が困惑の面持ちで理解しようとするなか、選手が非番のチアリーダーたちとどんちゃん騒ぎに興じていた。

モディの公式の肩書きは「IPLチェアマン兼コミッショナー」というものだった。いまでは彼のウェブサイトを見ると、IPLの「創業者《ファウンダー》兼設計者《アーキテクト》」となっている。しかし実際の彼は管理者というよりは興行主で、ショーマンにしてオーガナイザー、そして盛り上げ役でもあった。さらにはアイデアマンで劇場のクリエイターとも言えた。ショー化したアメリカのプロレス中継でときどきリングサイドに現れる「オーナー」のように、モディも自ら作り出したショーの主演俳優を演じるようになり、脚本も書き、細部に至るまで結果をコントロールする存在になっていった。

モディのキャラクターをめぐる数々の風変わりな特徴のなかでも、とりわけ注意を引くものがあった。それは、彼が本当にクリケットを好きなのかいま一つはっきりしないという点だった。古くから続く商家に生まれた彼は、カネに不自由することなく育ち、名門校に進学したが、そこではバッティングの才能がまったくないことがわかった。[5]十代でアメリカに留学し、デューク大学に入学した。いまでも語り草になっているのは、そのときにバスケットボールや野球のプロリーグに魅了され、この手法を用いることで自国のクリケットを変えられるのではないかと考え始めたというエピソードだ。[6] 彼の後半生を特徴づける破壊的衝動が見られたのもこのころだった。彼はほかの学生三人とともに、一万ドルをかき集めて麻薬の売人からコカイン五〇〇グラムを買おうとしたとして逮捕されたのである。「実はこの売人、コカインなどまったく持っていなかった。持っていたのはショットガンで、これを使って学生から一万ドルをむしり取ったのだ」。作家のサマント・スブラマニアンはそう記している。[7]「翌日、四人組は自分たちをはめて恐喝の標的にしたとにらんだ別の学生を襲撃した」という。この一件で、モディには麻薬密輸、誘拐、襲撃の嫌疑がかけられることになった。彼は罪を認めたが、一定期間コミュニティ奉仕活動を行ったのち、病を患っていると主張して判事を説得し、ほどなくして帰国していった。

モディはインドに戻ったが、主にタバコの製造を手がけていた一族のコングロマリットで働くことはしなかった。その代わりに彼が選んだのはメディア業界の大物として成功することで、「モディ・エンターテインメント・ネットワーク」という会社を設立した。このときすでに経済自由化が始まっており、何十ものチャンネルが生まれていた。モディはインド市場に食い込もうとする外国企業と契約を結んだが、その多くが失敗に終わった。一九九〇年代半ばに初めて試みたクリケットへの参入もうまくいかなかった。新たなトーナメント方式の試合を任せてほしいとＢＣＣＩにかけ合ったが、拒否されてしまったのだ。しかしそうした試練はかえって彼を前に向かわせ、承認欲求を高め、単刀直入かつダイナミックなビジネススタイルに磨きをかけていった。

クリケットに対する自分のビジョンはきっとうまくいくと確信した彼は、エスタブリッシュメントに取り入ろうとし、政治家と協力関係を結んだり、州レベルの有力クリケット組織のトップに就くなど要職を獲得したりしていった。当時からモディの気質には一風変わったところがあった。快活で説得力のある話ができる一方で、上流階級ならではのぶしつけな振る舞いや、本来彼が関係を開拓すべき相手を口さがなく軽蔑する一面もあった。しかし、敵をつくりやすいところはあったものの、彼と仕事をした者は、エネルギッシュさや数字への強さ、それにビジネス契約を作り上げていく際の直感的な理解力を熱っぽく語っていた。「彼は一緒に仕事をしていく相手としては楽しい存在でした」。IPL創設でモディを支援した国際的なスポーツマネジメント会社、IMGのある役員はそう教えてくれたことがあった。「彼は決断ができる人物ですし、しっかりと関係者に説明ができ、透明性もありました。権力を欲しているという印象を受けましたが、注目の的でいることを楽しんでいたんだと思います」。彼は何よりも、「クリケット界の豪商」という新たなカテゴリーを作り出して、高収益の組織を自ら築き、その上取り仕切ろうとしていたようだった。

モディが生み出したIPLというトーナメント戦は騒々しくて勘と経験によるところが大きく、すぐに悪い評判が立つようになった。「かなりワイルドな感じでしたね。パーティーとか、女とか」。IPLチームの元最高幹部の一人はそう語る。この人物は、初期のIPLでプレーした世界でもっとも有名な選手の一人についての話を振り返ってくれた。「この選手がわたしのところに来て、こんなふうに言ったんです。『アルコール中毒になっている選手もいるけど、自分はセックス中毒なんです。だから女が必要なんです。試合の前日にセックスできれば、いいプレーができます』とね」。「そう言われて、なんて返します？　わたしは心当たりの関係者に電話して、事情を説明しました。すると先方は、なんとかしましょうと言ってくれました」

チアリーダーたち——団員の多くは東欧や北米から来ていた——はとくに欲望の対象になっていた。数年後、ガブリエラ・パスクアロットというブロンドで二十二歳の南アフリカ人が、「あるIPLチアリーダーによる秘密の日記」と題したブログを当初は匿名で始め、既婚のスポーツ選手による不貞行為をうかがわせる書き込みをいくつも掲載していった。「わたしたちは言ってみれば『歩くポルノ』なの」。ある日の投稿ではそう記されていた。その後、執筆者が特定され、彼女は不名誉なかたちで帰国することになった。「そのうち、主催者は彼女たちを別のホテルに泊まらせるようにしたんです」。前出の元最高幹部はそう振り返った。「チアリーダーを選手から何キロか離れたところに泊まらせたほうが安全だということにすぐ気づいたのです」。しかしリーグ全体で見ると、各チームの責任者はスター選手やそこに群がる関係者にタッチしない方針を当初とっていた。「管理する側の気は緩み、オーナーもすごく寛大になっていましたね。『だって、試合には勝ったんだから選手に飲ませてやってもいいじゃないか。なんでそんなに厳しくしなくちゃいけないんだ？』と言われたものです。そういう話をしていると、結局みんな『わざわざ水を差すようなことをしなくてもね。嫌なやつになって規律を押しつける役回りなんて勘弁ですよ』となるんです」

お祭り騒ぎのようなイメージはあったにせよ、モディのＩＰＬは本気のビジネスで、本気でカネを稼ぐことを目的にしていた。彼は二〇〇七年九月に記者会見を開いて構想について発表し、ＢＣＣＩからスタートアップのための資金は得たが、チーム、スタジアム、スポンサーのいずれもなく、若干のスター選手がいるだけだと説明した。半年に及んだ壮絶な交渉を経て、ＩＰＬには八つのチームが発足し、大物財界人が多数名乗りを上げ、投打両面で世界トップクラスのスター選手が大挙して加わったことで、バンガロールでの開幕にこぎ着けた。モディはＢＣＣＩと結んだ契約によってＩＰＬを五年にわたって全面的にコントロールできることになり、興行のあらゆる側面をマネージする権限を手に入れた。彼はマーケティングに特別な才能を持っており、前代未聞の試みは必ず成功すると訴えて、二の足を踏む企業を説得した。

ＩＰＬでは、ジャージのロゴやバット、企業向けのシーズンシートまで、あらゆる要素が注意深くブランディングされていた。試合終了後のパーティーにまでスポンサーがついていた。発足初期のころ、そうしたパーティーはインフラ企業の名前を冠して「ＤＬＦ－ＩＰＬ」と呼ばれており、同社はネーミングライツとして総額二〇億ルピー（三一〇〇万ドル）を支払っていた。モディは一試合で七〇本かそれ以上のテレビ広告枠を設定していた。各チームは「戦略的」なタイムをとる権利を与えられてもいた。表向きには試合中の方針確認のための時間とされていたが、実際には単にＣＭの時間を確保するためでしかなかった。視聴者を引きつけようと、彼はインドでほかに並ぶものがないほど強く熱狂をかき立てるもの――クリケットとボリウッド――を合体させるという、シンプルだが絶妙なアイデアを実行に移した。有名映画スターにＩＰＬチームの株主になってもらった上で、スタンドでチームを熱心に応援するよう説得したのである。

彼に対する辛辣な評価とは矛盾するが、モディは魅力と狡猾さを使い分けながらＩＰＬを築き上げていった。トップクラスの選手には一〇〇万ドルかそれ以上の年俸がオファーされた。テレビカメラが回るなかで大興奮の指名獲得入札が行われ、モディ自身はコメンテーター役を務めた。ビジネス一族の出というバックグラウンドがあったことで、彼はインド財界の上層部にすいすいと食い込んでいき、億万長者に対し一億ドルかそれ以上の額でチームを所有しないかと持ちかけた。あるＩＰＬチームの関係者は、モディが各豪商の不安をどう利用したかについて記憶していた。たとえば、ムケーシュ・アンバニには弟のアニルもムンバイのチーム保有に興味を示しているとほのめかしたり、ヴィジェイ・マリヤに地元のソフトウェア企業経営者がバンガロールのチームを手に入れようとしていると伝えたり、といった具合だ。大のクリケットファンとしても知られる歴史家のラーマチャンドラ・グハは、このパターンに気づいた一人だった。「プロフェッショナリズムや企業家精神にあふれたイノベーション、先進的な技術を持つインド企業はＩＰＬにかかわろうとはしなかった」。彼は二〇一三年にそう記した。しかし、アーンドラ・プラデーシュのインフラ企業ＧＭＲがデリーで、ナラヤナスワミー・スリニヴァサンのインディア・セメントもチェンナイでそれぞれオーナーになったように、ボリガルヒのなかでも「一軍」クラスがチーム保有に乗り出したことで、ＩＰＬの信頼性がさらに高まったのは確かだった。ボリウッドからも、シャー・ルーク・カーン以外に女優のプライティー・ジンタとシルパー・シェッティーがそれぞれパンジャーブとラージャスターンのチームオーナーになった。海外のテレビ局による放映権契約もすぐにまとまった。「外資は、放映権を確保しようとしていたケーブルテレビ会社に投資したのです」。あるクリケット業界の幹部はそう振り返る。「動かせるカネがたっぷりと手に入ったわけです」

　ＩＰＬに人材や資金が結集する流れは、クリケットの今後に懸念を抱く古い世代にとっては悪夢を現実にするものだった。しかしモディの目線は高邁な目的を見据えていた。新世代のインド人から乖離しているのではないかと感じていたクリケットという退屈なスポーツに革命的変化をもたらすだけでなく、停滞したガバナンス体制を浄化しようと考えていたのだ。「ＩＰＬ初年度にプレーするクリケット選手は、全員が世代全体にとってのロールモデルなのです」。二〇〇八年の開幕式で行った情熱的なスピーチで彼はそう言った。「世界中の若者に、このすばらしいスポーツが持つ価値、それにプレーのなかでの精神について直接知ってもらうことが大切なのです」。腐敗反対を訴えるこのレトリックには、積年の恨みを晴らすという側面もあった。彼はトーナメント制導入案が失敗に終わったかつての苦い経験を根に持っており、ＢＣＣＩ関係者への賄賂を拒否したことで企画が頓挫したと主張していた。「猛烈に熱い煮え湯を飲まされたものですよ……表に出て、この体質を一掃するのがわたしの野望になりました」と彼は振り返っている[8]。彼を批判する者には驚きだったかもしれないが、クリケット界の浄化というモディの発言は本物だった。経済自由化が進むインドで広がる精神に意を強くした彼は、ＩＰＬを自由主義の楽園にし、旧来の密室での裏切りをオープンなルールと透明性の高い入札システムのもとでの選手やチーム、放映権の割り振りに変えようと考えていた。彼は二〇〇六年のインタビューでこう語っている。「わたしの仕事はカルテルを打破することです……わたしは自由な市場がすべてを決めるという考えの信奉者です。そこで価値がないと判断されれば、本当に価値がないということなのです。ファンに決めてもらう、というわけです」[9]

ＩＰＬの初シーズンがスリリングなフィナーレに近づくなか、ファンの評価は明白だった。スタジアムはどこも満員だった。何千万もの視聴者が毎回試合を見ようとテレビのスイッチをつけた。シーズン終了後、チームの評価額は急上昇し、モディがさらに二チームの所有権を売却したときには三億ドルもの値がついた。しかし、こうした熱狂的人気のなかにも不和の兆候が見え隠れしていた。ＢＣＣＩのスリニヴァサンやその他の古参幹部がＩＰＬをめぐる数々の疑惑に不満を募らせており、なかでもコミッショナーの横柄なスタイルは怨嗟の的になっていた。露出度の高いチアリーダーを批判する保守的なヒンドゥー主義団体との対立もあれば、選手の不祥事をめぐる数々の報道という問題もあった。モディは二シーズン目のＩＰＬの開催地を南アフリカに移したが、それでもニューデリーの有力政治家のいら立ちは収まらなかった。そしてなんと言っても重要だったのは、ＩＰＬが収益を挙げているという点では誰もが一致していたものの、具体的にその額がいくらなのか、使途はどのようになっているのかをはっきりわかっている者はほとんどいないという点だった。モディはムンバイのフォーシーズンズ・ホテルのスイートルームから経営を仕切っていたが、そうした散財ぶりに対する不満の声は大きくなる一方だった[10]。ＩＰＬの資金力によってスター選手の関心が各国の代表チームからリーグ戦のほうに移ってしまうことを危惧したイングランドやオーストラリアのクリケット連盟幹部は、公然とモディ更迭を要求するようになった。インドでもこれに賛同する声が多く上がった。

モディはスポーツ政治を熟知していた一方で、敵をつくりやすいところがあった。その直接的原因となったのは、二回目のチーム獲得入札だった。当時の報道を見ると、新チームのオーナーとして有力視されていたのはゴータム・アダニのコングロマリット、それにメディア事業と電子部品製造業を手がけるビデオコンだったが、ある日突然ＢＣＣＩがプロセス中止を決定し、一からやり直しを命じた。仕切り直しとなった二回目の入札の結果、派手なことで知られる億万長者スブラタ・ロイが率いる不動産大手、サハラを中心とする西部の都市プネの応札グループ、それに「ランデヴー」と命名された投資家からなる、ケーララ州沿岸部の都市コチのコンソーシアムが落札した。

協会が介入したことにモディは怒り心頭に発し、この決定に反対する活動を公然と開始した。とくに彼の批判の矛先はコチのチーム所有権に向けられ、結果が発表されて間もない時期からツイッター上で煽動的な攻撃を展開した。こうした非難のなかで、落札したグループに属する企業の株式保有のあり方に疑義が呈され、さらにこの問題が当時の国民会議派政権で副大臣を務めていたケーララの都会的政治家、シャシ・タルールにも関連づけられるようになった。この疑惑をめぐって、メディアの報道は過熱した。タルールはやましいことは一切ないとして関与を否定したが、辞任を強いられる結果となり、当時すでに「汚職の季節」の悪影響にあえいでいた政権にさらなるダメージを与えることになった。ビジネスマンは主人たるニューデリーの政治家に絶対服従してしかるべしとの政治環境のなかで、モディの猛攻は直ちに深刻な反撃を招くこととなった。数日後、歳入当局の調査官がＩＰＬや各チームの事務所を家宅捜索したほか、モディの企業帝国の不正を捜査する税務当局関係者の報告書がリークされ、新聞の一面を飾る事態になった。

高まる一方の反モディの大合唱が頂点に達したのは、ＩＰＬの三シーズン目が終了した後だった。最終試合終了から数時間後、ＢＣＣＩはさまざまな規定違反があったとしてモディの職務を一時停止することを決定したのである。そのなかには、三つのＩＰＬチームがモディの親族によって運営されている事実を協会に対して報告していなかったことなど、比較的マイナーなものもありはした。しかし深刻なものもあった。三四ページからなるスリニヴァサンの書簡では二〇件以上の不正行為が列挙されており、「活動促進費」と呼ばれていた放映権契約に際してのキックバックの受け取りや、モーリシャスのダミー会社によるチームの株式保有などが含まれていた。もっとも深刻だったのはチーム所有権の入札をめぐるごたごたに関するもので、アダニとビデオコンが落札できるようモディが仕組んでいた可能性をBCCIは示唆していた。モディはすべてのケースについて不正を強く否定し、法廷闘争に打って出た。数カ月にわたり双方は弁護士を通じて文書をやりとりしたが、BCCIは六カ月後、ついにモディを一方的に解任した。身の危険を感じたモディはロンドンに居を移すことにした。彼はインドで試合結果の操作を拒否したことで自分を暗殺する試みがあったことを暗い口調で語り、かつての雇用主であるBCCIと法廷闘争を繰り広げた結果、IPLにとって払拭できないほどの憎悪やメロドラマ的空気を残した。

ウィケットへの賭け

モディ更迭に至った逆襲劇はIPLにとって転機となるスキャンダルと位置づけられていたが、それも「Uターン作戦」が発動されたあの夜までのことだった。この夜の事態によってIPLは新たな危機に放り込まれ、さらに深刻な結果をもたらす懸念が生じた。IPLのマネジメント体制が不透明でトップがけんかっ早いというだけでなく、一部の選手と幹部がダークな国際賭博シンジケートと結託して八百長を行っていたのではないかという疑惑が持ち上がったからだ。

国際レベルでのクリケットの賭博問題は、一〇年以上前にも発覚したことがあった。インドの胴元と南アフリカ代表の主将ハンジー・クロンジェのあいだで両国の代表戦期間中に交わされた通話内容を録音したテープが、インドの警察当局によって公開されたのである。クリケットは紳士のスポーツであり、ほかの多くのスポーツで起きているような違法賭博問題とは無縁だという評価に終止符が打たれるなか、クロンジェ本人には永久追放処分が下された。スキャンダルはこの後も続き、二〇一一年にはイギリスのタブロイド紙によるおとり作戦の結果、パキスタンのボウラー二人とチームの主将が捕まるという事件が起きた。インドでは二〇一二年のＩＰＬシーズンで小規模ながら個別のプレーを操作する不正が行われ、選手五人が追放される事態となった。

公式にはクリケット賭博は禁止されていたが、裕福なインド人がひそかに賭けをしているのをわたしはたびたび目にしてきた。ムンバイの地下犯罪組織が運営する賭博ギャング——実際に手を引いているのはドバイかパキスタンにいるインド人暴力団関係者と言われている——をめぐる臨場感満点の記事が地元タブロイド紙を頻繁ににぎわせた。シャンタクマラン・スリーサントの逮捕後に警視総監のクマールが言ったように、「首謀者は海外に居座っている」のである。このことが公然の秘密となっているとはいえ、賭博がもたらす腐敗作用を白日の下にさらしたのはやはり「Ｕターン作戦」だった。

当初、関心は八百長の方法、さらにはスリーサントのような選手がどうやって企みに引き寄せられたかに向けられた。ＩＰＬはギャンブルをするのに理想的なシステムで、チーム幹部やスポンサー、取り巻きがみな選手やスタッフと気軽に触れ合える自由奔放な空気があった。クリケット選手には何人もの関係者が同行するのが常だった。同僚はもちろん、マネージャー、サブマネージャー、トレーナー、スタイリストたちのことで、ＩＰＬの気品を保つためのステータスの象徴だった。情報化経済がチームを取り巻くようになり、内部関係者にゴシップネタを欲しがる友人から電話がかかってきたり、チームが宿泊するホテルのバーでは情報交換が行われたりするようになった。打順や選手の怪我、チームの戦術やピッチのコンディションなど、どんなに小さな手がかりでも賭けをする際の有用な情報になった。情報の質がよければよいほどリターンも大きくなることから、胴元も大口顧客も選手に直接賄賂を渡すというリスクの高い行動に出るようになった。最初は情報と引き換えに少額のカネを渡し、選手に見込みがありそうならさらに踏み込んで、特定のプレーをする――「しない」という場合もある――よう依頼した。「胴元は試合が開催されるころに選手や審判にカネをつかませることが多いんです。場所はホテルとかバーですね」。そう語るのは、カタールに拠点を置く違法賭博監視グループ「国際スポーツセキュリティ・センター」で事務局長を務めるクリス・イートンだ。「見返りは女性との一夜のこともあれば、シンプルに現金という場合もあります。これは少しずつ進められていく、プロの技なのです……そうしたなかで、過去五年間のインドの経済成長を踏まえると、違法なマーケットの規模はとんでもなく拡大しているのです」

メディアではもろもろの憶測が飛び交っているが、前述の手口によって成長を遂げ、ミステリアスかつ当然ながら閉ざされた違法賭博産業の中身をうかがい知ることは困難だ。こうしたなか、賭博問題の専門家でライターのエド・ホーキンスの『胴元・ギャンブラー・フィクサー・スパイ（*Bookie Gambler Fixer Spy*）』はこの問題についてもっとも詳しく書かれた本で、クリケット賭博の暗部がしっかりと説明されている。ホーキンスは苦労の末に数名のインド人胴元と交友関係を結び、遠く離れた町にまで同行して彼らが即席の賭場を開設するのを目の当たりにした。[11] ノート型パソコンや何十台もの携帯電話を駆使する彼らは、ほかには何もないホテルの一室で試合開始後にかかってくる顧客からの電話対応に当たっていた。

こうした胴元の活動を可能にする広範なシステムはいくつかの大規模賭博シンジケートによって運営されており、インド各地のフリーランス胴元からなるチームと連携しながらオッズの設定や資金の供給を行っていた。このシステムは口頭での伝言と信頼関係によって成り立っていた。顧客は顔なじみの胴元と連絡をとり、現金を直接やりとりすることはなく、後日、口座経由で調整が行われた。一般的に言われていたのは、大口顧客は試合のほんの一部、それも結果に影響が出ない部分を操作し、そこのプレーに多額のカネを張ることでかなりの額を稼ぐことができた。たとえば、ボウラーにカネを払って特定のオーバーでノーボール〔ルールに反する投球〕にしてもらうということが行われていた。しかし現実はそれほどわかりやすいものではなく、賭けにはいくつかのタイプがあるのだとホーキンスは明かしてくれた。もっともポピュラーだったのは「対戦ベット《ブラケット》」と呼ばれる方法で、顧客が「最初の六オーバー」のように試合の特定部分のスコアを予想するというものだった。「仮にスリーサントが言われているようなことを本当にやっていたとしたら、それは典型的な『対戦ベット』のように見えますね」と彼は言った。

しかし、こうした説明からはスリーサント本人がなぜ違法賭博に引き込まれたのかまではわからない。ただ、チームメイトですら、激しい気性のスポーツ選手である彼が騒動の渦中に置かれたことにさほど驚いている様子はなかった。私益のためにアウトを取ろうという身勝手な行為と同じくらい彼の名前を知らしめていたのは、「スラップゲート」という事件だった。[12] ＩＰＬ初シーズンの閉幕が近づいていたころ、がっちりした体軀の技巧派ボウラー、ハルバジャン・シンに顔面を殴られた。シンは「ターバネーター」という愛称を持っていたが、これはシーク教徒がかぶるターバンと遠慮のないプレースタイルの両方から作られたものだった。殴られたスリーサントは頬に涙を流しながらピッチを離れていった。タブロイド紙の憶測を別にすれば事件の原因ははっきりしなかったが、幼稚で泣き虫というイメージが定着したのは確かで、癇癪持ちの彼は当時インド代表チームの主将を務めていたマヘーンドラ・シン・ドーニーを含めチームメイトのあいだでも不評だったという。

「ドーニーがスリーサントのことを嫌っているのはみんな知っていました」。ＩＰＬのある役員は言う。「もっと言えば、選手全員から嫌われていましたね」。彼をよく知る者は、まったく別の姿を描いていた。社交的で失敗には寛大、一緒にいて楽しい性格で、伝統と宗教を重んじる性格の持ち主といった側面だ。しかし、スリーサントがインドの有名スポーツ選手の最上層に入るずっと前からの親しい友人によると、彼は不安がちで、自分に注目を集めようとするところもあったという。「彼は自分をマイケル・ジャクソンと比べていましたね。わたしはそれはおかしいんじゃないかと思っていましたが、マイケル・ジャクソンは彼にとってアイドルだったんです」と、この友人は言う。「このことを考えてみると、ちょっと似たところがあるとも言えますね。一方では崇められ、もう一方では嫌われ、おかしな人たちに囲まれて、二人ともどうしようもなくクレイジーだというところが」

スリーサントはチームメイトとは行動をともにせず、五つ星ホテルに泊まり、増える一方の取り巻きに囲まれながら過ごした。彼は決まった家を持たず、試合と練習をこなすなかでスーツケースを六個だけ携えて都市から都市を転々するというライフスタイルを送っていた。そんな彼にとって、取り巻きの存在は少なくとも居場所のようなものを提供してくれていた。それは常にファンの目にさらされるとてつもない環境のなかで、試合のなかで得られる高揚感と長く不快な倦怠感をつなぐ、一種の実存のようなものだった。「スリーの周りにはいつもおべっか使いがいたんですが、仕事もないような連中がどうして彼と一緒にいられるのかいつも不思議に思っていたものです」と彼の友人は言う。のちに明らかになったのは、彼らの費用を賄っていたのはスリーサント自身で、飛行機代やホテル代を負担し、小遣いとして札束を渡し、一流のクリケット選手が歓迎されるようなゴージャスなパーティーにまで連れ歩いていた。「彼らにいつも漂っていた熱狂を説明するのは困難です。彼らが外に姿を現すやいなや、瞬く間にものすごい数のファンが集まるんです。とめどないほどにね」。前出の友人はそう続けた。そしてまさにこうした混沌とお祭り騒ぎの空気を理解して初めて、感受性豊かな若者が名誉とカネの虜になり、のちに後悔することになる行動へと引き込まれていったプロセスを想像できるようになるのである。

スリーサントは逮捕後、一カ月のほとんどをニューデリーの悪名高いティハール監獄で過ごした。当初の警察の説明では、彼は自白して全面的に罪を認めたとされた。しかしその後保釈されると、無実を主張するようになった。「Uターン作戦」発動後、ジャーナリストはラリット・モディが仕切るIPLの弛緩した体制に糾弾の矛先を向けた。八百長を検知する試みはまったくと言って存在しなかったからである。しかしグルナート・メイヤッパンが逮捕されると、関心は関係チームやそのオーナーに向かい、ラージャスターン・ロイヤルズのトップもIPLの試合で賭けをしていたことを認めると、その流れはさらに強まった。メイヤッパンの逮捕はナラヤナスワミー・スリニヴァサンを直接疑惑の渦中に置くことにもなった。怒り心頭に発したファンが、クリケット界にこれほどの混乱を招いたのは最高責任者の彼だと非難するようになったのである。この展開にわき立ったニュースメディアは数週間にわたりほかの話題はまったくと言っていいほど取り上げず、些細な展開ですら大地を揺るがすような怒りを招くものとして扱った。インド最大の英語ニュース局「タイムズ・ナウ」はとくに厳しくスリニヴァサン批判を展開し、攻撃的なことで知られる同局のキャスター、アルナーブ・ゴスワーミーはBCCI会長職からの辞任を要求する急先鋒となった。

スリニヴァサンはメディアと良好な関係を保っていたわけではなかったが、当初は義理の息子に対する関心をそらそうと試みていた。報道では、メイヤッパンがチェンナイのチームを運営していると伝えられていた。スリニヴァサンは正式な役割は何もないとしてこれを否定したものの、ウォッチャーの多くはこの主張に首をかしげていた。「いちばんシンプルな説明は、グルナート（・メイヤッパン）は熱狂的なファンでしかないということでしょう」。そう解説するのは、物腰丁寧なビジネスマンでBCCIの幹部を務めるアジャイ・シャークだ。彼は激しく変化するクリケット協会内部の政治環境のなかで、一時はスリニヴァサンの盟友でもあった。「でも、ではどうして彼はチームを代表するかたちですべての選手獲得入札会議の場にいたのでしょうか？ どうして彼はわたしたちの公式文書で『チーム統括者《プリンシパル》』

として掲載されているのでしょうか？　そして、彼はダグアウトで選手と一緒にいて何をしているのでしょうか？　わたしには、彼らが権力にしがみつこうとしているとしか思えません」。自分が事態を掌握しきれていないと悟ったスリニヴァサンは、方針転換した。不機嫌な状態で臨んだ数週間後の記者会見で、彼はスキャンダルへの関与を否定しようとした。しかし自己防衛を図ろうとすればするほど、自分自身の役割やそれに伴う利益相反の問題に質問が向かうのを阻止しているかのように映った。スリニヴァサンが職にとどまるべく延命工作を始めたことで、権力闘争の火蓋が切られた。

ザ・ドン

ラリット・モディをクリケットの興行主とするなら、スリニヴァサンは影の実力者だった。ＩＰＬに強烈なスポットライトが当てられるなかで、急激な資金の流入によってクリケットというスポーツが一変した。しかし、そのもとで旧来の権力構造は基本的に温存された。ギデオン・ハイの言葉を借りれば、「そこそこの能力と限られた向上心しか持たず、名誉職的なかたちでかかわるだけで、変化からクリケットを守ることが頭の大半を占めている者」によって運営されていたころから受け継がれてきた体制だ。[13]

インドのクリケットをめぐる旧態依然とした世界では、影響力の源泉は州レベルの協会にあるということをモディは発見した。ラージャスターン・クリケット協会やマハーラーシュトラ・クリケット協会といった、ピラミッドで頂点に君臨するＢＣＣＩの一つ下に位置づけられる組織だ。なかには支配権が父から息子へと受け渡される、一族の王朝以外の何ものでもない協会もあった。別の州では地元企業の影響下にある協会もある。たとえばスリニヴァサンは、自らが率いるインディア・セメント・グループを通して経営難のチームやカネに目がない選手に資金援助をすることで、タミル・ナードゥ・クリケット協会を支配するようになっていった。さらにこれを手がかりにして彼はインドのクリケット界全体を手中に収めるべく活動を展開していったのである。クリケットをめぐる権力構造は、ある程度までは民主的だったと言える。全国レベルにのし上がろうとする者は州レベルの下部組織を掌握しなくてはならず、利益供与ネットワークを構築し、そのなかで増大するクリケットの収益を使って支持を獲得するという、狭い意味でのことではあったが。「毎年九月に行われる［ＢＣＣＩの］役員選挙はあまりに汚いものであり、カリグラ〔暴君として知られる第三代ローマ帝国皇帝の愛称〕が名君に見えるほどだ」。クリケット専門誌『ウィズデン・インディア』編集長のディリープ・プレマチャンドランはそう記したことがあった。しかしこれこそスリニヴァサンがもっとも得意とする分野だった。彼は、票読みや支持と引き換えに相手が何を欲しているかの見極めに長けていたのである。

実際の彼は、威圧的な印象とはほど遠い人物だった。中背でずんぐりした体格をしており、二重顎とオイルで後ろになでつけた白髪交じりの頭髪といった風貌で、くたびれた感じが漂っていた。ラリット・モディはとにかく派手さにあふれていたが、スリニヴァサン――「スリニ」という略称で呼ばれることが多かった――は話し方もゆっくりかつ言葉少なげで、低いうなり声を上げているようだった。もう一つのモディとの相違点は、少なくとも彼はクリケットに対する長年の情熱に突き動かされているという点だった。チェンナイでは彼のことを悪く言う者はいなかった。スリニヴァサン家は地元の保守政界で支柱のような存在だったし、学校のクリケットチームへの用具の無償配付や引退した選手の就業支援といった活動で尊敬を集めていた。ビジネスを始めた当初は苦労し、とくに一族が所有するセメント帝国をめぐりおじとの長期にわたる衝突に悩まされたが、この対立から組織掌握術のノウハウを直感的に体得したと見る者もいる。南インドならではの地味なかたちではあったが金持ちであったことは間違いなく、熱心にヒンドゥー教を信奉する保守的人物でもあり、額には赤のビンディを付けていることが多かった。誰の話からも明らかだったが、一人息子――ゲイであることを公言していた――とはぎくしゃくした関係にあった。

スリニヴァサンのBCCI会長就任は「Uターン作戦」から二年前のことだった。組織内で彼は財務責任者として基盤を固め、次いで事務局長となり、ラリット・モディの職務停止処分の中心人物としての役割を果たした。彼は基本的にチェンナイで執務を行い、会議があるときにはプライベートジェットでムンバイに赴いた。BCCI内での意思決定は各委員会の遅々とした議事進行のなかで行われていたが、スリニヴァサンにとってはこの上なく好都合な環境だった。とりわけ財務委員会は彼の王国とも言える場所で、議題や議事録を仕切るとともに、資金がどこに、あるいは誰に対して使われるかを正確に把握することで影響力を維持していた。エッセイストのラーフル・バティアによると、スリニヴァサンの本当の才能は遠慮のない組織マネジメント能力にあるという。「彼は会議に臨むときはいつも入念な準備を怠らず、会計士のように状況を説明し、アドバイザーを統率し、支持者が満足し彼らの協力が十分に報われるよう配慮をすることをめったに欠かさなかった」――バティアは『キャラヴァン』に寄稿したスリニヴァサンの評伝でそう記している。[14] あるクリケット協会関係者はスリニヴァサンの手法についてこう説明している。「幹部についての情報を収集し、吸収し、分析し、理解する。Xは何を欲しているか、Yは何を欲しているか、Zは何を欲しているか、という具合にです。弱点のない人間はいませんからね」

「Uターン作戦」が発動されたのは、ちょうどインド全体で動揺が広がっていたころと重なっていた。腐敗に対する懸念が渦巻いていた二〇一三年半ばの時期で、通信や鉱山採掘をめぐるスキャンダルに対する国民の不満が爆発していた。しかしスリニヴァサン自身は、あからさまな不正行為の当事者というよりは利益供与の舞台監督といった役どころだった。クリケットの経済的重要性が高まったことで、聞いたこともないような額の資金が入ってきた。彼はその資金をしかるべき場所に配分し、将来の選挙を見据えて自分の支持基盤を強化した。一見シンプルなこの支配メカニズムは、クリケットをめぐるさまざまな勢力――各州の協会幹部、選手、元選手、コメンテーター、それに組織の重鎮――を甘い報酬という網のなかに留め置くことを可能にした。「BCCIによるクリケットの支配を考えたら、メディチ家によるフィレンツェ統治など足もとにも及びません」と、コメンテーターのムクル・ケサヴァンは言う。[15]「彼［スリニヴァサン］の在任中、クリケットというジャングルで生きる者は協会の支配下に置かれ、契約で縛られたり、カネで口をつぐんだり、追従者であることを誓わされていたのです」

インド各地のクリケット協会は「グッドガバナンス」などという言葉とは無縁の存在だったが、惨憺たる状態の各種スポーツ団体のなかでもっともクリーンな組織という点では衆目が一致していたし、高い専門性を持つという点でも随一だった。「スリニの仕事は、いつでも『支配』することでした」。国際的な統括団体、国際クリケット評議会（ICC）――スリニヴァサンは二〇一四年にここのトップに就くことになる――の元関係者はそう語る。「しかし彼が不誠実というわけではなかったのです……彼は組織を機能させていましたから。スリニは私腹を肥やすことはしませんでしたし、わたしが見るに自腹で結構な額のカネを使っていたのではないでしょうか」。「Uターン作戦」に対する怒りが高まるなか、防衛に徹すべしというのがスリニヴァサンの直感で、これまで築き上げてきた利益供与ネットワークから協力を引き出すことにした。「彼は非常に几帳面で、隅々まで管理しないと気が済まないタイプのように見えます」とケサヴァンは言う。「彼は政治家に賄賂をつかませることで、事実上どんなことだって実現できると本当に信じているんです……政治家がみんな賄賂を受け取ってくれれば、利益相反のことなど心配する必要はなくなるだろうとね」

スリニヴァサンがサバイバルを図ろうというのであれば、こうした政治からの支援獲得は不可欠だった。クリケットの圧倒的な名声は、大物政治家がＢＣＣＩに群がる結果をもたらした。純粋にクリケットを愛する者も何人かいたものの、そこで得られる数々のチャンスに惹かれてという者が大半を占めていた。とくに目立っていたのは、ナレンドラ・モディ政権で財務相を務めたしたたかな弁護士出身の政治家、アルン・ジャイトリー〔二〇一九年に病死〕。シャラド・パワールという、マハーラーシュトラのボス的な押し出しの強い政治家もそうで、狡猾さと豊富な個人資産で知られていた。熱烈なクリケットファンというわけではないが、ナレンドラ・モディも二〇一四年の首相就任に伴い最側近のアミット・シャー〔内相。ＢＪＰ前総裁〕に職を譲るまで、五年間にわたりグジャラート・クリケット協会の会長を務めていた（彼とラリット・モディに血縁関係はない）。スリニヴァサンは独自のアプローチでこうした政治家の面々と緊密な関係を築く術を学び、刻々と変わる彼らの協力関係のなかで巧みに生き延びていった。スリニヴァサンは彼らの支援が得られる限り、自分のポジションは安泰だと考えていた。しかし、トークショーで批判の大合唱がわき起こり、新聞の論説欄では辞任を求める主張が頻繁に掲載されていくなかで、そうした確信も揺らぎ始めていった。

　スリニヴァサンが私益のために悪事をはたらいたとする非難はなかった。彼のような簡素なタイプの人物が、逮捕された義理の息子のように賭博にかかわったり胴元と接触したりしていると考える者はほとんどいなかった。彼はインタビューで無実を強く訴え、マスコミの追及を「メディアによる裁判」だとして怒りをあらわにした[16]。しかしスリニヴァサンに批判的な者は、チームのオーナーであり、統括組織のトップであり、当事者の親族でもあるという数々の側面を持つ彼が、「Ｕターン作戦」を受けて行われる公正な調査を取り仕切ることができるだろうかという、至極まっとうな疑問を提起した。

　スキャンダルが広がっていくにつれて、利益相反というさらに大きな問題に関心が向けられるようになった。スリニヴァサンが仕切るＢＣＣＩはＩＰＬの所有者でもあり、したがってそこからもたらされる収益についても管理する立場だった。ＢＣＣＩ会長として、彼はその収益を資金繰りに困っている傘下のクリケット関係団体等に分配していった。同時にインディア・セメント社の会長として、彼は間接的にではあったがＩＰＬチームの実質的なオーナーだったことに加え、大口のスポンサーでもあった。第一回獲得入札に際して、ＢＣＣＩの役職保有者によるチーム所有を禁ずる規定が当初あったなかで、チェンナイ・スーパーキングズへの支援はとくに問題視された。スリニヴァサンの複数の役割がもたらした混乱はあまりに大きなインパクトがあったため、下部を揺るがした数々のマイナーな利益供与疑惑はほとんど考慮されなくなったほどだった。彼のさまざまな役割が問題をもたらしたのは誰の目に明らかだったが、スリニヴァサンはわが道を邁進していった。彼を批判する者から忌み嫌われた密室での汚い工作によって、一年後にチェンナイ・スーパーキングズをめぐる問題を解決したのである。その手法とは、ＢＣＣＩ憲章を改正してＩＰＬチームのオーナーによるクリケット協会の役職兼務を合法とし、過去にさかのぼって適用させるというものだった。

事態が頂点に達したのは、「Ｕターン作戦」から数週間後の七月上旬に開かれたＢＣＣＩの緊急理事会の場だった。チェンナイのシェラトン・パーク・ホテルの豪華な会議室が舞台になった。スリニヴァサンが議事進行をつかさどり、初めはスキャンダルとは無関係の議題を取り上げていくことで、ＢＣＣＩが苦境を切り抜けるためには権威を持った自分がいなくてはならないという印象をつくり上げようとした。しかしそうした主張には、忠実な支持者である役員ですら首をかしげざるを得なかった。会合終了に際して妥協策が合意された。それは、疑惑の調査が完了するまでのあいだ、スリニヴァサンが会長職を一時的に退くというものだった。その後、チームのオーナーと選手の交流や試合後のパーティー、ピッチ脇のチアリーダーによる応援をいずれも禁止とするなど、小粒なものばかりではあったが一連の浄化策がＢＣＣＩから発表された。さらに、チェンナイの判事二人による調査委員会がＢＣＣＩによって発足した。その一方、インド最高裁もこの問題への関与を決め、独自の調査委員会を設置した。いち早く調査結果を公表したのはＢＣＣＩの調査委員会のほうだった。驚くには値しなかったが、スリニヴァサンが不正に関与したという証拠はないとされた。「潔白」が証明されたことで、彼はＢＣＣＩの支配権を取り戻すべく計画を立てていけると考えるようになった。

　国内のスキャンダルが明るみになるにしたがって、スリニヴァサンの立ち位置は海外で高まるインドの役割の影響を受けたことで複雑さを増していった。「Ｕターン作戦」から一年後、彼はＩＣＣ会長に選出された。会長としての決断でとくに悪名高かったのは、今後の試合放映権収入の分配で、「ビッグ３」と呼ばれるインド、イングランド、オーストラリアを優遇し、このうちインドに最大の分配率を適用するというものだった。クリケットのファン人口のうち半数以上はインド人が占めており、収益もインドからのものが半分を大きく上回っていた。ニュージーランドや西インド諸島〔カリブ海の島嶼国群〕といった小規模な地域での活動は、インド遠征時の権利収入があって初めて存続できているのが実情だった。クリケットはかなり前からつい最近に至るまで、ロンドンやシドニーの新植民地主義を思わせる横柄な支配のもとに置かれてきたとインドは感じていた。国内では問題解決に向けた取り組みをめぐり絶望的なほど断絶状態にあったインドのクリケット指導部だったが、世界における唯一の絶対的超大国としてのポジションを国際的に認知させ、それにより国際的な活動においても自国の発言権増大を認められるべしとの点では固く結束していた。

　しかし、スリニヴァサンがＩＣＣで示した「イエスかノーか」式の要求は強い反発を招いた。以前からインドの高圧的な姿勢を警戒していたクリケット小国は怒りをあらわにし、ファンの反応も否定的だった。二〇一五年にクリケットファンの若者二名によって製作された『ある紳士の死（*Death by a Gentleman*）』という低予算ドキュメンタリー映画は、カネにものを言わせる事態がはびこっている現状を正面から批判したことで高い評価を得た。作品にはスリニヴァサン自身もインタビューというかたちで出演していたが、責任逃れや曖昧な回答に終始しているという受け止め方が多かった。

「インドは特別なプレゼントを手にしたのだ。それは、クリケット界全体を意のままにするという力のことを指す」。クリケットのバイブル的雑誌『ウィズデン』の編集長を務めるローレンス・ブースは、当時そう記した。こうしたなか、インドという突出した存在によって「民間のビジネスとハイレベルの利益相反の拡大」という特徴を持つ、「トゥェンティ20ナショナリズム」と呼ぶべき新たな形態が生じているようだ、との主張を彼は展開した。[17] BCCIによる新たな強気外交は金銭面でのあからさまな要求と「インド・ファースト」の姿勢が一体化したものだったが、ファンの多くはこれに懸念を示した。何よりもICCでの一件は、金儲け重視の契約や密室での強要といったスリニヴァサン率いるBCCIのあらゆる統治スタイルが、いまやグローバルなレベルでも展開されつつあることを示唆していたのである。

インド本国では別の権力闘争が激しさを増していた。BCCIの旧指導部が裁判所にアプローチし、「Uターン作戦」の悪影響を封じ込めようとする挙に出たのである。その後、最高裁が設置した第一次委員会は二〇一四年に報告書をとりまとめ、スリニヴァサンは関与なしとする一方で、グルナート・メイヤッパンについては違法賭博への関与を認定した。最高裁は元判事を長とする第二次委員会を立ち上げ、クリケットのガバナンス体制の改革という大きな課題について調査する権限を付与した。最高裁は復帰をもくろむスリニヴァサンに対し冷淡な態度をとり、判事の一人に至っては彼の企みについて「おぞましい」と形容したほどだった。[18] 最終的に判事側の見解が勝り、スリニヴァサンが二〇一五年の次期BCCI理事選挙に出馬することを禁じたことで、会長への復帰への道は事実上閉ざされることになった。

その年の後半、あたかも絶大な権勢を振るったかつてのトップの力が衰えていくのを感じ取ったかのように、ＢＣＣＩはスリニヴァサンをＩＣＣの職からも解くことを決定した。さらに、最高裁の委員会も抜本的な改革に乗り出した。政治家がＢＣＣＩの役職に就くことを禁じたほか、ラージャスターン・ロイヤルズとチェンナイ・スーパーキングズのＩＰＬ参加を二年間禁止する命令を下したのである。二〇一七年初めになると、堪忍袋の緒が切れた最高裁は、ＢＣＣＩ理事会全体を事実上更迭する命令を出すに至った。代わりにラーマチャンドラ・グハら有識者四名からなる暫定委員会を設置して、クリケットの運営に当たらせることとした。クリケット界の不祥事とインド全体を蝕んでいた腐敗スキャンダルが同じ範疇にあることを示すかのように、最高裁はかつて会計検査院長として辣腕を振るったヴィノード・ラーイを組織のトップに据えた。

「Ｕターン作戦」後、確実に関与があったとして追及された関係者はほとんどいなかった。シャンタクマラン・スリーサントについては、二〇一五年にデリーで行われた第一審で証拠不十分としてすべての容疑が取り下げられたものの、クリケット界から永久追放されたことでプロとしてプレーすることは不可能になった。グルナート・メイヤッパンはクリケットの信用失墜をもたらしたとして有罪判決を受け、やはり永久追放処分が下った。ラリット・モディはその後もロンドンにとどまった。公開の場で行われたきわめて不当な扱いに納得がいかず、同時に注目を浴びたいという意欲もまったく失っていなかった彼は、ツイッターで政敵やクリケット界のかつての協力者に対して煽動的な内容の問いを投げかけていった。スリニヴァサンはチェンナイに戻って人前に姿を現さないようにしたが、タミル・ナードゥのクリケット協会に対する影響力は失うまいと細心の注意を払い、国内の潮目がふたたび自分に好都合なかたちで変わるときに備えていた。

モディとスリニヴァサンの対照的なスタイルは、表舞台から姿を消した後の振る舞いでも明らかだった。しかし、クリケット界が二人の遺産から脱却しようともがくなか、両者の共通項もまた明らかになっていった。いずれも規制下に置かれ、影響力と政治的コネがものを言う業界――セメントとタバコ――の企業を営む一族のもとに生まれ、そこから受け継いだ富を享受してきた。二人とも旧世代のアマチュアリズムには否定的で、それを払拭しようと精力的に取り組んできた。また、インドの経済発展がもたらすであろう転換を直感的に察知し、それがクリケットをどのように変革するかを見通してもいた。そして、一時は改革者であり古いタイプの策謀家だった二人は、自分たちがもたらした変革によって引きずり下ろされることになったのである。

一〇年に及ぶスキャンダルを経たいま、インドのクリケット界の現状について評価を下すのは困難な作業だ。IPLについて言えば、その後も大成功が続いている。「Uターン作戦」後の騒動が最高潮に達していたころ、有識者のなかにはIPLが廃止されるのではないかとの見通しを示した者もいた。しかし実際には解体することなく前進しており、シーズンを経るごとに拡大し、多額の利益を出すようになっている。騒動のときもファンは八百長疑惑について冷静に受け止めていた。「インドの国民は何か起きてもずっと覚えているなんてことはありません。来シーズンにはほとんどが忘れ去られてしまいますよ」。高名な企業経営者で自身もIPLのチームを所有しようとした経験を持つハルシュ・ゴエンカは、当時そう語っていたものだ。「悲しいことですが、［アメリカでテレビ中継される］プロレスにちょっと似ているところがあります。仕込みがあるということはみんな知っているけど、最終的な結果まではわからないからやっぱり面白いんです。それと、プロレスの場合には一〇〇パーセント八百長ということがありますが、IPLの場合はおそらく一パーセントでしかないでしょう。だからファンはついてきますし、現状がこうなっている理由もそれなのです」。とはいうものの、モディとスリニヴァサンの時代の負の遺産は教訓となっている。今日のIPLの運営はより慎重に行われている。チアリーダーはいまも健在だが、試合後のパーティーは控えめで、賭博の誘惑を断ち切るべく数々の措置が講じられている。

もの申したいことはくつもあるだろうが、ピュアなクリケットファンもＩＰＬに謝意を表すべきだろう。インドが発展する前、クリケットはゆるやかではあるが避けがたい凋落傾向のただ中にあり、五日間に及ぶ試合には熱心なファンを除けば誰もがひどく退屈していた。ＩＰＬが人気を博したことで、頑固なエスタブリッシュメントも変革が必要だと考えを改めるという効果をもたらしただけでなく、クリケットのルネサンスの基盤となる高い人気と高い収益を実現するモデルを示すことにもなった。インドでは、さまざまなテレビ放映契約やスポンサー契約によっていまでは優れたスタジアムがいくつも建設されているほか、各地のチームの運営資金や選手の高報酬の供給源となっている。いまでは想像もできないが、一九六〇年代には、インドのクリケット選手は五日間の国際試合《テストマッチ》でたったの二五〇ルピー——一日当たりだと五〇ルピー——しかもらえなかったという。チームの調子がよくて四日以内に勝利を収めれば、一日分の給料が差し引かれることになったほどだ[19]。わざわざ当時のひもじいアマチュアリズムをノスタルジックに振り返る必要はないかのように見える。「スリニヴァサンのような人たちが搾取的だとか利益至上主義的だと糾弾されるときに感じる怒りには、たしかにうなずけるところもあるのです」とムクル・ケサヴァンは言い、クリケットに革命をもたらした男たちは自分たちの貢献のポジティブな部分が正当に評価されていないという考えを抱いているのだと指摘した。

インドでクリケットが爆発的に成長し、それによって派手で高収益という新たな形態がもたらされはした。しかしそこには依然として深刻な問題がある。ラリット・モディの存在を真剣に受け止めるかどうかは別にして、彼が夢見たような、市場原理に基づいて運営され、公正なルールのもとで統治されるというビジョンが実現しなかったことは誰の目にも明らかだ。モディはＩＰＬが汚れのないサクセストーリー、いわば腐敗とは総じて無縁のＩＴアウトソーシング産業のスポーツ版のような存在になれると考えていた。しかし現実には、ＩＰＬの最初の一〇年はむしろインド経済のダークな側面に限りなく近いという結果に終わってしまった。パワーポリティクスが展開され、縁故主義がはびこり、有力な豪商たちがスポーツの収益を山分けする、といった具合だ。こうした側面はインドだけというわけではない。イングランドやオーストラリアでも、クリケットの運営をめぐっては恥ずべきエピソードがあったからだ。しかしインドの場合、そうした規模の小さい国とはまったく違ったスケールで事態が進行している。インドのクリケット運営体制のなかでは長年にわたり利害の衝突が起きてきたが、そもそも「利害」の規模が小さかったため大して問題にはならなかった。しかし経済的なうまみが膨らんでいくにつれて、不透明なガバナンスや兼職の文化が深刻な問題になり、いまも完全な解決には至っていないのである。

クリケットだけに限ったことではないが、利益供与と影響力行使という強固なシステムに改革のメスを入れることは容易でないことがわかった。最高裁がアウトサイダーであるヴィノード・ラーイをクリケット界改革で起用しなくてはならなかったことは、皮肉以外の何ものでもない。さらに別の共通項もある。鉄鉱石採掘のような産業から腐敗を一掃しようとする際、インドの司法は鉱山採掘を全面的に禁止するよりほかに方法はないと考えた。そしてクリケットの場合でも、やはりほかに手段はなさそうだった。あまりに腐敗が蔓延していたため、判事たちは浄化をするためにはＢＣＣＩの体制をすべてシャットダウンするしかないという決断に至ったのである。クリケット界に対して従属国を統治するかのように扱ってきたスリニヴァサンに同情する余地はほとんどない。しかし、彼が失脚に至った経緯は、少なくともより大きくポジティブな変化の表れであり、スリニヴァサン自身もそうしたなかで国のありようが変わってきているのを見誤ってしまったのだ。クリケットがオープンかつ透明性を保ち、旧態依然とした荒々しい利害対立とは無縁のかたちで運営されるようになるかどうかはまだわからない。しかし、「Uターン作戦」以降の高い関心やメディアの監視によって、少なくともかつてのような手法が通用しないのは明らかだ。

二〇一三年、暫定的に会長職から退いていたときにスリニヴァサンは汚名をすすごうと、アルナーブ・ゴスワーミーがキャスターを務めるタイムズ・ナウのインタビュー番組「率直に語ろう」に出演した。スリニヴァサンは矢継ぎ早に質問を浴びせられ、動揺しているようだった。「あなた方にはテレビという武器がありますからね。メディアを握っているわけです」。番組のなかで彼はそう言った。「好き勝手に言いたいことを言えるではないですか。わたしにはそんなチャンネルはありません[20]」。「Uターン作戦」から数週間後の時点でも、スリニヴァサンは攻撃的な姿勢で臨んだ記者会見と同じ不満をぶちまけた。「みなさんにおかれては、『メディアによる裁判』の問題を認識していただきたい。テレビのニュースチャンネルは真実を欠く、検証不可能な内容を報じているではないか[21]」。しかし不満を主張しても、猛々しいメディアを前にして、説明責任が求められる新たな環境に対応する術を見出すことはまったくできていなかった。国民の怒りはきわめて大きくなっていたし、司法もかなり積極的な行動に出ていた。メディアの視線も厳しさをこの上なく増していた。密室での卑劣な取引に対して開かれた正当性の確立を求める声が上がった際、勝者が一人しかいないのは明白だった。

第11章 国民の知る権利

醜聞暴露の権化

二〇一六年九月のある月のない夜、少人数のイスラーム武装勢力がパキスタンからインドに侵入し、ジャンムー・カシミール州〔現在はジャンムー・カシミール連邦直轄領〕のウリ村近くの陸軍基地を襲撃した。この襲撃でインド軍兵士一七人が死亡した(1)。約二週間後、インドの準軍部隊が「限定攻撃《サージカル・ストライク》」と呼ばれた反撃を行った。印パ双方が領有権を主張するカシミールは「管理ライン」によって分け隔てられているが、反撃の標的となったのはパキスタン側にある過激派のキャンプだった。不安定な地域情勢のなかで治安維持に当たっていたインド軍は、武装勢力による越境攻撃を支援しているとして隣国をたびたび非難しており、今回の作戦は彼らの勝利と称えられた。ソーシャルメディアはナショナリスティックな熱気に満ち、ニュース専門局は街頭に繰り出し歓喜のなかで三色のインド国旗を振り回す人びとの様子を報じた。しかし、ニュースキャスターのアルナーブ・ゴスワーミーに匹敵するほどの熱っぽい称賛はほかになかった。「今夜、全インドが祝賀ムードに包まれています」。彼は愛国的な報道姿勢をとるタイムズ・ナウの特番で視聴者にそう語りかけ、#IndiaStrikesBack のハッシュタグを付けて賛同のコメントをツイッターで発信するよう呼びかけた。彼は厳しい口調でパキスタンの二枚舌を批判する一方、三〇人以上の武装勢力を殺害したと伝えられたインド軍の兵士を称えた。ジャーナリストとしての客観性をうかがわせるものはほとんどなかった。「われわれタイムズ・ナウは限定攻撃を支持します」。ゴスワーミーは番組冒頭の三分間で二度にわたりそう発言した。

その晩の番組は、あふれんばかりの愛国主義が派手なグラフィックと息もつかないほどのプレゼンと一体になったもので、ゴスワーミーのエネルギッシュなスタイルの典型例だった。平日九時から放映されるレギュラー番組「アルナーブ・ゴスワーミーのニュースアワー」は、英語の政治関連番組としてはインドでもっとも視聴率が高かった。「汚職の季節」からIPLの不祥事まで、視聴者が数々のスキャンダルについての論調を知ろうとする際、まずつけるのはこの番組だったと言ってよい。その威圧的なスタイルでアルナーブはインドでもっとも有名なキャスターに――もっとも物議を醸す公人の一人としても――なっていった。

ニュース専門局ができてからわずか一〇年しか経っていないインドにあって、タイムズ・ナウの編集局長を務めるゴスワーミーは、斬新かつアグレッシブな報道スタイルをとることで広く知られていた。しかし、いまでは何十もの競合局が視聴者の関心を引きつけようとしのぎを削り、その多くはゴスワーミーのテンポのいい口調やとにかく速報を重視する姿勢を模倣していた。こうした過度に騒ぎ立てるスタイルは国内のコメディアンやボリウッド映画で風刺の材料にされただけでなく、海外でも悪名高いものとして取り上げられることがあった。イギリス人喜劇俳優のジョン・オリヴァーは、二〇一四年にアメリカのテレビトークショーで、ゴスワーミーの攻撃的な質問スタイルを自らまねてみせ、インドではFOXニュース以上に過激な報道スタイルが登場したようだという見方を半ばあきれながら示唆した。(2)

メディアをめぐるインドの状況はとにかく大規模かつ複雑で、新聞は八万二〇〇〇紙、テレビは九〇

○局近くにのぼり、大半が英語以外の言語だ[3]。インドのメディアは歴史ある印刷文化を誇りとしており、『タイムズ・オブ・インディア』は世界最大の発行部数を誇る英字紙になっている[4]。しかし、一九九一年以降、何千万もの人びとがテレビを購入していくにつれて、影響力の比重は印刷メディアから放送メディアへとシフトしていった。二〇〇六年に放送を開始したタイムズ・ナウはナショナリスティックな報道姿勢が特徴で、ゴスワーミーは自分の番組でパキスタン人のゲストを登場させて、彼らをぞんざいに扱うといったことをしていた。それでもゴスワーミーキャスターはその言動から一躍有名人になり、くすぶる中間層の怒りに訴えかける存在になった。「ニュースアワー」では、誠意の見られない閣僚や怪しい縁故主義の企業経営者、腐敗したクリケット協会幹部といったおなじみの悪役に非難が浴びせられた。こうした傾向は一〇年の英連邦競技大会に始まり、「汚職の季節」のなかで過激になっていった。より多くの視聴者が見ていたのはヒンディー語チャンネルだったが、都市部の英語話者に対するタイムズ・ナウの訴求力は桁違いの重要性を持っていた。ゴスワーミーのアプローチが多くの視聴者を引きつけたことで、彼の政治的求心力も拡大していった。一四年の総選挙で誰もがやりたいと思っていた二つのインタビュー――ラーフル・ガンディーは歯切れが悪く、ナレンドラ・モディは安定感のある受け答えだった――を実現させたのは、その表れだった。

ゴスワーミーの力を誰よりも早く理解したのは、標的にされた当事者たちだった。「最初に始めたのは基本的にゴスワーミーだよ。ほかのやつらは後からその流れに乗っかっただけ」。ヴィジェイ・マリヤはロンドンでそう語り、自分が突然イギリスに出国したことを「司法からの逃避」と指摘したゴスワーミーを非難した。世評に敏感なムケーシュ・アンバニも二〇一六年に応じた異例のインタビューで、「ニュースアワー」を見ていると告白した[5]。こうしてゴスワーミーはインドでもっとも恐れられる監視人というだけでなく、判事、陪審員、そして国の倫理観に則って裁定を下す存在にもなっていった。彼は「国民には『知る権利』があるんです！」という決めぜりふをよくインタビューの最中にゲストに浴びせていたが、これは攻勢を強めつつあるインドの「第四の権力」のキャッチフレーズにもなった[6]。

メディア分野のベンチャー企業に外資が注ぎ込まれていくなか、タイムズ・ナウのようなニュース専門局は経済自由化後の大転換を象徴する存在だった。しかし、各局は象徴するだけにとどまらず、大転換を自ら生み出す役でもあった。積極的な対応をとる判事や政府の会計検査院、「情報権利法」を駆使して活動を行う反腐敗基金といった独立した民主的機関が腐敗の調査や旧来のヒエラルキーに挑む一方、ニュース専門局も存在感を発揮していた。ゴスワーミーの崇拝者にとって彼は、十九世紀後半のアメリカで発行されていた独占企業や腐敗政治家と闘った社会運動雑誌の高貴な伝統を受け継ぐ、いわば「醜聞暴露人」のような存在だった。しかし、アメリカのウィリアム・ランドルフ・ハーストが展開した「イエロー・ジャーナリズム」に共通する煽情的な傾向をゴスワーミーに見出そうとする者は、その影響力の大きさを嘆くことが少なくなかった。二〇一二年、リベラル派の学者マドゥ・キシュワールはこの点を公開書簡で質し、ゴスワーミーが「ジャーナリストと十字軍のあいだに引かれてしかるべきライン」を無視しているとして、彼の番組をつるし上げだと批判した[6]。ゴスワーミーのスタイルに対し、彼を批判する者は、「ポスト・トゥルース」政治として知られるようになる現象のインド版であり、毎晩展開されるゲスト同士のバトルは社会の分断を深めるだけで国民の理解向上にはつながっていないと指摘した。

わたしは二〇一四年終盤にランチミーティングの約束をゴスワーミーから取りつけた。前日の晩には「ニュースアワー」を通しで視聴して予習も怠らなかった。その回で取り上げられたのはクリケットIPLの不祥事をめぐる裁判で、ゴスワーミーはこのテーマを過去二年にわたり執拗に追いかけていた。番組は冒頭から注目を引く言葉で始まった。「彼は果たして更迭されるでしょうか？」ゴスワーミーはそう問いかけ、当時まだインドのクリケット界のトップとして返り咲くことを諦めていなかったナラヤナスワミー・スリニヴァサンに対する攻撃を展開した。ダークスーツに身を包み、深刻な表情をしたゴスワーミーは、「恥知らず」の協会首脳陣が「国民を、つまりみなさんやわたしを欺いてきた」と非難した。ひと呼吸置いて、彼は声のトーンを強めて視聴者にこう語りかけた。「ここまで堕落してしまったトーナメント戦。それでもみなさんは見ますか？」

そこから番組はいつものドタバタした展開へと突入した。司会役のゴスワーミーが「では議論に入りましょう！」と宣言し、八人のゲストを順番に紹介していった。ゲストはスタジオには来ていなかった。容赦のない進行ペースや目をとめずにはいられないグラフィックを特徴にしていたものの、「ニュースアワー」は低予算の番組で、ゲストは職場や自宅の雑然としたオフィスから出演することが多く、背景には本棚や鉢に植わった観葉植物が映っていた。その夜の注目ゲストは、二〇一三年のクリケット・スキャンダルで違法賭博に手を出したとして逮捕されたことがあったヴィンドゥ・ダラ・シンという三流俳優だった。彼は茶色のカーテンに覆われた状態でインタビューに臨んでおり、まるで写真撮影用のブースの中からの出演に同意したかのようだった。

激論が交わされるなか、ゴスワーミーは舞台監督兼演出家の役回りを演じ、ゲストにやじを飛ばしたり、彼らを互いにけしかけたりしていた。八人のゲスト全員が同時に映し出されたシーンもあった。画面の上下に四人ずつ、そして左側には二段抜きの特別扱いでゴスワーミーが登場するというかたちだった。彼がゲストに一人ずつ質問するシーンでは、画面は三分割されていた。左には司会のゴスワーミー、右にはゲストが配置され、中央には逮捕時の選手やカメラマンを振り切ろうとするＩＰＬ幹部といったセンセーショナルな映像が流されていた。赤と青のグラフィックが動き続け、その時々のゲストを点滅するテロップで取り囲んでいた。

本当の意味で「ブレーキング」なものはまずなかったが、画面には「速報《ブレーキング》」のテロップがほぼずっと表示されていた。無秩序状態が収まるのはCMの時間とゴスワーミーが短いモノローグを挟むときだけだった。「いま危機に瀕しているのは、クリケットに対するわたしたちの愛なのです」――「#SackIPLChief（IPLトップを解任せよ）」というハッシュタグが画面下部に短く繰り返し表示されるなか、彼はそう言った。番組の終盤、彼はダラ・シンに対して質問を浴びせかけ、指を振りかざしながら相手が答えるのを阻んでいた。結局、ダラ・シンはピンマイクをはぎ取ってその場を立ち去り、茶色のカーテンだけが残された。司会者にとっても視聴者にとってもたまらないカタルシスをもたらした瞬間だった。このショーは爽快感をもたらしたが、同時にひどく疲れるものでもあり、番組が終わるころには横になりたい気分にさせられた。ただ驚くべきことに、一時間見届けた結果、事件をめぐってその日に起こった基本的な事実関係についてある程度詳しくなっていた。

翌日になって本人と対面した際、番組とはまったく違った彼の風貌に狼狽せずにはいられなかった。当時まだ四十代初めだったゴスワーミーは、年齢よりずっと若く見え、テレビで見るよりはるかにソフトな印象だった。細身のスーツだったのが、カジュアルな黒のシャツと紺のジーンズに変わっていた。出演時のように髪をジェルで固めることもなく、豊かな黒髪の先が流行の角張ったフレームの黒眼鏡にかかっていた。声も高圧的なトーンではなく、少し前のオックスフォード旅行――かつて彼は社会人類学専攻の修士課程に在籍したことがあり、今回はインドメディアの現状について講義するのが目的だった――のことを穏やかな口調で話した。彼は人なつっこくて思慮深く、一点の隙もないほど終始礼儀正しかった。さながらスーパーヒーローもののコミックに出てきそうな物腰柔らかい分身といった感じで、スーパーマンに会うつもりでいたら代わりにクラーク・ケントが出てきたようなものだった。

わたしたちが会った場所は、ムンバイ中心部にあるタイムズ・ナウのスタジオからさほど離れていない高級ホテルだった。周囲には工事中のガラス張りのタワーが並び、道路からは騒音が聞こえていた。ゴスワーミーはそこから通りを下ったところで妻と若い息子とともに暮らしていた。人間関係が面倒なニューデリーよりも商都ムンバイの生活のほうが居心地がいいということだった。ムンバイを生活の拠点としたのは彼自身や家族の決断ではあったが、政治的な側面もあると彼は言った。なんと言っても彼は、首都のジャーナリストサークルを「ラッチェンスの連中」と辛辣な呼び方をし、自分をそれに対するアウトサイダーと位置づけていた。彼はラッチェンスという言葉を使うことで、最有力政治家や財界リーダー、マスコミ幹部の多くが住む、排他的な雰囲気のデリー中心部のことを指していたのだ。

因習を打破する男としてのイメージを地で行くかのように、ウリでの襲撃事件について番組で取り上げた回から数カ月後に当たる二〇一六年終盤、彼はタイムズ・ナウを退社し、自らテレビ局を立ち上げる計画を発表した。「リパブリックTV」という名称で、約半年後に放送を開始した。この展開は、支配権をめぐる対立の結果という側面があった。タイムズ・ナウの親会社は「ベネット・コールマン・アンド・カンパニー」という有力メディアコングロマリットで、『タイムズ・オブ・インディア』もその傘下に入っていた。ゴスワーミーは業界の巨人になってはいたが、一社員にすぎず、絶大な力を持つオーナーの意向に従わなくてはならなかった。彼にはさらに大きな野望もあり、ムンバイでわたしが会った際にもその一端をうかがわせていた。インドのメディアは国内の腐敗に対する監視塔になっているが、アル・ジャジーラやCNNに匹敵するような国際的なニュース専門局を立ち上げることで、今後はグローバルなレベルでより大きな役割を担っていくだろうと彼は言っていたのだ。「これだけ多くの人間が英語を使っているのですから、世界のメディア首都になれますよ」と彼は言ったが、それは毎晩番組で発する根拠のない大言壮語と同じタイプの発言をごく短いかたちで表したものと言えた。「インドには能力と技術があります。英語もできます。きわめて活発な民主主義も根づいています。こうした要素を背景に、わたしたちはグローバルなメディアの中心地になっていくのです」

スーパー・プライムタイム

インドでテレビニュース・ブームが始まったのは一九九五年二月五日のことだった。厳格な雰囲気を漂わせるクリーム色のスーツを着たプラノイ・ロイという司会者が「ニュース・トゥナイト」という番組を始めたが、すぐにトラブルに見舞われてしまった。「放送初日からわたしはキャスターを務めることになっていたので、ちょっと気の利いたことでも言ってやろう思っていたのです」。インドでは初の民間企業によるニュース番組について彼は振り返ってくれた。「オンエアが始まると、わたしは腕時計を見てこう言ったんです。『ただいま八時になりました。まずはこのニュースを生中継でお届けします』。首相府の関係者が「生中継」という言葉を問題視して、激怒したのです[7]」

長年にわたる規制を経て、インドではようやく国営放送局「ドゥールダルシャン」で民間の番組製作会社によるニュース番組製作が解禁された。しかし依然として慎重な姿勢を崩さなかった政治家たちは、本当に「生中継」をするのは時期尚早と考えており、ロイには夜の担当番組について、一〇分前に収録したものを放送するよう命じた。しかし、そのときまでにテレビ放送に関する原則はすでに確立されていた。その日の夜、番組を製作したニューデリー・テレビ（NDTV）が長年政府が管理してきた放送の独占に風穴を開け、その穴は追随した他社によってさらに広げられていったのである。その年の後半、別の民間事業者が自前のチャンネルで生中継による夜のニュース番組を初めて放送した。それから一〇年もしないうちに、何十もの二四時間対応のニュース専門局が誕生し、英語やその他の主要言語で放送されるようになった。NDTVも「NDTV24×7」という自前の二四時間対応ニュース専門局を二〇〇三年に立ち上げた。

インドメディアの草創期はどこも間に合わせの設備ばかりで、簡易スタジオから放送を行い、限られた予算で運営していかなくてはならなかった。しかし、一九八八年に妻のラディカーとともに番組製作会社としてNDTVを設立したロイのような創業者は理想に燃えていた。BBCのような公共放送が実践しているように、教育と客観的報道という理想を実現する可能性を、テレビという成長途上にある媒体に見出していたのだ。NDTVには若く意欲的なジャーナリストが結集した。アルナーブ・ゴスワーミーは一九九五年に入局し、とんとん拍子で昇進していった。同じタイプの新世代のニュースキャスターがここから育っていった。ゴスワーミーの上司で自身も二〇〇五年に退社し、ライバル局「CNN－IBN」を立ち上げたラージディープ・サルデーサーイーはその代表格だ。スマートで声量満点のカラン・ターパルもその一人で、彼が司会を務める夜の討論番組はシリアスかつ思慮深い内容で、わたしもゲストコメンテーターとしてときどき出演させてもらっていた。

とはいえ、インドメディアの生き生きとした希望を体現するのはロイ夫妻を置いてほかにない。気高いデリーのインサイダー。メディア界の急進派であると同時にエスタブリッシュメントの擁護者。報道を進歩的な試み、さらには国を変革するためのチャンスとして位置づけるパワフルなカップル。別の言い方をすれば、プラノイ・ロイとラディカー・ロイはのちにゴスワーミーが反発する対象のほぼすべてを体現する存在だったのである。

そこには個人的な側面もあった。ゴスワーミーが就いた初めての仕事はカルカッタの新聞『テレグラフ』での副編集員で、それを辞めてNDTVに移籍した。それからの一〇年で、彼は同局を代表するキャスターの一人となり、上級編集委員にまで上り詰めるとともに自前の番組――このときも「ニュースアワー」という名前だった――を持つに至った。しかしNDTV在籍期間中、彼は常に仕事を楽しんでいたわけではなく、とくに最後のころは不満を募らせていた。二番手のキャスターというポジションに納得いかなくなり、サルデーサーイーが同局の比類なきスターキャスターでいることにいら立ちを覚えるようになっていたのである。

転機が訪れたとき、彼はまだ三十代初めだった。インドでもっとも大きな力を持つメディアグループによるニュース専門局設立に加わらないかというオファーは、いかなる状況でも断るという選択肢はなかっただろう。しかし、ゴスワーミーがタイムズ・ナウ設立に参画したのは、煮えたぎる不満以上に、番組のスタイルをめぐる見解の相違が広がっていたという側面もあった。「最初に政治関連の話題を取り上げて、中盤のどこかでスポーツを挟み、最後にエンタメや小さめのネタを取り上げるという、よくあるタイプのニュース番組は九〇年代の遺物だったのです」。ランチをともにした際、彼はそう指摘した。「視聴者がテレビをつけるとき、まんべんなくニュースをカバーする一時間番組を期待しているわけではないでしょう。そこでわたしたちは、現在進行形で起きている事柄にぐっと力を入れるようにしたのです」

放送開始直後、タイムズ・ナウはヒットとはとても言えない状況が続いた。編集局長として、ゴスワーミーは日中は報道内容を統括し、夜はスタジオで自分の番組に出演した。当時は、クリケットとボリウッドという不可欠の二大トピックに加え、政治とビジネスの話題が混在していたりニュースと特集がごちゃ混ぜの状態だったりで、視聴率は低かった。放送開始から数カ月経ったころ、ゴスワーミーが「ベネット・コールマン・アンド・カンパニー」の経営者でメディア界の有力者、ヴィニート・ジェインとサミール・ジェイン兄弟の信頼をなんとか維持しようと苦闘しているという噂が駆け巡った。「彼は落ち着きを失い、見通しが立たなくなり、ひどく不安を募らせていました」と語るのは、ジャーナリストのラーフル・バティアだ。ゴスワーミーにとっては重圧にさらされていた時期で、部下に厳しく当たるという評判が立ったのもこのころだった。「何百万もの視聴者が知らないところでは、物を投げたり椅子を蹴ったりといった行為が横行し、あるときなどエグゼクティブ・プロデューサーとの口論の際に肩を脱臼してしまったほどです」(8)

少しずつではあったがタイムズ・ナウは独自のスタイルを確立させていった。手始めに企業関係の報道を外し、次いでゴスワーミーの直感に従うかたちで人間の利害——もっと言えば「人間の不幸」で、悲しいことだがインドはそういう素材には事欠かなかった——にかかわるような、視聴者の感情に訴える話題を多く取り上げるようにした。ライバル局に比べてリソースが限られているなかで、彼はトピックを絞り、記者や中継車を現場に派遣して臨場感あふれる映像を生中継し、ともすればマイナーな話題を全国レベルのニュースにしようと徹底的に報じていった。カーストによる暴力事件や女性に対する扱いなど、ニュースとして取り上げられたもののなかには社会の不正義にかかわる問題もあった。しかしそうしたトピックと並んで頻繁に取り上げられたのは、ひと言で言えば誰かの不幸だった。郊外で発生したビルの崩落事故、手抜き治療が行われている病院、オーストラリアやアメリカで惨めな扱いを受けているインド市民の実態——苦難や不便といった誰にでも起こりうる状況で、公的な立場の人間がすぐさま処罰されるか厳しく責任を追及されるような話題の数々だった。

ランチの席上、ゴスワーミーは「新聞の中のほうに埋もれてしまいかねない、個人に降りかかる喪失や悲劇に関する話題」を取り上げてきたことをとくに誇りに思っていると語った。彼は昼間の時間帯にこうしたニュースを積極的に取り上げさせ、夜の自分の番組で徹底的に追及した。この新しいスタイルが功を奏し、数年のうちにタイムズ・ナウは最大のライバルであるＮＤＴＶを視聴率で上回ったと言えるまでになり、ゴスワーミーは現在に至るまでこの点を繰り返し指摘している。

二〇一六年のある土曜日、わたしはゴスワーミーがムンバイのブックフェスティバルで講演をするのを聴きに行った。彼はタイムズ・ナウを立ち上げた時期を振り返り、こんなエピソードを披露した。外国人ジャーナリストが自分のところに来て、客観性の確保や自説を展開しないといった「報道の基本ルール」をレクチャーしたという。「自分の意見を表明してはいけない？　いったいなぜでしょうか？」と大きな声で聴衆に問いかけた。そう言うと彼は、これまでタイムズ・ナウが見解を鮮明にしてきたインドの事件――英連邦競技大会汚職、2G汚職、石炭開発汚職、IPLの不祥事など――を列挙すると、会場からは大きな拍手がわき起こり、いつまでも続いた。

劇的な速報ニュースとこのような煮えたぎる国民の怒りを瞬間的に一つにする才能は彼ならではのもので、二〇〇八年のムンバイ・テロの対応時にかなりの部分が形成されていった。「あのときは一〇〇時間くらい取り上げていたと思いますが、そのうちわたしは七五時間か八〇時間はキャスターをしていましたよ」と彼は言い、パキスタン人の武装勢力が劇的な同時襲撃によって一六〇人以上を殺害し、市内随一のタージマハル・ホテルでの銃撃戦に至った事件の日々を振り返った。CMはすべて休止され、ゴスワーミーは何日にもわたりスタジオをほとんど離れない状態が続いた。怒りに満ちた彼の報道姿勢に多くの視聴者が引きつけられた。まず襲撃を支持したパキスタンに怒りの矛先を向け、次いで州の不十分な対応――軽機関銃を持った武装勢力に警察は警棒や旧式のライフルで対抗していた――について中間層のあいだで広がっていた屈辱感を刺激していった。ムンバイの武装即応チームにはAK-47が貸与されていたが、三年にわたり一発も弾丸が補充されていないこともわかった。[9]

中間層の怒りを直感的に把握するゴスワーミーの能力は、腐敗問題に対する集中的な追及姿勢でも発揮された。インドでこの問題に取り組んだジャーナリストは彼が初めてというわけではまったくない。一九八〇年代半ば、『インディアン・エクスプレス』の編集長としてアルン・ショーリーがディルバイ・アンバニと繰り広げたバトルはいまでも語り草になっているし、その数年後に彼は『ザ・ヒンドゥー』紙とともにボフォール・スキャンダル〔スウェーデンの防衛企業とインド政府のあいだで交わされた兵器調達契約をめぐる汚職〕の暴露報道にも取り組んだ。しかしこうした旧世代のジャーナリストは段階的かつ入念な報道を通じて活動を展開する場合が多かった。ゴスワーミーは従来のスクープ報道のあり方を破壊したと言えるが、彼のジャーナリストとしての使命はそうした狭い範囲に収まるものではなかった。インドで二〇一一年から反腐敗を掲げる抗議行動が怒濤のように展開されるなか、彼はその応援団長たらんとした。以前と比べておとなしい時代に生まれた視聴者にとって、エンジン全開で当局者を叱り飛ばすゴスワーミーを見るのは間違いなくスリリングなことだった。彼は視聴者が頭で考えていることを言葉にするという天性の才能を備えていた。「彼の意見はみんなのフラストレーションに根差しているのですよ」とラーフル・バティアは言う。「パキスタンはなぜ躊躇しているのか？ オーストラリアはなぜ自分たちが人種差別をしていると認めないのか？ 政府はなぜ中間層に関心を払わないのか？ こうしたもろもろのことに責任があるのはいったい誰なのか？ といった具合に」[10]

ゴスワーミーのポピュリスト的直感は、インドのなかでも隔絶した北東部アッサムという辺鄙な州で幼少期を過ごしたというバックグラウンドで育まれた側面もあった。彼が小さかったころ、軍人だった父の異動のため一家は頻繁に引っ越しをした。彼はニューデリーに出て高評価の大学——最高レベルというわけではなかったが——で学んだ。居心地はよかったがとくに恵まれているわけではなかった生育環境のなかで、アウトサイダーとしての自己認識が育まれていった。ただ、人前で話すことに彼が初めて情熱を感じた場所は学校だった。「十歳か十一歳のころからディベートを始めました。ディベートをするときには徹底的にやりますよ。主張と主張のぶつかり合いですから。相手の主張と自分の主張が激突する場です」と彼は言う。ゴスワーミーは、若いころ参加した議会主催のディベート大会が将来のキャスター人生の訓練場になったとたびたび指摘する。つまり、好戦的なスタイルの原点は誰もが当然のように評価する活動にあったという、巧みな主張だ。ディベート大会では若き参加者たちが過激で衆目を引くような議論を構築し、それを可能な限り強く主張すること――本人が実際に信じているかどうかは別にして――が求められた。彼の気質には、そうした当時の刷り込みがいまなお生きているのも確かなのだ。

二〇一六年、彼がタイムズ・ナウを退社する直前のころにわたしは「ニュースアワー」の収録現場の見学に行った。スタジオの入口はロウワー・パレルの狭い側道に面していたため、外から全体を一望することができなかった。ムンバイ中心部に位置し、無秩序に拡大していったこの地域はかつて繊維工場がひしめいていたが、いまでは商業の拠点になり、いつもビルの建設作業が騒々しく行われていた。わたしが七時ごろに着いたとき、ゴスワーミーはリラックスしているように見えた。膝丈のクルターに黒のジーンズ、スニーカーといった服装で、黒髪が額にふわりとかかっていた。

スタジオはびっくりするほど多くの人であふれ返っていた。二十数人もの若いジャーナリストが、モニターが並ぶ中央のニュースデスクを取り囲むようにしてぎっしりと座っていた。しんとしたなかにキーボードを叩く音が響き、ときどき部屋中に届くような大きな声でスタッフ同士のやりとりが交わされた。室内の調度品にはタイムズ・ナウのカラーにマッチした色が使われていた。青と赤のカーペットの上に青と赤のデスク、椅子もやはり青と赤だった。唯一オレンジ色だったのは、メインデスクの上に掲げられた「ニュースを変えたのはわれわれだ」というスローガンだった。スタジオの一角には掲示板があり、自局の成功を宣伝するA4判の紙で埋め尽くされていた。「最強のリーダーシップは信頼によってもたらされる」――そのうちの一枚にはそう記されていた。そこには腕組みをして険しい面持ちのゴスワーミーの写真があり、脇に掲載された円グラフには、タイムズ・ナウを見る視聴者が五〇パーセントと圧倒的な割合にのぼり、その半分しかないNDTVを大きく上回っていることが示されていた。

ゴスワーミーは当然ながら同局で最長のキャリアを持つ社員で、自分のオフィスから姿を現すと周りを見回し、スタジオ内を歩き回り、夜の番組で取り上げるラインナップについて矢継ぎ早に質問を投げかけた。午後九時が近づくにつれて騒がしさが増していった。放送約一五分前、緊張する印パ関係で最新の情報が入ってくると、プロデューサーの一人が叫んだ。「行け《チャロー》！　速報だ！　速報出せ！　速報！」その時点までゴスワーミーはウッタラーカンド州の政治対立をメインに取り上げるつもりだった。ただ、そのトピックにそこまで引き込まれているようには見えず、もっといいオプションはないかと考えていたところだった。激しいやりとりが始まった。「その映像、もう一回見せてくれ」。別のプロデューサーが言った。「これでいくのいかないの、どっち？」三番目のプロデューサーが叫んだ。

　番組開始まであと数分という時点でもゴスワーミーはクルターを着たままだったが、突然控室に駆け込んだかと思えば、一、二分後にライトで明るく照らされたスタジオに颯爽と姿を現した。わたしはモニターに目を転じた。画面には「スーパー・プライムタイム」の文字が躍った。カメラはキャスターにズームインした。そこには、青のシャツと細身の黒いスーツを着込み、それに合わせたダークブルーのネクタイを締め、髪型をオールバックで固めた、さっきとはまるで違う彼が座っていた。「インド、ビデオによるパキスタンの主張を否定」というテロップが画面に表示されるなか、ゴスワーミーが強い口調でモノローグを始めた。拘束されたインド人スパイの自白とされる内容の映像をパキスタンが公開したのだ。外交上のマイナーな騒動にすぎない話ではあったが、間違いなくその夜のトップニュースだった。その後もテーマはパキスタンで、ゴスワーミーは「炎の質問」という騒々しいディスカッションコーナーに移った。画面下部には左から右まで火をイメージしたデジタル映像が揺らめいていた。

　こうしたわざとらしい演出から、インドのテレビ報道の現状を嘆くのは容易なことだし、多くの他局が同じ手法を使ってはいる。ライバルのゴスワーミーよりは自省的なラージディープ・サルデーサーイーは、インドメディアが犯罪《クライム》、映画《シネマ》、クリケットという「三つのC」にこだわっていることを嘆き、

「メディア産業が崇拝する三つの頭を持つ神」と評した。[11]さらに強いインパクトを持つのは、T・N・ニーナンが言う「自警団メディア」で、ゴスワーミーはそのリーダー格と位置づけられていた。「中立性など、排他的なプラノイ・ロイたちの世界の話でしかないのです」。ある新聞の編集長を務める彼はそう指摘する。「ニュース番組で攻撃モードに入った有名キャスターは、メロドラマと同じくらい視聴者の心をわしづかみにした。いまや『速報ニュース』は高評価を得るためのツールになってしまった」[12]

多くの者がメディアの衰退についてもゴスワーミーに責任があると指摘している。というのも、彼のスタイルは人口の一〇パーセントにしか視聴されていない英語チャンネルのみならず、さらに煽情的な報道姿勢になりがちなヒンディー語をはじめとする他言語チャンネルでも取り入れられているからだ。いずれにしても、政治ニュースが量的に急増したとはいえ、それが幅広い政治的コンセンサスの形成につながってはいない。国家レベルの重大事件に関する基本的な事実関係――たとえば二〇〇二年のグジャラート暴動でのナレンドラ・モディの役割――についても、大きく見解が分かれたままの状態が続いている。「インドでは、『これが真実だ』というものがまったくないのが問題なのです」。そう語るのは、ニューデリーで長年雑誌の編集に携わるアメリカ人、ジョナサン・シャイニンだ。彼が言わんとしたのは、公開の場、とりわけテレビでの議論があまりに敵対的で、事実関係に関する最小限の共通認識すら得られないケースが往々にしてあるということだった。『フェイクニュース』にみんなが関心を持つずっと前からここにはそれが存在していたのです。言ってみれば、インドはそのパイオニアだったわけです」

騒々しさが目立つインドのニュースメディアだが、前向きな気持ちにさせてくれる側面もあり、ほかのアジア諸国の退屈で控えめなメディアと比べてみると、その特徴はより顕著だ。メディアは本当に自由というわけではないが――非営利団体「国境なき記者団」による二〇一七年版「世界報道自由度ランキング」でインドは一三六位という低評価だ――、多くの場合、恐れることなく報道に取り組んでいる。[13] 紙媒体のメディアも英語以外の言語を中心に拡大しており、購読者減に苦しむ欧米の大新聞とはきわめて対照的だ。ニュース専門局の大半が赤字経営のなか、キャスターはどこでもやすやすと高給をもらい、七億五〇〇〇万以上の視聴者――当然ながら中国を除き世界最大――に訴えかけることができる。[14] さらに、二〇一〇年代初頭にインドを蝕んだ汚職スキャンダルが一掃されるプロセスでメディアが重要な役割を果たしたのも疑いようがない。

とはいうものの、わたしはゴスワーミーに会った際、彼の攻撃的なスタイルのマイナス面、とりわけ注目を集めることと報道の正確性がトレードオフの関係にあることについて訊かずにはいられなかった。彼は基本的にそのような対立関係を認めることはせず、自分のスタイルについても伝統的なジャーナリズムを「さらにアグレッシブ」にしたものにすぎないと説明した。「心がけているのは、誰に対してであれ自分の物の見方を押しつけないということです」と彼は言った。「大事なのは、強力で優れた反応を生み出したり引き出したりすることです」。自局がＦＯＸニュースのようなテレビ局と比較されることについては強い拒否反応を示し、自分はそこから刺激を受けているという見方を否定した。「みんなわたしのスタイルがアメリカから影響を受けているに違いないと考えて、事情通を気取りたいのかもしれませんね。わたしたちには独自の報道文化があり、独自のロジックがあり、独自の文法があるのです。それと、そもそもわたしはそういうチャンネルをほとんど見たことがありませんから」。この発言が厳密な意味で正確かどうかを判断するのは難しい。というのも、ほぼ同じ時期にあるメディア企業のトップからこう聞かされたことがあったからだ。「「ゴスワーミーは」いろいろな部分でＦＯＸニュースのモデルを踏襲してきたとわたしには言っていましたよ」

こうした妥協を許さないスタイルと並んでゴスワーミーに人気をもたらした要因は、メディア界自身も信頼獲得に苦心するなかで、彼が道徳的な信頼性を保っていたことだった。インドメディアは腐敗問題を強力に取り上げてきたものの、自分たちも腐敗していると見られるのを回避しようとしてきた。その背景にあったのは、「広告型ニュース《ペイドニュース》」と呼ばれる、企業や政治利益団体が資金提供と引き換えに記事の掲載や不掲載を図ってもらうという慣行の広がりだった。この問題が実際にどこまで浸透しているかを把握するのは困難だが、複数の業界関係者は幅広いメディアで行われていると指摘する。より多くの場面で見られるのは、インドのメディア経営者が依然として広告と論説、さらに広告主が背後にいる「PR記事」を、疑いを挟むことなく混同していることだ。なお、PR記事は、新作ボリウッド映画が公開される際にとくに頻繁に用いられる手法になっている。

タイムズ・ナウと『タイムズ・オブ・インディア』を所有する兄弟の一人、ヴィニート・ジェインは報道に求められる水準についてはっきりとわかるほど緩い見方をしていた。「わたしたちがやっているのは新聞ビジネスではないのです。収入の九割が広告から来るのであれば、それは広告業ですよ」。かつて彼は『ニューヨーカー』誌にそう語ったことがあった[15]。さらに、大企業の影響力がメディアの所有権に及ぶことへの懸念もある。この問題が顕在化したのは、二〇一四年にムケーシュ・アンバニがCNN－IBNを所有する企業を買収したときだった。この買収劇から間もないころ、ゴスワーミーのライバルで同局の編集局長を務めるラージディープ・サルデーサーイーが、多くの幹部とともに辞任する事態を引き起こすまでになった[16]。

こうしたなか、もっとも大きなダメージをもたらした事件が数年前に起きた。警察がニーラ・ラディアの会話を録音したテープがリークされたのだ。彼女は広報業界のカリスマ的存在で、顧客にはアンバニやタタ・グループ総帥のラタン・タタも含まれていた。これに端を発した「ラディア・テープ」スキャンダルは多くの有力ジャーナリストを巻き込むかたちに発展し、財界や政界のライバル同士がメディアを通じて匿名で互いを攻撃し合い、中立とされてきた記者がそれを支援するという実態が暴露されていった。「ラッチェンス」のエリートや彼らと政財界の重鎮のあいだの親密な関係をこき下ろしてきたゴスワーミーにとって、一連のごたごたは格好の攻撃材料になった。「これは恥ずべきこととしか言いようがありません」。テープ問題が浮上した際、ゴスワーミーはスタッフに送ったメモ——これもあっという間にリークされた——でそう指摘した。「プレゼントの授受、便宜供与、ロビー活動、飲食の接待、どれも禁止です」と彼は警告した。「もしこれに違反することがあれば、わたしたちは厳正な態度で臨みます」

腐敗になりそうなものには一切かかわらないという姿勢によって、ゴスワーミーは自らを紛うことなき「ゴールデンタイムのモラルの番人」と位置づけることに成功した。タイムズ・ナウが放送を開始したのは、経済面で変化が生じ、これまで当たり前だったことがあちこちで覆されていたときだった。尊敬を集めていた企業がスキャンダルに悩まされ、政治家が腐敗にどっぷり浸かっていたように、インドが道徳的な支柱を失っているかのようだった。しかし、ゴスワーミーは明解な道徳的基準を示す存在となっていた。それは、彼の競合相手ですら有効と認めるスタイルだった。「アルナーブはすごく頭が切れる人間ですよ。非常に優秀で、物事ののみ込みもすごく速い。彼の意見が嫌な立場だと頭にくる存在だけど、それでも非常に、とにかく非常に優秀な人間なのは間違いない」。新聞編集長のシェーカル・グプタは以前そう語ったことがあった。ゴスワーミー自身も、モラルの番人としての役どころを楽しんでいるように見えた。「人工的にコンセンサスをつくり上げたいとは考えていません。何かおかしいと思うことがあれば、自分に二つの問いを投げかければいいのです。『どうしてこうなったのか？』『これを引き起こした人間は処罰されないのか？』とね」。彼はそう言った。「わたしはよくこう言ってきました。善か悪か、白か黒かといった答えが明白な事柄であれば、正しい側の立場をとらない理由はありますか？」

「共和国」の戦争賛歌

ゴスワーミーがタイムズ・ナウを退社してから約一カ月後、わたしはムンバイで彼と再会した。このとき彼は新テレビ局の立ち上げについてほとんど語らなかったが、多忙であることは明らかだった。ニューデリーでのミーティングを終えて土曜日の午後に戻り、三〇年以上にわたりムンバイを支配してきた右派政党シヴ・セーナーの党首、ウッダヴ・タークレーに会いに行く予定だ――彼は電話口でそう言った。タークレーの家まで来てくれるとありがたい、そうすればそこから市内に戻り講演に行くまでのあいだ、車内で話ができるから、と続けた。

タークレー邸は悪名高い場所として知られていた。厳重に警備された「マトシュリー」と呼ばれる豪邸は空港からほど近い区画にあり、父でシヴ・セーナーの創設者兼党首だったバール・タークレーが数年前に死去するまで住んでいた。新聞の風刺漫画家から政界のゴッドファーザーに上り詰めたバール・タークレーはムンバイを自らの領土のように仕切り、移民への憎悪感をかき立てたほか、群衆に暴動を起こさせて市の機能を全面的に麻痺させるということも何度かしてきた。マトシュリーは権力の在り処《ありか》で、二頭の獅子をかたどった玉座に座って来客に接見したり、裁定を下したりしていた。ゴスワーミーは新テレビ局立ち上げを計画するなかで、父の政党を支配する立場――ということはムンバイを支配することにつながる――になった息子のウッダヴを表敬しておくべきだと考えたのだった。

十二月の晴れた日の午後、わたしは機関銃が二丁配備された検問所をゆっくりとしたスピードで通り、その先の住宅街へと入っていった。通りの両脇には古ぼけた平屋建ての邸宅がひっそりと立ち並び、交通量はかなり少なく、鳥のさえずりが遠くから聞こえてきた。そこには喧噪のムンバイのなかではめったに感じられない静寂が広がっていた。袋小路の左に立つマトシュリーは、畏怖の対象になっているとは思えないほど目立たない存在だった。家は四階建てで切妻屋根が架けられており、ヨーロッパ中部のような雰囲気を醸し出していた。周囲を取り囲む高い壁の上に翻るオレンジ色の党旗、それと窓にスモークが貼られた高級車がエントランスにずらりと停められた様子を別にすれば、だが。武装したガードマンに案内されてセキュリティゲートを通り、一階のレセプションホールに足を踏み入れた。片隅にクリーム色のプラスチック椅子が何百脚か置かれているだけで、ほかにはほとんど物がなかった。白の服に身を包み、額に赤いビンディを塗った故バール・タークレーの等身大写真が後ろの壁に掲げられていた。彼が生前使っていた玉座が片隅に置かれ、二頭の獅子をかたどった彫像は手入れが必要なほどひどく汚れていた。マリーゴールドの花輪が座席に放置されていた。

ゴスワーミーとタークレーが打ち解けた面持ちで姿を現したのは、約一〇分後のことだった。短い挨拶を交わしたのち、ゴスワーミーはわたしを外に停めてあった自分の車――ごく普通のセダンだった――に連れていった。午後の陽光が陰っていくなか、わたしたちを乗せた車は小径を戻っていった、運転手がハンドルを左に切ってメイン通りに向かい、夕方の騒々しいラッシュへとふたたび入っていった。後部座席に座るゴスワーミーは、濃い色のシャツをスタイリッシュに着こなしていた。頭髪はわたしの記憶よりもさらに濃くなっていたが気がしたが、いまは毎晩番組に出ることもなくなったので伸ばしたい放題にしようと考えたためかと思わせた。彼自身も番組出演時に感じる興奮が懐かしいと認めたが、資金援助をしてくれそうな関係者と会合を重ね、記者を採用し、計画中の新放送局を実現するために必要な手続きのため監督官庁をかけ回るなど、多忙をきわめていた。タイムズ・ナウからの退社は新聞の一面で取り上げられるような大ニュースになっていた。かつての同僚とのあいだには禍根を残し、「国民には知る権利があるのです！」という番組で彼が使っていた決めぜりふの使用差し止めを求める公判手続きがとられるまでになっていた[17]。しかしゴスワーミー自身は、そうした対立や新たなプロジェクトに対する外野からの詮索はとくに気に留めていないと言った。「すごくわくわくしていますよ」。シーリンク・ブリッジに入った車が南へ向けてスピードを上げ、左に見える市中心部の高層ビル街がきらめきを放つなか、彼はそう言った。「どっしりとした船に乗るだけだったら、退屈じゃないですか」

わたしはなぜ退社することにしたのか訊いてみた。ゴスワーミーはそれには直接答えず、計画中の新放送局がいかに幅広い視聴者にアピールするものであるかを熱っぽく説明した。とりわけスマートフォンを使いこなす若年層について、彼らはもはや従来の形式でのテレビに興味を持たなくなっていると指摘した。そういう若者が何千万という単位で毎月増えているのだという。たしかにテレビ局は広告主の減少という事態に直面していた。印刷メディアも、一見好調のように映ってはいたものの、やはりプレッシャーにさらされていた。新聞はいまも購読者のもとへ毎朝宅配されていたが、その多くは開かれることがない、つまり実際には読まれていないという事実をはじめ、業界の暗い秘密に広告主はうすうす気づき始めていた。ムンバイやニューデリーのような都市部で薄給しかもらえない新聞配達の若者も、いずれもっといい条件の仕事を求めていくだろうと彼は見ていた。「新聞配達員が辞めてしまったら、あの業界は終わりですよ」とゴスワーミーは言う。「徐々に起こるものではなくて、崖から一気に転落するようなかたちになるでしょうね」

それとは対照的に、彼の新放送局はソーシャルメディアを使いこなす二十代や政治ニュースに敏感な層をターゲットとしたデジタルメディアという性格が強くなるという。南へと向かう車中で、ゴスワーミーは静かなトーンでこうした話をした。わたしに話しかけるときはファーストネームで優しげに呼ぶことが多かったが、それはテレビ以外の場所で彼が努めて振る舞う冷静な態度の表れの一つなのだと途中で気づいた。とはいえ、明らかに興奮を隠せないというときも何度かあった。「わたしはやってみせますよ。やばいくらいエキサイティングな道なんだから。いっちまえ！」あるとき彼はそう言い、わたしとのあいだのシートを手でぽんと叩くことで思いを強調してみせた。「ジェイムズ、これができるのはわたしただけなんだよ。わたしたち以外にはいない！」彼はさらに愛国的な姿勢もあらわにした。「英語を話し、テクノロジーがあり、若年層が豊富な民主国家はわたしたち以外にはないんです。そうでしょう？　わたしたちだけなんです。こんなことができる国、世界のどこにもないじゃないですか！」

楽観的な姿勢の背後には、依然として解消されていないさまざまなわだかまりがあった。ゴスワーミーはかつての同僚について敬意を持って話していたが、ジェイン兄弟に服従しなくてはならない立場にフラストレーションを感じていたことは明らかだった。タイムズ・ナウで彼はあらゆる側面を支配することができたが、唯一の例外は所有権だった。その彼はいま、完全に自らのものになる新規プロジェクトを展開できるチャンスを手にしていた。経営者になるというアイデア――それは彼なりのかたちで支配者《タイクーン》になることでもあった――はゴスワーミーの気質に合致するもののように思われた。ラージディープ・サルデーサーイーのようなライバルは現場からの報道を大切にし、取材のために地方の村や辺境の州を頻繁に訪れた。彼らはインド政治についての本を書いたり時事問題についての論説を積極的に寄稿したりするなど、知的な評価を確立しようともした。ゴスワーミーはこうした活動にはほとんど興味を示さず、スタジオを離れることはめったになかった。それは、番組での活躍こそが彼をインドでもっとも有名なジャーナリストにし、同時に完全なアウトサイダーと主張し続けることを可能にしたからだった。「ダビデとゴリアテの闘いみたいなものですよ。いまやわたしはインドメディアという巨人に闘いを挑んでいるわけですから」。名指しをすることはしなかったが、彼はそう指摘した。「インドではプロのジャーナリストが大きな闘いをするなんてことは期待されていないんです。既存のメディア組織で忠実に仕事をすればそれで十分というわけです」。競合相手に対する強い怒りをさらにはっきりと表明するかのように、彼はこう宣言した。「いいかいジェイムズ、わたしの壮大な闘いの相手はラッチェンスの連中なんだ」

新放送局は、世界進出を図りたいというゴスワーミーの野望をかなえる舞台にもなった。彼はモスクワに行き、ロシア・トゥデイを訪問したこともあると明かした。クレムリンの支援を受け、反米的なスタンスで知られる放送局だ。アル・ジャジーラの台頭にも注目していた。彼はインドに同じような放送局が存在しないことを恥ずべきことと感じているようだった。「衣料品の輸出からソフトウェアまで、インドはあらゆる分野で世界に進出しているじゃないですか。なのに、メディアでは国際的なプレゼンスはまったくないのが現状なんです」。車が市内をゆっくりと南に進むなか、彼はそう言った。「したがって、わたしたちがメディアでこれからやることは、幅広い範囲で事業を展開していくことです……それこそがわたしたちの『ソフトパワー』なのです。世界進出なのです」。狭い視野しか持たないインドメディアに彼はいら立ちを覚えているようだった。国際ニュースはごくわずかしかなく、インドがらみのものに限られていた。国際的な知名度がある広義のインド系政治家や特定の分野で活躍する在外インド人、あるいはインド人観光客や留学生が海外で直面する困難といった話題だが、これらはまさにゴスワーミーが積極的に取り上げたことで広く知られるようになったものばかりだ。「わたしがドナルド・トランプにインタビューを申し込んだとして、『トランプさん、インド人に対してどんなメッセージをお持ちですか?』とだけしか訊いてはいけないということはないでしょう」と彼は言った。「インド人ジャーナリストがアメリカ人の政治家にインタビューするのに際して、内容をインドに対して何をするかに限定する必要はないはずです。ジェイムズ、それは間違っているでしょう。これまでわたしたちがインドメディアにしてきたことは、間違っているんです」

彼のグローバルなビジョンは魅力的ではあった。長期的に見れば、ゴスワーミーの言うことはたしかに正しい。いつの日かインド人がグローバルなニュース専門局を立ち上げ、ＢＢＣやＣＮＮに匹敵するようなポジションを獲得するに至るだろう。ただその理想は、六カ月後に放送を開始したリパブリックＴＶとの関係で考えると不釣り合いに感じられた。というのは、同局の放送内容は国内志向のタイムズ・ナウ以上に視野が狭かったからだ。リパブリックＴＶのスタイルやコンテンツは大げさなタイムズ・ナウの二番煎じで、それをさらに過激にしたものだった。グラフィックは違う色が使われていたが、以前と同じようにチカチカと画面上を動いていた。立ち上げから間もない時期に放送された彼の番組――時間はやはり午後九時からで、名前も「ニュースアワー」のままだった――で、ゴスワーミーは一二人ものゲストを画面に詰め込み、想像を絶する混沌をさらに一段高いレベルで実現した。リパブリックＴＶで約束したはずのデジタル・イノベーションをうかがわせる形跡はほとんど見られなかった。

　もっとも衝撃的な変化は政治的姿勢の部分で、以前と比べて明らかにポピュリスト的かつナショナリスティックになっていた。ゴスワーミーは丁寧な物腰で知られる国民会議派所属の政治家、シャシ・タルールをターゲットにしたお粗末な内容の暴露報道を行った。カシミールをめぐる論争はいつも関心の高いテーマで、ゴスワーミーにとっては「二枚舌のパキスタン」と「不誠実なリベラル派」という二大仇敵を同時に攻撃する機会をもたらした。後者については、インドが強大な軍事プレゼンスを持つ一方で人権擁護状況は劣悪であることを踏まえると、ムスリムが多数を占める隣国パキスタンから暴力行為がもたらされる責任の一端は自分たちの側にあると彼らが示唆する点がやり玉に挙げられた。「わたしたちは『真のインド』を代表しているのです」。リパブリックＴＶ放送開始の少し前というタイミングで開かれたＲｅｄｉｔ《レディット》〔オンライン・ニュースメディア〕でのディスカッションでゴスワーミーはそう書き記した。「すべてのインド人は軍を愛し、国を愛するべきです。それを右翼というのなら、それでも構いません[18]」ゴスワーミーの右傾化は、ナレンドラ・モディの首相就任によって生じた大きな問題を解決するものだった。タイムズ・ナウの全盛期は汚職スキャンダルにまみれた国民会議派政権時代、とくに二〇一一年に訪れた。当時ゴスワーミーは「アラブの春」の精神を受け継ぐかたちで、コメンテーターのサダナンド・ドゥメが「インド版ミニ・タハリール広場状態」と呼んださまざまな反腐敗抗議活動を支持した。[19] そのころも「ニュースアワー」ではパキスタンバッシングがしょっちゅう展開されていたが、それでもゴスワーミーが好物とした獲物は偽善者ぶった悪徳政治家だった。ところが、モディの登場によってこのアプローチがこれまでどおりにはいかなくなった。まずなんと言っても、モディが巨大汚職事件をほぼ食い止めることに成功したことで、ゴスワーミーにとってもっとも重要な攻撃対象がなくなってしまった。モディ政権はゴスワーミー自身が考えるナショナリズムのあり方——安全保障問題に対する強硬姿勢と軍に対する無条件の支持——とも考えが近かった。彼は自分の政治的空間が狭まっていることに気づいたことで、モディ首相と一蓮托生になる道を選び、その過程で番組初期の特徴だった社会的にリベラルな姿勢を放棄してしまったのではないかという見方が広まった。

リパブリックTVへの資金提供者の名前がリークされると、こうした印象はさらに強まった。最大の支援者はラジーヴ・チャンドラセーカルという通信業界の大物経営者で上院議員でもあったが、無所属とはいえBJPを支持する傾向が強い人物だった。[20] もう一人はモーハンダース・パーイという有名なIT企業の役員で、彼はツイッターでたびたびリベラル派を罵倒することで知られていた。[21] ゴスワーミーは右旋回したことを否定し、そもそも自分には「一貫した」政治的見解というものはないのだと説明した。「わたしを型にはめることなんてできませんよ。右翼だと言うことにも無理があります。だってわたしは社会的にはリベラルなんですから」。車内で彼はそう言った。それが本当であることを証明しようと、彼はハッジ・アリー・ダルガーのほうを身ぶりで示した。そこは十五世紀に創建された年代物のモスク兼霊廟で、ライトアップされていた。海岸からさほど離れていない小島に立っていて、徒歩で橋を渡るのが唯一のアクセス方法だ。「わたしが退社する前に手がけた最大のキャンペーンは、信仰の権利についてだったんです」。ここで彼が言及した「信仰の権利」とはハッジ・アリーを含む宗教施設での女性の参拝容認のことで、番組ではそれを認めるよう関係機関に繰り返し要求したのだった。

ゴスワーミーがリベラルな見方を持っていることがうかがえたのは、その夕刻、目的地だったムンバイのプレスクラブにようやく到着し、LGBTの権利擁護団体が主催する授賞式に出席したときのことだった。ヴィクトリア朝時代に制定〔具体的には一八六〇年〕されたインド刑法の第三七七条では同性愛行為が禁止されており、彼はかねてから番組でも頻繁に取り上げてきたこの問題について話すことになっていた。わたしは映画スターや大物メディア関係者が集う、きらびやかなイベントを想像していた。しかし実際の会合は小規模で、急ごしらえのステージの前に五〇人程度の活動家――カラフルなサリーに身を包んだ「ヒジュラ」と呼ばれる両性具有者も若干名いた――がいるだけだった。わたしたちは一時間遅刻してしまったが、それでも主催者はゴスワーミーを古い友人として歓迎し、自分たちを支援してくれていることに謝意を表明した。次いで登壇したゴスワーミーのスピーチは力強く感動的で、社会の寛容性に対する彼の信念や、この問題を番組で取り上げていた経緯について語っていた。スピーチを終えた彼には温かい拍手が惜しみなく送られた。

ゴスワーミー自身がどうやって政治的生き残りを図ろうとしていたかはわからないが、モディに対する見方について話したときに慎重になったのは確かだ。二〇一四年に彼と初めて会ったとき、わたしはモディについてどう思うかと単刀直入に訊いてみた。それに対し彼は、首相は「メディアでの存在感は絶大」で「有能なコミュニケーター」だと思う、とだけ答えた。車での移動中に同じ質問を投げかけてみたが、彼はこのときも正面から答えることはせず、彼とモディはニューデリーの政治エスタブリッシュメントに対する嫌悪感を抱いているという点では一致していると言うだけだった。しかし、たしかにこの指摘は的を射ていた。モディもメディアが自分を不当に扱っているとたびたび非難し、演説のなかでジャーナリストを「ニュースの商人」と一度ならず呼んできたからだ[22]。彼はとりわけＮＤＴＶをはじめとする英語メディア嫌いで知られていたが、これは二〇〇二年のグジャラート暴動時に自分が糾弾されたときにさかのぼる怨恨ゆえのことだった。ゴスワーミーは否定しているとはいえ、両者のあいだにある種の共通性があると考えるのは自然なことだった。両者ともにアウトサイダーを自認し、ニューデリーの伝統的なエリート層を軽蔑し、情熱的なナショナリストで、インドの力をこれ見よがしに世界に対して誇示しようとしていたのだから。モディはまさにテレビにうってつけの政治家で、印象的なフレーズや視覚的な効果をつくり出す才に長けた演説の達人でもあった。二〇一六年にモディが満を持して首相就任後初のインタビューに臨んだ際、選挙戦のときと同様にゴスワーミーを聞き手として指名したのはまったく驚きではない[23]。

ゴスワーミーとモディは次の点でも正しかった。ベテランジャーナリストの多くはたしかにリベラルで、ジャワーハルラール・ネルー式の古い世俗的ナショナリズムを基本的に支持し、ＢＪＰのもとでヒンドゥー・アイデンティティが過激なかたちで台頭することに懸念を覚えていた。リパブリックＴＶはメディアの右傾化を示す一例にすぎなかったのだ。ゴスワーミーのスタイルに対抗せざるを得なくなった他局も、ナショナリスティックな怒りを伝えるメニューを用意するようになった。以前はめったに見ることがなかった右派のコメンテーターがありふれた存在になった。

こうした政治傾向の転換がはっきりと表れていたのはネット上だった。ソーシャルメディアはモディ支持派であふれ、反対派からは「バクト」と皮肉られていた。「無条件に信じる宗教に帰依する者」を指すときに用いられることの多いヒンディー語の言葉だ。若い男性が多く、熱心なヒンドゥー・ナショナリストであるバクトは自分たちが嫌いな報道を寄ってたかって攻撃し、「プレスティテュート」〔「プレス（報道）」と「プロスティテュート（売春）」を合わせた造語）とレッテルを貼って、好みではないジャーナリストに非難を浴びせた。ラージディープ・サルデーサーイーやバルカー・ダットのようなキャスターは彼らの絶好のターゲットだった。それに対してゴスワーミーはヒーローで、ネット上では彼の動画が誇らしげにシェアされていた。「ナショナリズムには終わりというものがないんですよ」。リパブリックTVを立ち上げる前、彼はそう語ったことがあった。「わたしたちはインドを内側から分断して破壊しようとする勢力に直面しているんです。いかなる国も『非国民《アンチナショナル》』に甘く接するわけにはいかないでしょう」[24]。「非国民」というフレーズはモディの登場以降、カシミールの平和活動家からＲＢＩ元総裁のラグラム・ラジャンまで、気に食わない人間に汚名を着せる際の中傷ワードとなった。ただ、リベラルな考え方に基づいてか、ゴスワーミー自身は自分の番組でこの言葉を使うことはなかった。

ゴスワーミーがインドの旧来のエリート層批判の急先鋒だったことは確かだが、この感情はニュースメディアの枠にとどまらず大きな広がりを見せていた。モディの首相就任から約一年経ったころ、わたしはアミーシュ・トリパティと会った。彼は銀行勤務から作家に転身し、ヒンドゥー教のシヴァ神を題材にとった神話サスペンス小説三部作を刊行した人物だ。インドでは、高尚な文学作品よりも利益優先の軽薄な小説や学園の恋愛ものを好むマスマーケットをターゲットにした商業的フィクションのニューウェーブが広がっていた。そのなかでトリパティ――本のカバーに掲載される著者名のように、単に「アミーシュ」と呼ばれることも多い――は中心的な存在だった。シヴァ神の冒険をページをめくる手を止めさせない筆致で著した彼の三部作は、累計二〇〇万部以上を売り上げ、インドの出版史上最速の記録を達成した。

実際に対面したアミーシュは物腰柔らかで思慮深い印象の人物だった。ただ、アルンダディ・ロイやサルマン・ラシュディのような作家の手になる高尚な小説を刊行する国内の出版社には批判的で、一般読者の好みにほとんど応えていないと指摘した。「二〇年くらい前までは、インドの出版業界と言っても『インド』というのは名ばかりだったんです」と彼は言う。「イギリスの出版業界がたまたまインドに拠点を置いている、というのが実情でした」。トリパティの本はあからさまに右翼的というわけではなかった。作中に登場する神々や英雄は驚くほどリベラルに描かれていることが多かった。しかしアミーシュ自身は「ラッチェンスのデリーや南ムンバイの旧来型エリート層」を批判するゴスワーミーと同じ立場だったし、インドメディアはより強くナショナリズムを押し出すかたちに早晩適応していくだろうという彼の期待にも共感していた。

しかし、こうした転換を歓迎する者がいる一方で、インドメディアが力によって服従させられ、とりわけ新政権を批判することができなくなっていると懸念する者もいた。[25]「ヒンドゥー・ナショナリストが国内の議論から『非国民』的と見なすあらゆる主張を追放しようとしていることで、主流メディアでは自己検閲が広がっている」。二〇一七年の報告書で「国境なき記者団」はそう指摘している。植民地時代に制定された名誉毀損や煽動罪に関する抑圧的な法律を通じて、モディ政権下でメディア規制の波がじわじわと忍び寄っていることを懸念する声も大きい。二〇一七年には、NDTVのオフィスやプラノイ・ロイとラディカー・ロイの自宅が警察による家宅捜索を受けた。銀行からの貸付をめぐるトラブルの捜査というのが表向きの理由だったが、政治的な思惑によるものというのが大方の見方だった。その前年、NDTVは一日間放送を禁止されるという処分を受けたことがあった。ウリで起きたのと同様に、カシミールの軍基地への武装勢力による襲撃事件が発生した際、その模様を生中継したことが国家安全保障を毀損するものとして政府から糾弾されたためだった。

ゴスワーミー自身はこうしたもろもろの展開にも動じず、政治的姿勢がライバルや自分を批判する者よりも国の主流に近いという事実を心地よく感じているかのように映った。「これは絶対に成し遂げなくちゃいけないんです！　いまわたしたちがやらなくてはね！」車中で彼は突然そう叫んだ。それはあたかも、新放送局の設立計画、それにインドメディアのあるべき姿に対する戦闘的なビジョンに勇気づけられたかのようだった。「インドの地位が急上昇しているのは明らかですよね。わたしたちは劇的なことをやっているんですよ！」

その晩、ゴスワーミーと別れた後も、番組での大げさで視聴者を煽るパフォーマンスと、直に接したときに示される理性的で内省的な振る舞いとのギャップをどう理解すればいいのか、わたしは考えあぐねていた。しかし、わずか五年間で彼がインドのテレビ報道に革命をもたらしたのは確かで、それは長期にわたる影響を与えるように思われた。彼の闘いは旧来のエスタブリッシュメントに対する反抗だけでなく、これまでのインドの理想に対する反抗でもあった。この理想は、知的で思慮深い公共空間が形成されることで社会の調和がもたらされるはずだと考えた旧世代のジャーナリストによって強く支持されてきた。総選挙でのモディ勝利を挟む前後一〇年間のなかで、このビジョンは少しずつ浸食されていった。「総じて言えるのは、ゴスワーミーがナショナリスト的な主張への信頼性を大きく高めたことで、彼と政府の境界線はほとんど存在しなくなってしまったということだ」。リパブリックＴＶの放送開始後、元ジャーナリストで詩人のＣ・Ｐ・スレーンドランはそう記した[26]。しかし、煎じ詰めて言えばゴスワーミーと彼の支持者は他者が作り出した舞台で役割を演じているにすぎず、そこでは新たなナショナリズムが日増しに存在感を強めていた。そしてその舞台を作り出した最重要人物は、ナレンドラ・モディ本人を置いてほかにはいないのである。

第12章 モディの悲劇

ロックスター

二〇一六年六月のある月曜日の午前中、ナレンドラ・モディは自邸に到着し、これまでの実績を説明する機会に備えた。彼は二年前に首相に就任して以来初のテレビ向けインタビューの収録に臨もうとしており、普段とは打って変わって慇懃な姿勢のアルナーブ・ゴスワーミーからの質問に受け答えをすることになっていた。二人はそれぞれ木製の肘かけ椅子に腰かけ、互いのつま先が触れんばかりの距離で向き合っており、打ち解けた雰囲気と対決的な雰囲気が同居していた。会見には広々とした居間が使われたが、それを含む邸宅は、いまなおインドでもっとも有名な所在地に立っていた。「レースコース・ロード七番地」。インド首相公邸のことだ。ちなみに、この所在地の名前は数カ月後に改称されることになる。BJPの国会議員が、古くさい植民地時代の名前は「インドの文化にそぐわない」と不服を申し立てたことがきっかけだった。[1]モディの住所はその後、「ローク・カルヤン・マルグ七番地」になった。

「わたしはこの仕事を始めるに当たって、まったくの新人でした。これまでデリーには縁がなかったものですから」。冒頭、モディはそう言って、歴代インド首相が住み処《か》としてきた平屋の建物で構成される公邸に入って間もない時期について振り返った。「この場所には慣れていませんでしたね。そもそも国会議員ですらなかったのですから」[2]。クリーム色のクルターに身を包み、白いひげを短く刈り込んだモディは、投げかけられた質問にヒンディー語で一時間以上にわたり詳しく答えていった。インタビュー中、彼は首相に対する敬意ゆえ遮られることがないのをいいことに、とりとめもなく話し続けたこともあった。込み入った政策スキームや、トイレを設置する費用を捻出するためにヤギを四頭売らざるを得なかったという九十歳の女性に会ったときの話などが語られていた。かと思えばいら立ちを示すかのようにぶっきらぼうな返答のときもあり、メディアで彼を批判する者について語るときにはその傾向が顕著だった。「メディアを通じてモディについて知ろうとしたら、どのモディが本当のモディなのかと幻滅してしまうのではないですか」。彼がよく使う方法だが、自分のことを三人称で呼びながらそう言った。終盤、ゴスワーミーはモディによる数々の経済政策が党内のヒンドゥー急進派が推進する「宗教対立を煽ろうとする動き」によってかすんでしまっているのではないかと丁寧な口調で質した。「わたしは発展の実現を掲げて選挙を戦ってきました」とモディは素っ気なく言った。「発展こそがあらゆる問題の解決策だと信じています」

発展を実現せんとする意気込みには高い壁が立ちはだかっている。モディが地滑り的大勝を収めた二〇一四年時点のインド人の平均年収は約一六〇〇ドルで、八〇〇〇ドルの中国や一万一〇〇〇ドルのマレーシアに大きく後れをとっていた[3]。一部の予測によれば、インドの平均年収レベルは二〇二五年までにほぼ倍増し、世界銀行が言う「下位中所得国」の中程度に位置づけられるまでになるという[4]。うまくいけば、約一〇年以内に現在の中国のレベルに到達できる可能性もある。しかし、人びとがインドの「台頭」を嬉々として語る際、そこで言っているのは今世紀中ごろに訪れるであろう「次のステージ」

のことなのだ。その時点で、インドは貧困国にとっては憧れのレベル——一人当たりの平均年収が一万二二三六ドルを超える「高所得国」——に差しかかると見られている[5]。

このように説明するとインドの未来が一直線に発展していくことはほぼ間違いないように見えるが、その実現のためには、これまで達成できた国はほぼ皆無だった持続的な成長の拡大が前提となる。ブラジルは一九六〇年代後半から七〇年代初めにかけて、年率約八パーセントという輝かしい成長を一時期見せた。タイは一九八五年から一〇年近くにわたり世界最速の成長を誇る国になった[6]。しかしこうした国々はもちろん、経済規模が大きい国々にしても、一〇年以上にわたってこれほどの高成長を維持した国は中国を除いてほかには存在しなかった[7]。それどころか、大半の国はそれに近いレベルにすら到達できなかったのである。中国のめざましい発展は、ほかの開発途上国に誤った希望を植えつけてしまったとも言える。それは魅力的な芸当には違いないが、どの国でも再現できる代物ではなかったのである。

今後の人口規模をめぐってもインドは途方もない問題に直面している。「わたしたちの国では、三十五歳以下の人口が八億もいるのです」。モディはゴスワーミーにそう語り、彼らが現代的で給料の高い職に就きたいと切望していることを説明した。あまりにも多くのインド人が、子どもたちの世代がやりたがらないような低スキルの仕事に日々従事していることを彼は認めた。「三カロール〔三〇〇〇万人〕以上の国民が洗濯や床屋、牛乳配達、新聞スタンド、屋台の仕事をしているのが現状です」。しかし、モディが膨大な数にのぼる若者の願いを実現するためには、まず痛みを伴う三つの経済的転換を成し遂げる必要がある。ただし、そのいずれもよく言って半分しか達成されていないというのが現状だ。

一つ目の課題は人口だ。インドは若年人口の増加により、少なくとも一〇〇〇万人の若者が毎年労働市場に参入するという現象が数十年にわたって続くことになり、現時点ではそれに見合った雇用を供給できていない[8]。二つ目は都市化にかかわる問題で、数億人がチャンスを求めて貧しい農村から都市へと移動すると、ただでさえ過大な人口を持つ都市部がさらに圧迫されることになる。三つ目は製造業の振興にかかわるもので、経済発展には不可欠の要素だが、インドはこの分野で長期にわたり苦戦が続いてきた。そしてこれらはいずれも、モディ自身が政府のアジェンダの中心に据えてきた二つの課題、すなわち「腐敗の根絶」と「最貧困層の生活向上」なしに実現することは不可能だった。

インドがいかなる道を歩むにしても、その旅路は容易ならざるものになるのは間違いない。しかし、今世紀半ばには人口が一七億に達する見通しのインドがそれを実現することができれば、歴史上いかなる国よりも多くの人びとを中程度の繁栄に導くことになる。(9)また、一定以上の経済規模を持つとともに民主主義体制をとる国としては、インドが初めてになる。アメリカやイギリスの場合は発展していく過程で民主主義が広がっていったし、中国に至ってはそもそも民主体制ではない。「ずっと前、わたしたちは運命と約束を結びました。そしていま、その誓いを実行するときが来たのです」。一九四七年八月十五日の夜〔正確には同月十四日の深夜〕、インドがイギリスによる不当な植民地支配を追放するまさにそのとき、ジャワーハルラール・ネルーは演説でそう宣言した。(10)「インドはふたたび屹立して前を向き、長き停滞と闘争を経て、目覚め、活力にあふれ、自由で独立した国となる」。建国一〇〇周年を迎える二〇四七年までに、インドはその運命――史上二番目の民主主義超大国かつ世界中の自由な諸国民にとっての導き手になる――を完全に実現するチャンスを手にすることだろう。

モディの信奉者も彼をこうした歴史的な文脈のなかに位置づけることを好んでいる。汚職と貧困に悩まされてきた国を立て直し、偉大なる高みへ導くべく断固として闘い続けるという使命を帯びた男、というわけだ。「首相がインドにしていることは、テディ・ローズヴェルトがアメリカにしたのと同じことです。わたしたちを『金ぴか時代』から『新たな革新主義《プログレッシブ》時代』へと誘《いざな》おうとしているのです」。BJP所属の副大臣、ジャヤント・シンハは二〇一五年にそう語ったことがあった。この喩えは大胆だが注意深く考えられたものだと言える。マッチョな改革者にして反腐敗の旗手、さらには独占企業の解体を実現したローズヴェルトは一九〇一年から七年間にわたって大統領を務め、ワシントンやジェファーソン、リンカンとともにラシュモア山に彫像が造られるまでになった。モディを彼と同列に置くことは、思考を大いに刺激する見方のように思われた。しかし二〇一九年の次期総選挙で彼が再度勝利を収める可能性は十分あり、ネルー、インディラ・ガンディー、マンモーハン・シンに続いて四人目の二期一〇年をまっとうする首相になりうるのである。

「これまでデリーには縁がなかった」という発言に代表されるように、首相就任当初は自分が素人だったとモディは説明しているが、これは多少疑ってかかる必要がある。国内でもっとも重要な州の一つで三期にわたり州首相を務めてきたモディは、首都デリーで繰り広げられる複雑な政治や権力闘争についていて十分すぎるほど理解していた。青年期に彼はデリーで暮らしたこともあった――最初は民族義勇団（ＲＳＳ）の活動家として、その次はＢＪＰの党幹部として。それでもモディはエリートの世界から遠く離れた場所で育ってきたアウトサイダーであり、彼らへの反対姿勢を支持獲得につなげてきた。さらに、モディの台頭は象徴的な意味合いも持っていた。世襲がはびこる国にあってたたき上げの政治家として名を成し、インドではめったに起こらない社会的流動性という理想を体現してみせたのだ。モディは少年時代の「チャイ売り」のイメージを政治目的に活用してきたが、「ヴァドナガルの貧しい家に生まれた低カーストの少年が国の指導者にまで上り詰めた」という彼のライフストーリーには否定できない力強さがあったことは確かだ。

二〇一四年のモディの勝利によって、一つの見方が否定されたことも重要だった。インドは統治不可能になり、不安定な民主主義が経済の足かせになってしまったことで中国のような急速な発展コースをなぞることはできないと見る向きもあったが、そんなことはないと言えるようになったのだ。一九九一年以降の経済活性化にもかかわらず、政治システムのほうははっきりとわかるほど弱体化していった。国民会議派もＢＪＰも権威が低下し、強力な地域政党に支持を奪われていった。ニューデリーの連立政権は安定性に欠け、いつ瓦解してもおかしくないという体質的な問題を抱えていた。しかしモディが圧倒的かつ想像以上の規模で勝利したことで、この流れが逆転し、権力が首都に回帰することになった。モディは首相に就任すると、総じて有能な行政官であることを証明してみせ、前任者を苦しめた巨大汚職スキャンダルに終止符を打つことに概ね成功した。彼の目的意識は外国でのイメージにも変化をもたらし、インドが大国のなかで存在感をふたたび発揮しようとしていることを広く印象づけた。なかには、アメリカと中国だけを真のグローバル大国とする国際システムは終焉するとして、さらに壮大な地政学的変動を予測する者もいた。「モディは世界を真の多極化に導いた」。シンガポールの元外交官キショール・マブバニは、モディの勝利から一年経過した二〇一五年にそう指摘した。[11]

二〇〇年にわたる奴隷状態

高い人気を誇る一方で、モディはインドの公人のなかで評価が分かれる存在であり続けている。州首相に就任して間もないころにグジャラートで起きた流血の事態に直面して以来、この状態はずっと続いてきた。二〇〇二年以降、彼は経済発展という目標の実現に専念し、「国をヒンドゥー化する」というアジェンダ――「ヒンドゥトヴァ」のイデオローグでかつて大きな知的影響力を持っていたヴィナーヤク・サーヴァルカルの言葉――をその後も隠し持っているのではないかという疑念を強く否定してきた。[12]「発展は国民が感じる緊張関係を解消することにもつながる」。ヒンドゥー過激派がかき立てた憎悪についてアルナーブ・ゴスワーミーが問いかけた質問にモディはそう答えた。「国民に雇用を提供し、食べ物を確保し、施設を整備し、教育を施していけば、あらゆる緊張関係は解消するだろう」

モディがニューデリーで政権を獲得すれば残虐な宗教対立の急増を招くという懸念には根拠がないことが明らかになった。実際、インドが豊かになるにつれて、総じて暴力を伴う事件は減少していった。過去数十年で宗教対立による暴動発生率は着実に減少しているのである。[13] たとえそうであっても、ヒンドゥー狂信者ら――ほぼ全員が熱烈なモディ支持者――による憂慮すべき事件が二〇一四年以降増加しているのも確かだ。このなかには、世俗主義を攻撃するシンボリックな事態も含まれる。学校の教科書からネルーについての記述を削除したり、欧米のリベラルな学者によるヒンドゥー教の著書を主流派の感情を害するものと見なして発行禁止にしたりするといった措置だ。[14] やみくもな愛国主義キャンペーンも展開され、左翼の学生や人権活動家といった「非国民」分子と見なされた人びとが標的とされ、映画館での愛国スローガンや国歌斉唱を拒否した者までその対象になった。

とくに憎悪が向けられたのはイスラーム教だった。そこでやり玉に挙げられたのは、「ラブ・ジハード」としばしば呼ばれた現象で、ムスリム男性が結婚という手段によってヒンドゥー教徒の女性を改宗させているという非難が行われた。モディが住む首相公邸に面した通りが改称されるほぼ一年前に当たる二〇一五年、ニューデリーの当局はもう一つ別の幹線道路の名前を変更した。「オーラングゼーブ・ロード」が、国民から敬慕された大統領の名を取って「A・P・J・カラム博士ロード」となったのである。この決定は一人の象徴的なムスリムから別のムスリムに変えるものではあったとはいえ、数世紀に及んだムガル帝国治下でもたらされたイスラームの遺産を象徴する人物の名を削除する行為であることには違いがなかった。さらに重要だったのは、「牛の保護」をめぐり暴力的な事件が相次いだことだった。保守的なヒンドゥー教徒のあいだでは、牛は聖なる動物と見なされていたからである。畜殺場はほとんどの場合ムスリムの経営だったが、この施設に関する規定を厳格化するなど、法律の変更が行われたケースもあった。しかしこの流れがもっとも極端に振れると、イスラーム恐怖症に基づく暴力行為に発展し、「牛の自警団《ゴー・ラクシャク》」が牛肉を食べたり売ったりしている疑いをかけた者を殺害したり、彼らにリンチを加える事件が多発した。

こうした一連の事態はモディ本人が起こしたものではないし、彼は容認してもいない。ただ、事件のほとんどがモディの登場以降活動を活発化させてきたさまざまな過激なヒンドゥー教団体となんらかのかたちでリンクがあることは確かで、そのうちもっとも代表的なRSSは指導者が現政権と密接な関係を保っている。モディが分断を図ろうとする勢力を非難することはあるものの、多くの場合、渋々といった感じでタイミングも遅く、熱心な自分の支持者を叱りつけるのは気が進まないと思っているかのようだった。彼は疑いなく卓越した弁論技術を持っているにもかかわらず、リベラル派の懸念を解消したり、偏狭なヒンドゥー主義の台頭を恐れるマイノリティを安心させたりするためにそれを用いることはほとんどと言っていいほどなかった。その代わりに彼の演説は経済成長に対する信念を説き、注意深く耳を傾けていた者にしか気づけなかったであろう内容に言及した。「ほぼ一〇〇〇年から一二〇〇年にわたり、わたしたちは奴隷にされてきた」。二〇一四年にニューヨークのマディソン・スクエア・ガーデンで開かれた演説会で、モディは拍手喝采を送る裕福なインド系移民の聴衆にそう語った。(15) ここで言わんとしていることは明らかだった。インド人が虐げられていたのはイギリス統治時代だけではなく、その前に君臨した数々のムスリム王朝のときからだというのだ。それがモディの登場によって、彼ら――長きにわたり苦しみを味わってきた多数派のヒンドゥー教徒――はようやく自由になりつつあるというわけである。

モディ以上にリベラル派の批評家が警戒するのはアミット・シャーだ。大柄でがっしりした体格の政治家で、BJP総裁でありモディの右腕的存在でもある。手練れの戦略家であるシャーは、複雑なカースト政治を的確に把握し、宗教間の緊張を絶妙なかたちでかき立てる能力から、「インドのマキャヴェリ」と評されている。宗教対立を巻き起こす才能ゆえに、中央選挙管理委員会は二〇一四年総選挙に際し、一連の煽動的な発言に対する懲罰としてシャーに対し公開の場での演説を禁止するという異例の措置を講じたほどだった。[16]シャーの手法は見苦しいとはいえ効果てきめんだったのは確かで、二〇一七年のウッタル・プラデーシュ州議会選での圧勝をはじめ州レベルの選挙で次々に勝利をもたらし、ＢＪＰのプレゼンスを全国各地に広げるというかつてない成果を挙げた。

　シャーはモディよりも十歳以上も若く、ＲＳＳの活動を通じて初めて会ったときはまだ十代の少年だった。ニューデリーの自邸には、二人の共通のメンターであるサーヴァルカルの写真が額に入れられて飾ってある。[17]シャーの悪名高いイメージは、モディ治下のグジャラートで実力者として活動していた時期から来ている。州の内相だった彼は警察による超法規的殺人の責任を問われ、二〇一〇年に三カ月間監獄に拘留されたことがあった。彼に対する容疑はその後取り下げられたものの、ニューデリーに進出したときにもつきまとうモディの腹心かつ強硬派の政治家という評価がすでに定着していた。[18]わたしはウッタル・プラデーシュで短時間ながら彼と会ったことがある。シャーは彼のボスと多くの点で似ているというのがそのとき抱いた印象で、メディアに対する不信感と質問されることへの不快感はとりわけ目立っていた。対外的な演説では、モディによる経済発展の筋書きを基本的に踏襲するかたちをとった。しかし、明確なロジックのもとで、宗教的情熱を刺激して選挙戦での支持獲得につなげるというダークな手法もとられていた。ヒンドゥー教徒の有権者はカーストや地域、言語で分断されていたが、彼らを一つにまとめることでモディ勝利の可能性を著しく高めたのである。アシュトーシュ・ヴァルシュネイのような政治学者は、このアプローチを「ヒンドゥーの団結化」と呼んでいる。[19]

　宗教に根差した《コミュナル》政治を展開してきたのはＢＪＰだけかと言うと、そんなことはまったくない。「国民会議派は日和見的にコミュナルで、ＢＪＰは信条的にコミュナルなのです」。作家のムクル・ケサヴァンはかつてそう記したことがあった[20]。しかし、BJPのイデオロギー的傾向が何であれ、宗教間の対立を煽る戦術を用いて非ヒンドゥー教徒、とりわけムスリムをターゲットにした共同戦線の構築をもっとも頻繁に行ってきたのは同党だった。「村で墓地用に土地が与えられるのなら、火葬場のための土地も与えられてしかるべきだ」。二〇一七年のウッタル・プラデーシュ州議会選の際、モディは集会の場でそう訴え、クリスチャンやムスリムの葬儀方法とヒンドゥーの葬儀と対置してみせた[21]。「ラムザン（ラマダン）のときも電気が供給されるのなら、ディーワーリーのときにも同じようにされるべきだ」と彼は続けた。「差別があってはならないのです」

一見平等を求めるかのような訴えは、実際のところ露骨な分断策にほかならず、ムスリムは政府から特別に優遇されていると思い込んでいるヒンドゥー教徒をけしかけるものだった。シャーはそれまでに何度も煽動的な演説をしており、なかにはUPのある町でヒンドゥー教徒が自分の土地から無理矢理追い出されていると主張するものもあった[22]。モディの巧みな人心操作術によって、ヒンドゥー教徒は自分たちが見えざる外部勢力――なんらかのかたちでイスラーム教と密接にリンクしていると想定された――の脅威に直面しているかのような感覚を持つに至った。不当な手法に加え、インドを「ヒンドゥー国家」として位置づけ直す過激な野望の持ち主――多くの人びとはモディに対して抱いたのと同じ懸念を、彼の最側近にもはっきりと見出していた。

二〇一四年の総選挙では、一億七一〇〇万もの有権者がモディ率いるBJPに投票した[23]。このうち何割が熱烈な支持者として票を投じたのか、何割がある程度やむを得ない選択肢としてそうしたのかを明らかにするのは困難だ。後者については、「いちばんまし」なのはBJPと考えた者もいただろうし、モディの周囲にいるグループにある程度警戒感を抱いていた者もいただろう。モディの政治的支持基盤は依然としてRSSやそれに輪をかけて過激な関連団体で、いずれも社会のヒンドゥー化を訴える運動を公然と展開していた。旧来型のヒンドゥー・ナショナリズムは、すべてが傍流というわけではなかったにせよ、少なくとも少数派であったことは間違いなかった。モディが登場するまで、BJPが中央で政権を獲得したのは数えるほどしかなかった。同党の支持は北部と西部のヒンディー語圏に限られていたし、武闘派的な傾向は総じて奇特なものと受け止められていた。ところがモディは違っていた。彼はヒンドゥー・ナショナリズムを幅広い支持が集まるイデオロギーへと導いていったのである。

彼の主張の核心にあったのは、現代的な要素と真に伝統的な要素を組み合わせる能力だった。モディは間違いなく確固とした宗教的バックグラウンドの持ち主だが、同時に彼は貧しい農村やスラムから安定的なBJP支持層だった裕福なビジネスエリートまでカバーする広範な連合を構築することに成功した。マディソン・スクエア・ガーデンでの演説は、あらゆる点で現代のロックコンサートと同じ特徴を備えていた。しかし、その日の演説が九日間に及んだ断食の最中に行われたことを踏まえると、より印象深いものに感じられる。この間に彼はホワイトハウスでの公式晩餐会に出席したが、そのときでさえもレモネードと紅茶しか飲まなかったと言われている(24)。彼はこれまでの演説で、職を見つけることの重要性や物質的な快適さの獲得といった、目標を持つことについて語ってきた。しかし彼の公の場での発言には、ヒンドゥー教の神話や突飛に感じられる農村の伝承も織り交ぜられていた。「娘の誕生を祝うときは五本の木を植えなさい。そうすればその娘が結婚するときに必要な資金をもたらしてくれるから」。彼はツイッターでそう書き込んだことがあった。木が育てば木材として換金でき、盛大な結婚式の費用を賄うことができるというのだ。

歴代首相が決断力に欠けるように見えるなか、モディは毅然とした姿勢を保ち、コミュニケーションについては天賦の才能を発揮してきた。カラフルな服の好みですら、野暮ったい白い手紡ぎ綿の服しか着てこなかった政治家に慣れきっていたインドにあっては魅力あふれるものに映った。「胸囲は一四二センチ」と誇らしげに言い、パキスタンに限定攻撃を敢行し、二〇〇二年の暴動での役割については断固として謝罪を拒否してきたように、彼のアピールには男性的なメッセージが含まれていたことも間違いない。こうした男性的な強さは、若い世代の男性にとってはとくに魅力的に映ったようだ。グジャラートで行われた二〇一四年総選挙の祝勝会でわたしが出会った銀行員、ヴィヴェーク・ジェインのような男性はまさにそうだっただろう。ただ、その魅力の多くがセックスをしたことがないという――公式の伝記の内容が本当であればの話だが――指導者から発せられる男性的力強さに由来していることを踏まえると、ちぐはぐに感じられる側面もある。

モディの派手好みは、ときに自らの予想をも超える影響をもたらすこともあった。二〇一五年にバラク・オバマ大統領と会談した際に着ていたダークブルーの高級スーツには金色のストライプが入っていたが、それは「NARENDRA DAMODARDAS MODI」の文字を連続させて線に見せたものだった。この衣装は高額な費用とうぬぼれの表れとして広く失笑の的となった。モディにしては珍しいPR上の失策だったが、このエピソードがきっかけで反対派は「スーツとブーツの政権」というスローガンを掲げるようになった。[25] 首相やエレガントな衣装に身を包んだ取り巻きが支配する腐敗した政権、と言いたかったようだ。モディがやり玉に挙げられたスーツをチャリティ目的で売却したことで、ようやく事態は沈静化した。なお、売却額は四三〇〇万ルピー（六七万二〇〇〇ドル）にものぼり、「オークションで史上最高落札額を記録したスーツ」としてギネスブックに記載されることになった。[26] ただ、こうした失策は例外的だった。ピュー・リサーチセンターの調査によると、任期の折り返し地点を過ぎたころ、多くの指導者が支持率低下に悩むなかでインド人の一〇人中九人が自分たちの首相を好意的に受け止めていると回答し、当然ながら主要国のなかでもっとも高い人気度だった。[27]

より大きな意味を持つのは、モディは生まれ変わったテクノクラートでもなければ復活を遂げたヒンドゥー過激派でもなかったということだ。むしろ彼は両方を兼ね備える存在で、それを絶妙な割合で一体化させていた。彼はさまざまな点で抜け目のない政治家だったが、とりわけ世俗的なシンボルの取り込みという分野で能力を発揮した。演説でガンディーを称賛するだけでなく、「スワッチ・バーラト（クリーン・インディア）」キャンペーンのロゴにマハートマの丸眼鏡を起用した。早朝のストレッチ体操の愛好者でもあるモディは、二〇一五年に「国際ヨガの日」を制定した。これに際してニューデリーの通りで巨大なヨガイベントが開催され、参加者約三万五〇〇〇人という規模はこれまたギネスブックに掲載される記録となった[28]。このときは世界各地の数十カ所でも同様のヨガイベントが行われた。そこには、これまでにないタイプのインドのソフトパワーを喧伝するとともに、欧米の世俗的なライフスタイルに誰もがどっぷりと浸かるようになってしまったなかで、ヒンドゥーの象徴性を多く含むヨガという慣行を再活性化させるという二つの政治目的があった。

「国際ヨガの日」に際して行われたイベントは、伝統的な価値観と現代的なフラストレーションの両方に訴えかけるというモディの才能を典型的に示す例だった。二〇一一年の反腐敗抗議行動は、ガバナンスに対する中間層の怒りの爆発という側面があった。しかし彼らは、インド政府のレベルの低さに対して多くの人びとが抱いている落胆も表現していた。各地で起こる停電やおんぼろ列車の遅延、下級役人による賄賂の要求に対する不満が広がっていたのだ。モディもまさにその怒りを理解していた。彼が思い描くインドは、広々とした高速道路、太陽光発電所、高速鉄道が整備される国、そして目標が達成され、彼自身がそうだったように、個々人が成功を手にすることができる国だった。

こうした訴えがもっともはっきり押し出されたのはモディの海外訪問のときで、彼の振る舞いは政治家ではなくポップスターと言ったほうがふさわしかった。二〇一四年九月にマディソン・スクエア・ガーデンで開かれたイベントは彼にとって外国で行った初の大規模集会だったが、そこにはもう一つ別のシンボリックな意味合いもあった。このときのニューヨーク訪問は、〇二年の暴動以降アメリカが彼に対し講じてきた入国禁止措置に終止符を打つものだったからだ。モディの演説を聴こうと約二万人が詰めかけたが、これほどの聴衆を集められる世界の指導者は皆無に近かった。同様の形式のショーはシドニーやシリコンバレー、ロンドンの集会でも行われた。一五年十一月のあるさわやかな夜に開かれたロンドンの集会では、六万人が会場のウェンブリー・スタジアムを満たし、イギリス首相のデイヴィッド・キャメロンが前座を務めていた。モディは自分への注目を楽しんでいるように見えた。

在外インド系移民はBJP支持で結束しているとはとても言えない状況だった。インド系アメリカ人の多くは民主党を支持する傾向にあったし、インド系イギリス人は伝統的に労働党支持だった。とはいえ、インド系移民の一部のあいだにはモディへの強い期待があったことも否定できない。こうした期待を抱いていたのは、自らが海外で成功を収めただけでなく、母国でも同じような成功を願っている上位カーストのヒンドゥー教徒だった。モディはまず聴衆の心を祖国への誇りで満たし、その上で現状に対する彼らの不満をチクリと刺激するといったかたちで、彼らの感情を巧みに操った。外国でスタジアムに押し寄せたインド人や本国からテレビで見ていた人びとの反応はもっとシンプルなものだった。自分たちの首相がステージ上で国際的なスーパースターとして歓迎される様子を目の当たりにすることで、国としてのインドも同じような扱いを受ける日が近いうちに到来するはずだと感じていたのである。

勇敢なナレンドラ

ニューデリーのラーイシーナ・ヒルにある官庁街で、ほとんど目に入らないほど奥に隠れている赤砂岩の建物――モディが執務を行う首相官邸はそこに置かれている。検問所が一つ、それに「首相府　五番ゲート」と記された小さな赤い看板があるのを除けば、そこが重要な場所であることを示すものは皆無に等しかった。中に入ると何重ものセキュリティチェックがあり、来訪者が携帯電話を預けるための棚も置かれていた。その先に広がる廊下は不気味なほどがらんとしていて、迷彩服を着用し青の帽子をかぶった兵士二名がはっきりとわかるように自動小銃を構え、ドアの前で静かに立っていた。

荘厳な階段を上ると、その先にはモディの執務室があり、その近くには閣議室もある。上階のバルコニーにはサルの侵入を防止するための薄いメッシュのネットがかけられている。セントラルヒーティングの設備は付いていないため、寒い季節になると官僚は持ち運び可能な電気ストーブが手放せなくなる。冬季に開かれる会議の席上で、モディは暖かそうなジャケットやウール製の厚手のスカーフを着用している姿で出席している。テクノロジーを愛する指導者が仕切る場所にもかかわらず、この会議室は驚くほど古風で、コンピュータや薄型モニターなどを見つけることはできなかった。かつて植民地時代に、総督は壮麗な公邸から通りを渡ってこの建物に到着し、いまと同じすきま風が吹く廊下を通って執務室に向かっていたのだろう――そんな想像をせずにはいられなかった。

モディとともに仕事をした者は、起きるのは夜明け前で休日は一切とらないというエネルギッシュな彼の姿に称賛の声を送っている。「首相は仕事中毒なんです」。二〇一七年の夏に首相官邸を訪問した際、職員の一人はそう語っていた。「普段だと執務を開始するのが午前七時で、毎日一四時間は仕事をしていますね」。モディについて政府関係者が知力以上に強調するのは――知力に欠けるというわけではなく聡明だと言われているが――その忍耐力で、パワーポイントを使った深夜の会議でも集中力を切らさずに臨んでいるという。公の場ではモディは華々しく振る舞い、演説をいくつもこなし、聴衆を魅了する存在だ。しかし内輪の場になると物静かな姿勢になり、人の話に耳を傾け、内容を詳細に至るまで吸収し、的を射た質問を投げかけ、何カ月も前の出来事でも細かい内容を覚えているなど、驚異的な記憶力を発揮している。彼は妻とは同居したことがなく、子どもも孫もいなかったことから、集中して仕事に取り組むことができた。家族の代わりに彼のそばにいるのは行政官だ。「ＰＭＯ」という略称で知られる首相府で勤務する局長や次官補、特別任務担当官たちで、彼らの多くはグジャラート時代からモディに忠誠を誓ってきた部下だった。「ストイックな環境ですが、それは彼が多くの時間を官僚との協議に費やしているからです」。政府の首席経済顧問を務めるアルヴィンド・スブラマニアンはボスについて熱っぽい口調で語ったことがあった。「決断や発展を重視し、物事の構造や意思決定過程をしっかりと把握しようとする彼は、非常に際立った存在だと思います[29]」

モディに別の側面、あるいはソフトな側面があるかどうかはなんとも言えない。ＲＳＳの専従活動家だったころから卓越した話術を持っていた彼は、いまでも演説でユーモアを見せるときもあったし、来訪した外国の指導者を力強く抱擁して温かい歓迎の気持ちを表すこともあった。演説では奇妙な内容を口にすることがあり、それがとくに表れていたのは陳腐に感じられる略語への偏愛だった。「わたしが唱えるお題目は、『ＩＴ＋ＩＴ＝ＩＴ』というものだ」。二〇一七年の演説で彼は聴衆にそう語り、「ＩＴ（情報技術）」と「インド人の才能《インディアン・タレント》」を合わせることで「インドの明日《インディア・トゥモロウ》」を実現するという意味だと説明した[30]。同じ年にイスラエルのベンヤミン・ネタニヤフ首相と会談した際には、「Ｉ４Ｉ」――「インドはイスラエルのために、イスラエルはインドのために」――というスローガンを披露した[31]。会議の場では具体的なテーマについて独学で身につけた博識を披露した。その範囲は畜産から農村の灌漑まで幅広い分野にわたり、その多くはグジャラート州首相時代に着目したものだった。モディの政府運営に対するアプローチは徹底した透明性の確保にあり、ユーチューブにチャンネルを開設したり、３Ｄホログラムによってバーチャルなかたちで登場したり、何千万ものフォロワーがいるツイッターのアカウントで情報を発信した[32]。しかしこうした仮面の奥には、グジャラート時代の彼について言われた「自分のことを知られたくない」という、不可解な感覚以上のものは存在していなかった[33]。

首相になったモディはこれまで以上にガードを固くするようになったが、この点については本人も残念に思っているようだ。「以前は演説をするとき、ユーモアを交えて聴衆をとにかく楽しませていたものでした」。彼はアルナーブ・ゴスワーミーにそう言って、とかく自分の発言を曲解しがちなインドのジャーナリストを非難した。「この懸念があることで、公の場でユーモアを口にすることはできなくなってしまいました。誰もが怖がるようになってしまったのです」[34]。忠誠にもとると受け止められかねない行為は決して見せまいと細心の注意を払う部下も、これと同じ恐怖心を抱いていた。ニューデリーでは、首相の目配りに関するエピソードは伝説的なレベルにまで達し、重要なものから些細なものまであった。後者で一例を挙げると、当時、副大臣を務めていたプラカーシュ・ジャーヴァデーカルというＢＪＰの政治家がある日空港に向かっている途中、思いかげない電話がかかってきたという。どうやって察知したのか、公務で飛行機に乗るにもかかわらず彼がフォーマルなスーツではなくジーンズを履いていたとの情報が伝わったのだ。モディの秘書室関係者からの叱責を受けながら、ジャーヴァデーカルは困惑していたそうだ[35]。本人はこのエピソードを否定したものの、以前からささやかれていたモディの誇大妄想的な傾向を表す典型例として、またいかに些細なことであれ規律に反していると見なされた行為は隅々まで目を光らせている首相によって突き止められるという警告として、関係者のあいだに広がっていった[36]。

首相に就任した際、モディはデリーから権力を取り戻し、国民のもとに返すのだと誓った。しかし実際に彼がやったのは、権力を大幅に集中させることだった。巨大な国家の運営に関する数々の複雑な課題を一手に引き受けることこそが評価基準だと言わんばかりに、政策決定を首相府のレベルで行うようにしたのである。モディが首相になる前の時点では、彼はマーケット重視の改革者で、全能の政府の規制が及ぶ範囲を押し戻してくれるのではないかと予測するウォッチャーもいた。しかし実際には、グジャラート時代がそうだったように、彼が選んだのは、真摯に取り組むが国家権力の行使に当たっては一切躊躇しない首席行政官というイメージだった。「首相が尊敬しているのはリー・クアンユーで、彼の方針はチューインガム禁止と少し通じるところがありますね」。側近の一人はモディについて、シンガポールの初代首相と彼の代名詞でもあった強権的な姿勢を引き合いに出しながらそう説明してくれたことがあった。「ガム禁止のポイントは、リーがガム自体を問題視していたということではないのです。政府が細かいことに至るまでしっかりと管理しているということを示すことにあったと思います。インドでは物事がとにかく宙ぶらりんになってばかりですが、彼［モディ］が変えようとしているのはまさにそこなのです」

モディの経済運営の実績は、一見したところすばらしく映る。インドの経済成長率をうらやましいと思わない他国の指導者はほとんどいないだろう。長年問題を抱えてきた財政は安定化に向かい、手がつけられない状態だったインフレも次第に沈静化していった。停電はまれになり、外資に対する投資規制は自由化され、いくつかの大規模な補助金プログラムについては予算がカットされた。さらにモディは、新たなイニシアティブを続々と打ち出していった。街を清掃し屋内のトイレ設置を促進する「スワッチ・バーラト」、インターネット接続の拡大を掲げる「デジタル・インディア」、職業訓練プログラムの「スキル・インディア」などだ。全国に一〇〇の「スマートシティ」を建設する構想や、三〇億ドルを投じて、神聖だが汚染が進むガンジス川を浄化するスキームもあった。なかでもとくに重要だったのは「メイク・イン・インディア」で、多国籍企業の誘致や工場の円滑な操業の足かせとなってきた法令の改正を通じて脆弱な輸出産業を活性化しようとする鳴り物入りで開始されたプログラムだ。長年待ち望まれていた全国統一の売上税、「物品サービス税」（ＧＳＴ）も導入され、これまで二九の州の集合体だったインドを単一の経済単位に統合する取り組みが促進された。外国人投資家はかつてないほどの資金をインドに投じ、アリババ、アマゾン、アップル、フォックスコン、ウーバー、ボーダフォンといった多国籍企業は自社のインド進出計画を喧伝した。

しかし、モディの統治には旧来型のパターンも見られた。自らの強さを遺憾なく発揮するはずの指導者であるにもかかわらず、さほど勇断ではないことが明らかになったのである。主導権争いに敗れた者を閣僚に取り込んだことで、政権発足時から彼に対抗する「ライバル集団」は存在しなかった。エコノミストは経済で構造改革を断行する必要性を繰り返し説き、労働者の雇用や土地の購入、納税の仕組みを簡素化すべきだと主張してきた。しかしこれを実現するためには厳しい闘いを繰り広げる必要があり、モディは自らの政治的資源を温存する道を選んだケースが多かった。こうした慎重姿勢は各州政府との関係でもはっきりと見られた。多くの州で自分と同じＢＪＰが政権を握っており、同党所属の州首相はほかでもないモディに人気の多くを負っているにもかかわらず、だ。高額紙幣廃止のときのように、ここぞという大一番に臨むこともあったが、失敗同然に終わる場合が少なくなかった。

土地取得と労働関連の法改正に向けた動きは停滞し、州レベルに押しつける格好となった。安価な労働力が膨大な規模で存在することはインドにとって最大の強みの一つだったが、次第に問題の元凶としてとらえられるようになっていった。労働市場に大挙して参入してくる若者のために、インドは毎年少なくとも一〇〇〇万の雇用を生み出す必要がある。ところが、ほとんど成果が挙がっていないのが現状なのだ[37]。東アジアのような輸出拡大は見られず、国内総生産に占める製造業の割合はほとんど変わっていない。懸念を強めた国内の製造業は若い労働者を採用する代わりにロボットを導入するようになった。五〇〇〇万人規模の職業訓練計画やすべての村の電化、製造業輸出の劇的増加といったモディが掲げた目標の多くは、いつまで経っても達成からほど遠い状態にとどまっているのが現状だ。世界銀行の「ビジネス環境ランキング」で五〇位入りをめざすという公約はかけ声倒れでしかなかった[38]。その一方で、聖なる川ガンジスから海へと流れる水はかつてないほど汚濁が進んでいるし、毎年冬にニューデリーの市民を苦しめる大気汚染に対してモディ政権はなすすべがないように見える。

こうした状況に対して疑念の声が上がるのにさほど時間はかからなかった。有能なことで知られたBJPの閣僚経験者で一時はモディの信奉者だったアルン・ショーリーは、そうした疑念をきわめて不機嫌な口調で提起した。「なんだかんだ言っても、口先だけで実際にはやりはしないのだ」。二〇一五年に彼はそう記した。(39) モディによるイニシアティブの多くには、当初約束されたよりもはるかに少ない成果しか達成されない傾向があった。国家の変革プランでも同様の展開が見られた。グジャラート時代にモディに名声をもたらしたのは公共セクター企業改革で、コスト削減や有能な経営陣の登用を断行した。二〇一四年総選挙でモディが「最大のガバナンスと最小の政府」を公約に掲げたことで、民営化の波が起こり、ほどなくして硬直化した政府に変革がもたらされるのではないかという期待が高まった。しかし首相に就任したモディは慎重な姿勢に徹し、いまもなお国民総生産の六分の一を占め、民営化を進めようとすれば反発するであろう何百万人もの労働者を抱える公共セクターで大がかりな改革を行うことを避けた。(40) BJPに近い経済自由化主義者のなかには、農村での雇用保証や食料配給といった国民会議派政権時代の福祉スキームの大幅カットを主張した者もいた。(41) モディはそうした要求のほとんどを聞き入れはしなかった。

モディ政権下では、多くの有望なイニシアティブが展開されたのも確かだ。前述したGSTに加え、「アーダール」と呼ばれる巨大な生体認証IDカードシステムがその代表例で、これにより何億もの国民が広範な公共サービスにアクセスすることができるようになった。彼の支持者は、これほど壮大かつ大胆な試みはほかでは不可能だと主張している。BJPは議会下院で過半数の勢力を確保しているが、上院では過半数に満たないため、法案を強行採決することができない。このため、モディは各州政府という難しい相手と交渉を余儀なくされた。同時に、労働組合や農民、中小企業といった経済改革を阻止することが多い強力な勢力にも対処しなくてはならなかった。インドが「国家は脆弱だが社会は強靭」と言われることが多いのは、まさにこうした背景ゆえのことだ。「政治権力の介入を巧みに逸らしたり鈍らせたりして、政治的な型にはめられることに断固として抵抗してきた」社会秩序がそこにはあった——学者のスニル・キラーニーはそう指摘したことがある。[42] ＢＪＰが前回政権を担当した際には経済自由化を積極的に推進したが、二〇〇四年の総選挙では再選確実と言われながら敗北を喫することになった。モディはこの教訓を重く受け止めていた。彼はポピュリストとして政権を担っているが、それは自分に人気《ポピュラー》があることで成立するものだったことから、反発を招きうる「ビッグバン」的改革には及び腰だった。一五年に及ぶ公人としての活動のなかで、モディは一度も選挙に負けたことがなかった。その彼がいまここで改革に着手するとは考えにくかった。

　大きな懸念をもたらす事態が相次いで起きたのは、モディが経済改革を進められる環境が整っていながら実行に移していないときのことだった。二〇一七年にウッタル・プラデーシュ州議会選で圧勝したのち、次期州首相としてヒンドゥー過激派の僧院長、ヨーギー・アーディティヤナートを指名したのはその最たる例だった。この事態にはベテランの政治ウォッチャーですら衝撃を覚えずにはいられなかった。わたしは選挙運動が最高潮に達していたころ、州東部に位置し、活気に欠ける都市ゴーラクプルの僧院でアーディティヤナートと会ったことがあった。[43] 彼が州首相に就任する約一カ月前のことだった。本堂の外には平和的な光景が広がっていた。年老いた行者《サドゥー》が別の建物の床に座って祈りを捧げていたり、僧院の花園からかぐわしい香りが風に乗って漂っていたりした。本堂の中に入ると、窓のない広々とした部屋に通され、トレードマークであるオレンジ色のローブをまとったアーディティヤナートが向かいにあるサフラン色のソファに一人で座っていた。

坊主頭で四十代半ばの彼は、穏やかな、落ち着いた口調で話し始めた。時間は午前中で、彼の背後には元僧院長の一人を描いた巨大な肖像画がかかっていた。しかし前日の夜、わたしは近くで開かれた街頭集会で、彼が熱狂した聴衆に対し、市が抱える問題の多くは周辺の州から流入してくる貧しい労働者のせいだと煽り立てる様子を目の当たりにしていた。アーディティヤナートは経済にはほとんど関心を示さず、過激な反ムスリム言説や分断的な牛の保護キャンペーンを専ら取り上げていた。過去二〇年のなかで彼はこうした才覚を用いて煽動的な僧侶から有力政治家へと転身し、自前の自警団を組織したり、BJP所属の国会議員に上り詰めたりした。

アーディティヤナートの州首相就任に関して、モディの支持者はさまざまな弁明を試みた。首相は僧院長の現地での人気を踏まえただけにすぎないとし、モディ政権が強力な経済運営を進めていくことに変わりはない、と。モディは選挙に圧勝し、自身への権威は最高潮に達した。にもかかわらず彼が州首相に指名したのは、ヒンドゥー過激派にとっては吉報だが、経済自由化推進派や社会的なリベラル派を落胆させる人物だった。モディの政治力をもってすれば、失業や貧困といった同州が直面する深刻な問題に対処できる資質を備えた者を据えるのは決して難しくはなかったはずだ。この決断はモディにとって悩ましいものではあったが、選挙という現実を踏まえれば理解可能になる。彼は二〇一九年の次期総選挙でもウッタル・プラデーシュでの勝利を必要としており、アーディティヤナートが州内でヒンドゥー教徒の支持を固めるのに役立つ存在であるとわかっていたのだ。この人選は、モディ政権を特徴づけるパターンのさらなる例だと言える。ニューデリーでは閣僚や高官を震え上がらせ、自分が欲することはほぼ何でも実現させる力を手にしているように見える。ところが党内の強硬派に向き合うときは、相手に畏怖を与え、説得を受け入れさせる力はなぜか消え去ってしまうのである。

もう一つの例は、二〇一六年半ばに突如辞任を表明したラグラム・ラジャンの権威失墜である。[44]　その時点でラジャンのＲＢＩ総裁在任は三年近くに及び、インフレ退治で成果を出すとともに銀行の不良債権問題を制御下に置くことに成功しつつあった。しかし、ＲＢＩ総裁の立場でありながら彼は幅広い問題について公の場で自分の考えを発言しており、なかでも二〇一五年十月に行ったスピーチはとくに注目を集めた。母校のインド工科大学（ＩＩＴ）デリー校の聴衆を前に、経済的な観点から社会的リベラリズムを全面的に肯定したのだ。「インドが持つ議論の伝統と探求を歓迎する開かれた精神は、経済の進歩にとって不可欠なのです」。集まった学生に彼はそう言った。「寛容とは、自分の考えについて不安に思うあまり、他者からの批判を許さないという意味ではないのです[45]」

彼自身がこの発言をモディに対する当てつけとして行ったかどうかにかかわらず、インドメディアはそう受け取り、翌日のトップニュースで大きく取り上げた。そもそもラジャンにはまったく関心のなかったＲＳＳの関係者をはじめとして、首相をもっとも強く支持するグループのなかには、このスピーチは自分たちの指導者に対する公開挑戦状にほかならないとして激高した者もいた。中傷作戦が始まった。頭の回転は速いが節度を欠く言動で知られるＢＪＰの国会議員、スブラマニアン・スワミーはラジャンの「非国民的」な言説を一蹴し、攻撃を展開した。ラジャンがキャリアの大半をアメリカでの学究生活で過ごしてきたことを問題視し、欧米の経済学思想に対する信頼のほうが祖国への忠誠より勝っているのではないかと言外に指摘したのだ。二〇一六年五月、スワミーはラジャンの更迭を要求した際に「精神的には完全なインド人ではない」と発言して非難の集中砲火を浴びた[46]。それから一カ月後にラジャンが辞任したことで、スワミーの要求は事実上通ったということになる。

舞台裏では、ラジャンは二期目を務めたいという考えを表明しており、後日提出した辞表でもその考えをはっきりと述べていた。しかし、彼の考えを知る関係者の一人が明かしたところでは、ラジャンは一部の総裁経験者の例に倣い、二期目途中で退任する可能性があることも了承してほしいと伝えていたという。モディのチームにとっては、三年の任期を全うできる候補者を必要としていると主張することで、退任要求を正当化できることになった。とはいえ、こうした技術的な議論によって事態の本質を隠すことはできなかった。ラジャンが事実上解任されたことに変わりはなかったのである。ラジャンはモディとの個人的な確執によって解任されたわけではない。両者のやりとりを知る関係者によると、むしろモディとラジャンは定例会合の場でも良好な関係を築いていたと証言している。ラジャンの退任後、モディは彼に賛辞を送ることまでした。「ラグラム・ラジャンは誰よりも愛国的でした。彼はインドを愛している人間です」。彼はアルナーブ・ゴスワーミーとのインタビューでそう語った。にもかかわらずラジャンが更迭されたのは、モディを熱烈に支持するグループ――モディ自身も異を唱えることができないほど強い力を持っている――にとって越えてはならない一線を越えてしまったためだった。その結果、インドでもっとも有能な経済改革路線の主唱者の一人が無用な退場を強いられることになった。これによって、インドの未来に向けた闘い、それに腐敗勢力や既得権益層を脇に追いやる取り組みの形勢が少々不利になってしまったのである。

「モディ後」のインド

ナレンドラ・モディは疑念を口にするタイプの人間ではないが、権力を行使するプロセスについては自らのかかわりにも言及しながら説明を試みていた。「わたしは自分のすべてをこの国に捧げてきました。政府全体を引っ張っていくということにかけては、うまくやってきたと思っています」。円満なかたちでインタビューが終わりかけたとき、彼はアルナーブ・ゴスワーミーにそう言った。そこでゴスワーミーは最後の質問を投げかけた。夜中に眠れなくなるような不安にさいなまされることがあったら教えてくれませんか、と。「わたしは不安という重圧にはさらされていいません」。モディはそう答えた。

「［しかし］わたしはこの国を救わないわけにはいかないのです……よきにつけ悪しきにつけ、すべてはわたしの責任なのですから」

こうした職務の責任感がモディを社会的な寛容性を備えた経済改革者に変えるのではないかという期待は甘いと言わざるを得ない。発展という目標に注力する彼個人の姿勢は真摯なものだし、職務遂行に際しての精力的な働きぶりを疑う者はほとんどいない。しかし、若いころに受けた過激な教えとそれによって育まれた世界観はいまなお深く根を張っている。さらに、政治戦略をめぐる基本的な問題がある。モディは次の総選挙で再選を果たせるかどうかを念頭に置きつつ、痛みを伴う構造改革をどこまで実行するか見極めようとしているのである。しかしこうした目標は重要だったとはいえ、より大きなイデオロギー的プロジェクトのなかでは小さなテーマでしかなかった。それは、有力政党としての国民会議派と彼らが掲げる世俗的なイデオロギーを粉砕することだった。モディはこの究極的なミッションで絶大な成果を挙げてきた。二〇一四年総選挙の勝利は、長きにわたり政権を担当するのが当然だった会議派に対して壊滅的かつ回復不能な打撃を与えた。この結果、会議派は敗北以来、復活の兆しはほとんど見せておらず、ラーフル・ガンディーが率いるフットワークが重く自信なさげな指導部のもとで低迷が続いている。

マハートマ・ガンディーやネルーが大切にしてきた寛容性を重視するというビジョンは、実はモディが登場するずっと前から衰退していた。退潮が始まったのはBJP政権下ではなく、ネルーの娘であるインディラ・ガンディーが一九七〇年代に首相を務めていた時期だった。当時彼女は、党の理想を犠牲にしてまで数々のカーストやコミュニティをベースとする集団と取引をすることで、たとえ一時期でしかなくても権力を維持しようとした。こうした経緯はあったものの、モディの登場は、建国の父が大切にしてきた世俗主義的な理想をあらためて根本から揺るがすものだった。彼はインディラ・ガンディー以来もっとも強力な首相だと言われる。しかし、インディラの強権的な傾向を踏まえれば、その評価は称賛というよりは危機感を持つべきものだろう。

経済自由化推進派とはほど遠い存在の彼が首相を続けていくなかで、国家権力との親和性がはっきりとしてきた。アメリカであれば、彼は大きな政府を指向する保守派だと呼ばれることだろう。しかしインドでは、モディは別の問題に直面している。それは彼が率いる政府機構の限界だ。巨大な規模の選挙を円滑に実施したり、自然災害に迅速に対応したりと、インドの政府機構には驚くほど高い能力があることがしばしば示されてきた。RBIや優秀な大学といった信頼度の高い機関を擁していることもインドの自慢だ。しかし、こうしたハイレベルな組織は個別のケースにすぎない。対照的なのは司法制度で、二〇一六年に当時の最高裁長官が涙ながらに訴えたように、審理中の案件が三三〇〇万件にものぼっている。[47]別の判事の指摘によると、現在のペースで進められた場合、すべての案件の審理を終えるのに三〇〇年かかるという。[48]また、ニューデリーの深刻なスモッグはいまや北京よりもひどい状況になっていると衆目が一致しているが、これは国が経済成長と環境の持続可能性、それに公衆衛生という課題についてバランスのとれた対策を打ち出せていないことを如実に示すものになっている。

ピンク色の砂岩でできた首相府には、インドの政府機構のなかでもきわめて優秀な組織の一つが置かれている。そこには少数のエリート官僚が結集しており、軋むような音を立てている政府をまとめるべく職務に取り組んでいる。しかしモディによる政策決定の集中により、彼らですらさばききれないほどのタスクが課せられるようになっている。首相府への訪問を終えて陽光が降り注ぐ外に戻ると、わたしはニューヨーク市長のマイケル・ブルームバーグとの対比を始めた。ブルームバーグは広々としたモダンなワンフロアのなかで「ブルペン」の名で知られる、パーティションで区切ったエリアを執務室としていた。[49]コンピュータやデータ用のディスプレイがずらりと並ぶその場所は、円滑なコミュニケーションを促進するとともにリーダーが迅速に決定を下せる環境を意図して設計されたもので、市の公共サービスに関するデータをリアルタイムで反映させることに重点が置かれていた。それとは対照的に、モディはヴィクトリア朝時代の遺物のような執務室で、ニューヨークとは比較にならないほど膨大な数の国民を統治していた。彼が指揮する政府機構の業務スタイルは紙の「ファイル」を回すことで、未決の案件は緑の厚紙フォルダーにひっそりとしまわれ、糸で綴じられて保存された。モディを厳しく批判する者は、彼が国家権力を濫用していると糾弾することが多い。しかし組織の内側をのぞくと、インドの未来にとって大きな脅威となりそうなのは、強権主義以上にアマチュアリズムではないかと感じられるのである。

歴史家のラーマチャンドラ・グハはインドの政治を「選挙だけの民主主義」と呼んでいる。彼が言わんとしているのは、選挙という壮大なスペクタクルによって、選挙と選挙のあいだの年月で繰り広げられるやや地味な現実が隠されてしまっているということだった。[50] 問題の一部は、インドが憲法で掲げられている高邁な理想とは裏腹に、完全な意味での自由民主主義に移行したことは一度もなく、さまざまなバックグラウンドを持つ国民の市民的権利や政治的権利を全面的に保障する能力を備えた公的機構も整備されていないという点にあった。しかし、インドが「非自由主義的民主主義」に当てはまるかと言うと、そういうわけでもない。この用語を作り出した評論家のファリード・ザカリアは、トルコやロシアのように、選挙こそ行われるものの憲法で保障される重要な権利の多くを進んで認めることはしない国を念頭に置いていたが、インドはそれとは異なっている。[51] 批判的な立場の者は、モディのもとでインドが次第にこのグループに加わっていき、完全に「非自由主義的民主主義」になってしまうのではないか、世俗的な基盤が多数派であるヒンドゥーの利益を優先する新たなビジョンに取って代わられるのではないかという懸念を抱いている。モディの登場以前の懸念は、インドという国家が法律で詳細に定められている自由権を保障できるかどうかという点にあった。それがいままでは、指導者には自由権を保障するつもりが実はないのではないかという懸念が広がってきているのだ。

非自由主義がもたらしうる脅威を過剰にとらえるのもよくはないだろう。インドでは宗教間やカースト間の関係には、現在に比べて過去のほうがはるかに深刻な事態が起きていた。一九九二年のバーブリー・マスジッド破壊事件後にインド全土で起きた暴動、あるいはそれこそ一〇年後に起きたグジャラート暴動のような事態は、モディが首相に就任して以来発生していない。いずれの事件もインドの世俗的な骨格を回復不能なほど引き裂いたかに見えたが、事態が沈静化した後はある程度までには元に戻った。モディが宗教間の分断を図ろうとする考えを持っているとしても、過去のBJP指導者の多くはさらに過激だったし、現在の党幹部にもヨーギー・アーディティヤナートのように警戒すべき存在は少なくない。モディを批判する者は、こうした将来のリーダー候補のうち誰であれば許容可能かと考えていることだろう。

モディは自分をリベラルな指導者であると位置づけたことは一度もなかった。したがって、そうしたタイプの首相として振る舞っていないことは驚きではない。むしろ彼とその右腕のアミット・シャーは戦術家であり、国民の支持が必要なときにアイデンティティに基づいた政治が持つ力の重要性を理解している。高額紙幣廃止という大胆な実験も、極度にポピュリスト的な政策を推進しようとする意欲があることをはっきりと示すものだった。とはいうものの、ヒンドゥー・ナショナリズムを前面に出す政治戦略を今後推進しようとすれば、大きな政治的リスクを伴うことになる。現時点ではモディに強い支持が集まっているものの、インドの有権者はあからさまな私益のために宗教間の反目をかき立てようとする政治指導者には背を向けることがこれまで往々にして起きてきた。そう考えてみれば、民主主義の安全弁が深刻な分断を食い止める防波堤になるのではないかと希望が持てる。「インドの半自由主義的民主主義がこれまで生き長らえてきたなかで、強い力を持つ地域や多様な言語、文化、さらにはカースト は阻害要因ではなく、必要条件だったのだ」。ファリード・ザカリアはそう記している。

しかし、台頭する非自由主義がもたらすリスクを過小評価してもいけない。ヒンドゥー・ナショナリズムの主張に対する支持が広がっているのは、モディ本人の存在が大きいのは確かだが、インドがグローバリゼーションがもたらす不安と格闘するなかで、しっかりとした帰属感を与えてくれるからでもある。こうした多数派優先主義への傾倒が広まっていく状況に対し、経済発展は特効薬になり得ていない。グジャラートはインドでも有数の豊かさを誇り工業化が進んでいる州だが、カーストや宗教間の不和がもっとも深刻な州でもある。

たとえモディが自分を支持してくれる政治連合のなかでとくに過激な勢力と距離を置きたいと考えたとしても、彼は強力な政治的な束縛から抜け出せないままでいる。国民会議派の政治家シャシ・タルールは、モディが置かれた状況をこう解説している。「モディ氏は、首相として自由主義的な原則や目標を推進したいと考える一方で、それらを達成するには選挙で勝利を収めた際に自分を支援してくれた最大の勢力を切り捨てなくてはならないという、根本的な矛盾に直面しているのである」[52]。タルールがここで言わんとしているのは、宗教対立がインド経済の拡大や近代化の阻害要因になりかねないことから、少なくともモディのなかの一部の声はそうした対立を回避すべきだと訴えている、ということだ。しかし、次期総選挙が近づくなか、RSSと何百万にも及ぶ組織の隊員からの支持は、よもやの敗北か輝かしい再選かを決定づける重要な要素であることもモディは承知している。モディが支持層内部の独断的で頑迷な勢力を封じ込めたいと強く考えているかどうかはまったくもってわからない。しかし彼は、政治的な有用性ゆえに、そうした勢力を無視できない状況に陥っているのである。

モディが二期目に臨むべく再選に向けた準備に取りかかるなか、これまで保守的なナショナリストの多くが歩んできた道を彼もたどるのかという懸念がある。ロシアのウラジーミル・プーチンやトルコのレジェップ・タイイップ・エルドアンは、具体的なやり方はそれぞれではあったが、経済改革を約束し、国を自由な方向に導いていく可能性を示唆することで権力を獲得した。(53) しかし、在任期間が長期に及ぶにしたがってカリスマ的指導者が強権的でなくなるという例はめったにない。ラグラム・ラジャンのようなリベラル派は、発展と社会的寛容性は相互に補う関係にあると主張しているが、長期的な観点でとらえると、これはたしかに説得力のある議論になっている。しかし、短期的な政治というレンズ――もっともわかりやすいのは次の選挙が行われるまでの五年という短いサイクルだ――を通して見ると、このとらえ方が妥当であることを示す根拠は見当たらない。モディのような鋭いポピュリスト的直感を持った指導者が、人気が次第に低下していく一方で経済改革を推進する必要性を認識するなかで、自分への支持を高めるべくナショナリスティックな感情に訴える可能性はきわめて高い。ここでのリスクは、モディがナショナリズムと改革のどちらを選ぶのかという問題ではない。この二つがいわば相互補完的な双子の関係にあり、セットでとらえていくべきものだと彼が決めることこそがリスクなのである。

こうしたリスクをめぐるバランスの問題は、モディに投票した有権者の多くが感じたジレンマでもあった。ラジャンのように、モディのヒンドゥー・ナショナリスト的な考えに懸念を抱きつつも、彼のもとで職務を遂行する選択をした者もいた。また、モディが掲げた発展の公約は彼がもたらしうる社会的混乱のリスクを冒してでも支持する価値がある、と考えてBJPに投票した者もいた。「そうしたリスクが存在することは承知の上でした」。リベラル派の作家で元ビジネスマンのグルチャラン・ダースは、二〇一四年総選挙での自らの投票行動についてそう語った。(54)「モディは分断的で、特定の宗教に偏り、強権的です。しかし、彼に投票しないリスクのほうが大きいと考えたのです」

これこそがまさに、モディの悲劇だった。何よりもまず、国民から信認を取りつける必要があった。モディが首相になることで政治的分断が進むリスクが高まるものの、公正で経済改革指向の指導者がインドにとってもっともふさわしい選択肢なのだ——二〇一四年には有権者の多くがそう結論づけざるを得なかった。こうした選択に至ったのは、彼らが望む指導者像——魅力的かつ公正で経済的な独創性を備え、暴力的な行為にかかわったことがなく、アイデンティティや信仰の問題を政治的な空間に持ち込まない真の政治家——が今日のインドで登場する可能性がほとんどないのが理由だった。第二に、モディは卓越した説得力を持ちながら、自らが掲げる経済発展の目標達成の基盤——少なくとも長期的には——となったはずの社会的寛容性を擁護する言葉は一貫して口にしてこなかった。そして最後に第三の点だ。有権者は「悪魔の取引」に応じ、分断のリスクより改革の希望に期待を寄せた。しかしモディは、彼らが期待したような決断力を持ったラディカルな指導者ではまったくないことが判明し、経済発展の約束は肯定的にとらえても半分しか実現していないという現実が突きつけられているのである。

終章

革新主義時代は到来するか?

二〇一六年春のある土曜日の朝、わたしはムンバイを後にした。妻とわたしは空っぽになったマンションのドアを閉め、エレベーターで下に降りていった。かたわらには、二年近く前に近所の病院で生まれた幼い息子がいた。日が高くなっていくなか、わたしたちは南ムンバイを車で移動した。誰もいないチョウパティ・ビーチを通り過ぎながら、カーブするマリーン・ドライブを走って行った。すぐにペダー・ロードに差しかかり、右手にはアンティリアが視界に入ってきた。数分後にはそのオーナーの所有するアストンマーティンが事故を起こした現場を通過した。あの車がその後どうなったかは結局突き止めることができなかった。事故から数カ月後の二〇一四年のある午後、わたしはたまたまガンデヴィ警察署の前を通りかかったので、外に置かれたなじみのあるシルエットを拝もうと思っていた。ところがその日には、車もグレーのビニールシートもなくなっていた。署内で尋ねてみたが、応対した警察官は肩をすくめ、事故車の行方についてはわからないと言うだけだった。その言葉を信じはしなかったが、それ以上にできることは何もなかった。

その五年前、わたしはムンバイの旧空港に降り立った。空港ビルは古ぼけて、混雑したコンクリート製のウサギ小屋のようだった。ムンバイで過ごした最後の土曜日、わたしたちは新しい第二ターミナルから出発した。半月の形をした美しい外観で、明るい白の塗装が施されていた。多くの人びとにとって、空港はインドが正しい方向に進んでいることを象徴する存在だった。ムンバイのエリートは新ターミナルの登場に興奮を隠そうともせず、空港ビルに行くための渋滞や第三世界レベルの内装といった、自分たちの街に向けられた恥ずべき非難をついに払拭できたと感じているようだった。車を追い越しながら狭い道路を縫うように進む代わりに、旅客は「サハル高架アクセスロード」という六車線からなる全長二キロの専用高速道路――おそらく全インドでいちばんいい道路はこれだろう――で空港に行けるようになっていた。ターミナルビルの中は効率的かつスタイリッシュで、高い天井が、国鳥であるクジャクの羽を思わせる柱で支えられていた。しかしその一方で、ムンバイの悪名高いスラムは空港フェンスのすぐそこまで突き出していたし、空港専用高速道路ですら最富裕層しか使えない公共設備になっているという、不思議な進歩の仕方をしていた。

新ターミナルがオープンする直前の二〇一四年初め、わたしはキャサリン・ブーと連絡をとった。彼女はアメリカ人の作家で、空港を取り囲むように立っているスラム街の一つ、アンナワディに一時期住んでいたことがあった。彼女が二〇一二年に刊行した『いつまでも美しく』という本は、スラムの住人が直面するトラウマや不公正を力強い筆致で描いた作品だ。わたしが電話したとき、彼女はムンバイ滞在中で、過去の取材時に出会った人びとを訪ねているとのことだった。新ターミナルの謎めいた建設現場にはスラムの住人も大いに関心を寄せていたという。「首相が来るというので建設作業員が大急ぎで完成品の庭園をしつらえたり、壁を塗ったり、あちこち修繕したりしている様子をスラムの人たちは興奮しながら見つめていましたよ」。インドの指導者が新ターミナルビルの除幕式のために来訪するちょうど数日前、彼女はそう教えてくれた[1]。

フェンスの内と外にいる者のギャップは埋めることができないほど大きかった。アンナワディのような場所の住人にとっては、旅客としてビルに入れるようなカネがないことはもちろん、空港での職にありつける可能性すらなかった。ブーが言う。「市で都市計画をやっている人たちは、新ターミナルを国際的な基準でも壮大なものにしようと頑張っているようです……生活に苦しむ地元の人たちに魔法の粉が降りかかってくるという漠然とした望み薄な期待はいつもあります。ですが、実際にそういうことはほとんど起こりません」。スラムで小さな一間だけの家に住むブリジェーシュ・シンは、自分の頭上で最近作業員が高架路沿いに植えつけた青々と茂るヤシの木を見て驚嘆の声を上げた。「上にある高速道路は、もうシンガポールみたいじゃないか!」と彼は言った。「[空港の]中を見てみたらきっと面白いんだろうけど、おれたちは外から眺めるしかできないね」

わたしはインドからそのシンガポールに拠点を移した後、インドとその未来についてこれまで以上に考えるようになった。なんと言っても、発展に向けてインドは真っすぐに進んでいた。まず中所得の議会制民主主義国としてのポジションをしっかりと確立し、次いで今世紀半ば以降、どこかの時点で先進国の仲間入りをするというものだ。しかし、本書で描いてきた三つの課題——不平等と新たな超富裕層、縁故資本主義、産業経済の苦境——に立ち向かうまでは、上述した目標達成に向けた道のりはおぼつかないままだろう。

高度成長が最盛期にあった二〇〇八年、ラグラム・ラジャンは超富裕層についての基本的な問いを投げかけた。「インドでもオリガルヒが登場する恐れはあるだろうか?」と。そのときの彼の答えは「イエス」だった。当時は億万長者の富に対しメスが入ることはなかった。ヴィジェイ・マリヤの騒々しいパーティーや成金御殿のような壮大なアンティリアから、ロシアのような富の分捕り合戦になるのではないかと懸念する声が多く上がった。それから一〇年が経ち、少なくともある程度まではそうなる恐れは少なくなった。マリヤほど劇的な転落を経験したインドの経営者はほかにいなかったものの、それでも「汚職の季節」の後遺症によって多くの有力経営者が姿を消した。政治的利益供与とリスクを考慮しない銀行の融資を特徴とする旧来のシステムは厳しい監視にさらされるようになり、なかでもナレンドラ・モディ自身がとくに厳しい目を向けている。少数のエリートによる永続的な権力独占を意味する「寡頭制《オリガーキー》」という言葉ですら、インド企業の盛衰の苛烈さを説明するには不十分だ。富豪ランキングの常連になっていることで、ムケーシュ・アンバニの優位は揺るがぬものかのように見える。しかし、かつての王朝が没落し、ゴータム・アダニのような新顔が台頭してトップの座を奪うことは決して珍しくはない。こうした点を踏まえれば、インドはロシアとはかなり異なるのが実際のところだと言えるだろう。

モディと聞いて思い浮かべることはいろいろあるだろうが、彼が政治とビジネスのパワーバランスをリセットしたことは確かだ。ヴィジェイ・マリヤはロンドンでわたしと会った際、彼をはじめとする経営者たちが長きにわたり保ってきた政治的つながりをインドの新首相がいかにばっさりと切り捨てたかについて教えてくれた。マリヤはモディの腐敗対策について評価しつつも、ニューデリーの企業家が抱く新たな疑念なるものについてフラストレーションをあらわにしていた。「モディの言わんとすることは、いまでは明らかにこうなっているのさ。『わたしはチャイ売りだった。それがいまや首相になった。自分は貧しい者の味方だ。金持ちをくじき、嘘つきをくじき、金持ちはみな嘘つきだという印象を広めていくのだ』とね」。彼はそう言った。高額紙幣廃止のころ、モディの言葉はとくに過激さを増した。二〇一六年に高額紙幣廃止が発表されて間もなく、首相はこう言った。「わたしたちがやったことによって、金持ちは睡眠薬なしには寝つけなくなるだろう(2)」

しかし実際には、インドの超富裕層は拡大を続けている。億万長者の数は増え続けているし、その他の富裕層の富も膨れ上がる一方だ。多くの点で、これは歓迎すべき状況だと言える。インドに豊富な資産を持つ企業家が必要だという点は、左派の論客ですら認識している。アマルティア・センは以前わたしにこう言った。「富裕層に着目する際、少々誤解があるようです……特別扱いされず、きちんと税金を払ってくれる限り、豊かな人びとが増えることは必ずしも大きな問題というわけではないのです」。問題なのは、こうした富の増大によってインドが世界でも有数の不平等な国になってしまったことにあった。何も対策が講じられなければ、貧富の格差――空港フェンスの内にいる者と外にいる者の格差ということ――は広がる一方だろう。インドが二桁近い成長率という目標達成に迫れば迫るほど、格差の拡大が進む可能性は間違いなく高くなる。

モディはこうした流れを食い止めるための措置をほとんど講じてこなかったとはいえ、現状の責任を彼に押しつけるのはフェアではない。しかし、この傾向が弱まることなく続くようであれば、厳しい結果を招くことになる。社会階層間の格差がもっとも大きいラテンアメリカ諸国は経済的な安定度が低く、貧しい国は中程度に発展することはできても豊かな国になることはできないという「中所得の罠」に陥る可能性が高いことを証明している。(3) これに対し、経済的に成功した東アジア諸国は繁栄を手にする一方で総じて平等な社会を維持してきたが、これは基本的な社会的セーフティネットを整備したことが一因だった。インドがどちらの道を選ぶべきかは自明だと言えるだろう。

不平等には複雑な要因があるため、改善を実現するのは容易ではない。社会の下層に位置づけられる人びとに基本的な教育や保健、年金を提供すべきというセンの指摘は正しい。これらはいずれもモディ政権が数多く公約してきた分野だが、実行面では驚くほど何もなされていないに等しい。上位層、とりわけ富裕層に対しては課税を強化することが重要だ。これは豊かな者を攻撃しようという意味ではなく、額の多寡に関係なく所得税を納めているインド人はわずか一パーセントしかおらず、収入一〇〇〇万ルピー（一五万五〇〇〇ドル）以上の者のなかではわずか五〇〇〇人というばかげた状況に終止符を打つことが主眼だ。[4] アメリカでは「百万長者《ミリオネア》と億万長者《ビリオネア》」は、収入を社会に還元することを求められることが多い。同様のことが起こらない限り、インドで公正な社会が実現される道筋を見出すのは困難だ。

　腐敗の問題については、インドはひとまずよくやっていると言えるだろう。限られた天然資源の配分に競争入札が導入されたことで、かつての巨大汚職スキャンダルはなくなった。近年講じられたさまざまな措置によって、不正防止が進むことが期待されている。[5] 二〇一七年に導入された「物品・サービス税」（GST）や、州の福祉プログラムを「アーダール」と呼ばれる生体認証IDシステムを介して銀行口座と紐付けする試みはそうした例だ。さらに重要なのは、インドの民主制度を担う組織や人びとが危機感を持つようになっていることだ。シンガポールで会ってくれた救国の元会計検査院長、ヴィノード・ラーイは楽観的な見通しを語っていた。「メディアや市民は総じて腐敗に対してはるかに警戒の目を向けるようになっています……この道を後戻りすることはできないと思います」

　とはいえ、現状に甘んじてしまいかねない危険性は残っている。キックバックは、土地取得や地方政府から契約受注まで、政治や行政の世界の大部分でいまなお蔓延している。刑事捜査は遅々として進まず、牢屋行きになった者はほとんどいない。州政府や市政府にはこれまでになく腐敗が広がっており、インドはアジアでもっとも賄賂が横行する国のままだという調査結果を招いている。[6] さらに根の深い問題もある。オックスフォード大学の経済学者ポール・コリアーによると、「いかなる社会であれ、絶対的貧困から脱却するためには、課税、法律、治安という三つの国家制度を整備しなくてはならない」という。[7] インドの場合、三つすべて――歳入機構、地方レベルの司法と警察――で、いまなお独特の腐敗がはびこっている。おそらくこれがもっとも重要な点だが、表に出てこない政治資金システムについては総じて手つかずのままとなっている。これは当然と言えば当然だ。モディはインド史上もっとも多額の費用がかかることが確実な次期下院総選挙で再選をねらっており、そのために資金を調達する必要があるからだ。しかし、「銭力《マネーパワー》」の問題が解決されない限り、縁故主義の問題が解決されることはない。まず必要なのは、政党の資金について全面的な監査を実施すること、それになんらかのかたちで透明もしくは公的な資金調達ができるシステムを導入することだ。

近年腐敗は減少しているが、その大きな理由は恐怖心、とりわけモディ自身が目を光らせていることへの恐れだ。首相の取り組みによって経済面で深刻な影響が生じた。高額紙幣が廃止された際にはとくにそうだったが、経済成長が阻害された一方で汚職対策にはほとんど効果がなかった。腐敗をめぐる不安は民間セクターの投資率を低下させる結果ももたらした(8)。しかし、どのようなプラス面とマイナス面があるにせよ、モディが指導者であるのは一時期のことでしかない。彼の後を継ぐ者は、腐敗に対していまほど口やかましく言うことはないだろう。だからこそ、公正なリーダー個人のみに頼るのではなく、包括的な汚職対策を導入することが重要なのだ。この点が大きな意味を持つのは、インドが発展していくなかで縁故主義が新たなかたちで復活することは確実だからである。きわめて本質的なレベルにおいては、腐敗は成長のなかで生じる作用の一つであり、経済が力強く拡大するときにはふたたび発生することを意味している。これはインフラのような分野——インドは今後二〇年で約四兆五〇〇〇億ドルの投資が必要とされている——でとくに当てはまる(9)。慎重な対応をしていかないと、これだけの規模の費用が動くことで巨大汚職スキャンダルが復活するのに十分な余地を生み出すことになってしまうだろう。

腐敗が開発途上国を蝕むのは、国民に道徳心がないからではなく、往々にして有用だからだ。楽観的に見れば、腐敗は成長の潤滑剤として機能しうる。東アジアの「開発国家」で起きたように、政治指導者が経済的利益をお気に入りの企業に提供するのだから。

サミュエル・ハンチントンが『変革期社会の政治秩序』で解き明かしたように、腐敗による収益は不安定な社会集団を結束させるという役割もある。[10] この点でインドは教科書に載るような典型例だ。キックバックによって政治家はインフラプロジェクトを進めることが可能になり、腐敗によって得られた収益ゆえにニューデリーの政党連合は結束を強めたからだ。ほかの地方でも、支持の見返りによってカースト集団やその他のマイノリティが経済体制のなかで大きな力を持つようになった。

ひと言で言えば、インドは岐路に立っているということだ。二〇〇四年からの一〇年間で、インドは高度成長を謳歌してきたが、腐敗の急増という代償を払わなければならなかった。ここ最近こそ腐敗は減少したものの、それに合わせるかのように成長も減速した。いま多くの者が夢見ているのは、腐敗なき急速な経済拡大だ。しかしそれは総じて幻想と言わざるを得ない。「現実には、腐敗の最適水準はゼロにならない」。ロバート・クリットガードは『汚職をコントロールする（*Controlling Corruption*）』でそう記している。[11] 彼が言わんとしたのは、不当な利益を一掃しようとすれば、許容できないレベルの二次的ダメージをもたらすということだった。「過小な腐敗対策は国を滅ぼす」。ある中国共産党の指導者はそう言ったと伝えられる。これには続きがあって、「過大な腐敗対策は党を滅ぼす」という。[12] 実際には、腐敗対策と発展はトレードオフの関係が続き、インドはモディが掲げてきた高度成長の加速と腐敗撲滅の加速という二大公約の実現にこれからも苦闘していくことになるだろう。

有効なアプローチとして考えられるのは、汚職対策に関する制度改革を進めることだ。天然資源の採掘権交付に競争入札を導入するという数年前の決定はその一例で、腐敗を監視下に置くと同時に、ゆるやかな成長回復を実現することが可能になる。こうした取り組みはより広範な改革の一部として位置づけられるべきだ。これはインドにおける「取引ベース」の資本主義から「ルールベース」の資本主義への移行であり、公的リソースの配分について政治家や官僚による裁量を極力制限するものと説明することができる。[13] とはいえ、こうした改革すら一直線に進めることは容易ではない。フランシス・フクヤマは、腐敗やクライエンテリズムを特徴とする「家産国家」からの移行について、すべての開発途上国にとって将来を決定づける難題と位置づけ、次のように指摘している。「[この移行は]専制的な政治体制から民主主義的な政治体制への移行と比べ、はるかに困難なものになる」(14)

こうした成長と腐敗のバランスは、インドの産業経済における諸問題の核心を突くものだ。負債を抱えたコングロマリットや経営難に陥った銀行といった問題は、モディが首相に就任した時点で十分に認識されていた。ところがこうした問題の解決に向けた取り組みは遅々として進まず、インドは投資面で「失われた一〇年」を経験することになってしまった。ヴィジェイ・マリヤを別にすれば、不正をはたらいてきた経営者で当局による厳しい追及を受けた者はほとんどいない。それどころか、多くの経営者が債務返還に苦しむゾンビ企業を率いるという事態になっている。ムンバイ空港で輝かしい新ターミナルの建設を担ったアーンドラ・プラデーシュ州のコングロマリット、GVKもそうした企業の一つだ。モディ政権は新たな破産法や銀行に対する一連の資本増強策といった重要な措置を講じてはきた。しかし、よりラディカルなオプションは採用されていない。経営に苦しむ政府系金融機関の民営化に着手していないのは最たる例で、大規模な経済を持つ国のなかで政府による金融システムの占有度合いという観点で見ると、インドは中国に次いで政府による占有が大きくなっている。かくもインフラプロジェクトに執心する首相がその推進のために必要な環境を整備することができないでいるというのは、モディにとって皮肉なことだ。取り組むべきオプションは、経営者、銀行、政治家が高度成長期にもたらされた問題のさらなる悪化を食い止めるため痛みを分かち合うような、なんらかの包括的な合意を結ぶことではないだろうか。

寡頭制をめぐるラグラム・ラジャンの警告は、旧来型の腐敗した産業投資システムが破綻する一方で新たな代替策がそれに取って代わる状況にはなっていない状況のもと、既得権益と並んで、機能を果たしていない市場がもたらす脅威が大きなテーマだったことを思い出してほしい。ＲＢＩで話をしたとき、ラグラム・ラジャンは今後の大まかな見取図を示してくれた。「独裁者であれば、［企業と政治家の］結託を断ち切るべく公的サービスの改善を図り、腐敗のレベルを低下させようとすることでしょう。さらに、競争を活発にすることで経済における権力の集中を分散させることにも直接取り組むはずです」。これは、左派的な傾向の学者アシュトーシュ・ヴァルシュネイと中道右派のビジネスマン、ジャヤント・シンハがインドの新たな「金ぴか時代」について二〇一一年に共同執筆した論説で指摘した基本的なポイントと共通している。「いまこそインドは泥棒貴族を抑制しなくてはならない」。二人はそう論じた。しかしそれからの一〇年の大半で、企業の既得権益に対し断固たる対策を講じるべきとの訴えは、ほとんど聞き入れられずにきた。

こうした問題を考えていくと、インドが直面する最後の重要な障壁、すなわち「政府」そのものに関心を向けざるを得なくなる。アメリカの「金ぴか時代」に終焉がもたらされたのは、十九世紀に蔓延したクライエンテリズムが二十世紀の公平かつ能力主義的な行政府によって食い止められたためだった。コーネリアス・ヴァンダービルトのような豪商が築いた権力の集中は、新たに制定された独占禁止法や競争政策によって解体された。基礎的な公共サービスが改善されたことで、政治的な利益供与関係が次第に断ち切られていった。こうしたプロセスは「金ぴか時代」後の数十年で進展していき、一九三〇年代のニューディール時代で完結することになる。

これと同様のブレークスルーをインドで実現するには、よく言われる「国家のキャパシティ」に焦点を当てることが必要だ[15]。腐敗の根絶はこの闘いの一部ではあるが、より賢明な公共政策の策定と実行、そしてさまざまな社会集団に公平な対応ができる国家機構を構築していくという複雑な目標を達成することも必要になってくる。これが実現可能であることは、社会的にも経済的にも巨大な進歩を遂げる一方で、驚愕するほど腐敗が蔓延した中国が有能な国家機構ゆえにそれを克服してきた事例からも明らかだ。「世界の国々を分類する際にもっとも重要な基準とは、政府がどのような形態なのかではなく、政府の統治がどこまで浸透しているかである」。一九六〇年代にサミュエル・ハンチントンはそう記した。[16]「国家のキャパシティ」に劇的な改善が見られなければ、急激な経済成長によって社会が引き裂かれ、大混乱と社会の分断がもたらされかねない。

インドが「国家のキャパシティ」の問題に直面していることは疑いようがない——二〇一七年にわたしがウッタル・プラデーシュを取材した際、シェーカル・グプタはそう指摘した。わたしたちは何日もかけてUP東部をともに旅していた。道路は穴だらけで、インドのなかでももっとも貧しい地域の一つだった。この国は数十年前に飢餓と深刻な貧困が蔓延していたが、それがうかがえるものはほとんどなかった。若い世代はみな学校に通い、高給というわけではないにしても何かしら仕事を見つけていた。携帯電話や洋服も持つようになっていたし、住む家も泥で塗り固められたものではなく、れんが造りだった。しかしその一方で、水や電気の供給は不安定で、外では下水道が整備されず、ごみ収集も行われていなかった。医療制度の不備ゆえに住民の健康状態は悪く、地元の学校は絶望的な状態に陥っていたため教育レベルは低かった。「インド人は資力の制約を受けながら日々を生きていかざるを得ないのです」。グプタはそう指摘する。「かつての貧困と言えば、食べるものにも事欠くという状態を指しました。いまの貧困では、ある程度の発展はあるものの、地方自治体の脆弱さゆえにそれが全員に行き渡っていないのです」

これは当然のことのように聞こえるかもしれないが、開発途上国が高成長を維持するためには政府機構をアップデートすることが不可欠なのだ。「政府機構に大胆な変革を加えない限り、インドの急成長は持続不可能というのがわたしの全体的な見通しです」。ハーヴァード大学の開発経済学者、ダニ・ロドリックはわたしにそう語ったことがあった。ニューデリーの中央政府は航空会社や炭鉱会社を所有するのではなく、監督する立場に転じるべきだ。より一般的なかたちに言い直せば、インド政府は市場の「創出」と「マネジメント」をさらに推進するとともに、基本的な公共サービスを提供できるような制度的インフラを整備する必要があるということだ。インドは経済自由化開始から現在に至るまで、ある「幻想」から悪影響を被ってきた。それは、テクノロジーを活用して現代の競争的資本主義へと「ひとっ飛び」することで、貧困状態から先進国への移行が実現できるというものだ。こうした期待は理解できなくもないが、往々にして、経済発展を実現できる政府機構を構築していくという地道な任務から目をそらすことになってしまっている。

インドが東アジア式の経済成長を模倣する可能性は低そうだが、だからこそ東アジア諸国並みの能力を備えた政府を構築する必要がある。貧困から這い上がり高所得を実現したアジアの国は、製造業を確立し、そこで生産された製品を世界市場に輸出するという手法を例外なくとってきた。伝統的に製造業が貧弱で、ＩＴアウトソーシングに代表されるサービス業が活発なインドの場合、これとは逆のコースをとっているかのように見える。このバランスを変えようとするモディの試みは一部で成果をもたらしているが、中国や韓国のような国がたどったのと同じ道を再現できるかとなると、難しそうだと言わざるを得ない。むしろインドがやらなくてはならないのは、独自のハイブリッドな経済モデルを打ち立てることだ。いかなる状況になろうとも、インドは高収益をもたらす一部のサービス業だけに依存することはできない。もしそうすれば、東アジアの高成長国ではなく中東の産油国のようになってしまうだろう。

これはきわめて難しいことのように聞こえるかもしれないが、それでも楽観的になれる理由は少なくない。インドは世界最大の新興国市場であり、今後も外国からの投資先であり続けるだろう。完璧に機能しているとは言えないまでも、民主主義的な制度——裁判所や規制当局、メディアや政党——は今後の成長に必要な確固たる基盤になる。カオスのように見えるものの、代議制民主主義は安定の源泉であり、共産党による一党支配の中国と対比した場合、この側面は際立っている。こういう言い方もできるだろう。アジアの両大国のうち、五〇年後もいまと同じ政治体制であり続けているのはインドのほうだと考えるほうがはるかに自然である、と。

さらに、まだ手つかずのポテンシャルを持つインド国民の存在がある。わたしと家族は二〇一六年にムンバイの空港を発ち、シンガポールへと引っ越した。きわめて大きな成功を収めたインド人コミュニティがあることで知られている場所だ。これと同じパターンは、一〇カ国を超える世界各地でも見出すことができる。起業家のマニーシュ・サーバルワルは、一九九〇年代に彼自身が渡米したときの話を聞かせてくれたことがあった。フィラデルフィアで凍てつく冬を初めて過ごした後、彼はあることに驚いたという。「留学先のアメリカ人はインド人より頭がいいというわけではないことに気づいたんです。そこでこういう疑問が浮かんできたんです。なぜ彼らのほうが自分たちよりも豊かなのか？と」。バンガロールのホテルで彼はそう語った。アメリカ各地を旅すればするほど、インド系移民は世界各地でそうであるように、大きな経済的成功を手にしているとの思いを強くしていったという。「わたしがたどり着いた結論はシンプルです。ほかの国々とほぼ同じようなレベルでインドでも政府を機能させることができさえすれば、残りの仕事は才能豊かな国民がしっかりとやってみせるだろう、と」

これはまさに一世紀前のアメリカで起きたことだ。「金ぴか時代」後の数十年は「革新主義時代《プログレッシブ》」として知られている。反腐敗キャンペーンによって政治が浄化され、中間層が政府をコントロールするようになった時代で、アメリカ国内でも海外でも永続的かつポジティブな影響をもたらした。当時のアメリカとよく似たかたちで、今日のインドもいずれ到達するであろう超大国への道のとば口に立っている。欧米で民主主義が揺らいでいるなか、インドにおける民主主義の未来はかつてないほどに重要な意味を持つ。過去一〇年で起こった極度の腐敗が再発し、インドが「サフラン色をしたロシア」のような状態に陥ってしまうのではないかと悲観することはない。むしろ、的確な判断力があれば、インド版「金ぴか時代」は新たな「革新主義時代」へと移行し、不平等や縁故資本主義による危機を完全に過去のものにすることができる。「アジアの世紀」の後半をリードせんとするインドの夢――加えて、民主的で自由な未来を求める世界の希望――は、まさにこの移行を成し遂げられるか否かにかかっている。

謝辞

わたしが初めてムンバイを訪れたのは二〇〇七年のことだった。瞬く間にこの街に魅了され、以来、その気持ちはまったく変わっていない。最初の訪問のときからいまに至るまで、アーナンド・ギリダラダスには大いに助けてもらった。彼は「インディゴ・デリ」でコーヒーを飲みながら何時間にもわたって質問に答え、そのあとはわたしに現地で初の食事をと、ムンバイで有名なシーフード料理屋「トリシュナ」に連れていってくれた。コラバのYMCA――のちにわたしが入居することになるマンションから通りを数本挟んだだけの場所にあった――でルームシェアをさせてくれたパブロ・ジェンキンスにも感謝している。実際に会ったことはないのだが、スケートゥ・メヘタの名前も記しておくべきだろう。最初の訪問で、ある友人からメヘタの著書『マキシマム・シティ――ボンベイの喪失と発見(*Maximum City: Bombay Lost and Found*)』を薦められて読んだところ、その五年後に自分が住むことになる大都会への興味が大いにかき立てられた。

ロンドンに戻った後、二〇一〇年に『フィナンシャル・タイムズ』(FT)に入社した。そのころ、将来特派員になれる可能性について妻とキッチンでテーブルを囲んでよく話し合っていたものだった。ムンバイ転勤の話が持ち上がったとき、わたしはこの上なく興奮した。FT入社からわずか一年でムンバイ支局勤務のチャンスが巡ってきたのは、運命のようなものだったかもしれない。それからの歳月で、FTの同僚や友人にはいろいろとお世話になったが、編集委員のリオネル・バーバーにはとくに感謝している。現地のことをほとんど知らないわたしを駐在させ、ビジネスや金融動向の取材に当たらせるというのはかなりのギャンブルだったはずだし、その過程で商業紙の記者として経験が十分でなかったことについてもとやかく言うことなく優しく見守ってくれたのだから。赴任を応援してくれたアレック・ラッセル、着任時に歓迎してくれたジェイムズ・ラモンとヴィクトル・マレ、それにわたしの問題意識を新聞の記事よりも長いかたちにすることについていずれ考えてみてはどうかと提案してくれたエド・ルースにも謝意を表したい。

インドに赴任したのは二〇一一年のことだった。FTのおんぼろ支局――サリー屋の上にあり、木製の階段を四階分上らなくてはならなかった――で、アヴァンティカ・チルコティ、デイヴィッド・コヘイン、ジェイムズ・フォンタネラ・カーン、ニール・ムンシ、マヒンダ・グプタ、カヌプリヤー・カプール、アンドレア・ロドリゲス、ダルシャン・サルヴィといったすばらしい同僚とともに時を過ごすことができたのは本当に幸運だった。インド離任後にポジションを用意してくれたシンガポールのリークアンユー公共政策大学院にも感謝している。このおかげで本書の原稿に取り組むことができたし、脱稿したときにはここが常勤の勤務先になっていた。とくにキショール・マブバニ、ダニー・クア、カンティ・バジパイの名前を記しておきたい。

この種の本を書き上げるには、数多くの知的業績に当たることが必要になってくる。その結果、リビングの本棚はわたしの考えに大なり小なり影響を及ぼした著者による本で埋め尽くされることとなった。ジャヤント・シンハとアシュトーシュ・ヴァルシュネイにはとくに感謝している。赴任前のころ、インドの超富裕層が持つ力について考えるようになったのは、現地の「金ぴか時代」に関する彼らの論考を読んだことがきっかけだった。それ以来、多くの論者がこのテーマについてさまざまな側面から取り上げるようになった。そのなかで、ラナ・ダスグプタ、シッダールタ・デーブ、パトリック・フォーリス、デヴェーシュ・カプール、スニル・キルナーニー、T・N・ニナン、マイケル・ウォルトンの論考から刺激を受けた。

本の執筆というのは、どうしようもないほど孤独な作業だ。しかし、執筆に向けた準備段階ではとにかく社交性が要求される。インドが途方に暮れるほど大きく、さまざまなものが複雑な上に変わり続けている国であるがゆえに、本当に理解できているか確信が持てない状態に置かれがちななかで、これはむしろ幸運なことだった。こうした感情をなんとか克服できたのは、わたしが数々の問題について困惑しているときに、友人が質問に応じて親切に答えてくれたおかげである。

なかでも、以下の方々との会話から計り知れないほど多くのことを学ばせてもらった。リューベン・エイブラハム、スワミナタン・アイヤール、ムクリカ・バネルジー、ジャグディーシュ・バグワティ、サンジェイ・バンダルカル、スルジット・バッラ、シッダールタ・バティア、キャサリン・ブー、プラヴィーン・チャクラヴァルティ、サジッド・チノイ、グルチャラン・ダース、ゴーラヴ・ダルミア、ガーソン・ダ＝クンハ、ウィリアム・ダーリンプル、リーダム・デーサーイー、サダナンド・ドゥメー、アミターブ・ドゥベイ、ナレーシュ・フェルナンデス、アーナント・ゴエンカ、ハルシュ・ゴエンカ、アントニー・グッド、ラーマチャンドラ・グハ、ニシッド・ハジャリ、イシャート・フセイン、クマール・アイヤール、ザヒール・ジャンモハメド、アカーシュ・ケサヴァン、マンジート・クリパラニ、ジャイディープ・カンナ、パーラグ・カンナ、ムクル・メヘタ、ソーラブ・ムケルジア、アーナント・ナート、P・J・ナヤク、サンジェイ・ナヤール、ナンダン・ニレカニ、ニティン・パイ、アヌヴァーブ・パル、ディーパンジャナ・パル、ジェイ・パンダ、ニック・ポールソン＝エリス、バシャラット・ピール、スタンレー・ピグナル、エスワール・プラサード、ナマン・プガリア、ヴィノード・ラーイ、ラグラム・ラジャン、アダム・ロバーツ、アラン・ロスリング、ヴィジェイ・サンカール、アマルティヤ・セン、ニーランジャン・シルカール、ルチール・シャルマ、アルン・ショーリー、アルヴィンド・スブラマニアン、シャシ・タルール、マーク・タリー、シッダールタ・ヴァラダラジャーン、ジル・ヴェルニエ、アディル・ザイヌルバイ。

著者は原稿の下読みを友人に依頼するが、頼まれた側にとってはこれほど大きな負担に感じることはないだろう。にもかかわらず、多くの友人が喜んで、そして時間を厭わず各章に目を通し、乱雑な状態だった最初のドラフトに対して親切なフィードバックを与えてくれた。この点でとくに感謝したいのは、以下の方々である。セバスティアン・アボット、サラ・アブド、ビラール・バローチ、ラーフル・バティア、アニルダ・ダッタ、ヘンリー・フォイ、バーニー・ジョプソン、ラグー・カルナード、マダヴ・コースラ、ニールカーント・ミシュラ、スプリヤー・ナヤール、ゴータム・ペンマラジュ、サンジーヴ・プラサード、ニーランジャン・ラージャドヤクシャ、ジョナサン・シャイニン、ミヒル・シャルマ、ミラン・ヴァイシュナヴ。

ほかにも感謝の気持ちを表したい友人が何人もいる。取材を進めていくなかで、さまざまなかたちで助けてくれた次の方々だ。スリパルナ・ゴーシュ、マヘーシュ・ランガー、ウィル・ペリン、フラン・セインズベリー、キャサリン・ケイシー、ラーマン・ナンダ、ホリー・エドガー、キラン・スティシー。なかでもとくに謝意を表したいのは、リサーチ・アシスタントを務めてくれたマリヤム・ハイダルである。彼女は資料の調査を緻密に行い、事実を掘り出し、注を入念にチェックし、本文の内容が間延びしそうなときには的確に指摘してくれた。

本を出すという企画は、アイデアが半分しか固まっていない状態でもリスクを承知で採用してくれる人がいて初めて成立する。その意味で、ワン・ワールド、クラウン、ハーパーコリンズの三社に感謝している。それまで本を書いたことがなかっただけに、わたしの作業に惜しみない協力を提供してくれた各出版社からなるチームと出会えたことは本当に幸運としか言いようがない。とくに、サム・カーター、ジョナサン・ベントレー・スミス、ティム・ダガン、ウィル・ウルフスロー、ウダヤン・ミトラと一緒に仕事ができたことは楽しかった。そしてトビー・ムンディのような真摯かつ協力的なエージェントがついてくれたことは、何にも増して恵まれていた。彼のすばらしいユーモアと激励がなかったら、最初の企画書ができることはなかっただろうし、その結果としての本書が完成することもおそらくなかっただろう。

しかし、このプロセスを通じて妻のメアリーほど執筆作業に協力してくれた存在はいない。まず何よりもわたしのインド駐在に乗り気だった。そして、お互いの人生のなかで最大の冒険だったこの経験を通じてパートナーでいてくれた。本の執筆というアイデアが出た最初のときからとても強く賛成してくれたのは彼女だった。それ以来、想像以上のプレッシャーをわたしにかけてくれ、午前中の早い時間になかなか執筆作業を始めようとしないときはとくにそうだった。彼女が手助けをしてくれたことにはこれからもずっと感謝するだろう。なんと言っても彼女はわたしが知るなかで最良の校正者であり編集者だったのだから。誰よりも世話になった彼女に、わたしの愛と感謝の気持ちを贈りたい。

二人の子ども――インドで生まれたアレクサンダーとわたしが本書の第一稿を提出したちょうど数日後にシンガポールで生まれたソフィー――は、わたしが彼らの母親にどれほど助けてもらったかを理解できるような年齢にはまだ達していない。とはいえ、彼らが成長したときに、幼かったころ父が本の関係で注意散漫だったことを許し、執筆過程を通じて二人が喜びと刺激の源泉だったことを理解してくれるのではないかと願っている。最後に、両親には尽きることのない感謝の気持ちをずっと抱いている。幼いころから文章を書きたいという熱意を持ってきたわたしを温かく応援してくれたし、わたしの人生のなかでいつも計り知れないほど大きな協力をしてくれたことを大切に思っている。変わらぬ愛情とともに、本書を両親に捧げたいと思う。

訳者あとがき

わたしは二〇〇八年から一〇年にかけて、首都デリーに住んでいた。外務省の専門調査員という立場で現地の日本大使館に勤務し、インド情勢をフォローしていた。そのなかで日々実感していたのは、インドの急激な発展ぶりだった。インドは世界金融危機の影響を受けはしたものの米欧ほど傷は深くなく、〇九年には八パーセント近いGDP成長率を記録し、文字どおりの「V字回復」を達成していた。デリーの街は一〇年秋の「英連邦競技大会」に向けてインフラ整備が急ピッチで進められていた。政治面では〇九年の総選挙で与党・国民会議派が議席を伸ばし、第二次マンモーハン・シン政権が発足したことで、経済改革に弾みがつくのではとの期待が高まった（当時人気を博したボリウッド映画のタイトルをそのまま拝借して「シン・イズ・キング」と言われたものだった）。「台頭するインド」に対する国際的な関心が急速に高まり、盛んに議論されるようになったのもこのころだ。

デリーのインディラ・ガンディー国際空港の変貌も強く印象に残っている。着任時には本当にこれが首都の玄関口かと疑問に感じるほど狭く薄暗いターミナルだったのが、離任時には見違えるほど広々として内装もスタイリッシュな新ターミナルが開業していたのだ。まさにあの二年間でインドに生じた変化を象徴するものだと感じた。

ところが、その高揚は長続きしなかった。二期目に入ったシン政権では巨大な汚職疑惑が次々に浮上し――本書でいう「汚職の季節」だ――、メディアはこの問題を連日取り上げ、腐敗の蔓延に対する国民の怒りは日に日に増していった。景気も減速に転じ、インフレが進行して物価が上昇したことで、庶民の生活が大打撃を受けた。二〇一四年の総選挙でナレンドラ・モディ首相候補が「経済再生」を掲げてBJPを勝利に導き、その一方で国民会議派は歴史的大敗を喫したのは、ある意味必然だったと言える。

本書は「億万長者」あるいは「大富豪」を軸に据えて、現代インドという途方もなく巨大で手強いテーマに取り組んだ骨太のノンフィクションだ。著者のジェイムズ・クラブツリー氏は『フィナンシャル・タイムズ』のムンバイ支局長として二〇一一年に赴任し（ちょうどわたしとは入れ違いということになる）、一六年まで約五年間にわたり激動のインドを取材してきた。プライベートジェットに同乗して若き大物経営者に話を聞きに行ったかと思えば、BJPの地方支部に足を運び、選挙の大勝に酔いしれる支持者の様子を確かめに行く。あるときはロンドンに飛んで事実上の逃亡生活を送る豪商の言い分に耳を傾け、またあるときはウッタル・プラデーシュの小さな町で人びとに身近な腐敗の現状を尋ねる。こうした多方面にわたる取材をもとに、数々の大富豪の興亡と彼らがいかに政治との関係を構築してきたか、インドを蝕む腐敗――それは国民的スポーツのクリケットにも及んでいる――の実態、煽情的な傾向を強めるニュースメディアといった巨大国家の諸側面に切り込んでいる。クラブツリー氏にとっては本書が初の著書というが、冷静さと客観性を失わずに、それでいて現場の空気感をしっかりと伝え、込み入った経緯を平易に解きほぐしていく彼の筆致に舌を巻いた。著者が描き出すインドの「光と影」に対し、ときにうなずき、ときに考えさせられながら、原書で四〇〇ページを超える本書を一気に読み進めていった。

原題 *The Billionaire Raj: A Journey Through India's New Gilded Age*（ビリオネア・ラージ――インドの「新・金ぴか時代」をめぐる旅）についても付言しておきたい。本文中でも説明されているが、インドではイギリス植民地時代のことを「ブリティッシュ・ラージ」と呼ぶ。「ラージ」は「統治」あるいは「支配」を意味するヒンディー語だ。これが独立後には「ライセンス・ラージ」に取って代わられる。政府がさまざまな規制で民間を厳しく統制し、許認可を通じて絶大な権力を行使する制度のことで、市場経済と計画経済の両側面を併せ持つインドの混合経済体制を象徴する名称だった。規制の多くや政府による統制が一九九一年以降に撤廃されたことで「ライセンス・ラージ」は終焉を迎えたが、経済自由化のもとで億万長者が次々と生まれ、彼らが所有するコングロマリットの多くは単なる私企業以上の存在感と影響力を発揮するようになった。わたしがインドに着任した二〇〇八年にはダニー・ボイル監督の映画『スラムドッグ$ミリオネア』が大ヒットしたが、そのころすでにミリオネアどころかビリオネアが幅を利かせ、さらなる膨張を続けていたのだ。『ビリオネア・ラージ』というタイトルに著者はそんな経緯と意味を込めたのではないかとわたしは感じた。

副題に「金ぴか時代」という言葉が使われているのも興味を引かれた。本書の第1章で詳しく説明されているように、これはもともと十九世紀後半のアメリカで起きた、資本主義が急激に拡大する一方で金権政治や腐敗が蔓延した時代を指すものだ。どうやら米欧の観点では、インドに限らず二十一世紀のアジアの高度成長は、この「金ぴか時代」を髣髴とさせるものらしい。というのも、わたしは現代中国の諸相を描いた『ネオ・チャイナ』（白水社刊）の翻訳を担当したことがあるが、著者でアメリカ人のエヴァン・オズノス氏も同書で当時の中国のことを「金ぴか時代」になぞらえて説明していたからだ。アメリカでは「金ぴか時代」の後に「革新主義時代」が訪れた。クラブツリー氏は、それと同じようにインドでも今後、改革が実行され政治や経済の透明性が高まり、より公正な社会が実現することになるだろうか、と問いを投げかけている。インドが一世紀前のアメリカと同じ道をたどるかどうかはわからない。巨大な人口や経済格差、地域・言語・民族の多様性、そしてカーストといったインド特有の要素を踏まえると、また別の発展方向があるのではないかという気にもさせられる。

翻訳作業が終盤に入ったころ、COVID‐19の感染が世界規模で拡大していた。未知のウィルスのパンデミックからインドも無縁ではなく、二〇二〇年四月以降、感染者が増加しはじめた。ほかのアジア諸国同様、死者数こそ低水準にとどまっているとはいえ、なにせ一四億近い膨大な人口大国だけに、いったん感染が拡大し始めると増加幅も大きい。政府は「世界最大のロックダウン」とも呼ばれる厳しい都市封鎖を全土で行ったが、本稿執筆時点で終息の見通しは立っていない。死亡率こそ比較的低水準にとどまっているものの、七月中旬には累計感染者数が一〇〇万人の大台を突破した。「台頭」の最大の根拠となっていた経済の高度成長にも急ブレーキがかかり、世界銀行は、二〇二〇年のインドのGDP成長率はマイナス三・二パーセントになるとの予測を示している。一九七九年以来、最悪の状態だという。本書の序章では「予見不可能な要素を別にすれば、インドは今世紀半ばまでに経済規模でアメリカを抜き、さらに中国をも上回る可能性すらある」と記されているが、まさにその「予見不可能」な事態が生じてしまったのである。

こうしたなかで、本書に登場する大富豪たちも大きな影響を被っている。たとえばリライアンス・インダストリーズを率いるムケーシュ・アンバニは社員の雇用を守るとしながらも給与カットは避けられず、自身の報酬についても当面全額返上すると表明した。凄腕投資家のラケーシュ・ジュンジュンワーラーは、四月だけで約二五億ルピー（約三五億五〇〇〇万円）もの損失を被ったという。クリケットのインド・プレミアリーグ（IPL）も二〇二〇年は無期限延期となってしまった。政権を率いるモディ首相も厳しい立場に置かれている。二〇一九年五月の総選挙では前回を上回る圧勝を手にして二期目は盤石かに見えたものの、COVID‐19の感染拡大に加え、東部では巨大サイクロン襲来、西部ではバッタの大量発生と深刻な自然災害にも見舞われている。ただ、こうした未曾有の局面のなかでも強気の姿勢を失わないのがインドの魅力だ。アダニ・グループのゴータム・アダニは「いまこそインドに賭けを張るべきとき」と言えば、モディ首相もこの危機をチャンスに変えて「自立するインド」を築こうと呼びかけている。リライアンス・インダストリーズのデジタル事業統括子会社「ジオ・プラットフォームズ」――ムケーシュ・アンバニ肝煎りの携帯電話サービス「ジオ」もここに含まれる――は、四月から五月にかけてフェイスブックなどから総額一五二億ドルもの資金を調達した。さらに七月にはビデオ会議システム「ジオミート」をリリースし、急速に高まるテレワーク需要に対応しようとするなど、攻勢に出ている。

COVID-19終息後のインドがどのような姿を見せるのか。あるいは、新しい世界のなかでどのように動いていくのか。クラブツリー氏は現在、シンガポールに拠点を置き、リークアンユー公共政策大学院の実務准教授を務めるかたわら『NIKKEI ASIAN REVIEW』をはじめ日米欧の主要紙誌で精力的に記事を発表しているとのことだが、彼にインドの現在と今後をどう見るかを聞いてみたいと思っている。

今回も白水社編集部の阿部唯史さんにはたいへんお世話になった。わたしが本書の翻訳を提案したときからその魅力と意義を高く評価し、企画の採択から最終段階に至るまでのあらゆる工程で真摯にコミットしてくださった。阿部さんから丁寧かつ的を射た助言をいただいたことで、数々の気づきを得たり、問題を解決することができたりした。作品のよき理解者であり、書き手にとっての伴走者である編集者という存在がいることで、こうして本を世に送り出せるということをあらためて実感した。この場を借りて、心からの御礼の気持ちを表したい。

二〇二〇年七月

笠井亮平

原注

プロローグ

(1) Vinay Dalvi, "Aston Martin in Rs4.5 Cr Pile-up on Mumbai's Pedder Road", *Mid-day*, December 9, 2013.
(2) Mustafa Shaikh, "Car Was Not Driven by Chauffeur: Witness", *Mumbai Mirror*, December 10, 2013.
(3) Ibid.
(4) "Aston Martin Crash: RIL Worker Identified as Driver", *Hindustan Times*, December 26, 2013.
(5) Naazneen Karmali, "The Curious Incident of Mukesh Ambani's Aston Martin in the Night-Time", *Forbes*, January 2, 2014.
(6) "Mumbai Police Chases Whodunnit in Aston Martin Car Crash", *Business Standard India*, December 13, 2013.

序章

(1) "Special Feature: Residence Antilia", *Sterling*, July 2010.
(2) Rajini Vaidyanathan, "Ambanis Give First View inside 'World's Priciest House' in Mumbai", BBC News, May 18, 2012.
(3) Naazneen Karmali, "India's 100 Richest 2017: Modi's Economic Experiments Barely Affect Country's Billionaires", *Forbes*, October 4, 2017.
(4) Gandhi and Walton, "Where Do India's Billionaires Get Their Wealth?".
(5) Naazneen Karmali, "For the First Time, India's 100 Richest of 2014 Are All Billionaires", *Forbes*, September 24, 2014.
(6) Karmali, "India's 100 Richest 2017".
(7) *Global Wealth Report 2016*.
(8) Gandhi and Walton, "Where Do India's Billionaires Get Their Wealth?"
(9) Maddison, *The World Economy*.
(10) Ibid.
(11) Joshi, *India's Long Road*, p. 37.
(12) Ministry of Finance, Government of India, *Economic Survey 2016/17*, p. 41.
(13) 2017年7月、ボンベイ証券取引所のBSE500のデータによると、取引対象株式（プロモーターおよび企業オーナーの保有分は含まれない）のうち、外国機関投資家の保有率は42パーセントだった。プロモーターや企業オーナーが保有する株式を含めた場合、外国機関投資家の保有率は21パーセントになる。
(14) "Press Release: Remittances to Developing Countries Decline for Second Consecutive Year", World Bank, April 21, 2017. India sent home $62.7 billion in 2016.
(15) "What the World Thinks about Globalisation", *The Economist*, November 18, 2016.
(16) Dasgupta, *Capital*, p. 44.
(17) Drèze and Sen, *An Uncertain Glory*, p. ix.

(18) Raghuram Rajan, "Is There a Threat of Oligarchy in India", University of Chicago, September 10, 2008.
(19) *Global Wealth Report 2016.*
(20) Chancel, L. and Piketty, T., "Indian income inequality, 1922-2014"; *Global Wealth Databook 2016*, p. 148.
(21) S. Sukhtankar and M. Vaishnav, "Corruption in India: Bridging Research Evidence and Policy Options", University of Dartmouth, April 27, 2015, p. 3.
(22) CMS Transparency, "Lure of Money in Lieu of Votes in Lok Sabha and Assembly Elections", p. 7.
(23) Rajesh Kumar Singh and Devidutta Tripathy, "India Moves Resolution of $150 Billion Bad Debt Problem into RBI's Court", Reuters, May 6, 2017.
(24) Hofstadter, *The Age of Reform*, p. 11.
(25) T. N. Ninan, "India's Gilded Age", *Seminar*, January 2013.
(26) Twain and Warner, *The Gilded Age*.
(27) Francis Fukuyama, "What Is Corruption?", Research Institute for Development, Growth and Economics, 2016.
(28) Jayant Sinha and Ashutosh Varshney, "It Is Time for India to Rein In Its Robber Barons", *Financial Times*, January 7, 2011.
(29) Gapminder.orgの集計によるもので、2005年の為替レートに基づく国際比較により2013年のインドの一人当たりGDPが算出されている。この調査結果は以下の文献で引用されている。Dylan Matthews and Kavya Sukumar, "India Is as Rich as the US in 1881: A Mesmerizing Graphic Shows Where Every Country Falls", *Vox*, October 8, 2015.
(30) Tom Mitchell, "India May Be More Populous than China, Research Suggests", *Financial Times*, May 25, 2017.
(31) Hoornweg and Pope, "Socioeconomic Pathways and Regional Distribution of the World's 101 Largest Cities".
(32) "India: Data", World Bank, 2016. India's GDP was $2.3 trillion in 2016. The UK's was $2.6 trillion.
(33) "The World in 2050: Will The Shift in Global Economic Power Continue?", PricewaterhouseCoopers, February 2015.
(34) Rorty, "Unger, Castoriadis, and the Romance of a National Future", p. 34.
(35) Ibid.
(36) Fitzgerald, *The Great Gatsby*, p. 136.

第1章◉アンバニランド

(1) Rajarshi Roy, "An Ambani Changes His Family Address", *Times of India*, May 16, 2002.
(2) Sarah Rich, "Perkins + Will's Antilla [*sic*] 'Green' Tower in Mumbai", *Inhabitat*, October 25, 2007.
(3) アンティリア建設費の正確な額はこれまで公表されていない。複数の推計があるが、かなり幅がある。引用されることが多い「10億ドル」とする推計の出所は以下を参照。Alan Farnham and Matt Woolsey, "No Housing Shortage Here: Antilia is the World's Most Expensive House", *Forbes Asia*, May 19, 2008.『ニューヨーク・タイムズ』は2008年、リライアンスの広報担当者の話として「5000万ドルから7000万ドル」を要したと報じている。
(4) Joe Leahy, "Brothers in the News: Anil and Mukesh Ambani", *Financial Times*, October 24, 2009.
(5) Piramal, *Business Maharajas*, p. 19.

(6) McDonald, *Mahabharata in Polyester*, p. 49.
(7) Nasrin Sultana and Kalpana Pathak, "The Grand Spectacle That Is the RIL Annual General Meeting", *Livemint*, July 22, 2017.
(8) "Shourie's 180-Degree Turn with Dhirubhai", *Financial Express*, July 7, 2003.
(9) McDonald, *Mahabharata in Polyester*, p. 342.
(10) Naazneen Karmali, "India's 40 Richest", *Forbes*, December 15, 2005.
(11) Luisa Kroll, ed., "The World's Billionaires", *Forbes*, March 5, 2008.
(12) Ibid.
(13) Diksha Sahni, "Mukesh Ambani's Luxury Home under Scanner", *Wall Street Journal*, August 3, 2011.
(14) Sudhir Suryawanshi, "This Is No Light Bill", *Mumbai Mirror*, November 24, 2010.
(15) Vikas Bajaj, "Mukesh Ambani's 27-Story House Is Not His Home", *New York Times*, October 18, 2011.
(16) James Reginato, "The Talk of Mumbai", *Vanity Fair*, June 2012.
(17) Jayyusi, ed., *The Legacy of Muslim Spain*, vol. 1, p. 274.
(18) Damian Whitworth, "Ratan Tata: The Mumbai Tycoon Collecting British Brands", *The Times*, May 21, 2011.
(19) James Crabtree, "Slumdog Billionaires: The Rise of India's Tycoons", *New Statesman*, June 5, 2014.
(20) Pei, *China's Crony Capitalism*, pp. 7-8.
(21) James Crabtree, "India's New Politics", *Financial Times*, April 25, 2014.
(22) Misra, *Rediscovering Gandhi, vol. 1*, p. 61.
(23) James Crabtree, "Mumbai's Towering Ambitions Brought Low by Legal Disputes", *Financial Times*, October 10, 2014.
(24) Stiles, *The First Tycoon*, p. 23.
(25) Steve Fraser, "The Misunderstood Robber Baron: On Cornelius Vanderbilt", *The Nation*, November 11, 2009.
(26) Michelle Young, "A Guide to the Gilded Age Mansions of 5th Avenue's Millionaire Row", *6sqft*, July 30, 2014.
(27) Vanderbilt, *Fortune's Children*, ch. 3.
(28) Neider, ed., *Life As I Find It*, p. 42.
(29) Raghuram Rajan, "Finance and Opportunity in India", Reserve Bank of India, 11 August 2014.
(30) Crabtree, "India's New Politics".
(31) Amy Kazmin and James Crabtree, "Ambani Gets Highest-Level Security Cover", *Financial Times*, April 22, 2013.
(32) "Hyper Growth Platforms of Value Creation", chairman's statement, forty-first annual general meeting, Reliance Industries Limited, June 12, 2015.
(33) "Four Decades of Serving India", chairman's statement, fortieth annual general meeting post IPO, Reliance Industries Limited, July 21, 2017.
(34) James Crabtree, "The Corporate Theatrics in India of Reliance's Reclusive Tycoon", *Financial Times*, June 15, 2015.
(35) "Jio Not a Punt, Well Thought-Out Decision, Says Mukesh Ambani: Full Transcript", NDTV, October 21, 2016.
(36) "Operationalising Hyper Growth Platforms of New Value Creation for a Prosperous and

Inclusive India", chairman's statement, 39th annual general meeting post IPO, Reliance Industries Limited, September 1, 2016.
(37) "Auction Rigged, Cancel Broadband Spectrum Held by Reliance Jio, CAG Report Says", *Times of India*, June 30, 2014.
(38) "The Spectrum Auction Was Rigged", *Frontline*, September 30, 2016.
(39) "Union Compliance Communication", Report No. 20, Comptroller and Auditor General of India, 2015, ch. 3.
(40) たとえば以下を参照。"Report of the Comptroller and Auditor General of India for the year ended March 2015", Comptroller and Auditor General of India, 2016, ch. 14, p. 103.
(41) Anand Giridharadas, "Indian to the Core, and an Oligarch", *New York Times*, June 15, 2008.
(42) "Anil Ambani Sues Mukesh for Rs10,000 Crore", *Livemint*, September 25, 2008.
(43) Crabtree, "India's New Politics".
(44) "An Unloved Billionaire", *The Economist*, August 2, 2014.
(45) Joseph Schumpeter, *Capitalism, Socialism and Democracy*, p. 82.
(46) "India May Be Challenging Today, but the India of Tomorrow Will Be Fulfilling: Mukesh Ambani", *Financial Express*, March 18, 2017.

第2章◉栄光の時代の幕開け

(1) Danny Fortson and Oliver Shah, "Qatari Royals Splash £120m on London Terrace", *Sunday Times*, April 28, 2013.
(2) "Fugitive Vijay Mallya's Extradition Hearing Scheduled for Today in London", *Times of India*, June 13, 2017.
(3) Rupert Neate, "Force India F1 Team Boss Vijay Mallya Arrested in London", *The Guardian*, April 18, 2017.
(4) "Indian Tycoon Mallya's Yacht Impounded in Malta Over Wage Dispute," Reuters, March 7, 2018.
(5) Dilip Bobb, "The King's Ransom", *Financial Express*, October 28, 2012.
(6) Madhurima Nandy and Sharan Poovanna, "Vijay Mallya's $20 Million 'Sky Mansion' in Bengaluru Is Almost Ready. But Will He Get to Live in It?", *Livemint*, March 20, 2017.
(7) Aliya Ram, "India Charges Ex-Kingfisher Chief Vijay Mallya", *Financial Times*, January 25, 2017.
(8) Amy Kazmin and Helen Warrell, "Vijay Mallya Arrested by UK Police", *Financial Times*, April 18, 2017.
(9) Suzi Ring, "Vijay Mallya Says 'Keep Dreaming' about 'Billions of Pounds' ", *Livemint*, June 14, 2017.
(10) Amy Kazmin and Naomi Rovnick, "Vijay Mallya Re-Arrested in Money Laundering Case", *Financial Times*, October 3, 2017.
(11) "Big Bash for Beer Baron", *Hindustan Times*, December 27, 2005.
(12) James Boxell, "Kingfisher Order Gives Welcome Lift to Airbus", *Financial Times*, June 16, 2005.
(13) Naazneen Karmali, "Vijay Mallya Drops out of Billionaire Ranks", *Forbes*, October 25, 2012.
(14) Simon Briggs, "Vijay Mallya in Race to Become an F1 Force", *The Telegraph*, February 8, 2008.
(15) Tom Dalldorf, "Mendocino Brewing's Owner in Financial Quagmire: Billionaire Vijay Mallya under Siege", *Celebrator*, August 2016.
(16) Mihir Dalal and P. R. Sanjai, "How Vijay Mallya Inherited an Empire and Proceeded to Lose It", *Livemint*, February 27, 2016.

(17) Maiya, *The King of Good Times*, Introduction.
(18) Shekhar Gupta, "Vijay Mallya Story Is More about Our Easy Embrace of Cronyism", *Business Standard*, March 11, 2016.
(19) Heather Timmons, "Indian Tycoon Spreads His Wings in Aviation", *New York Times*, June 21, 2007.
(20) "Vijay Mallya: The Spirit Shall Prevail", *Times of India*, April 22, 2002.
(21) "Conflict of Interest? Baron on House Panel on Businessman", *Times of India*, March 11, 2016.
(22) Dev Kapur, Milan Vaishnav and Neelanjan Sircar, "The Importance of Being Middle Class in India", Milan Vaishnav Files, 2011, p. 4.
(23) Charlie Sorrel, "World's Lowest Tech Flight Sim in India", *Wired*, October 10, 2007.
(24) Tom Peters, "Sir, May I Clean Your Glasses?", tompeters! blog, October 2009.
(25) "India without Gandhi", *The Economist*, 1948.
(26) Nehru, *Toward Freedom*, p. 274.
(27) William Dalrymple, "The Bloody Legacy of Indian Partition", *New Yorker*, June 29, 2015.
(28) Baisya, *Winning Strategies for Business*, p. 88.
(29) Raghu Karnad, "City in a Bottle", *The Caravan*, July 1, 2012.
(30) Srinivasan and Tendulkar, *Reintegrating India with the World Economy*, p. 16.
(31) James Crabtree, "Game of Thrones with World Chess Champion Vishwanathan Anand", *Financial Times*, November 1, 2013.
(32) C. Rangarajan, "1991's Golden Transaction", *Indian Express*, March 28, 2016.
(33) "Secret Sale of Gold by RBI Again", *Indian Express*, July 8, 1991.
(34) "July 1991: The Month That Changed India", *Livemint*, July 1, 2016.
(35) Saurabh Sinhal, "Vijay Mallya Flew Jet First Class to London with 7 Heavy Bags", *Times of India*, March 11, 2016.
(36) "Go Kingfisher", *Siliconeer*, April 2006.
(37) Peter Marsh, "Arcelor and Mittal Agree to €27bn Merger", *Financial Times*, June 26, 2006.
(38) Joshi, *India's Long Road*.
(39) Scheherazade Daneshkhu, "Diageo Sues Vijay Mallya over United Spirits Agreement", *Financial Times*, November 17, 2017.
(40) Sankalp Phartiyal, "SEBI bars liquor tycoon Vijay Mallya from capital markets", Reuters, January 26, 2017.
(41) Ashok Malik, "The Art of Flying on Froth", *Tehelka*, October 30, 2012.

第3章◉ボリガルヒの台頭

(1) Jim Yardley and Vikas Bajaj, "Billionaires' Rise Aids India, and Vice Versa", *New York Times*, July 26, 2011.
(2) Gowda and Sharalaya, "Crony Capitalism and India's Political System", p. 140.
(2) James Crabtree, "Gautam Adani, Founder, Adani Group", *Financial Times*, June 16, 2013.
(4) Naazneen Karmali, "For the First Time, India's 100 Richest of 2014 Are All Billionaires", *Forbes*, September 24, 2014.
(5) Vinod K. Jose, "The Emperor Uncrowned", *The Caravan*, March 1, 2012.
(6) Piyush Mishra and Himanshu Kaushik, "Fleet of 3 Aircraft Ensures Modi Is Home Every Night after Day's Campaigning", *Times of India*, April 22, 2014.
(7) "Adani Ports & SEZ Get Environmental, CRZ Nod for Mundra SEZ", Adani media release, 16

July 2014.

(8) Rohini Singh, "Rahul Gandhi's Office Had Requested Jayanthi Natarajan's Ministry to Look into Adani Port and SEZ", *Economic Times*, July 24, 2014.

(9) "Achievements of Ministry of Shipping", National Informatics Centre, Government of India, p. 12.

(10) "Ancient Stone Anchor May Offer Clues to Indo-Arabian Maritime Trade", *The National*, May 23, 2012.

(11) Das, "India: How a Rich Nation Became Poor and Will Be Rich Again".

(12) Dhingra, *Life behind the Lobby*.

(13) Kerry A. Dolan, "Forbes 2017 Billionaires List: Meet the Richest People on the Planet", *Forbes*, March 20, 2017.

(14) Luisa Kroll, "The World's Billionaires", *Forbes*, October 3, 2010.

(15) "India's 100 Richest Are All Billionaires; Mukesh Ambani Tops List", *Indian Express*, September 25, 2014.

(16) Jayant Sinha, "Share Your Billions with Our Billion", *Outlook Business*, November 1, 2008.

(17) Ibid.

(18) Bremmer, *The Fat Tail*, p. 196.

(19) Rajakumar and Henley, "Growth and Persistence of Large Business Groups in India".

(20) Thomas L. Friedman, "It's a Flat World, After All", *New York Times*, April 3, 2005.

(21) Richard Waters, "Business Pioneers in Technology", *Financial Times*, March 31, 2015.

(22) *Foreign Affairs*, July-August 2006.

(23) James Crabtree, "India's Billionaires Club", *Financial Times*, November 16, 2012.

(24) Raghuram Rajan, "Is There a Threat of Oligarchy in India?", September 10, 2008.

(25) Raghuram Rajan, "What Happened to India?", Project Syndicate, June 8, 2012.

(26) Gandhi and Walton, "Where Do India's Billionaires Get Their Wealth?".

(27) Michael Walton, "An Indian Gilded Age? Continuity and Change in the Political Economy of India's Development" (unpublished working paper, January 2017).

(28) Sharma, *The Rise and Fall of Nations*, ch. 3.

(29) Ruchir Sharma, "Billionaires can be both good and bad. Ruchi Sharma shows how to tell apart.", Scroll.in, June 14, 2016.

(30) Khatri and Ohja, "Indian Economic Philosophy and Crony Capitalism", p. 63.

(31) Alvaredo et al., "The Top 1 Percent in International and Historical Perspective".

(32) Freund, *Rich People Poor Countries*, p. 3.

(33) *Global Wealth Report 2016*.

(34) Ibid.

(35) Freund, *Rich People Poor Countries*, p. 4.

(36) Ibid.

(37) "The Retreat of the Global Company", *The Economist*, January 28, 2017.

(38) Jagdish Bhagwati, "This Is How Economic Reforms Have Transformed India", December 3, 2010.

(39) Bhagwati and Panagariya, *Why Growth Matters*, pp. 44-55.

(40) Jagdish Bhagwati, "Scaling Up the Gujarat Model", *The Hindu*, September 20, 2014.

(41) Drèze and Sen, *An Uncertain Glory*, ch. 1.

(42) Amartya Sen, "Quality of Life: India vs. China", *New York Review of Books*, May 12, 2011.

(43) Branko Milanovic, "The Question of India's Inequality", globalinequality blog, May 7, 2016.
(44) Nisha Agrawal, "Inequality in India: What's the Real Story?", World Economic Forum, October 4, 2016.
(45) Jain-Chandra et al., "Sharing the Growth Dividend".
(46) *Global Wealth Report 2016.*
(47) Chakravarty and Dehejia, "India's Income Divergence".
(48) ADB の報告書は、「不平等の拡大がなければ、インドの貧困率は 32.7 パーセントから 29.5 パーセントに減少していたことだろう」と結論づけている。Kang, "Interrelation between Growth and Inequality".
(49) Era Dabla-Norris, Kalpana Kochhar, Nujin Suphaphiphat, Frantisek Ricka and Evridiki Tsounta, "Causes and Consequences of Income Inequality : A Global Perspective", International Monetary Fund, June 15, 2015.
(50) James Crabtree, "Gautam Adani, Founder, Adani Group", *Financial Times*, June 16, 2013.
(51) "Gautam Adani Kidnapping Case: Underworld Don Fazl-Ur-Rehman Produced in Ahmedabad Court", DNA, August 11, 2014.
(52) Deepali Gupta, "Why India Inc's on the Dance Floor", *Economic Times*, February 14, 2013.
(53) Megha Bahree, "Doing Big Business in Modi's Gujarat", *Forbes*, March 12, 2014.
(54) Tony Munroe, "Billionaire Adani Prospers as Modi Stresses Development", Reuters, April 10, 2014.
(55) Google ファイナンスによると、モディが総選挙で勝利した 2014 年 5 月 16 日、アダニ・エンタープライズの株価は 137 パーセント上昇した。
(56) Manas Dasgupta, "CAG Slams Modi Regime for Financial Irregularities", *The Hindu*, March 31, 2012.
(57) P. R. Sanjai, Neha Sethi and Maulik Pathak, "Adani's Mundra SEZ gets environment clearance", *Livemint*, July 16, 2014.
(58) Paranjoy Guha Thakurta, Advait Rao Palepu, Shinzani Jain and Abir Dasgupta, "Modi Government's Rs 500-Crore Bonanza to the Adani Group", *The Wire*, June 19, 2017.
(59) Paranjoy Guha Thakurta, Advait Rao Palepu and Shinzani Jain, "Did the Adani Group Evade Rs 1,000 Crore in Taxes?", *The Wire*, January 14, 2017.
(60) Amrit Dhillon, "More than 100 Scholars Back Journalist in Adani 'Crony Capitalism' Row", *Sydney Morning Herald*, July 25, 2017.

第4章◉「モディファイ」するインド

(1) Milan Vaishnav, "Understanding the Indian Voter", Carnegie Endowment for International Peace, June 2015.
(2) Ullekh NP and Vasudha Venugopal, "Gujarat Promises Continued, Accelerated and All-Around Progress: Jagdish Bhagwati & Arvind Panagariya," *Economic Times*, June 20, 2013.
(3) Vaishnav, "Understanding the Indian Voter".
(4) K. V. Prasad, "TsuNaMo Gives BJP Decisive Mandate to Govern", *The Tribune*, May 16, 2014.
(5) Pratap Bhanu Mehta, "Modi's Moment Alone", *Indian Express*, May 17, 2014.
(6) Sumegha Gulati, "In Modi's Vadnagar, ASI Searches for Hiuen Tsang's Lost Monasteries", *Indian Express*, March 14, 2015.
(7) "Selected Indicators 1950-51 to 1999-2000", National Informatics Centre, Government of India.
(8) Mukhopadhyay, *Narendra Modi*, p. 196.

(9) Prashant Dayal and Radha Sharmal, "A Loner, Even at the Top", *Times of India*, 31 December 2007.
(10) "Hindus to the Fore", *The Economist*, May 21, 2015.
(11) "Religion Data: Population of Hindu/Muslim/Sikh/Christian – Census 2011 India", National Census Survey, Census Organisation of India, 2011.
(12) Guha, *India after Gandhi*, p. 98.
(13) "The Man Who Thought Gandhi a Sissy", *The Economist*, December 17, 2014.
(14) Annie Gowen, "Abandoned as a Child Bride, Wife of India's Modi Waits for Husband's Call", *Washington Post*, January 25, 2015.
(15) Mukhopadhyay, *Narendra Modi*, p. 243.
(16) Marino, *Narendra Modi*, p. 26.
(17) Ellen Barry, "Indian Candidate's Biography Has an Asterisk: A Wife, of Sorts", *New York Times*, April 10, 2014.
(18) Mukhopadhyay, *Narendra Modi*.
(19) "In Pictures: Narendra Modi's Early Life", BBC, May 26, 2014.
(20) Ashis Nandy, "Obituary of a Culture", *Seminar*, May 2002.
(21) Jo Johnson, "Radical Thinking", *Financial Times*, March 31, 2007.
(22) "Report by the Commission of Inquiry Consisting of Mr Justice G. T. Nanavati and Mr Justice Akshay H. Mehta", Home Department, Government of Gujarat, September 18, 2008.
(23) Siddhartha Deb, "Unmasking Modi", *New Republic*, May 3, 2016.
(24) "Gujarat Riot Death Toll Revealed", BBC News, May 11, 2005.
(25) Ashutosh Varshney, "Understanding Gujarat Violence", Social Science Research Council, 2002.
(26) Human Rights Watch, " 'We Have No Orders to Save You' ", April 2002.
(27) "Sanjiv Bhatt: Gujarat Police Officer Critical of PM Modi Sacked", BBC News, August 20, 2015.
(28) Martha C. Nussbaum, "Genocide in Gujarat", *Dissent Magazine*, September 2003.
(29) Shashank Bengali and Paul Ritcher, "US Eager to Forget about New India Premier's 2005 Visa Denial", *Los Angeles Times*, September 25, 2014.
(30) Vinod K. Jose, "The Emperor Uncrowned: The Rise of Narendra Modi", *The Caravan*, March 1, 2012.
(31) Heather Timmons and Arshiya Khullar, "Is Narendra Modi's Gujarat Miracle a Myth?", *The Atlantic*, April 7, 2014.
(32) Zahir Janmohamed, "The Rise of Narendra Modi", *Boston Review*, June 28, 2013.
(33) Ashutosh Varshney, "Modi the Moderate", *Indian Express*, March 27, 2014.
(34) Sanjeev Miglani, "Modi Says Shaken to Core by Gujarat's Religious Riots", Reuters, December 28, 2013.
(35) Sruthi Gottipati and Annie Banerji, "Modi's 'Puppy' Remark Triggers New Controversy over 2002 Riots", Reuters, July 12, 2013.
(36) Jaffrelot, "The Modi-Centric BJP 2014 Election Campaign", p. 151.
(37) "Watch Modi's Fiery Attack on Rahul, Sonia in Amethi Live on India TV", IndiaTV/YouTube, 5 May 2014 (https://youtu.be/4ic5T02586s) (accessed December 18, 2017).
(38) Ian Buruma, "India: The Perils of Democracy", *New York Review of Books*, December 4, 1997.
(39) Fukuyama, *The End of History and the Last Man*, p. 13.
(40) Robert D. Kaplan, "India's New Face", *The Atlantic*, April 2009.

（41）Rohit Trivedi, “Narendra Modi: Secularism for Me Is India First! We Will Understand Its True Meaning Then Votebank Politics Ends!”, www.naren-dramodi.in, August 31, 2012.
（42）James Crabtree, “Pockets of Wariness amid the Delirium in New Leader's Home State”, *Financial Times*, May 17, 2014.
（43）“#PMSpeaksToArnab: Read Full Text Here”, Times Now, June 27, 2016.

第5章◉汚職の季節

（1）Douglas Busvine and Rupam Jain, “Who Knew? Modi's Black Money Move Kept a Closely Guarded Secret”, Reuters, December 9, 2016.
（2）Suchetana Ray, “Govt Didn't Have Enough Time to Prepare for Demonetisation: Piyush Goyal”, *Hindustan Times*, December 3, 2016.
（3）Busvine and Jain, “Who Knew?”
（4）“PM Modi: ‘Corruption, Black Money & Terrorism Are Festering Sores’ ”, *The Hindu*, November 9, 2016.
（5）“India's Bonfire of the Bank Notes”, *The Briefing Room*, BBC Radio 4, January 26, 2017.
（6）“Union Budget 2017: Full Speech of Finance Minister Arun Jaitley”, *Times of India*, February 1, 2017.
（7）“PM Modi: ‘Corruption, Black Money & Terrorism Are Festering Sores’ ”.
（8）Rory Medcalf, “India Poll 2013”, Lowy Institute, May 20, 2013.
（9）*Corruption Perceptions Index 2016*, Transparency International, January 25, 2017.
（10）Coralie Pring, “People and Corruption: Asia Pacific－Global Corruption Barometer”, Transparency International, 2017.
（11）“Deloitte Forensic Protecting Your Business in the Insurance Sector”, Deloitte, 2014.
（12）“Rahul Gandhi Tears into Modi's ‘Suit-Boot Ki Sarkar’ ”, *Times of India*, April 21, 2015.
（13）Panagariya, *India*, p. 336.
（14）Swaminathan S. Anklesaria Aiyar, “Paying Record Taxes Is Bliss”, Swaminomics, February 10, 2008.
（15）Kumar, “Estimation of the Size of the Black Economy in India, 1996-2012”.
（16）“Narendra Modi in Goa Full Text: Once We Get Clean, We Need Not Worry about Even One Corrupt Mosquito”, *Firstpost*, August 11, 2017.
（17）“Teary Eyed Narendra Modi Takes On Rivals, Reaches Out to People on Demonetisation”, *Financial Express*, November 14, 2016.
（18）James Crabtree, “Modi Plunders India's Cash. Indians Cheer”, *Foreign Policy*, November 28, 2016.
（19）William Dalrymple, “The East India Company: The Original Corporate Raiders”, *The Guardian*, March 4, 2015.
（20）Gill, *The Pathology of Corruption*, p. 44.
（21）Oldenburg, “Middlemen in Third-World Corruption”.
（22）Bhagwati and Panagariya, *Why Growth Matters*, p. 87.
（23）Pei, *China's Crony Capitalism*, p. 8.
（24）Vaishnav, *When Crime Pays*, p. 31.
（25）James Crabtree, “India: Lost Connections”, *Financial Times*, September 2, 2012.
（26）Ninan, *The Turn of the Tortoise*, p. 128.
（27）“Report No. 19 of 2010: Performance Audit of Issue of Licences and Allocation of 2G Spectrum

of Union Government, Ministry of Communications and Information Technology", Comptroller and Auditor General (CAG), November 16, 2010.
(28) Anurag Kotoky, "Raja, Other Executives Go on Trial; Court Defers Hearing", Reuters, April 13, 2011.
(29) Sukhantar and Vaishnav, "Corruption in India".
(30) Klitgaard, *Controlling Corruption*, p. 75.
(31) "Report No. 7 of 2012-13: Performance Audit of Allocation of Coal Blocks and Augmentation of Coal Production, Ministry of Coal", Comptroller and Auditor General (CAG), August 17, 2012.
(32) 2012年3月、会計検査院は、推計損失額を10.7兆ルピー（1670億ドル）とする報告書の草案を示した。同年8月に発表された最終報告書では、この額は1.9兆ルピー（297億ドル）に引き下げられた。詳細は以下の報告書を参照。"Report No. 7 of 2012-13: Performance Audit of Allocation of Coal Blocks and Augmentation of Coal Production, Ministry of Coal", Comptroller and Auditor General, August 17, 2012.
(33) "Not 1, but 100 Toilet Rolls Bought for Rs4,000 Each", *Times of India*, August 5, 2010.
(34) "Indian court acquits all accused in 2G telecoms case", Reuters, December 21, 2017.
(35) James Crabtree, "India's Supreme Court Declares More than 200 Coal Mining Licences Illegal", *Financial Times*, August 25, 2014.
(36) "Coalgate Brushes Dirtier", *The Economist*, September 1, 2012.
(37) Adiga, *The White Tiger*, p. 113.
(38) Sunil Khilnani, "The Spectacle of Corruption", *Livemint*, December 16, 2010.
(39) Jyoti and Johnston, "India's Middlemen: Connecting by Corrupting?".
(40) James Crabtree, "India's Red Tape Causes Trouble for Exporting Cats", *Financial Times*, March 21, 2016.
(41) Tadit Kundu, "Nearly Half of Indians Survived on Less than Rs38 a Day in 2011-12", *Livemint*, April 21, 2016.
(42) James Crabtree, "Spark of Inspiration", *Financial Times*, July 26, 2016.
(43) Bertrand et al., "Obtaining a Driver's License in India".
(44) Bribe Fighter, "Driving License without a Driving Test!!", I Paid a Bribe, November 14, 2012.
(45) "Foreign Direct Investment Inflows: A Success Story", Press Information Bureau, Ministry of Commerce & Industry, May 19, 2017.　2016会計年度のインドのFDI受入額は601億ドルにのぼった。
(46) "Who to Punish", *The Economist*, May 5, 2011.
(47) James Crabtree, "India Casts Around for More Outrage", *Financial Times*, January 29, 2013.
(48) Boo, *Behind the Beautiful Forevers*, p. 28.
(49) Huntington, *Political Order in Changing Societies*, p. 69.
(50) Khan and Jomo, *Rents, Rent-Seeking and Economic Development*.
(51) Studwell, *How Asia Works*, p. 107.
(52) "Doing Business in India", World Bank Group, 2017.
(53) Avih Rastogi, "Inspector Raj for Garment Export Business", Centre for Civil Society, 2002.
(54) Aiyar, *Accidental India*, p. 16.
(55) Amy Kazmin, "Drinks Industry: India's Battle with the Bottle", *Financial Times*, October 9, 2016.
(56) Shyamal Majumdar, "Registers and Corruption: Why the 'Inspector Raj' Needs to Go!", *Business Standard*, October 24, 2014.

(57) Pritchett, "Is India a Flailing State?".
(58) Debroy and Bhandari, *Corruption in India*, p. 120.
(59) Salvatore Schiavo-Campo, Giulio de Tommaso and Amitabha Mukherjee, "Government Employment and Pay in Global Perspective: A Selective Synthesis of International Facts, Policies And Experience", World Bank, 1997.
(60) "Mandarin Lessons", *The Economist*, 10 March 2016.
(61) Victor Mallet, "Indian Job Ad Receives 2.3m Applicants", *Financial Times*, September 19, 2015.
(62) Wade, "The System of Administrative and Political Corruption".
(63) Wit, *Urban Poverty, Local Governance and Everyday Politics in Mumbai*, section 4.2.
(64) James Crabtree, "Goa Dares to Hope as India Eases Mining Ban", *Financial Times*, April 30, 2013.
(65) "Republic of Bellary", *The Telegraph*, July 31, 2011.
(66) James Fontanella-Khan, "India Lifts Karnataka Iron Ore Export Ban", *Financial Times*, April 5, 2011.
(67) Das, *India Grows at Night*, p. 228.

第6章◉金権政治

(1) 2011 年に実施された国勢調査では、ウッタル・プラデーシュ州の人口を 2 億人としている。現在の州人口は 2 億 2000 万人と推測されている。"Uttar Pradesh Population Census Data 2011", Census 2011.
(2) Varshney, *Ethnic Conflict and Civic Life*, p. 55.
(3) Sridharan, "India's Watershed Vote", p. 28.
(4) Pal, "Haryana".
(5) Michelutti and Heath, "Political Cooperation and Distrust".
(6) Mohd Faisal Fareed, "Mulayam's Shocker: Boys Will Be Boys, They Make Mistakes . . . Will You Hang Them for Rape?", *Indian Express*, April 11, 2014.
(7) Przeworski, "Capitalism, Development and Democracy", p. 493.
(8) Huntington, "Democracy's Third Wave", p. 30.
(9) Vaishnav, *When Crime Pays*, p. 33.
(10) "India Elections: A Complex Election Explained", *Financial Times*, April 7, 2014.
(11) Amy Kazmin, "Narendra Modi Mocks Economists amid Doubts over Indian GDP", *Financial Times*, March 2, 2017.
(12) Gowda and Sharalaya, "Crony Capitalism and India's Political System", p. 133.
(13) S. Rukmini, "400% Rise in Parties' Spend on LS Polls", *The Hindu*, March 2, 2015.
(14) J. Balaji, "Poll Expenditure Ceiling Raised", *The Hindu*, March 1, 2014.
(15) "Munde Admits Spending Rs8 Crore in 2009 Polls", *The Hindu*, June 28, 2013.
(16) "Assembly Election 2017: Cash, Liquor Seizure Go through the Roof in 2017", Press Trust of India, February 26, 2017.
(17) "Why Tatas, Birlas Use Electoral Trusts to Find Politics", FirstPost, September 10, 2012. 以下も参照。"Contribution to Political Parties", Press Information Bureau, February 27, 2015.
(18) Sanjeev Miglani and Tommy Wilkes, "On Eve of State Polls, Modi Looks to Clean up Campaign Funding", Reuters, February 2, 2017.
(19) Kaushik Deka, "Now Nail the Netas", *India Today*, November 30, 2016.
(20) "Mamata's Midas Brush", *The Telegraph*, April 13, 2015.

(21) Raghvendra Rao, "442 Crorepatis, Richest Worth Rs683 Crore", *Indian Express*, May 19, 2014.
(22) "Mayawati: Portrait of a Lady", WikiLeaks, October 23, 2008.
(23) Janane Venkatraman, "Mayawati's Cases: A Recap", *The Hindu*, April 14, 2016.
(24) Vaishnav, *When Crime Pays*, p. 10.
(25) Mehboob Jeelani, "Under the Influence: Ponty Chadha's Potent Mix of Liquor and Politics", *The Caravan*, November 1, 2013.
(26) Cordelia Jenkins and Amaan Malik, "Ponty Chadha: The Man Who Would Be King", *Livemint*, November 30, 2012.
(27) Veenu Sandhu Shashikant Trivedi and Indulekha Aravind, "Mid-Day Mess", *Business Standard*, July 26, 2013.
(28) Anto Antony and Bhuma Shrivastava, "India Shadow Banker Fights to Keep Empire Built on Poor", Bloomberg Markets, December 3, 2013.
(29) Jeelani, "Under the Influence".
(30) Tony Munroe and Devidutta Tripathy, "Sahara: Massive, Splashy . . . and Mysterious", Reuters, September 26, 2012.
(31) Tamal Bandyopadhyay, "Sahara Hasn't Done Anything against the Law: Subrata Roy", *Livemint*, April 26, 2014.
(32) Suchitra Mohanty and Devidutta Tripathy, "Sahara Told to Repay Small Investors $3.1 Billion", Reuters, August 31, 2012.
(33) Raghuram Rajan, "Finance and Opportunity in India", Address at Twentieth Lalit Doshi Memorial Lecture, Mumbai, August 11, 2014.

第7章◉南インド式縁故主義

(1) Rollo Romig, "What Happens When a State Is Run by Movie Stars?", *New York Times*, July 1, 2015.
(2) Vaasanthi, "Madras Check", *The Caravan*, April 1, 2014.
(3) "Populism Doesn't Win Polls", *Indian Express*, April 8, 2014.
(4) T. N. Gopalan, "Indian State of Tamil Nadu Gives Laptops to Children", BBC, September 15, 2011.
(5) A. S. Panneerselvan, "The Acid Wears Off ", *Outlook*, September 25, 1996.
(6) "Court Acquits Jayalalithaa in Graft Case", Reuters, May 11, 2015.
(7) B. V. Shivashankar, "Jayalalithaa's 10,500 Saris, 750 Slippers, 500 Wine Glasses in Court", *Times of India*, December 9, 2016.
(8) "Jayalalithaa Conviction: 16 Persons Commit Suicide", *The Hindu*, September 29, 2014.
(9) Satish Padmanabhan, Dola Mitra and Ajay Sukumaran, "Winners Take the Decade", *Outlook*, May 30, 2016.
(10) Romig, "What Happens When a State Is Run by Movie Stars?"
(11) Ellen Barry and Hari Kumar, "Suicides Reported in India after Death of Jayalalithaa Jayaram", *New York Times*, December 10, 2016.
(12) V. Geetha, "The Undemocratic Regime of Jayalalithaa", *The Caravan*, December 9, 2016.
(13) Jacob, *Celluloid Deities*, p. 212.
(14) Vaasanthi, "Madras Check".
(15) "Tamil Nadu Gives Tax Sops to Auto Part Makers", Reuters, February 23, 1996.
(16) Prachi Salve, "Jayalalithaa's Legacy: Industrial, Social, Crime Rankings among India's Best", *IndiaSpend*, December 6, 2016.

(17) Public Affairs Index: Governance in the Indian States of India, 2016.
(18) Mihir Sharma, "Jayalalithaa's Chief Minister Template Followed by Nitish, Modi", NDTV, December 6, 2016.
(19) Centre for Media Studies, "CMS India Corruption Study 2017", 2017.
(20) Gomez, *Political Business in East Asia*, p. 37.
(21) Annie Gowen, "Jayaram Jayalalithaa, Powerful Indian Politician Who Broke Gender Barriers, Dies at 68", *Washington Post*, December 5, 2016.
(22) "Largest Wedding Banquet/Reception", Guinness World Records.
(23) Robin Pagnamenta, "Jayaram Jayalalithaa", *The Times*, December 10, 2016.
(24) "Women in India: Tamil Nadu's Iron Lady J. Jayalalithaa", WikiLeaks, March 19, 2009.
(25) Robert Byron, "New Delhi: The Individual Buildings", *Architectural Review*, January 1931, reproduced August 25, 2010.
(26) "MP Who Collapsed in Parliament Admitted to Hospital", *Business Standard*, February 13, 2014.
(27) "Indian Parliament Pepper-Sprayed as MPs Brawl over New Telangana State", Agence France-Presse, February 13, 2014.
(28) Shekhar Gupta, "National Interest: India Stinc", *Indian Express*, February 15, 2014.
(29) "RIPPP", *The Economist*, December 15, 2012.
(30) Pratap Bhanu Mehta, "The Contractor State", *Indian Express*, April 2, 2013.
(31) Julie McCaffrey, "Exclusive: The Last Nizam of Hyderabad Was So Rich He Had a £50m Diamond Paperweight . . .", *The Mirror*, April 15, 2008.
(32) Gupta, "National Interest: India Stinc."
(33) Aparisim Ghosh, "South Asian of the Year: Chandrababu Naidu", *TIME Asia*, December 31, 1999.
(34) B. V. Shiv Shankar, "Jalayagnam: The Mother of All Frauds", *Times of India*, April 16, 2012.
(35) "Corruption Plagues Andhra Pradesh's Big Ticket Spending Programs", WikiLeaks, October 22, 2007.
(36) James Crabtree, "India's Billionaires Club", *Financial Times*, November 16, 2012.
(37) Praveen Donthi, "The Takeover", *The Caravan*, May 1, 2012.
(38) "CAG Finds Grave Irregularities in Land Allotments by YSR Govt", *Business Standard*, March 30, 2012. 以下も参照。Sukhantar and Vaishnav, "Corruption in India", p. 8.
(39) Donthi, "The Takeover".
(40) Mark Bergen, "Dividing Lines", *The Caravan*, May 1, 2013.
(41) Kapur and Vaishnav, "Quid Pro Quo".
(42) James Crabtree, "Mumbai's Bloodied Elite", *Prospect*, December 17, 2008.
(43) Gowda and Sharalaya, "Crony Capitalism and India's Political System".

第8章◉債務の館

(1) "Profile: Rakesh Jhunjhunwala", *Forbes*, June 15, 2017; "The World's Billionaires Index", *Forbes*, March 26, 2012.
(2) Rana Rosen, "No More Room in India's Most Expensive Office", *Livemint*, August 17, 2007.
(3) T. C. A. Srinivasa-Raghavan, "The Economic History of Liberation", *Open*, July 22, 2016.
(4) Gupta and Kumar, "India Financial Sector: House of Debt".
(5) Hamid, *How to Get Filthy Rich in Rising Asia*, p. 180.
(6) Ajit Barman and Biswajit Baruah, "Not Hyper-Critical, I Want to Be Hyper-Objective: Ashish

Gupta, MD Equity Research, Credit Suisse", *Economic Times*, June 21, 2013.
(7) James Crabtree, "Concerns Grow over Indian Industrials' Debt Burdens", *Financial Times*, August 14, 2013.
(8) James Crabtree, "Lackadaisical Indian Bank Set for Shake-up under New Leader", *Financial Times*, December 8, 2013.
(9) Kahneman, *Thinking, Fast and Slow*, p. 250.
(10) Paranjoy Guha Thakurta and Aman Malik, "From Adani to Ambani, How Alleged Over-Invoicing of Imported Coal Has Increased Power Tariffs", *The Wire*, April 6, 2016.
(11) Rajiv Lall, "Turn the PPP Model on Its Head", *Business Standard*, January 3, 2015.
(12) Raghuram Govind Rajan, "Essays on Banking", PhD thesis, Massachusetts Institute of Technology, May 1991.
(13) Rajan and Zingales, "Which Capitalism?"
(14) Raghuram G. Rajan, "Has Financial Development Made the World Riskier?", 2005.
(15) "Statement by Dr Raghuram Rajan on Taking Office on September 4, 2013", press release, Reserve Bank of India, September 4, 2013.
(16) "Report of the Committee to Review Governance of Boards of Banks in India", Reserve Bank of India, May 2014.
(17) Lionel Barber and James Crabtree, "Rajan Treads Different Path to More Circumspect Predecessors; RBI Governor", *Financial Times*, November 19, 2013.
(18) "Chairman of Syndicate Bank Arrested on Bribery Allegations", Reuters, August 3, 2014.
(19) Tamal Bandyopadhyay, "How Corrupt Are Our Bankers?", *Livemint*, September 26, 2016.
(20) "Annual Report 2016-17," State Bank of India, May 2017.
(21) Rakesh Mohan,' Transforming Indian Banking: In Search of a Better Tomorrow', Bank Economists' Conference 2002, Bangalore, December 29, 2002.
(22) Ninan, *The Turn of the Tortoise*, p. 65.
(23) "PM's Remarks at Gyan Sangam: the Bankers' Retreat in Pune", Narendra Modi website, January 3, 2015.
(24) "Raghuram Rajan Not to Continue as RBI Governor after September", *Scroll*, June 18, 2016.
(25) Luigi Zingales, "RBI Governor Rajan's Fight against Crony Capitalism", Pro Market, June 11, 2016.
(26) Rahul Shrivastava, "Why IIT, Harvard Graduate Jayant Sinha Lost Finance Ministry", NDTV, July 7, 2016.

第9章◉苦悩する豪商

(1) "Angul", Jindal Steel & Power website (accessed December 28, 2017).
(2) Ashwin Ramarathinam and S. Bridget Leena, "With Rs73.4 Crore, Naveen Jindal Retains Top Paid Executive Title", *Livemint*, September 23, 2012.
(3) Rahul Oberoi, "How SC Ruling on Coal Blocks Will Impact Related Companies", *Money Today*, November 2014.
(4) Rakhi Mazumdar, "I Am Relieved We Could Finish Angul Project: Jindal Steel & Power Chairman Naveen Jindal", *Economic Times*, May 29, 2017.
(5) Dillip Satapathy, "Coal Fire 3: Jindal Steel & Power's Projects Worth Rs80,000 Cr in Limbo in Odisha," *Business Standard*, November 2, 2013.
(6) "Jindal Wins Government Nod for Flying Tricolour at Night", *Business Standard*, December 24,

2009.
(7) Rakhi Mazumdar, "4-Way Split of Jindal Group Proposed", *Business Standard*, August 27, 1997.
(8) *Partnering India's Aspirations*, Annual Report 2012-13, Jindal Steel and Power Limited.
(9) Naazneen Karmali, "Citizen Tycoon", *Forbes*, September 25, 2009.
(10) Moinak Mitra, "The Paladin of Power", *Economic Times*, August 24, 2012.
(11) Sudheer Pal Singh, "Navin Jindal's Toughest Hour", *Business Standard*, November 14, 2012.
(12) James Crabtree and Avantika Chilkoti, "Jindal Steel Shares Sink after Police Raid at Coal Mine", *Financial Times*, October 20, 2014.
(13) "Jindal Steel Defaults on Debenture Interest Payments", *Reuters*, October 6, 2016.
(14) David Lalmalsawma, "Zee News Editors Arrested in Jindal Extortion Case", Reuters, November 27, 2012.
(15) Mehboob Jeelani, "The Price of Power", *The Caravan*, March 5, 2013.
(16) Myrdal, *Asian Drama*, p. 277.
(17) "The Bollygarchs' Magic Mix", *The Economist*, October 22, 2011.
(18) Tarun Khanna and Krishna G. Palepu, "Why Focused Strategies May Be Wrong for Emerging Markets", *Harvard Business Review*, July-August 1997.
(19) Ninan, *The Turn of the Tortoise*, p. 93.
(20) Martin Hirt, Sven Smit and Wonsik Yoo, "Understanding Asia's Conglomerates", *McKinsey Quarterly*, February 2013.
(21) *Asian Family Business Report 2011*, Credit Suisse, October 2011.
(22) Aakar Patel, "When Will the Brahmin-Bania Hegemony End?", *Livemint*, August 28, 2009.
(23) Dasgupta, *Capital*, pp. 224, 225.
(24) James Crabtree, "Mumbai's Former US Consulate Sets Indian Record for Property Deal", *Financial Times*, September 14, 2015.
(25) Samanth Subramanian, "Breach Candy", *Granta*, 130, 2015.
(26) James Crabtree, "Mumbai's Towering Ambitions Brought Low by Legal Disputes", *Financial Times*, October 10, 2014.
(27) "Janardhan Reddy's Daughter's Wedding Invite!", News Minute/YouTube, October 18, 2016 (https://youtu.be/3TgCeDmE6UI) (accessed December 29, 2017).
(28) Harish Upadhyay, "Hampi Temple Replica, 50,000 Guests: A Wedding Bengaluru Is Talking About", NDTV, November 15, 2016.
(29) Parul Bhandari, "Inside the Big Fat Indian Wedding: Conservatism, Competition and Networks", *The Conversation*, January 13, 2017.
(30) Amit Roy, "£30m Wedding Bill as Bollywood Comes to France", *The Telegraph*, June 2, 2004.
(31) Preethi Nagaraj, "Janardhan Reddy's Spending on Daughter's Wedding Is as Strategic as Extravagant", *Hindustan Times*, November 16, 2016.
(32) James Crabtree, "The Monday Interview: Prashant Ruia, Group Chief Executive of Essar", *Financial Times*, March 17, 2013.
(33) "The Essar Group" and "Corporate Profile", Essar website, 2014.
(34) Gupta et al., "India Financial Sector: House of Debt Revisited".
(35) "Default Options", *The Economist*, February 3, 2000.
(36) Appu Esthose Suresh and Ritu Sarin, "Essar Leaks: French Cruise for Nitin Gadkari, Favours to UPA Minister, Journalists", *Indian Express*, January 27, 2015.
(37) Krishn Kaushik, "Doing the Needful", *The Caravan*, August 1, 2015.

(38) Kathrin Hille and James Crabtree, "Rosneft Buys Stake in Essar Oil Refinery in India", *Financial Times*, July 9, 2015.
(39) Naazneen Karmali, "Road to Riches", *Forbes*, December 4, 2010.

第10章◉スポーツ以上のもの

(1) Tim Wigmore, "India-Pakistan Final: Will a Billion People Watch the Champions Trophy Final?", ESPN Cricinfo, June 17, 2017.
(2) Raina and Chaudhary, "Television Broadcasting in India".
(3) "IPL Brand Value Doubles to USD 4.13 Billion", NDTV Sports, March 23, 2010.
(4) "Cricket, Lovely Cricket", *The Economist*, July 31, 2008.
(5) Rahul Bhatia, "Mr Big Deal", *Tehelka*, May 20, 2006.
(6) Suveen Sinha, "Lalit Modi: People like Mr Srinivasan May Come and Go but IPL Will Continue to Flourish", *Business Today*, May 6, 2014.
(7) Samanth Subramanian, "The Confidence Man", *The Caravan*, March 1, 2011.
(8) Matt Wade, "The Tycoon Who Changed Cricket", *The Age*, March 8, 2008.
(9) Bhatia, "Mr Big Deal".
(10) Astill, *The Great Tamasha*.
(11) Hawkins, *Bookie Gambler Fixer Spy*, p. 52.
(12) " 'Slapgate' a Thing of the Past for Sreesanth, Harbhajan", *Indian Express*, October 25, 2010.
(13) Gideon Haigh, "The Men Who Sold the World", *Cricket Monthly*, October 2015.
(14) Rahul Bhatia, "Beyond the Boundary", *The Caravan*, August 1, 2014.
(15) Mukul Kesavan, "An Emirate and Its Subjects", *The Telegraph*, January 29, 2015.
(16) "Srinivasan Promises Fair Investigation", ESPN Cricinfo, May 26, 2013.
(17) Booth, *Wisden's Cricketers" Almanack 2012*.
(18) "Srinivasan Sticking On as BCCI Boss 'Nauseating' ", *Hindustan Times*, March 26, 2014.
(19) Ramachandra Guha, "An Indian Century", *The Caravan*, October 1, 2014.
(20) "Frankly Speaking with N. Srinivasan: Part 1", Times Now/YouTube, October 9, 2013 (https://youtu.be/rXtWehl4J8k) (accessed January 2, 2018).
(21) "IPL 2013 Spot-Fixing Controversy: Full Text of N. Srinivasan's Press Conference in Kolkata", Press Trust of India, May 26, 2013.

第11章◉国民の知る権利

(1) @NorthernComd.IA, "#JKOps Please Find a Statement Attached on the Operation at Uri in J&K", Twitter, September 18, 2016.
(2) "India Election Update: Last Week Tonight with John Oliver (HBO)", *Last Week Tonight*/YouTube, May 18, 2014 (https://www.youtu.be/8YQ_HGvrHEU) (accessed January 30, 2018).
(3)A.A.K., "Why India's Newspaper Business Is Booming", *The Economist*, February 22, 2016; "Master List of Permitted Private Satellite TV Channels as on 31.05.2017", National Informatics Centre, May 31, 2017.
(4) "IRS 2014 Topline Findings", Readership Studies Council of India, 2014.
(5) "Mukesh Ambani Praises Arnab Goswami during Interview with Shekhar Gupta in NDTV," *Financial Express*, November 1, 2016.
(6) Madhu Purnima Kishwar, "When News Programs Become Kangaroo Courts, Part I: An Open Letter to Arnab Goswami", Manushi, 2012.

(7) Painter, ed., *India's Media Boom*.
(8) Rahul Bhatia, "Fast and Furious", *The Caravan*, December 1, 2012.
(9) Ninan, *The Turn of the Tortoise*, p. 106.
(10) Bhatia, "Fast and Furious".
(11) Rajdeep Sardesai, "Life in a 24*7 Coop", *India Today*, December 11, 2014.
(12) Ninan, "Indian Media's Dickensian Age".
(13) "India : Threat from Modi's Nationalism", Reporters without Borders, 2017. Pakistan ranks 139th and Bangladesh ranks 146th respectively, on the 2017 report.
(14) Gaurav Laghate, "TV Viewers in India Now Much More than All of Europe's", *Economic Times*, March 3, 2017.
(15) Ken Auletta, "Citizens Jain", *New Yorker*, October 8, 2012.
(16) Ashish K. Mishra, "Inside the Network18 Takeover", *Livemint*, June 25, 2014.
(17) Harveen Ahluwalia, "Times Group Serves Arnab Goswami Notice on Using 'Nation Wants to Know' ", *Livemint*, April 18, 2017.
(18) "This Is Arnab Goswami. I Am Here as Promised. Ask Me, What Redditors Want to Know!", Reddit, April 27, 2017.
(19) Sadanand Dhume, "A Tahrir Square Moment in India", YaleGlobal Online, April 18, 2011.
(20) "MP Rajeev Chandrasekhar Biggest Investor in Arnab Goswami's Republic?", *Business Standard*, January 13, 2017.
(21) Ramanathan S., "Arnab's Republic of Investors: Who Is Funding Goswami and What That Means", *News Minute*, January 13, 2017.
(22) ANI, "News Traders Dance on Congress's Tune: Modi", *Business Standard*, April 30, 2014.
(23) "PM Modi on Frankly Speaking with Arnab Goswami: Exclusive Full Interview", Times Now/YouTube, June 27, 2016 (https://youtu.be/892N6hiRpUM) (accessed January 3, 2018).
(24) "This Is Arnab Goswami".
(25) "India : Threat from Modi's Nationalism".
(26) C. P. Surendran, "India Is Arnab and Arnab Is India", *The Wire*, July 28, 2016.

第12章◉モディの悲劇

(1) "Iconic Race Course Road Renamed as Lok Kalyan Marg", Press Trust of India, September 21, 2016.
(2) "#PMSpeaksToArnab: Read Full Text Here", Times Now, June 27, 2016.
(3) 世界銀行によると、2014年のインドの一人当たりGDPは1573ドルだった。同年の中国とマレーシアの一人当たりGDPはそれぞれ7683ドルと1万1184ドルだった。"GDP per Capita (Current US$): Data", World Bank, 2014.
(4) Parag Gupta and Gaurav Rateria, "Technology: The Millennials Series – The Disruptive Wave in the World's Seventh Largest Economy", Morgan Stanley, February 19, 2017.　2017年の世界銀行の区分では、インドは「低位中所得国」に分類されている。詳細は以下を参照。"New Country Classifications by Income Level: 2017-2018", The Data Blog, World Bank, January 7, 2017.
(5) "Indian Economy to Reach $5 Trillion by 2025, Says Report", *Livemint*, February 21, 2017.
(6) Phongpaichit, "The Thai Economy in the Mid-1990s".
(7) Hausmann et al., "Growth Accelerators".
(8) Asit Ranjan Mishra, "India to See Severe Shortage of Jobs in the Next 35 Years", *Livemint*, April 28, 2016.

(9) Mohan Guruswamy, "1.7 Billion Indians by 2050: Much Food for Thought", *Deccan Chronicle*, May 31, 2017.

(10) "Tryst with Destiny Speech Made by Pt Jawaharlal Nehru", Indian National Congress, August 13, 2016.

(11) Kishore Mahbubani, "One Year of Narendra Modi Govt: Bold Moves on World Stage", *Indian Express*, May 29, 2015.

(12) McKean, *Divine Enterprise*, p. 71.

(13) Devesh Kapur, "And Now, (Modestly) Good News", *Business Standard*, April 9, 2012.

(14) Mahim Pratap Singh, "Jawaharlal Nehru Erased from Rajasthan School Textbook, Congress Angry", *Indian Express*, May 26, 2016.

(15) "Text of Prime Minister Shri Narendra Modi's Address to the Indian Community at Madison Square Garden, New York", Press Information Bureau, Prime Minister's Office, Government of India, September 28, 2014.

(16) Poornima Joshi, "The Organiser", *The Caravan*, April 1, 2014.

(17) Patrick French, "The 'Shah' of BJP's Game Plan Who Wants to Alter India's Political Culture", *Hindustan Times*, July 17, 2016.

(18) "After 3 Months in Jail, Amit Shah Out on Bail", *Indian Express*, October 30, 2010.

(19) Varshney, "India's Watershed Vote".

(20) Mukul Kesavan, "What about 1984? Pogroms and Political Virtue", *The Telegraph*, July 26, 2013.

(21) "PM Modi in Fatehpur: If There Is Electricity during Ramzan, It Should Be Available on Diwali Too", *Indian Express*, February 20, 2017.

(22) Mihir Swarup Sharma, "In Modi and Amit Shah Speeches, the 2 Sides of the BJP", NDTV, June 16, 2016.

(23) "General Election 2014: Partywise Performance and List of Party Participated", Election Commission of India website (http://eci.nic.in/eci_main1/ GE2014/Party_Contested_GE_2014.xlsx) (accessed January 3, 2018).

(24) Rupam Jain Nair, "India's Modi to Observe Strict Fast during Maiden Trip to US", Reuters, September 22, 2014.

(25) "Rahul Gandhi Tears into Modi's 'Suit-Boot Ki Sarkar' ", *Times of India*, April 21, 2015.

(26) Suryatapa Bhattacharya, "Modi's Famous Pinstripe Suit Sells for $690,000 at Auction", *Wall Street Journal*, February 20, 2015.

(27) Amy Kazmin, "Narendra Modi Continues to Ride Wave of Popularity as India's PM", *Financial Times*, November 16, 2017.

(28) Ellen Barry, "Modi's Yoga Day Grips India, and 'Om' Meets 'Ouch!' ", *New York Times*, June 15, 2015.

(29) James Crabtree, "Arvind Subramanian, Economic Adviser to Narendra Modi", *Financial Times*, May 10, 2017.

(30) "IT + IT = IT: PM Narendra Modi Devises New Equation", *Times of India*, May 10, 2017.

(31) Suhasini Haidar, "India for Israel, Says Modi; Force against Bad: Netanyahu", *The Hindu*, July 6, 2017.

(32) Narendra Modi had thirty-seven million followers at @narendramodi in December 2017.

(33) Zahir Janmohamed, "The Rise of Narendra Modi", *Boston Review*, June 28, 2013.

(34) "#PMSpeaksToArnab: Read Full Text Here".

(35) "Dressing Down", *Business Standard*, July 23, 2014.

(36) Price, *The Modi Effect*, pp. 247-8.
(37) Mihir Sharma, "Jobs Are Modi's Central Mission, and He's Failing", Bloomberg, May 26, 2017.
(38) "Doing Business in India", World Bank Group, 2017. モディが就任した 2014 年にインドはこのランキングで 142 位だったが、2017 年には 130 位に上昇した。
(39) P. Vaidyanathan Iyer, "Modi May Be an Agent of Change, but He Has to Reshape an Entire Ocean", *Indian Express*, December 22, 2015.
(40) "Most of India's State-Owned Firms Are Ripe for Sale or Closure", *The Economist*, June 1, 2017.
(41) Debroy et al., *Getting India Back on Track*, p. 41.
(42) Khilnani, *The Idea of India*, ch. 1.
(43) James Crabtree, "If They Kill Even One Hindu, We Will Kill 100!", *Foreign Policy*, March 30, 2017.
(44) James Crabtree, "Forget Brexit. Rexit Is the Real Problem", *Foreign Policy*, June 22, 2016.
(45) "Tolerance and Respect for Economic Progress: Full Text of Raghuram Rajan's Speech at IIT-Delhi", *Times of India*, October 31, 2015.
(46) "Raghuram Rajan 'Mentally Not Fully Indian', Sack Him, Subramanian Swamy Writes to PM Modi", *Times of India*, May 17, 2016.
(47) Victor Mallet, "India's Top Judge Thakur Pleads for Help with Avalanche of Cases", *Financial Times*, April 25, 2016.
(48) "Courts Will Take 320 Years to Clear Backlog Cases: Justice Rao", *Times of India*, March 6, 2010.
(49) Michael Barbaro, "Bloomberg's Bullpen: Candidates Debate Its Future", *New York Times*, March 22, 2013.
(50) Ramachandra Guha, "Are We Becoming an Election Only Democracy?", *Hindustan Times*, November 29, 2015.
(51) Fareed Zakaria, "The Rise of Illiberal Democracy", *Foreign Affairs*, November-December 1997.
(52) Shashi Tharoor, "Tharoor on Modi's Mid-Term: Parivar Haunts PM's Sabka Vikas Agenda", *The Quint*, November 22, 2016.
(53) Crabtree, "If They Kill Even One Hindu, We Will Kill 100!".
(54) Gurcharan Das, "Was Voting for the BJP a Risk Worth Taking? Three Years On, Jury's Out", *Times of India* blog, June 4, 2017.

終章──革新主義時代は到来するか?

(1) James Crabtree, "Mumbai Takes to the Skies with New Airport Terminal", *Financial Times*, January 10, 2014.
(2) Rajat Rai, "Modi: The Rich Need Pills to Go to Sleep after Demonetisation Move", *India Today*, November 15, 2016.
(3) Manjeet S. Pardesi and Sumit Ganguly, "India and Oligarchic Capitalism", *The Diplomat*, April 26, 2011.
(4) "Data Shows Only 1% of Population Pays Income Tax, Over 5000 Pay More Than 1 Crore", Press Trust of India, May 1, 2016.
(5) James Crabtree, "Has Narendra Modi Cleaned Up India?", *Prospect*, April 23, 2015.
(6) Coralie Pring, "People and Corruption: Asia Pacific – Global Corruption Barometer", Transparency International, 2017.
(7) Paul Collier, "The C-Word: Paul Collier on the Future of Corruption", *Times Literary Supplement*, July 11, 2017.

(8) James Crabtree, "Modi's Money Madness", *Foreign Affairs*, June 16, 2017.

(9) "Global Infrastructure Outlook: Infrastructure Investment Needs－50 Countries, 7 Sectors to 2040", Oxford Economics, July 2017.

(10) Huntington, *Political Order in Changing Societies*, p. 1.

(11) Klitgaard, *Controlling Corruption*, p. 24.

(12) Ben W. Heineman Jr, "In China, Corruption and Unrest Threaten Autocratic Rule", *The Atlantic*, June 29, 2011.

(13) Pratap Bhanu Mehta, "Seven Sins of Hubris", *Indian Express*, June 5, 2014.

(14) Francis Fukuyama, "What is Corruption?", Research Institute for Development, Growth and Economics, 2016.

(15) 国家の能力というテーマについては、以下の優れた論考を参照。Kapur et al., eds, *Rethinking Public Institutions in India.*

(16) Huntington, *Political Order in Changing Societies*, p. 1.

参考文献

Acemoglu, D. and Robinson, J. A. *Why Nations Fail: The Origins of Power, Prosperity and Poverty*. London, Profile, 2012. ダロン・アセモグル、ジェイムズ・A・ロビンソン『国家はなぜ衰退するのか――権力・繁栄・貧困の起源（上下）』鬼澤忍訳、早川書房、2013年

Adiga, A. *The White Tiger: A Novel*. New York, Free Press, 2008.

Aiyar, S. *Accidental India: A History of the Nation's Passage* through *Crisis and Change*. New Delhi, Aleph, 2012.

Alvaredo, F., Atkinson, A. B., Piketty, T. and Saez, E. "The Top 1 Percent in International and Historical Perspective". *Journal of Economic Perspectives*, 27(3), 2013.

Anand, A. *One vs All: Narendra Modi – Pariah to Paragon*. Chennai, Notion Press, 2016.

Astill, J. *The Great Tamasha: Cricket, Corruption and the Turbulent Rise of Modern India*. London, Bloomsbury, 2013.

Baisya, R. K. *Winning Strategies for Business*. New Delhi, Response, 2010.

Bal Narendra. *Childhood Stories* of *Narendra Modi*. Ahmedabad, Rannade Prakashan, n.d.

Bertrand, M., Djankov, S., Hanna, R. and Mullainathan, S, "Obtaining a Driver's License in India: An Experimental Approach to Studying Corruption", *Quarterly Journal of Economics*, November 2007, pp. 1639-76.

Bhagwati, J. and Panagariya, A. *Why Growth Matters: How Economic Growth in India Reduced Poverty and the Lessons for Other Developing Countries*. New York, PublicAffairs, 2013.

Boo, K. *Behind the Beautiful Forevers: Life, Death and Hope in a Mumbai Slum*. New Delhi, Konark, 2011. キャサリン・ブー『いつまでも美しく――インド・ムンバイのスラムに生きる人びと』石垣賀子訳、早川書房、2014年

Booth, L., ed. *Wisden's Cricketers' Almanack 2012*. London, Bloomsbury, 2012.

Bremmer, I. and Keat, P. *The Fat Tail: The Power of Political Knowledge for Strategic Investing*. Oxford University Press, 2010.

Chakravarty, P. and Dehejia, V. "India's Income Divergence: Governance or Development Model?", Briefing Paper 5, IDFC Institute, 2017.

Chancel, L. and Piketty, T. "Indian Income Inequality, 1922-2014: From British Raj to Billionaire Raj?" World Wealth and Income Database Working Paper 2017/11, July 2017.

Chande, M. B. *Kautilyan Arthasastra*. New Delhi, Atlantic, 1998.

Chaturvedi, S. *I Am a Troll: Inside the Secret World of the BJP's Digital Army*. New Delhi, Juggernaut, 2016.

CMS Transparency. "Lure of Money in Lieu of Votes in Lok Sabha and Assembly Elections: The Trend 2007-2014". New Delhi, Centre for Media Studies, 2014.

Damodaran, H. *India's New Capitalists: Caste, Business, and Industry in a Modern Nation*. Basingstoke, Palgrave Macmillan, 2008.

Das, G. "India: How a Rich Nation Became Poor and Will Be Rich Again". In L. Harrison and P. Berger, eds, *Developing Cultures: Case Studies*. New York, Routledge, 2006.

———. *India Grows at Night: A Liberal Case for a Strong State*. London, Penguin, 2013.

Dasgupta, R. *Capital: The Eruption of Delhi*. New York, Penguin, 2014.

Debroy, B. and Bhandari, L. *Corruption in India: The DNA and the RNA*. New Delhi, Konark, 2012.

Debroy, B., Tellis, A. and Trevor, R. *Getting India Back on Track: An Action Agenda for Reform*. New Delhi, Random House, 2014.

Denyer, S. *Rogue Elephant: Harnessing the Power of India's Unruly Democracy*. London, Bloomsbury, 2014.

Dhingra, P. *Life* behind *the Lobby: Indian American Motel Owners and the American Dream*. Stanford, CA, Stanford University Press, 2012.

Drèze, J. and Sen, A. *An Uncertain Glory: India and Its Contradictions*. London, Allen Lane, 2013. アマルティア・セン、ジャン・ドレーズ『開発なき成長の限界――現代インドの貧困・格差・社会的分断』湊一樹訳、明石書店、2015年

Encarnation, D. J. *Dislodging Multinationals: India's Strategy in Comparative Perspective*. Ithaca, NY, Cornell University Press, 1989.

Fitzgerald, F. S. *The Great Gatsby*. Toronto, Aegitas, [1925] 2016. F・スコット・フィッツジェラルド『グレート・ギャツビー』野崎孝訳、新潮文庫、1974年のほか、『グレート・ギャツビー』村上春樹訳、中央公論新社、2006年など。

Friedman, T. L. *The World is Flat: The Globalized World in the Twenty-First Century*. London, Penguin, 2006. トーマス・フリードマン『フラット化する世界（増補改訂版）（上下）』伏見威蕃訳、日本経済新聞出版、2008年

Freund, C. *Rich People Poor Countries: The Rise of Emerging-Market Tycoons and Their Mega Firms*. Washington, DC, Peterson Institute for International Economics, 2016.

Fukuyama, F. *The End of History and the Last Man*. New York, Free Press, 2006. フランシス・フクヤマ『歴史の終わり（上下）』渡部昇一訳、三笠書房、1992年

———. *Trust: The Social Virtues and the Creation of Prosperity*. New York, Free Press, 1995. フランシス・フクヤマ『「信」なくば立たず――「歴史の終わり」後、何が繁栄の鍵を握るのか』加藤寛訳、三笠書房、1996年

Gandhi, A. and Walton, M., "Where Do India's Billionaires Get Their Wealth?" *Economic and Political Weekly*, 47(40), 2012.

Ghosh, J., Chandrasekhar, C. P. and Patnaik, P. *Demonetisation Decoded: A Critique of India's Currency Experiment*. Abingdon and New York, Routledge, 2017.

Ghosh, S. *Indian Democracy Derailed: Politics and Politicians*. New Delhi, APH, 1997.

Gill, S. S. *The Pathology of Corruption*. New Delhi, HarperCollins 1999.

Giriprakash, K. *The Vijay Mallya Story*. New Delhi: Penguin, 2014.

Global Wealth Databook 2016, Credit Suisse, November 2016.

Global Wealth Report 2016, Credit Suisse, November 2016.

Gomez, E. T. *Political Business in East Asia*. London, Routledge, 2002.

Gowda, M. V. R. and Sharalaya, N. "Crony Capitalism and India's Political System". In N. Khatri and A. K. Ojha, eds, *Crony Capitalism in India: Establishing Robust Counteractive Institutional Frameworks*. Basingstoke, Palgrave Macmillan, 2016.

Guha, R. *A Corner of a Foreign Field: The Indian History of a British Sport*. London, Picador, 2003.

———. *India after Gandhi: The History of the World's Largest Democracy*, rev. ed. London, Pan Macmillan, 2011. ラーマチャンドラ・グハ『インド現代史――1947-2007（上下）』佐藤宏訳、明石書店、2012年

Guha Thakurta, P, Ghosh, S. and Chaudhuri, J. *Gas Wars: Crony Capitalism and the Ambanis*. New Delhi, Paranjoy Guha Thakurta, 2014.

参考文献

Gupta, A. and Kumar, P. "India Financial Sector: House of Debt". Credit Suisse, 2 August 2012.

Gupta, A., Shah, K. and Kumar, P. "India Financial Sector: House of Debt Revisited". Credit Suisse, 13 August 2013.

Hamid, M. *How to Get Filthy Rich in Rising Asia*. London, Hamish Hamilton, 2013.

Hausmann, R., Pritchett, L. and Rodrik, D. "Growth Accelerators". *Journal of Economic Growth*, 10(4), 2005, pp. 303-29.

Hawkins, E. *Bookie Gambler Fixer Spy: A Journey to the Heart of Cricket's Underworld*. London, Bloomsbury, 2013.

Hofstadter, R. *The Age of Reform*: From Bryan to FDR. New York, Knopf, [1955] 2011.

Hoornweg, D. and Pope, K. "Socioeconomic Pathways and Regional Distribution of the World's 101 Largest Cities". Global Cities Institute Working Paper 04, January 2014.

Howe, I. *The American Newness: Culture and Politics in the Age of Emerson*. Cambridge, MA, Harvard University Press, 1986.

Human Rights Watch. " 'We Have No Orders to Save You': State Participation and Complicity in Communal Violence in Gujarat". *Human Rights Watch*, 14(3(C)), 2002.

Huntington, S. P. "Democracy's Third Wave". *Journal of Democracy*, 2(2), 1991, pp. 12-34.

———. *Political Order in Changing Societies*. New Haven, CT, Yale University Press, 1968. サミュエル・ハンチントン『変革期社会の政治秩序（上下）』内山秀夫訳、サイマル出版会、1972 年

Jacob, P. *Celluloid Deities: The Visual Culture of Cinema and Politics in South India*. Lanham, MD, Lexington, 2008.

Jaffrelot, C. "The Modi-Centric BJP 2014 Election Campaign: New Techniques and Old Tactics". *Contemporary South Asia*, 23(2), 2015, pp. 151-66.

Jain-Chandra, S., Kinda, T., Kochhar, K., Piao, S. and Schauer, J. "Sharing the Growth Dividend: Analysis of Inequality in Asia". International Monetary Fund Working Paper 16/48, March 2016.

Jayyusi, S. K., ed. *The Legacy of Muslim Spain*. Leiden: Brill, 1992.

Jeffery, R., Jeffrey, C. and Lerche, J. *Development Failure and Identity Politics in Uttar Pradesh*. New Delhi, Sage, 2014.

Joseph, J. *A Feast of Vultures: The Hidden Business of Democracy in India*. Noida, HarperCollins, 2016.

Joshi, V. *India's Long Road: The Search for Prosperity*. New Delhi, Haryana, 2016.

Kahneman, D. *Thinking, Fast and Slow*. New York, Farrar, Straus and Giroux, 2011. ダニエル・カーネマン『ファスト＆スロー――あなたの意思はどのように決まるか？（上下）』村井章子訳、早川書房（ハヤカワ文庫）、2014 年

Kang, J. W. "Interrelation between Growth and Inequality". ADB Economics Working Paper 447, August 2015.

Kaplan, R. D. *Monsoon: The Indian Ocean and the Future of American Power*. New York, Random House, 2010. ロバート・D・カプラン『インド洋圏が、世界を動かす――モンスーンが結ぶ躍進国家群はどこへ向かうのか』奥山真司・関根光宏訳、インターシフト、2012 年

Kapur, D., Mehta, P. B. and Vaishnav, M., eds. *Rethinking Public Institutions in India*. New Delhi: Oxford University Press, 2017.

Kapur, D. and Vaishnav, M. "Quid Pro Quo: Builders, Politicians, and Election Finance in India". Center for Global Development Working Paper 276, December 2011

Khan, M. H. and Jomo, K. S. *Rents, Rent-Seeking and Economic Development: Theory and Evidence in Asia*. Cambridge, Cambridge University Press, 2000.

Khanna, J. and Johnston, M. "India's Middlemen: Connecting by Corrupting?" *Crime, Law and Social*

Change, 48(3-5), 2007.

Khatri, N. and Ohja, A. K. "Indian Economic Philosophy and Crony Capitalism". In N. Khatri and A. K. Ojha, eds, Crony Capitalism in India: Establishing Robust Counteractive Institutional Frameworks. Basingstoke, Palgrave Macmillan, 2016.

Khilnani, S. *The Idea of India*. New Delhi, Penguin, 1999.

Klitgaard, R. *Controlling Corruption*. Berkeley, University of California Press, 1988.

Kumar, A. *The Black Economy in India*, rev. ed. New Delhi, Penguin, 2002.

———. "Estimation of the Size of the Black Economy in India, 1996-2012". *Economic and Political Weekly*, 51(48), 2016.

———. *Understanding the Black Economy and Black Money in India: An Enquiry into Causes, Consequences and Remedies*. New Delhi, Aleph, 2017.

McDonald, H. *Mahabharata in Polyester: The Making of the World's Richest Brothers and Their Feud*. Sydney, University of New South Wales Press, 2010.

McKean, L. *Divine Enterprise: Gurus and the Hindu Nationalist Movement*. Chicago, University of Chicago Press, 1996.

Maddison, A. *The World Economy: A Millennial Perspective*. Paris, Organisation for Economic Co-operation and Development, 2001.

Maiya, H. *The King of Good Times*. Scotts Valley, CA, CreateSpace, 2011.

Marino, A. *Narendra Modi: A Political Biography*. Noida, HarperCollins, 2014.

Mehta, N. *Behind a Billion Screens: What Television Tells Us about Modern India*. Noida, HarperCollins, 2015.

Michelutti, L. and Heath, O. "Political Cooperation and Distrust: Identity Politics and Yadav Muslim Relations, 1999-2009". In R. Jeffery, C. Jeffrey and J. Lerche, eds, *Development Failure and Identity Politics in Uttar Pradesh*. New Delhi, Sage, 2014.

Ministry of Finance, Government of India, *Economic Survey 2016/17*.

Misra, R. P. *Rediscovering Gandhi, vol. 1: Hind Swaraj - Gandhi's Challenge to Modern Civilization*. New Delhi, Concept, 2007.

Mukhopadhyay, N. *Narendra Modi : The Man,* the *Times*. Chennai, Tranquebar Press, 2013.

Myrdal, G. *Asian Drama: An Inquiry into the Poverty of Nations*. New York, Pantheon, 1968.

NDTV. *More News Is Good News: Untold Stories from 25 Years of Television News*. Noida, HarperCollins, 2016.

Nehru, J. *Toward Freedom*. New York, John Day, 1941.

Neider, C., ed. *Life As I Find It: A Treasury of Mark Twain Rarities*. New York, Cooper Square Press, 2000.

Ninan, T. N. "Indian Media's Dickensian Age", Center for the Advanced Study of India Working Paper 11-03, December 2011.

———. *The Turn of the Tortoise*: The Challenge and Promise of India's Future. Gurgaon, Allen Lane, 2015.

Oldenburg, P. "Middlemen in Third-World Corruption: Implications of an Indian Case". *World Politics*, 39(4), 1987, pp. 508-35.

Painter, J., ed. *India's Media Boom: The Good News and the Bad*. Oxford, Reuters Institute for the Study of Journalism, University of Oxford, 2013.

Pal, M. "Haryana: Caste and Patriarchy in Panchayats". *Economic and Political Weekly*, 39(32), 2004, pp. 3581-3.

参考文献

Palepu, K. and Khanna, T. *Winning in Emerging Markets: A Road Map for Strategy and Execution*. Boston, Harvard Business Press, 2010.

Panagariya, A. *India: The Emerging Giant*. New York, Oxford University Press, 2010.

Pei, M. *China's Crony Capitalism: The Dynamics of Regime Decay*. Cambridge, MA, Harvard University Press, 2016.

Phongpaichit, P. "The Thai Economy in the Mid-1990s". In D. Singh and L. T. Kiat, eds, *Southeast Asian Affairs 1996*. Singapore, ISEAS-Yusof Ishak Institute, 1997, pp. 369-81.

Piramal, G. *Business Maharajas*. New Delhi, Viking, 1996.

Price, L. *The Modi Effect: Inside Narendra Modi's Campaign to Transform India*. London, Hodder and Stoughton, 2015.

Pritchett, L. "Is India a Flailing State? Detours on the Four Lane Highway to Modernization". HKS Faculty Research Working Paper RWP09-013, John F. Kennedy School of Government, Harvard University, May 2009.

Przeworski, A. "Capitalism, Development and Democracy". *Brazilian Journal of Political Economy*, 24(4), 2004, pp. 487-99.

Quraishi, S. Y. *An Undocumented Wonder: The Great Indian Election*. New Delhi, Rainlight, 2014.

Raina, R. C. and Chaudhary, M. "Television Broadcasting in India: Empirical Growth Analysis since 1959". *IMS Manthan*, 6(2), 2011, pp. 167-81.

Rajakumar, J. D. and Henley, J. S. "Growth and Persistence of Large Business Groups in India". *Journal of Comparative International Management*, 10(1), 2007.

Rajan, R. *Fault Lines: How Hidden Fractures Still Threaten the World Economy*. Noida, CollinsBusiness, 2012. ラグラム・ラジャン『フォールト・ラインズ――「大断層」が金融危機を再び招く』伏見威蕃・月沢李歌子訳、新潮社、2011 年

Rajan, R. and Zingales, L. *Saving Capitalism from the Capitalists: Unleashing the Power of Financial Markets to Create Wealth and Spread Opportunity*. Princeton, NJ, Princeton University Press, 2004. ラグラム・ラジャン、ルイジ・ジンガレス『セイヴィング キャピタリズム』堀内昭義・有岡律子ほか訳、慶應義塾大学出版会、2006 年

Rajan, R. G. and Zingales, L. "Which Capitalism? Lessons from the East Asian Crisis". *Journal of Applied Corporate Finance*, 11(3), 1998.

Ray, S. G. *Fixed! Cash and Corruption in Cricket*. Noida, HarperSport, 2016.

Rorty, R. *Essays on Heidegger and Others: Philosophical Papers*. Cambridge, Cambridge University Press, 1991.

———. "Unger, Castoriadis, and the Romance of a National Future". In *Essays on Heidegger and Others: Philosophical Papers*. Cambridge, Cambridge University Press, 1991.

Rumford, C. and Wagg, S., eds. *Cricket and Globalization*. Newcastle upon Tyne, Cambridge Scholars, 2010.

Schumpeter, J. *Capitalism, Socialism and Democracy*, 3rd ed. London, George Allen and Unwin, 1950. J・A・シュムペーター『資本主義・社会主義・民主主義』中山伊知郎・東畑精一訳、東洋経済新報社、1995 年

Sharma, R. *The Rise and Fall of Nations: Forces of Change in the Post-Crisis World*. New York, W. W. Norton, 2016. ルチル・シャルマ『シャルマの未来予測　これから成長する国 沈む国』川島睦保訳、東洋経済新報社、2018 年

Sridharan, E. "India's Watershed Vote: Behind Modi's Victory". *Journal of Democracy*, 25(4), 2014, pp. 20-33.

Srinivasan, T. N. and Tendulkar, S. *Reintegrating India with the World Economy*. Washington, DC, Institute for International Economics, 2003.

Stiles, T. J. *The First Tycoon: The Epic Life of Cornelius Vanderbilt*. New York, Alfred A. Knopf, 2009.

Studwell, J. *How Asia Works: Success and Failure in the World's Most Dynamic Region*. London, Profile, 2013.

Sukhtankar, S. and Vaishnav, M. "Corruption in India: Bridging Research Evidence and Policy Options". India Policy Forum, 11, July 2015, pp. 193-261.

Thakur, P. *Dr. Vijay Mallya's Kingfisher: The King of Good Times and Latest Turbulence*. Mumbai, Shree Book Centre, 2012.

Tharoor, S. *The Elephant, the Tiger, and the Cell Phone: Reflections on India in the Twenty-First Century*. New Delhi, Viking, 2007.

Twain, M. and Warner, C. D., *The Gilded Age: A Tale of To-Day*. Hartford, CT, American Publishing Company, 1873. M・トウェイン、C・D・ウォーナー『金メッキ時代（上下）（マーク・トウェインコレクション 19)』柿沼孝子訳、2001-02 年、彩流社

Varshney, A. *Ethnic Conflict and Civil Life: Hindus and Muslims in India.* New Haven, CT, Yale University Press, 2002.

Vaasanthi. *Amma: Jayalalithaa's Journey from Movie Star to Political Queen*. New Delhi, Juggernaut, 2016.

Vaishnav, M. When Crime Pays: Money and Muscle in Indian Politics. New Haven, CT, and London, Yale University Press, 2017.

Vanderbilt, A. T. II, *Fortune's Children: The Fall of the House of Vanderbilt*. New York, Morrow, 1989.

Varshney, A. "India's Watershed Vote: Hindu Nationalism in Power?" *Journal of Democracy*, 25(4), 2014, pp. 34-45.

Varshney, A. and Sadiq, A. *Battles Half Won: India's Improbable Democracy*. London, Viking, 2013

Wade, R. "The System of Administrative and Political Corruption: Canal Irrigation in South India". *Journal of Development Studies*, 18(3), 1982, pp. 287-328.

Wit, J. de. *Urban Poverty, Local Governance and Everyday Politics in Mumbai*. New Delhi, Routledge, 2017.

Zubrzycki, J. *The Last Nizam: The Rise and Fall of India's Greatest Princely State*. Sydney, Picador, 2006.

著者

ジェイムズ・クラブツリー

James Crabtree

ジャーナリスト。英国のブレア、ブラウン両首相の戦略チームで上級政策顧問を務めたのち、有力誌『プロスペクト』のシニアエディターを経て、2011～16年、『フィナンシャル・タイムズ』ムンバイ支局長としてインドに駐在。現在はシンガポールに拠点を置き、シンガポール国立大学リークアンユー公共政策大学院実務准教授、王立国際問題研究所のフェローを務めている。これまでに、『ニューヨーク・タイムズ』『エコノミスト』『NIKKEI ASIAN REVIEW』など、欧米日の主要メディアを中心に旺盛な執筆活動を展開してきた。

訳者

笠井亮平

かさい・りょうへい

1976年愛知県生まれ。岐阜女子大学南アジア研究センター特別研究員。中央大学総合政策学部卒業後、青山学院大学大学院国際政治経済学研究科で修士号取得。在中国、在インド、在パキスタンの日本大使館で外務省専門調査員として勤務。横浜市立大学、駒澤大学などで非常勤講師を務める。著書に『モディが変えるインド』『インド独立の志士「朝子」』（以上、白水社）、共著に『軍事大国化するインド』（亜紀書房）、『台頭するインド・中国』（千倉書房）、訳書に『シークレット・ウォーズ（上下）』『ネオ・チャイナ』（以上、白水社）などがある。

ビリオネア・インド
大富豪が支配する社会の光と影

二〇二〇年八月一五日　印刷
二〇二〇年九月一〇日　発行

著者　ジェイムズ・クラブツリー
訳者©　笠井亮平
装幀　谷中英之
組版　閏月社
発行者　及川直志
印刷所　株式会社三陽社
発行所　株式会社白水社

東京都千代田区神田小川町三の二四
電話　営業部〇三（三二九一）七八一一
　　　編集部〇三（三二九一）七八二一
振替　〇〇一九〇‐五‐三三二二八
郵便番号　一〇一‐〇〇五二
www.hakusuisha.co.jp

乱丁・落丁本は、送料小社負担にてお取り替えいたします。

誠製本株式会社

ISBN978-4-560-09782-3
Printed in Japan

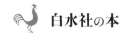

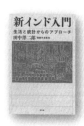

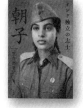

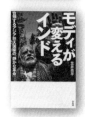

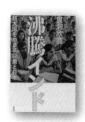